풍산자
라이트유형
수학 II

충실한 개념 정리와

차별화된 주제별 대표 유형 연습으로

실력을 올려주는

〈풍산자 라이트유형〉입니다.

이 세상의 이치는 수학 지식 없이 알아낼 수가 없다

- 로저 베이컨 -

대표 유형 중심의 실력을 높이는 유형 연습서

풍산자
라이트유형

학습에 효과적으로
적용할 수 있는
**기본에
충실한 개념**

기본 유형 연습과
유형의 접근 방법을 제시한
**기본을
다지는 유형**

**교재 활용
로드맵**

선수 과목 개념을 제시하여
이해력을 높이는
**친절하고 명쾌한
풀이**

출제 빈도 높은 문제로
유형을 꿰뚫는
**서술형과
기출 문제**

유형을 점검하고
실전 문제 해결력을 기르는
**실력을 높이는
연습 문제**

꼭 알아야 할 기본 유형과 발전 유형 제시　　대표 유형과 그 풀이 및 접근 방법을 통해 유형에 대한 이해력 향상

최신 경향이 반영된 서술형과 기출 문제　　내신과 학력평가를 완벽하게 대비할 수 있도록 엄선된 문제 구성

유형 학습을 마무리하는 실력 점검 문제　　문제 적용력과 해결력을 기르는 문제로 유형 학습 마무리

풍산자

라이트
유형

수학Ⅱ

구성과 특징

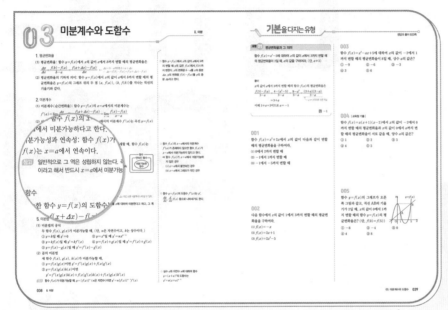

▶ 교과서와 기본에 충실한
개념 정리

- 간결하고 이해하기 쉽게 개념 정리
- 확실한 개념 이해를 위한 참고 와 예
- 배웠던 내용을 다시 보는 선수 과목 개념

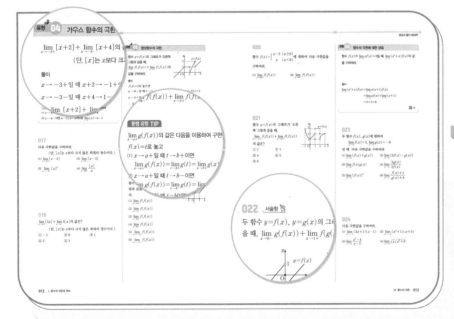

▶ 확실하게 점수를 올리는
유형 연습

- 반드시 알아야 할 기본 유형으로 구성
- 발전 유형의 접근 방법을 제시한 풍쌤 유형 TIP
- 실전에 대비할 수 있도록 철저하게 분석한
  서술형 | 교육청 기출 |

실전 유형을 조금 더 쉽고 가볍게 익히자.
확실하게 개념을 잡고, 유형을 연습해서 실력을 올려요!

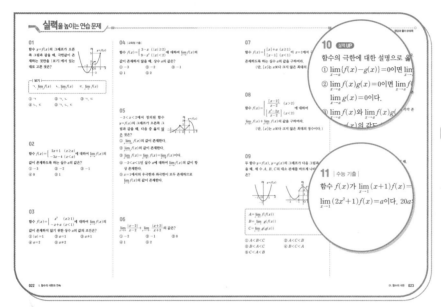

▶ 실력을 높이는

연습 문제

- 유형 학습에 맞는 엄선된 유형 점검 문제로 구성
- 기본 유형을 발전시킨 응용 문제 **실력 UP**
- 실전 문제 해결력을 기르는 기출 문제

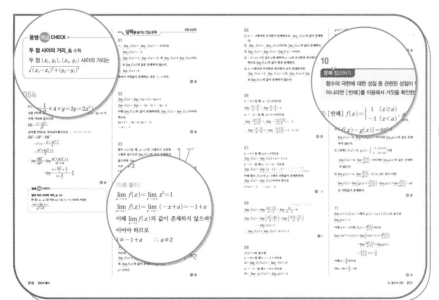

▶ 풀이 과정이 보이는 명쾌한

정답과 풀이

- 풍쌤 개념 CHECK로 자주 나오는 선수 개념 설명
- 문제의 해결력을 높이는 **문제 접근하기**
- 수학적 사고력을 키우는 |다른 풀이|

차례

Ⅲ. 적분

07. 부정적분

08. 정적분

09. 정적분의 활용

풍산자 라이트유형

1 실력을 다지는 유형 집중 학습에 적합한 구성

- 개념을 바로 적용할 수 있는 연산 문제 및 기출 문제의 기본 유형 제시
- 기본 유형을 충분히 연습할 수 있도록 일반 유형서의 유형을 세분화

2 최신 경향 분석으로 내신과 학력평가 대비

- 내신과 학력 평가 등 최신 경향을 분석하여 출제 빈도 높은 문제들로 구성
- 출제 빈도 높은 서술형 문제 제시로 서술형 평가 대비에 적합
- 최신 기출 문제 연습으로 실전 감각을 키우고 자신감을 높임

3 중상위권 도약을 위한 최적의 유형 연습용 교재

- 깔끔하지만 부족함이 없는 개념 설명과 유형 연습에 적합한 세분화된 유형 분류
- 문제 출제 원리에 부합한 유형과 문제해결 TIP으로 문제 적용력과 해결력 강화

매일 매순간 나아가는 사람이

진정한 승자가 된다.

함수의 극한과 연속

01 함수의 극한

1. 함수의 극한

함수 $f(x)$에서 x의 값이 a가 아니면서 a에 한없이 가까워질 때,

(1) $f(x)$의 값이 일정한 값 A에 한없이 가까워지면 함수 $f(x)$는 A에 수렴한다고 하며, 이것을 기호로 $\lim\limits_{x \to a} f(x) = A$ 또는 $x \to a$일 때 $f(x) \to A$로 나타낸다. 이때 A를 함수 $f(x)$의 극한값 또는 극한이라고 한다.

(2) 함수 $f(x)$가 수렴하지 않을 때, 함수 $f(x)$는 발산한다고 한다.

2. 우극한과 좌극한

(1) 함수 $f(x)$에서 $x \to a+$일 때 $f(x)$의 값이 일정한 값 α에 한없이 가까워지면 α를 $x = a$에서 함수 $f(x)$의 우극한이라 하고, 기호로 $\lim\limits_{x \to a+} f(x) = \alpha$와 같이 나타낸다.

(2) 함수 $f(x)$에서 $x \to a-$일 때 $f(x)$의 값이 일정한 값 β에 한없이 가까워지면 β를 함수 $f(x)$의 $x = a$에서의 좌극한이라 하고, 기호로 $\lim\limits_{x \to a-} f(x) = \beta$와 같이 나타낸다.

3. 함수의 극한에 대한 성질

두 함수 $f(x)$, $g(x)$에서 $\lim\limits_{x \to a} f(x) = \alpha$, $\lim\limits_{x \to a} g(x) = \beta$ (α, β는 실수)일 때

(1) $\lim\limits_{x \to a} cf(x) = c\lim\limits_{x \to a} f(x) = c\alpha$ (단, c는 상수이다.)

(2) $\lim\limits_{x \to a} \{f(x) \pm g(x)\} = \lim\limits_{x \to a} f(x) \pm \lim\limits_{x \to a} g(x) = \alpha \pm \beta$ (복부호동순)

(3) $\lim\limits_{x \to a} f(x)g(x) = \lim\limits_{x \to a} f(x) \times \lim\limits_{x \to a} g(x) = \alpha\beta$

(4) $\lim\limits_{x \to a} \dfrac{f(x)}{g(x)} = \dfrac{\lim\limits_{x \to a} f(x)}{\lim\limits_{x \to a} g(x)} = \dfrac{\alpha}{\beta}$ (단, $\beta \neq 0$)

4. 함수의 극한값의 계산

(1) $\dfrac{0}{0}$ 꼴: 분자, 분모가 모두 다항식인 경우에는 분자, 분모를 모두 인수분해한 후 약분하고, 분자, 분모 중 무리식이 있으면 근호가 있는 쪽을 유리화한 후 약분한다.

(2) $\dfrac{\infty}{\infty}$ 꼴: 분모의 최고차항으로 분자, 분모를 각각 나눈다.

(3) $\infty - \infty$ 꼴: 다항식은 최고차항으로 묶고, 무리식은 근호가 있는 쪽을 유리화한다.

5. 미정계수의 결정

두 함수 $f(x)$, $g(x)$에 대하여

(1) $\lim\limits_{x \to a} \dfrac{f(x)}{g(x)} = \alpha$ (α는 실수)일 때, $\lim\limits_{x \to a} g(x) = 0$이면 $\lim\limits_{x \to a} f(x) = 0$

(2) $\lim\limits_{x \to a} \dfrac{f(x)}{g(x)} = \alpha$ (α는 0이 아닌 실수)이고 $\lim\limits_{x \to a} f(x) = 0$이면 $\lim\limits_{x \to a} g(x) = 0$

6. 함수의 극한의 대소 관계

두 함수 $f(x)$, $g(x)$에서 $\lim\limits_{x \to a} f(x) = \alpha$, $\lim\limits_{x \to a} g(x) = \beta$ (α, β는 실수)일 때, a에 가까운 모든 x의 값에서

(1) $f(x) \leq g(x)$이면 $\alpha \leq \beta$

(2) 함수 $h(x)$가 $f(x) \leq h(x) \leq g(x)$이고 $\alpha = \beta$이면 $\lim\limits_{x \to a} h(x) = \alpha$

◇ **발산**

(1) 양의 무한대로 발산
$$\lim_{x \to a} f(x) = \infty$$

(2) 음의 무한대로 발산
$$\lim_{x \to a} f(x) = -\infty$$

◇ 함수 $f(x)$의 $x = a$에서의 극한값이 A이면, $x = a$에서의 우극한과 좌극한이 모두 존재하고 그 값은 모두 A이다.
$$\lim_{x \to a} f(x) = A$$
$$\iff \lim_{x \to a+} f(x) = \lim_{x \to a-} f(x) = A$$

◇ **극한값의 존재**
우극한과 좌극한이 모두 존재하더라도 그 값이 서로 다르면 극한값은 존재하지 않는다.

◇ 함수의 극한에 대한 성질은
(1) 극한값이 존재할 때만 성립한다.
(2) $x \to a+$, $x \to a-$, $x \to \infty$, $x \to -\infty$인 경우에도 성립한다.

◇ **$\infty \times 0$ 꼴**
통분 또는 유리화하여 $\dfrac{0}{0}$, $\dfrac{\infty}{\infty}$, $\infty \times$ (상수), $\dfrac{(\text{상수})}{\infty}$ 꼴로 변형한다.

◇ $x \to a$일 때
(1) 극한값이 존재하고 (분모) $\to 0$이면 (분자) $\to 0$이다.
(2) 0이 아닌 극한값이 존재하고 (분자) $\to 0$이면 (분모) $\to 0$이다.

◇ 함수의 극한의 대소 관계는 $x \to a+$, $x \to a-$, $x \to \infty$, $x \to -\infty$인 경우에도 성립한다.

기본을다지는유형

유형 01 간단한 함수의 극한

$A=\lim\limits_{x\to 2}(x^2+2)$, $B=\lim\limits_{x\to -1}(-2x+1)$이라고 할 때, $A-B$의 값을 구하여라.

풀이

$A=\lim\limits_{x\to 2}(x^2+2)=2^2+2=6$

$B=\lim\limits_{x\to -1}(-2x+1)=(-2)\times(-1)+1=3$

$\therefore A-B=6-3=3$

답 3

001

다음 극한을 그래프를 이용하여 조사하여라.

(1) $\lim\limits_{x\to\infty} x$
(2) $\lim\limits_{x\to -\infty} x^2$

(3) $\lim\limits_{x\to -\infty} \dfrac{1}{x}$
(4) $\lim\limits_{x\to\infty} \left|-\dfrac{1}{x}\right|$

002

다음 극한값을 구하여라.

(1) $\lim\limits_{x\to 2}(x^2+3)$
(2) $\lim\limits_{x\to 3}\sqrt{2x+3}$

(3) $\lim\limits_{x\to -1}(x-x^3)$
(4) $\lim\limits_{x\to\sqrt{2}}\dfrac{6}{x^2}$

003

$\lim\limits_{x\to -3}\dfrac{4}{x+1}+\lim\limits_{x\to 3}\dfrac{x+1}{4}$의 값은?

① -3 ② -2 ③ -1

④ 0 ⑤ 1

004 |평가원 기출|

$\lim\limits_{x\to 3}\dfrac{x^3}{x-2}$의 값을 구하여라.

005

$\lim\limits_{x\to -1}(x^2+ax+3)=2$, $\lim\limits_{x\to 3}(bx-4)=5$일 때, 상수 a, b에 대하여 $a+b$의 값은?

① -1 ② 0 ③ 1

④ 3 ⑤ 5

006 서술형

$\lim\limits_{x\to a}(x^2-2x+4)=3$, $\lim\limits_{x\to b}(x^2-4)=12$일 때, ab의 최댓값을 구하여라.

유형 **02** 함수의 극한값의 존재

함수 $f(x)=\begin{cases} x^2-3x+k & (x\geq -1) \\ x+3 & (x<-1) \end{cases}$ 에 대하여 $\lim\limits_{x\to -1} f(x)$

의 값이 존재하도록 하는 상수 k의 값을 구하여라.

풀이

$\lim\limits_{x\to -1+} f(x)=\lim\limits_{x\to -1+}(x^2-3x+k)=4+k$

$\lim\limits_{x\to -1-} f(x)=\lim\limits_{x\to -1-}(x+3)=2$

이때 $\lim\limits_{x\to -1} f(x)$의 값이 존재하려면 $\lim\limits_{x\to -1+} f(x)=\lim\limits_{x\to -1-} f(x)$

이어야 하므로

$4+k=2$ ∴ $k=-2$

답 -2

009

함수 $y=f(x)$의 그래프가 다음 그림과 같을 때, 극한값
이 존재하지 <u>않는</u> 것만을 |보기|에서 있는 대로 골라라.
(단, $a\sim f$는 상수이다.)

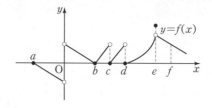

┤ 보기 ├

ㄱ. $\lim\limits_{x\to a+} f(x)$ ㄴ. $\lim\limits_{x\to b} f(x)$ ㄷ. $\lim\limits_{x\to c} f(x)$

ㄹ. $\lim\limits_{x\to d+} f(x)$ ㅁ. $\lim\limits_{x\to e} f(x)$ ㅂ. $\lim\limits_{x\to f} f(x)$

007

함수 $f(x)=\begin{cases} x-1 & (x\geq 1) \\ -x+1 & (x<1) \end{cases}$ 에 대하여 다음 극한을

조사하여라.

(1) $\lim\limits_{x\to 1+} f(x)$ (2) $\lim\limits_{x\to 1-} f(x)$

(3) $\lim\limits_{x\to 1} f(x)$

010

함수 $f(x)=\begin{cases} 3x+2 & (x\geq -2) \\ kx & (x<-2) \end{cases}$ 에 대하여 $\lim\limits_{x\to -2} f(x)$

의 값이 존재하도록 하는 실수 k의 값은?

① -2 ② -1 ③ 0

④ 1 ⑤ 2

008

함수 $f(x)=\dfrac{|x|}{x}$에 대하여 다음 극한을 조사하여라.

(1) $\lim\limits_{x\to 0+} f(x)$ (2) $\lim\limits_{x\to 0-} f(x)$

(3) $\lim\limits_{x\to 0} f(x)$

---

011 서술형

함수 $f(x)=\begin{cases} -x+k & (x\geq 2) \\ (x-k)^2 & (x<2) \end{cases}$ 에 대하여 $\lim\limits_{x\to 2} f(x)$의

값이 존재하도록 하는 실수 k의 값을 모두 구하여라.

유형 **03** 우극한과 좌극한

함수

$$f(x) = \begin{cases} 3x-1 & (x \geq -1) \\ x^2+3 & (x < -1) \end{cases}$$

에 대하여 $\lim\limits_{x \to -1+} f(x) - \lim\limits_{x \to -1-} f(x)$의 값을 구하여라.

풀이

$\lim\limits_{x \to -1+} f(x) - \lim\limits_{x \to -1-} f(x)$

$= \lim\limits_{x \to -1+} (3x-1) - \lim\limits_{x \to -1-} (x^2+3)$

$= -4 - 4 = -8$

답 -8

012

함수 $y=f(x)$의 그래프가 오른쪽 그림과 같을 때, 다음 극한값을 구하여라.

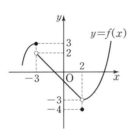

(1) $\lim\limits_{x \to -3+} f(x)$

(2) $\lim\limits_{x \to -3-} f(x)$

(3) $\lim\limits_{x \to 2+} f(x)$

(4) $\lim\limits_{x \to 2-} f(x)$

013

함수 $f(x) = |x-1|$에 대하여 다음 극한값을 구하여라.

(1) $\lim\limits_{x \to 1+} \dfrac{f(x)}{x-1}$

(2) $\lim\limits_{x \to 1-} \dfrac{f(x)}{x-1}$

014 | 평가원 기출 |

$0 < x < 4$에서 정의된 함수 $y=f(x)$의 그래프가 오른쪽 그림과 같다.

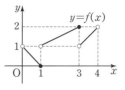

$\lim\limits_{x \to 1+} f(x) - \lim\limits_{x \to 3-} f(x)$의 값은?

① -2 ② -1 ③ 0

④ 1 ⑤ 2

015

$-2 \leq x \leq 2$에서 정의된 함수 $y=f(x)$의 그래프가 다음 그림과 같다.

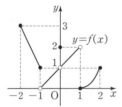

$\lim\limits_{x \to -2+} f(x) + \lim\limits_{x \to -1-} f(x) + \lim\limits_{x \to 1-} f(x)$의 값은?

① 0 ② 2 ③ 4

④ 6 ⑤ 8

016 서술형

함수

$$f(x) = \begin{cases} x^2+ax+1 & (x > -2) \\ 0 & (x = -2) \\ -x+b & (x < -2) \end{cases}$$

에 대하여 $\lim\limits_{x \to -2+} f(x) = -3$, $\lim\limits_{x \to -2-} f(x) = 3$일 때, ab의 값을 구하여라. (단, a, b는 상수이다.)

유형 04 가우스 함수의 극한

$\lim\limits_{x \to -3+} [x+2] + \lim\limits_{x \to -3-} [x+4]$의 값을 구하여라.

(단, $[x]$는 x보다 크지 않은 최대의 정수이다.)

풀이

$x \to -3+$일 때 $x+2 \to -1+$이므로 $\lim\limits_{x \to -3+} [x+2] = -1$

$x \to -3-$일 때 $x+4 \to 1-$이므로 $\lim\limits_{x \to -3-} [x+4] = 0$

$\therefore \lim\limits_{x \to -3+} [x+2] + \lim\limits_{x \to -3-} [x+4] = -1+0 = -1$

답 -1

풍쌤 유형 TIP

$[x]$가 x보다 크지 않은 최대의 정수일 때, 정수 n에 대하여

(1) $x \to n+$이면 $n \le x < n+1$이므로 $\lim\limits_{x \to n+} [x] = n$

(2) $x \to n-$이면 $n-1 \le x < n$이므로 $\lim\limits_{x \to n-} [x] = n-1$

017

다음 극한값을 구하여라.

(단, $[x]$는 x보다 크지 않은 최대의 정수이다.)

(1) $\lim\limits_{x \to 1+} [x-2]$

(2) $\lim\limits_{x \to 3-} [x-3]$

(3) $\lim\limits_{x \to -2-} [x]^2$

(4) $\lim\limits_{x \to 0+} \dfrac{[x]}{x}$

018

$\lim\limits_{x \to 1+} [2x] + \lim\limits_{x \to 1-} 3[x]$의 값은?

(단, $[x]$는 x보다 크지 않은 최대의 정수이다.)

① -1 ② 0 ③ 1

④ 2 ⑤ 3

유형 05 합성함수의 극한

함수 $y=f(x)$의 그래프가 오른쪽 그림과 같을 때,

$\lim\limits_{x \to 0-} f(f(x)) + \lim\limits_{x \to 2+} f(f(x))$의 값을 구하여라.

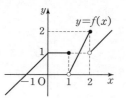

풀이

$f(x)=t$로 놓으면

$x \to 0-$일 때 $t \to 1-$이므로 $\lim\limits_{x \to 0-} f(f(x)) = \lim\limits_{t \to 1-} f(t) = 1$

$x \to 2+$일 때 $t \to 1+$이므로 $\lim\limits_{x \to 2+} f(f(x)) = \lim\limits_{t \to 1+} f(t) = 0$

$\therefore \lim\limits_{x \to 0-} f(f(x)) + \lim\limits_{x \to 2+} f(f(x)) = 1+0 = 1$

답 1

풍쌤 유형 TIP

$\lim\limits_{x \to a+} g(f(x))$의 값은 다음을 이용하여 구한다.

$f(x)=t$로 놓고

(1) $x \to a+$일 때 $t \to b+$이면
$\lim\limits_{x \to a+} g(f(x)) = \lim\limits_{t \to b+} g(t) = \lim\limits_{x \to b+} g(x)$

(2) $x \to a+$일 때 $t \to b-$이면
$\lim\limits_{x \to a+} g(f(x)) = \lim\limits_{t \to b-} g(t) = \lim\limits_{x \to b-} g(x)$

(3) $x \to a+$일 때 $t=b$이면 $\lim\limits_{x \to a+} g(f(x)) = \lim\limits_{t \to b} g(t) = g(b)$

019

함수 $y=f(x)$의 그래프가 오른쪽 그림과 같을 때, 다음 극한값을 구하여라.

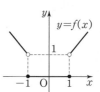

(1) $\lim\limits_{x \to 1+} f(f(x))$

(2) $\lim\limits_{x \to 1-} f(f(x))$

(3) $\lim\limits_{x \to 0+} f(f(x))$

(4) $\lim\limits_{x \to 0-} f(f(x))$

(5) $\lim\limits_{x \to -1+} f(f(x))$

(6) $\lim\limits_{x \to -1-} f(f(x))$

020

함수 $f(x)=\begin{cases} x-2 & (x\geq 0) \\ x & (x<0) \end{cases}$ 에 대하여 다음 극한값을 구하여라.

(1) $\displaystyle\lim_{x\to 0+} f(f(x))$　　　(2) $\displaystyle\lim_{x\to 0-} f(f(x))$

021

함수 $y=f(x)$의 그래프가 오른쪽 그림과 같을 때,

$\displaystyle\lim_{x\to -1+} f(f(x)) + \lim_{x\to 2+} f(f(x))$

의 값은?

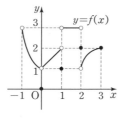

① 2　　　　② 3
③ 4　　　　④ 5
⑤ 6

022 서술형 ✍

두 함수 $y=f(x)$, $y=g(x)$의 그래프가 다음 그림과 같을 때, $\displaystyle\lim_{x\to 0-} g(f(x)) + \lim_{x\to 1+} f(g(x))$의 값을 구하여라.

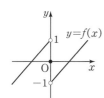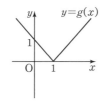

함수 $f(x)$가 $\displaystyle\lim_{x\to 2} xf(x)=3$일 때, $\displaystyle\lim_{x\to 2}(x^2+x)f(x)$의 값을 구하여라.

풀이

$$\lim_{x\to 2}(x^2+x)f(x)=\lim_{x\to 2}x(x+1)f(x)$$
$$=\lim_{x\to 2}xf(x)\times\lim_{x\to 2}(x+1)$$
$$=3\times 3=9$$

답 9

023

두 함수 $f(x)$, $g(x)$에 대하여
$$\lim_{x\to 1}f(x)=3, \ \lim_{x\to 1}g(x)=-6$$
일 때, 다음 극한값을 구하여라.

(1) $\displaystyle\lim_{x\to 1}\{f(x)+g(x)\}$　　(2) $\displaystyle\lim_{x\to 1}\{2f(x)-g(x)\}$

(3) $\displaystyle\lim_{x\to 1}f(x)g(x)$　　　(4) $\displaystyle\lim_{x\to 1}\frac{3g(x)}{2f(x)}$

(5) $\displaystyle\lim_{x\to 1}\{f(x)\}^2$　　　(6) $\displaystyle\lim_{x\to 1}\frac{f(x)+1}{g(x)+4}$

024

다음 극한값을 구하여라.

(1) $\displaystyle\lim_{x\to -2}(3x+1)(x-1)$　　(2) $\displaystyle\lim_{x\to -1}(x^2+1)(x+3)$

(3) $\displaystyle\lim_{x\to 3}\frac{x^2-4}{x-2}$　　　(4) $\displaystyle\lim_{x\to 4}\sqrt{x}\sqrt{x^2+9}$

025

두 함수 $f(x)$, $g(x)$에 대하여 $\lim\limits_{x \to 0} f(x) = 3$,

$\lim\limits_{x \to 0} \{2f(x) + g(x)\} = 7$일 때, $\lim\limits_{x \to 0} g(x)$의 값은?

① -3 ② -1 ③ 1

④ 3 ⑤ 5

026

두 함수 $f(x)$, $g(x)$에 대하여 $\lim\limits_{x \to -3} f(x)g(x) = -8$,

$\lim\limits_{x \to -3} g(x) = 4$일 때, $\lim\limits_{x \to -3} \{f(x)\}^2$의 값은?

① $\dfrac{1}{9}$ ② $\dfrac{1}{4}$ ③ 1

④ 4 ⑤ 9

027

함수 $f(x)$에서 $\lim\limits_{x \to 0} \dfrac{f(x)}{x} = 3$일 때, $\lim\limits_{x \to 0} \dfrac{x + f(x)}{x - f(x)}$의

값을 구하여라.

028

함수 $f(x)$에 대하여 $\lim\limits_{x \to 3}(x+4)f(x) = -3$일 때,

$\lim\limits_{x \to 3}(x^2 + 2x - 8)f(x)$의 값은?

① -6 ② -3 ③ 3

④ 6 ⑤ 9

029

다음 중 함수의 극한에 대한 설명으로 옳은 것만을
|보기|에서 있는 대로 고른 것은?

┤ 보기 ├

ㄱ. $\lim\limits_{x \to a} f(x)$, $\lim\limits_{x \to a} g(x)$의 값이 모두 존재하면
$\lim\limits_{x \to a} \{f(x) + g(x)\}$의 값이 존재한다.

ㄴ. $\lim\limits_{x \to a} f(x)$, $\lim\limits_{x \to a} g(x)$의 값이 모두 존재하지 않으면 $\lim\limits_{x \to a} \{f(x) + g(x)\}$의 값도 존재하지 않는다.

ㄷ. $\lim\limits_{x \to a} \{f(x) + g(x)\}$의 값이 존재하면 $\lim\limits_{x \to a} f(x)$, $\lim\limits_{x \to a} g(x)$의 값이 모두 존재한다.

① ㄱ   ② ㄴ   ③ ㄱ, ㄴ

④ ㄱ, ㄷ   ⑤ ㄴ, ㄷ

030

두 함수 $f(x)$, $g(x)$에 대하여 $\lim\limits_{x \to 1000} f(x) = -5$,

$\lim\limits_{x \to 1000} \dfrac{2f(x)}{f(x) + g(x)} = \dfrac{1}{2}$일 때, $\lim\limits_{x \to 1000} g(x)$의 값은?

① -20 ② -15 ③ -10

④ -5 ⑤ 5

031 서술형

함수 $f(x)$에 대하여 $\lim\limits_{x \to 2} f(x-2) = -3$일 때,

$\lim\limits_{x \to 0} \dfrac{2f(x) - 6}{3 - f(x)}$의 값을 구하여라.

$\displaystyle\lim_{x\to-2}\dfrac{2x+4}{\sqrt{x^2+5}-3}$의 값을 구하여라.

풀이

$$\lim_{x\to-2}\dfrac{2x+4}{\sqrt{x^2+5}-3}=\lim_{x\to-2}\dfrac{2(x+2)(\sqrt{x^2+5}+3)}{(\sqrt{x^2+5}-3)(\sqrt{x^2+5}+3)}$$

$$=\lim_{x\to-2}\dfrac{2(x+2)(\sqrt{x^2+5}+3)}{x^2+5-9}$$

$$=2\lim_{x\to-2}\dfrac{(x+2)(\sqrt{x^2+5}+3)}{(x+2)(x-2)}$$

$$=2\lim_{x\to-2}\dfrac{\sqrt{x^2+5}+3}{x-2}$$

$$=2\times\dfrac{6}{-4}=-3$$

답 -3

032

다음 극한값을 구하여라.

(1) $\displaystyle\lim_{x\to1}\dfrac{x^2-1}{x-1}$ (2) $\displaystyle\lim_{x\to0}\dfrac{2x^2-5x}{x}$

(3) $\displaystyle\lim_{x\to-3}\dfrac{x^2+4x+3}{x+3}$ (4) $\displaystyle\lim_{x\to2}\dfrac{x^2-3x+2}{x-2}$

(5) $\displaystyle\lim_{x\to3}\dfrac{\sqrt{x}-\sqrt{3}}{x-3}$ (6) $\displaystyle\lim_{x\to-2}\dfrac{x+2}{\sqrt{x+6}-2}$

033 |교육청 기출|

$\displaystyle\lim_{x\to2}\dfrac{3x^2-6x}{x-2}$의 값은?

① 6   ② 7   ③ 8

④ 9   ⑤ 10

034

$\displaystyle\lim_{x\to-3}\dfrac{x+3}{\sqrt{x+7}-2}$의 값은?

① -2 ② 0   ③ 2

④ 4   ⑤ 6

035

$\displaystyle\lim_{x\to-1}\dfrac{x+1}{\dfrac{1}{x}+1}$의 값은?

① -3 ② -2 ③ -1

④ 0   ⑤ 1

036 서술형

다항함수 $f(x)$에 대하여

$$\lim_{x\to1}\dfrac{x-1}{(\sqrt{x}-1)f(x)}=-\dfrac{2}{5}$$

일 때, $\displaystyle\lim_{x\to1}f(x)$의 값을 구하여라.

유형 08 $\dfrac{\infty}{\infty}$ 꼴의 극한

$\displaystyle\lim_{x\to\infty}\dfrac{ax+3}{2x-1+\sqrt{x^2+x}}=-3$일 때, 상수 a의 값을 구하여라.

풀이

$\displaystyle\lim_{x\to\infty}\dfrac{ax+3}{2x-1+\sqrt{x^2+x}}=\lim_{x\to\infty}\dfrac{a+\dfrac{3}{x}}{2-\dfrac{1}{x}+\sqrt{1+\dfrac{1}{x}}}=\dfrac{a}{2+1}=\dfrac{a}{3}$

이때 $\dfrac{a}{3}=-3$이므로 $a=-9$

답 -9

037

다음 극한을 조사하여라.

(1) $\displaystyle\lim_{x\to\infty}\dfrac{x+1}{x^2-2}$
(2) $\displaystyle\lim_{x\to\infty}\dfrac{4x^3+3x}{x^2-x+1}$

(3) $\displaystyle\lim_{x\to-\infty}\dfrac{x^3-8}{x^2-4x}$

038

다음 극한값을 구하여라.

(1) $\displaystyle\lim_{x\to\infty}\dfrac{\sqrt{x+1}}{2x}$
(2) $\displaystyle\lim_{x\to\infty}\dfrac{x+2}{\sqrt{x^2+1}-1}$

(3) $\displaystyle\lim_{x\to\infty}\dfrac{\sqrt{x^2+x-3}+3x}{\sqrt{4x^2-x}+1}$
(4) $\displaystyle\lim_{x\to\infty}\dfrac{\sqrt{x^2+2}}{\sqrt{x+1}+2x}$

039

세 수 A, B, C가 다음과 같을 때, $A+B-C$의 값은?

$$A=\lim_{x\to\infty}\dfrac{2x-1}{3x^2}$$

$$B=\lim_{x\to\infty}\dfrac{\sqrt{4x^2+4x+1}}{-x}$$

$$C=\lim_{x\to\infty}\dfrac{3-5x-6x^2}{(x+1)(2x+3)}$$

① 1   ② 2   ③ 3
④ 4   ⑤ 5

040

$\displaystyle\lim_{x\to-\infty}\dfrac{5x-2}{\sqrt{9x^2-1}-\sqrt{4x^2-4}}$의 값은?

① -5 ② -3 ③ -1
④ 3 ⑤ 5

041

$\displaystyle\lim_{x\to\infty}\dfrac{f(x)}{x}=-2$일 때, $\displaystyle\lim_{x\to\infty}\dfrac{3\{f(x)\}^2-x}{3x^2-f(x)}$의 값은?

① -4 ② -2 ③ 0
④ 2 ⑤ 4

유형 09 ∞−∞ 꼴의 극한

$\lim_{x \to -\infty} (\sqrt{x^2+4x+3}+x)$의 값을 구하여라.

풀이

$x=-t$로 놓으면 $x \to -\infty$일 때 $t \to \infty$이므로

$\lim_{x \to -\infty} (\sqrt{x^2+4x+3}+x)$

$=\lim_{t \to \infty} (\sqrt{t^2-4t+3}-t)$

$=\lim_{t \to \infty} \dfrac{(\sqrt{t^2-4t+3}-t)(\sqrt{t^2-4t+3}+t)}{\sqrt{t^2-4t+3}+t}$

$=\lim_{t \to \infty} \dfrac{t^2-4t+3-t^2}{\sqrt{t^2-4t+3}+t} = \lim_{t \to \infty} \dfrac{-4+\dfrac{3}{t}}{\sqrt{1-\dfrac{4}{t}+\dfrac{3}{t^2}}+1}$

$=\dfrac{-4}{1+1}=-2$

답 -2

042

다음 극한을 조사하여라.

(1) $\lim_{x \to \infty} (x^2-x)$ (2) $\lim_{x \to \infty} (\sqrt{x}-x)$

043

$\lim_{x \to \infty} (\sqrt{x^2-x}-x)$의 값은?

① -1 ② $-\dfrac{1}{2}$ ③ 0

④ $\dfrac{1}{2}$ ⑤ 1

044

$\lim_{x \to -\infty} \dfrac{1}{\sqrt{x^2+x}+x}$의 값을 구하여라.

유형 10 ∞×0 꼴의 극한

$\lim_{x \to 2} \dfrac{1}{x-2}\left(x-\dfrac{6}{x+1}\right)$의 값을 구하여라.

풀이

$\lim_{x \to 2} \dfrac{1}{x-2}\left(x-\dfrac{6}{x+1}\right) = \lim_{x \to 2} \dfrac{1}{x-2}\left(\dfrac{x^2+x-6}{x+1}\right)$

$=\lim_{x \to 2} \left\{\dfrac{1}{x-2} \times \dfrac{(x-2)(x+3)}{x+1}\right\}$

$=\lim_{x \to 2} \dfrac{x+3}{x+1} = \dfrac{5}{3}$

답 $\dfrac{5}{3}$

045

다음 극한값을 구하여라.

(1) $\lim_{x \to 0} \dfrac{1}{x}\left(\dfrac{1}{x+1}-1\right)$ (2) $\lim_{x \to 0} \dfrac{1}{x}\left(x+\dfrac{x}{x+1}\right)$

046

$\lim_{x \to -1} \dfrac{1}{x+1}\left(1-\dfrac{1}{\sqrt{x+2}}\right)$의 값을 구하여라.

047

$\lim_{x \to 2} \dfrac{1}{x-2}\left(2+\dfrac{x^2-5x}{x+1}\right)$의 값은?

① $\dfrac{1}{3}$ ② $\dfrac{1}{2}$ ③ $\dfrac{2}{3}$

④ $\dfrac{3}{4}$ ⑤ 1

유형 **11** 미정계수의 결정

$\lim\limits_{x \to \infty} (x - \sqrt{x^2 - ax + 1}) = 8$일 때, 상수 a의 값을 구하여라.

풀이

$\lim\limits_{x \to \infty} (x - \sqrt{x^2 - ax + 1})$

$= \lim\limits_{x \to \infty} \dfrac{(x - \sqrt{x^2 - ax + 1})(x + \sqrt{x^2 - ax + 1})}{x + \sqrt{x^2 - ax + 1}}$

$= \lim\limits_{x \to \infty} \dfrac{x^2 - (x^2 - ax + 1)}{x + \sqrt{x^2 - ax + 1}}$

$= \lim\limits_{x \to \infty} \dfrac{ax - 1}{x + \sqrt{x^2 - ax + 1}}$

$= \lim\limits_{x \to \infty} \dfrac{a - \dfrac{1}{x}}{1 + \sqrt{1 - \dfrac{a}{x} + \dfrac{1}{x^2}}} = \dfrac{a}{1 + 1} = \dfrac{a}{2}$

이때 $\dfrac{a}{2} = 8$이므로 $a = 16$

답 16

048

다음 등식이 성립하도록 하는 상수 a의 값을 구하여라.

(1) $\lim\limits_{x \to 0} \dfrac{2x + a}{x} = 2$　　　(2) $\lim\limits_{x \to 1} \dfrac{x^2 - 3x + 2}{x + a} = 2$

049

$\lim\limits_{x \to -1} \dfrac{x + 1}{x^2 + ax + 4} = \dfrac{1}{3}$일 때, 상수 a의 값은?

① 2　　　　② 3　　　　③ 4

④ 5　　　　⑤ 6

050

두 상수 a, b에 대하여 $\lim\limits_{x \to 1} \dfrac{3x - a}{x - 1} = b$일 때, ab의 값은?

① -6　　　　② -3　　　　③ 3

④ 6　　　　⑤ 9

051 |교육청 기출|

두 상수 a, b에 대하여 $\lim\limits_{x \to -2} \dfrac{x + 2}{\sqrt{x + a} - b} = 6$일 때, $a + b$의 값을 구하여라.

052

두 상수 a, b에 대하여 $\lim\limits_{x \to -\infty} (\sqrt{ax^2 + bx} + x) = 4$일 때, $a - b$의 값은?

① 5　　　　② 6　　　　③ 7

④ 8　　　　⑤ 9

053

두 상수 a, b에 대하여 $\lim\limits_{x \to 3} \dfrac{3\sqrt{x^2-5}-2x}{ax+b}=15$일 때, ab의 값은?

① $-\dfrac{1}{12}$　　② $-\dfrac{1}{6}$　　③ $-\dfrac{1}{2}$

④ $\dfrac{1}{6}$　　⑤ $\dfrac{1}{12}$

054

두 상수 a, b에 대하여 $\lim\limits_{x \to 3}\left(\dfrac{a}{x-3}-\dfrac{b}{x^2-9}\right)=1$이 성립할 때, $b-a$의 값은?

① 22　　② 24　　③ 26

④ 28　　⑤ 30

055 서술형 ✎

함수 $f(x)=x^2+ax+b$에 대하여 $\lim\limits_{x \to 1}\dfrac{f(x)}{x-1}=-3$이 성립할 때, $f(2)$의 값을 구하여라.

(단, a, b는 상수이다.)

유형 12 다항함수의 결정

x에 대한 다항식 $f(x)$가

$$\lim_{x \to \infty}\dfrac{f(x)}{x-2}=2, \quad \lim_{x \to -2}f(x)=4$$

를 만족시킬 때, $f(-1)$의 값을 구하여라.

풀이

$\lim\limits_{x \to \infty}\dfrac{f(x)}{x-2}=2$에서 $f(x)$는 일차항의 계수가 2인 일차식이다.

$f(x)=2x+k$ (k는 상수)로 놓으면

$\lim\limits_{x \to -2}f(x)=\lim\limits_{x \to -2}(2x+k)=-4+k$

이때 $-4+k=4$이므로 $k=8$

따라서 $f(x)=2x+8$이므로 $f(-1)=2\times(-1)+8=6$

답 6

풍쌤 유형 TIP

$\lim\limits_{x \to \infty}\dfrac{f(x)}{g(x)}=A$ (A는 0이 아닌 실수)이면 $f(x)$와 $g(x)$의 차수는 같고, A는 $f(x)$와 $g(x)$의 최고차항의 계수의 비이다.

056

x에 대한 다항식 $f(x)$가

$$\lim_{x \to \infty}\dfrac{f(x)}{x}=3, \quad \lim_{x \to 1}\dfrac{f(x)}{x}=3$$

을 만족시킬 때, $f(2)$의 값은?

① 2　　② 3　　③ 4

④ 5　　⑤ 6

057

x에 대한 다항식 $f(x)$가

$$\lim_{x \to \infty}\dfrac{f(x)}{-4x-1}=1, \quad \lim_{x \to 2}\dfrac{f(x)}{x-2}=-4$$

을 만족시킬 때, $(f \circ f)(3)$의 값을 구하여라.

058

다항함수 $f(x)$가 다음 두 조건을 만족시킬 때, $f(4)$의 값은?

(가) $\displaystyle\lim_{x\to\infty}\frac{f(x)}{x^2}=1$ (나) $\displaystyle\lim_{x\to 0}\frac{f(x)}{x}=-2$
---

① 2   ② 4   ③ 8

④ 16   ⑤ 32

059 |교육청 기출|

다항함수 $f(x)$가

$$\lim_{x\to\infty}\frac{f(x)}{x^2}=3,\quad \lim_{x\to 2}\frac{f(x)}{x^2-x-2}=6$$

을 만족시킬 때, $f(0)$의 값은?

① -24 ② -21 ③ -18

④ -15 ⑤ -12

060 _서술형

다항함수 $f(x)$가

$$\lim_{x\to\infty}\left\{\frac{f(x)}{x^2}+1\right\}=0,\quad \lim_{x\to 0}\frac{f(x)-4}{x^2}=-1$$

을 만족시킬 때, $f(3)$의 값을 구하여라.

유형 13 함수의 극한의 대소 관계

모든 양의 실수 x에 대하여 함수 $f(x)$가 $x\le f(x)\le x+5$를 만족시킬 때, $\displaystyle\lim_{x\to\infty}\frac{\{f(x)\}^2}{x^2+1}$의 값을 구하여라.

풀이

양의 실수 x에 대하여 $x>0$, $x+5>0$이므로

$$x^2\le\{f(x)\}^2\le(x+5)^2$$

$x^2+1>0$이므로 $\displaystyle\frac{x^2}{x^2+1}\le\frac{\{f(x)\}^2}{x^2+1}\le\frac{(x+5)^2}{x^2+1}$

$$\lim_{x\to\infty}\frac{x^2}{x^2+1}\le\lim_{x\to\infty}\frac{\{f(x)\}^2}{x^2+1}\le\lim_{x\to\infty}\frac{(x+5)^2}{x^2+1}$$

$$\lim_{x\to\infty}\frac{x^2}{x^2+1}\le\lim_{x\to\infty}\frac{\{f(x)\}^2}{x^2+1}\le\lim_{x\to\infty}\frac{x^2+10x+25}{x^2+1}$$

$1\le\displaystyle\lim_{x\to\infty}\frac{\{f(x)\}^2}{x^2+1}\le 1$이므로 $\displaystyle\lim_{x\to\infty}\frac{\{f(x)\}^2}{x^2+1}=1$

답 1

061

두 함수 $f(x)=x^2-2x-3$, $g(x)=2x^2-6x+1$에 대하여 함수 $h(x)$가 모든 실수 x에 대하여 $f(x)\le h(x)\le g(x)$를 만족시킬 때, $\displaystyle\lim_{x\to 2}h(x)$의 값을 구하여라.

062

함수 $f(x)$가 모든 양수 x에서

$$3x+1<f(x)<3x+2$$

를 만족시킬 때, $\displaystyle\lim_{x\to\infty}\frac{\{f(x)\}^2}{3x^2+1}$의 값은?

① -3 ② -1 ③ 0

④ 1   ⑤ 3

유형 **14** 함수의 극한의 활용

다음 그림과 같이 곡선 $y=\dfrac{1}{x}+\sqrt{2}$ $(x>0)$와 두 직선 $x=1$, $x=t$의 교점을 각각 A, B라 하고, 점 B에서 직선 $x=1$에 내린 수선의 발을 H라고 할 때, $\displaystyle\lim_{t\to 1}\dfrac{\overline{AH}}{\overline{BH}}$의 값을 구하여라.

(단, $t>1$)

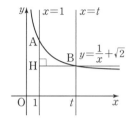

풀이

$A(1,\ 1+\sqrt{2})$, $B\left(t,\ \dfrac{1}{t}+\sqrt{2}\right)$, $H\left(1,\ \dfrac{1}{t}+\sqrt{2}\right)$이므로

$$\lim_{t\to 1}\frac{\overline{AH}}{\overline{BH}}=\lim_{t\to 1}\frac{1-\dfrac{1}{t}}{t-1}=\lim_{t\to 1}\frac{\dfrac{1}{t}(t-1)}{t-1}=\lim_{t\to 1}\frac{1}{t}=1$$

답 1

풍쌤 유형 TIP

점의 좌표를 구하고 선분의 길이를 한 문자에 대한 식으로 나타낸 후 함수의 극한의 성질을 이용하여 극한값을 구한다.

063

두 점 $A(1,\ 0)$, $B(2,\ 0)$와 곡선 $y=\sqrt{x}$ 위의 점 $P(t,\ \sqrt{t}\,)$에 대하여 다음 물음에 답하여라.

(1) $\overline{AP}$의 길이를 t에 대한 식으로 나타내어라.

(2) $\overline{BP}$의 길이를 t에 대한 식으로 나타내어라.

(3) $\displaystyle\lim_{t\to\infty}(\overline{AP}-\overline{BP})$의 값을 구하여라.

(4) $\displaystyle\lim_{t\to\infty}\dfrac{\overline{AP}}{\overline{BP}}$의 값을 구하여라.

064

다음 그림과 같이 곡선 $y=x^2$ 위를 움직이는 점 $P(x,\ y)$가 있다. 세 점 $O(0,\ 0)$, $P(x,\ y)$, $A(4,\ 0)$을 꼭짓점으로 하는 삼각형의 넓이를 S_A, 세 점 $O(0,\ 0)$, $P(x,\ y)$, $B(0,\ 6)$을 꼭짓점으로 하는 삼각형의 넓이를 S_B라고 할 때, 다음 물음에 답하여라.

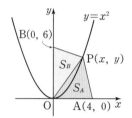

(1) S_A를 x에 대한 식으로 나타내어라.

(2) S_B를 x에 대한 식으로 나타내어라.

(3) $\displaystyle\lim_{x\to\infty}\dfrac{S_A}{xS_B}$의 값을 구하여라.

065 |교육청 기출|

곡선 $y=\sqrt{x}$ 위의 점 $P(t,\ \sqrt{t}\,)$ $(t>4)$에서 직선 $y=\dfrac{1}{2}x$에 내린 수선의 발을 H라 하자. $\displaystyle\lim_{t\to\infty}\dfrac{\overline{OH}^2}{\overline{OP}^2}$의 값은? (단, O는 원점이다.)

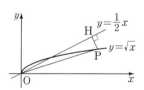

① $\dfrac{3}{5}$ ② $\dfrac{2}{3}$ ③ $\dfrac{11}{15}$

④ $\dfrac{4}{5}$ ⑤ $\dfrac{13}{15}$

01

함수 $y=f(x)$의 그래프가 오른쪽 그림과 같을 때, 극한값이 존재하는 것만을 |보기|에서 있는 대로 고른 것은?

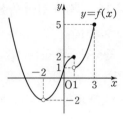

┤ 보기 ├

ㄱ. $\lim\limits_{x \to -2} f(x)$ ㄴ. $\lim\limits_{x \to 1} f(x)$ ㄷ. $\lim\limits_{x \to 3-} f(x)$

① ㄱ   ② ㄱ, ㄴ   ③ ㄱ, ㄷ
④ ㄴ, ㄷ   ⑤ ㄱ, ㄴ, ㄷ

02

함수 $f(x)=\begin{cases} 2x+1 & (x \geq a) \\ -3x-4 & (x < a) \end{cases}$ 에 대하여 $\lim\limits_{x \to a} f(x)$의 값이 존재하도록 하는 실수 a의 값은?

① -3 ② -2 ③ -1
④ 0 ⑤ 1

03

함수 $f(x)=\begin{cases} x^2 & (x \geq 1) \\ -x+a & (x < 1) \end{cases}$ 에 대하여 $\lim\limits_{x \to 1} f(x)$의 값이 존재하지 않기 위한 상수 a의 값의 조건은?

① $|a|=1$ ② $a=1$ ③ $a \neq 1$
④ $a=2$ ⑤ $a \neq 2$

04 |교육청 기출|

함수 $f(x)=\begin{cases} 3-x & (|x| \geq 2) \\ 9-x^2 & (|x| < 2) \end{cases}$ 에 대하여 $\lim\limits_{x \to a} f(x)$의 값이 존재하지 않을 때, 상수 a의 값은?

① -3 ② -2 ③ -1
④ 1 ⑤ 2

05

$-3 < x < 2$에서 정의된 함수 $y=f(x)$의 그래프가 오른쪽 그림과 같을 때, 다음 중 옳지 <u>않</u>은 것은?

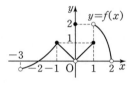

① $\lim\limits_{x \to -3+} f(x)$의 값이 존재한다.

② $\lim\limits_{x \to -1} f(x)$의 값이 존재한다.

③ $\lim\limits_{x \to 0+} f(x) = \lim\limits_{x \to 0-} f(x) = \lim\limits_{x \to 0} f(x)$이다.

④ $-2 < a < 1$인 실수 a에 대하여 $\lim\limits_{x \to a} f(x)$의 값이 항상 존재한다.

⑤ $x=1$에서의 우극한과 좌극한이 모두 존재하므로 $\lim\limits_{x \to 1} f(x)$의 값이 존재한다.

06

$\lim\limits_{x \to 2+} \dfrac{|x-2|}{x-2} + \lim\limits_{x \to -2-} \dfrac{|x+2|}{x+2}$의 값은?

① -2 ② -1 ③ 0
④ 1 ⑤ 2

07

함수 $f(x)=\begin{cases} [x]+a & (x\geq 1) \\ [x-1] & (x<1) \end{cases}$ 이 $x=1$에서 극한값이

존재하도록 하는 실수 a의 값을 구하여라.

（단, $[x]$는 x보다 크지 않은 최대의 정수이다.）

08

함수 $f(x)=\begin{cases} \dfrac{[x-2]}{x-2} & (x>2) \\ \left[\dfrac{x^2-2x}{x-2}\right] & (x<2) \end{cases}$ 에 대하여

$\displaystyle\lim_{x\to 2+}f(x)+\lim_{x\to 2-}f(x)$의 값을 구하여라.

（단, $[x]$는 x보다 크지 않은 최대의 정수이다.）

09

두 함수 $y=f(x)$, $y=g(x)$의 그래프가 다음 그림과 같을 때, 세 수 A, B, C의 대소 관계를 바르게 나타낸 것은?

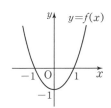 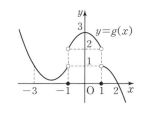

$A=\displaystyle\lim_{x\to 0+}f(f(x))$

$B=\displaystyle\lim_{x\to -1-}g(f(x))$

$C=\displaystyle\lim_{x\to 1+}g(g(x))$

① $A<B<C$ ② $A<C<B$

③ $B<A<C$ ④ $B<C<A$

⑤ $C<A<B$

10 실력 UP

함수의 극한에 대한 설명으로 옳은 것은?

① $\displaystyle\lim_{x\to a}\{f(x)-g(x)\}=0$이면 $\displaystyle\lim_{x\to a}f(x)=\lim_{x\to a}g(x)$이다.

② $\displaystyle\lim_{x\to a}f(x)g(x)=0$이면 $\displaystyle\lim_{x\to a}f(x)=0$ 또는 $\displaystyle\lim_{x\to a}g(x)=0$이다.

③ $\displaystyle\lim_{x\to a}f(x)$와 $\displaystyle\lim_{x\to a}f(x)g(x)$의 값이 각각 존재하면 $\displaystyle\lim_{x\to a}g(x)$의 값도 존재한다.

④ $\displaystyle\lim_{x\to a}f(x)$와 $\displaystyle\lim_{x\to a}\dfrac{f(x)}{g(x)}\,(g(x)\neq 0)$의 값이 각각 존재하면 $\displaystyle\lim_{x\to a}g(x)$의 값도 존재한다.

⑤ $\displaystyle\lim_{x\to a}g(x)$와 $\displaystyle\lim_{x\to a}\dfrac{f(x)}{g(x)}\,(g(x)\neq 0)$의 값이 각각 존재하면 $\displaystyle\lim_{x\to a}f(x)$의 값도 존재한다.

11 │수능 기출│

함수 $f(x)$가 $\displaystyle\lim_{x\to 1}(x+1)f(x)=1$을 만족시킬 때,

$\displaystyle\lim_{x\to 1}(2x^2+1)f(x)=a$이다. $20a$의 값을 구하여라.

12

함수 $f(x)$에 대하여 $\displaystyle\lim_{x\to 2}f(x)=4$일 때,

$\displaystyle\lim_{x\to 2}\dfrac{(x^2-4)f(x)}{x^3-8}$의 값은?

① $-\dfrac{8}{3}$ ② $-\dfrac{4}{3}$ ③ $-\dfrac{1}{4}$

④ $\dfrac{4}{3}$ ⑤ $\dfrac{8}{3}$

13 |교육청 기출|

두 상수 a, b에 대하여

$$\lim_{x \to \infty} \frac{ax^2}{x^2-1}=2, \quad \lim_{x \to 1} \frac{a(x-1)}{x^2-1}=b$$

일 때, $a+b$의 값을 구하여라.

14

$\lim_{x \to -\infty} \dfrac{f(x)}{x}=a$일 때,

$$\lim_{x \to -\infty} \frac{2-3f(x)}{2f(x)+\sqrt{2x-3f(x)}}$$

의 값은?

① $-\dfrac{3}{2}$ 　　② -1 　　③ $-\dfrac{1}{2}$

④ $-\dfrac{3}{2}a$ 　　⑤ $-a$

15

$A=\lim_{x \to \infty} (\sqrt{x^2-x}-\sqrt{x^2-4x})$,

$B=\lim_{x \to 0} \dfrac{1}{x}\left(\dfrac{2}{x+2}-1\right)$일 때, 두 상수 A, B에 대하여

$4AB$의 값은?

① -3 　　② -2 　　③ -1

④ 1 　　⑤ 2

16 |교육청 기출|

두 실수 a, b에 대하여 $\lim_{x \to 2} \dfrac{x^3-a}{x-2}=b$일 때, $a+b$의 값은?

① 14 　　② 16 　　③ 18

④ 20 　　⑤ 22

17

두 수 a, b에 대하여 $\lim_{x \to 4} \dfrac{x-a}{\sqrt{x}-2}=b$일 때, ab의 값은?

① 12 　　② 14 　　③ 16

④ 18 　　⑤ 20

18

이차함수 $f(x)$에 대하여

$$\lim_{x \to \infty} \frac{f(x)}{x^2+2x-8}=1, \quad \lim_{x \to -2} \frac{f(x)}{x+2}=3$$

일 때, $f(-3)$의 값은?

① -3 　　② -2 　　③ -1

④ 0 　　⑤ 1

19 |수능 기출| 실력 UP

최고차항의 계수가 1인 이차함수 $f(x)$가

$$\lim_{x \to a} \frac{f(x)-(x-a)}{f(x)+(x-a)} = \frac{3}{5}$$

을 만족시킨다. 방정식 $f(x)=0$의 두 근을 α, β라 할 때, $|\alpha - \beta|$의 값은? (단, a는 상수이다.)

① 1   ② 2   ③ 3
④ 4   ⑤ 5

20

두 다항함수 $f(x)$, $g(x)$에 대하여

$$\lim_{x \to \infty} \frac{f(x)g(x)}{2x^3} = -1, \quad \lim_{x \to 0} \frac{f(x)g(x)}{x^2} = 6$$

을 만족시킬 때, $\lim_{x \to 1} f(x)g(x)$의 값은?

① 4   ② 6   ③ 8
④ 10   ⑤ 12

21

함수 $f(x)$가 모든 실수 x에 대하여

$$-2x^2+8x-11 \le f(x) \le x^2-4x+1$$

을 만족시킬 때, $\lim_{x \to 2} f(x)$의 값은?

① -9 ② -6 ③ -3
④ 6   ⑤ 9

22

실수 전체의 집합에서 정의된 함수 $f(x)$가

$$x^2+2x-3 \le f(x) \le 2x^2-2$$

를 만족시킬 때, $\lim_{x \to 1} \frac{f(x)}{x-1}$의 값은?

① -3 ② -1 ③ 2
④ 4   ⑤ 6

23 |교육청 기출|

세 함수 $f(x)=\sqrt{x+2}$, $g(x)=-\sqrt{x-2}+2$, $h(x)=x$의 그래프가 다음 그림과 같다.

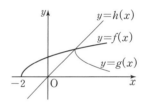

함수 $y=h(x)$의 그래프 위의 점 $\mathrm{P}(a, a)$를 지나고 x축에 평행한 직선이 함수 $y=f(x)$의 그래프와 만나는 점을 A, 함수 $y=g(x)$의 그래프와 만나는 점을 B라고 하자. 점 B를 지나고 y축에 평행한 직선이 함수 $y=h(x)$의 그래프와 만나는 점을 C라고 할 때, $\lim_{a \to 2-} \dfrac{\overline{\mathrm{BC}}}{\overline{\mathrm{AB}}}$의 값은? (단, $0<a<2$)

① $\dfrac{1}{5}$ ② $\dfrac{1}{4}$ ③ $\dfrac{1}{3}$
④ $\dfrac{1}{2}$ ⑤ 1

02 함수의 연속

1. 함수의 연속과 불연속

(1) 함수 $f(x)$가 실수 a에 대하여 다음 조건을 모두 만족시킬 때, $f(x)$는 $x=a$에서 연속이라고 한다.

    (ⅰ) 함수 $f(x)$는 $x=a$에서 정의되어 있다. ← 함숫값이 존재한다.

    (ⅱ) 극한값 $\lim\limits_{x \to a} f(x)$가 존재한다. ← 극한값이 존재한다.

    (ⅲ) $\lim\limits_{x \to a} f(x) = f(a)$ ← (극한값)=(함숫값)

(2) 함수 $f(x)$가 위의 세 가지 조건 중 어느 한 가지라도 만족시키지 않으면 $x=a$에서 불연속이라고 한다.

> **♣ 그래프를 이용한 함수의 연속의 확인**
> 함수의 그래프를 그렸을 때 그래프가 이어지면 연속이고, 끊어지면 불연속이다.

2. 연속함수

(1) 구간: 두 실수 a, b $(a<b)$에 대하여 구간을 기호로 나타내면 다음과 같다.

구분	닫힌구간	열린구간	반닫힌 구간 (또는 반열린 구간)	
구간	$\{x\|a \le x \le b\}$	$\{x\|a<x<b\}$	$\{x\|a \le x<b\}$	$\{x\|a<x \le b\}$
기호	$[a,\ b]$	$(a,\ b)$	$[a,\ b)$	$(a,\ b]$

(2) 연속함수

함수 $f(x)$가 어떤 구간에 속하는 모든 실수에서 연속일 때, $f(x)$는 그 구간에서 연속 또는 그 구간에서 연속함수라고 한다.

> **♣ 실수 a에 대하여**
> $\{x\|x \le a\} \Rightarrow (-\infty,\ a]$
> $\{x\|x<a\} \Rightarrow (-\infty,\ a)$
> $\{x\|x \ge a\} \Rightarrow [a,\ \infty)$
> $\{x\|x>a\} \Rightarrow (a,\ \infty)$
>
> **♣ 모든 실수 x ⇒ $(-\infty,\ \infty)$**

3. 연속함수의 성질

두 함수 $f(x)$, $g(x)$가 $x=a$에서 연속이면 다음 함수도 $x=a$에서 연속이다.

(1) $cf(x)$ (단, c는 상수)　　　　(2) $f(x)+g(x)$, $f(x)-g(x)$

(3) $f(x)g(x)$　　　　　　　　　　(4) $\dfrac{f(x)}{g(x)}$ (단, $g(a) \ne 0$)

> **♣ 합성함수의 연속**
> 함수 $f(x)$가 $x=a$에서 연속이고 함수 $g(x)$가 $x=f(a)$에서 연속이면 합성함수 $g(f(x))$도 $x=a$에서 연속이다.

4. 최대·최소 정리

함수 $f(x)$가 닫힌구간 $[a,\ b]$에서 연속이면 $f(x)$는 이 구간에서 반드시 최댓값과 최솟값을 갖는다.

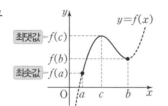

> **♣ 연속함수이더라도 닫힌구간이 아닌 구간에서는 최댓값 또는 최솟값을 갖지 않을 수 있다.**

5. 사잇값의 정리

(1) 사잇값의 정리

함수 $f(x)$가 닫힌구간 $[a,\ b]$에서 연속이고 $f(a) \ne f(b)$이면 $f(a)$와 $f(b)$ 사이에 있는 임의의 값 k에 대하여 $f(c)=k$인 c가 a와 b 사이에 적어도 하나 존재한다.

(2) 사잇값의 정리의 활용

함수 $f(x)$가 닫힌구간 $[a,\ b]$에서 연속이고 $f(a)$와 $f(b)$의 부호가 서로 다르면 $f(c)=0$인 c가 a와 b 사이에 적어도 하나 존재한다. 즉, 방정식 $f(x)=0$은 a와 b 사이에서 적어도 하나의 실근을 갖는다.

> **♣ 함수 $f(x)$가 닫힌구간 $[a,\ b]$에서 연속이고 $f(a)f(b)<0$이면 방정식 $f(x)=0$은 열린구간 $(a,\ b)$에서 적어도 하나의 실근을 갖는다.**

유형 01 함수의 연속의 의미

함수 $f(x)=\begin{cases} -1 & (x \geq 0) \\ x^2-1 & (x < 0) \end{cases}$ 이 $x=0$에서 연속인지 불연속인지 판별하여라.

풀이

$f(0)=-1$ ⋯⋯⋯ ㉠

$\lim\limits_{x \to 0+} f(x)=-1$, $\lim\limits_{x \to 0-} f(x)=0^2-1=-1$이므로

$\lim\limits_{x \to 0} f(x)=-1$ ⋯⋯⋯ ㉡

㉠, ㉡에서 $\lim\limits_{x \to 0} f(x)=f(0)$

따라서 함수 $f(x)$는 $x=0$에서 연속이다.

답 연속

001

다음 함수 $f(x)$가 $x=0$에서 연속인지 불연속인지 판별하여라.

(1) $f(x)=x+1$ (2) $f(x)=\dfrac{1}{x}$

(3) $f(x)=\begin{cases} x-1 & (x \geq 0) \\ x & (x < 0) \end{cases}$

002

함수 $y=f(x)$의 그래프가 오른쪽 그림과 같을 때, 함수 $f(x)$에 대하여 다음을 연속의 조건을 이용하여 말하여라.

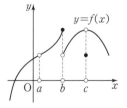

(1) $x=a$에서 불연속인 이유

(2) $x=b$에서 불연속인 이유

(3) $x=c$에서 불연속인 이유

003

$x=0$에서 연속인 함수인 것만을 |보기|에서 있는 대로 고른 것은?

┤ 보기 ├

ㄱ. $f(x)=|x|$ ㄴ. $f(x)=\sqrt{x^2}$

ㄷ. $f(x)=[x]$

(단, $[x]$는 x보다 크지 않은 최대의 정수이다.)

① ㄱ ② ㄴ ③ ㄷ

④ ㄱ, ㄴ ⑤ ㄱ, ㄷ

004

모든 실수 x에서 연속인 함수인 것만을 |보기|에서 있는 대로 고른 것은?

┤ 보기 ├

ㄱ. $f(x)=\dfrac{1}{x+1}$

ㄴ. $f(x)=\begin{cases} x+1 & (x=-1) \\ -x+1 & (x \neq -1) \end{cases}$

ㄷ. $f(x)=\begin{cases} \sqrt{x+2} & (x \geq -2) \\ 0 & (x < -2) \end{cases}$

① ㄱ ② ㄴ ③ ㄷ

④ ㄱ, ㄷ ⑤ ㄴ, ㄷ

005 서술형

함수 $f(x)=\dfrac{1}{x^2-2x-3}$이 $x=k$에서 불연속이라고 할 때, 실수 k의 값을 모두 구하여라.

기본을 다지는 유형

유형 02 함수의 그래프와 연속

$-1<x<3$에서 함수 $y=f(x)$의 그래프가 오른쪽 그림과 같다. 함수 $f(x)$의 극한값이 존재하지 않는 x의 값의 개수를 a, $f(x)$가 불연속이 되는 x의 값의 개수를 b라고 할 때, ab의 값을 구하여라.

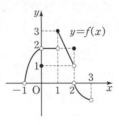

풀이

$\lim\limits_{x\to 1+}f(x)\neq\lim\limits_{x\to 1-}f(x)$, $\lim\limits_{x\to 2+}f(x)\neq\lim\limits_{x\to 2-}f(x)$이므로

$\lim\limits_{x\to 1}f(x)$, $\lim\limits_{x\to 2}f(x)$가 존재하지 않는다.

즉, $x=1$, $x=2$에서 극한값이 존재하지 않으므로

$a=2$

$\lim\limits_{x\to 0}f(x)\neq f(0)$이고, $\lim\limits_{x\to 1}f(x)$, $\lim\limits_{x\to 2}f(x)$의 값이 존재하지 않으므로 $x=0$, $x=1$, $x=2$에서 불연속이다.

$\therefore b=3$

$\therefore ab=2\times 3=6$

답 6

006

$-2<x<2$에서 함수 $y=f(x)$의 그래프가 아래 그림과 같을 때, 다음을 구하여라.

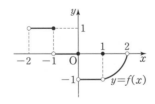

(1) 함수 $f(x)$의 극한값이 존재하지 않을 때의 x의 값
(2) 함수 $f(x)$가 불연속일 때의 x의 값

007

함수 $y=f(x)$의 그래프가 오른쪽 그림과 같다. 구간 $(0,4)$에서 $\lim\limits_{x\to a+}f(x)=\lim\limits_{x\to a-}f(x)$를 만족시키고, $x=a$에서 불연속이라고 할 때, 실수 a의 값을 구하여라.

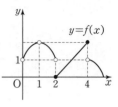

008

함수 $y=f(x)$의 그래프가 오른쪽 그림과 같을 때, 다음 중 옳은 것은?

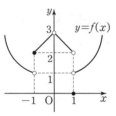

① $f(-1)=1$
② $\lim\limits_{x\to-1+}f(x)=\lim\limits_{x\to-1-}f(x)$
③ $\lim\limits_{x\to 1+}f(x)=2$
④ 함수 $f(x)$는 $x=-1$에서 함숫값을 갖는다.
⑤ 구간 $(-1,1)$에서 함수 $f(x)$가 불연속이 되는 x의 값은 3개이다.

009 |평가원 기출|

함수 $y=f(x)$의 그래프가 오른쪽 그림과 같다. |보기|에서 옳은 것만을 있는 대로 고른 것은?

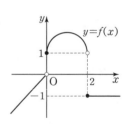

| 보기 |

ㄱ. $\lim\limits_{x\to 0+}f(x)=1$
ㄴ. $\lim\limits_{x\to 2-}f(x)=-1$
ㄷ. 함수 $|f(x)|$는 $x=2$에서 연속이다.

① ㄱ　　　　② ㄴ　　　　③ ㄱ, ㄷ
④ ㄴ, ㄷ　　　⑤ ㄱ, ㄴ, ㄷ

유형 **03** 합성함수의 연속

함수 $y=f(x)$의 그래프가 오른쪽
그림과 같을 때, 합성함수
$(f \circ f)(x)$가 $x=1$에서 연속인지
불연속인지 조사하여라.

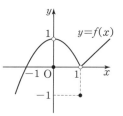

풀이

$f(1)=-1$이므로

$(f \circ f)(1)=f(f(1))=f(-1)=0$ ⋯⋯⋯ ㉠

$f(x)=t$로 놓으면 $x \to 1$일 때 $t \to 0+$이므로

$\lim\limits_{x \to 1}(f \circ f)(x)=\lim\limits_{x \to 1}f(f(x))=\lim\limits_{t \to 0+}f(t)=1$ ⋯⋯⋯ ㉡

㉠, ㉡에서 $\lim\limits_{x \to 1}(f \circ f)(x) \neq (f \circ f)(1)$

따라서 함수 $(f \circ f)(x)$는 $x=1$에서 불연속이다.

답 불연속

풍쌤 유형 TIP

합성함수 $f(g(x))$가 $x=a$에서 연속이려면 $f(g(x))$가 $x=a$에서
정의되고, $\lim\limits_{x \to a}f(g(x))$의 값이 존재하고, $f(g(a))=\lim\limits_{x \to a}f(g(x))$
이어야 한다.

010

함수 $y=f(x)$의 그래프가 오른
쪽 그림과 같을 때, 합성함수
$(f \circ f)(x)$가 $x=1$에서 연속인
지 불연속인지 조사하여라.

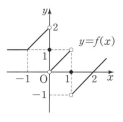

011

두 함수 $y=f(x)$, $y=g(x)$의 그래프가 아래 그림과
같을 때, 다음 함수가 $x=0$에서 연속인지 불연속인지 조
사하여라.

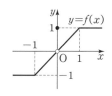 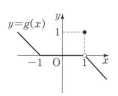

(1) $(f \circ g)(x)$ (2) $(g \circ f)(x)$

012 |평가원 기출|

닫힌구간 $[-1, 4]$에서 정의된 함
수 $y=f(x)$의 그래프가 오른쪽
그림과 같다. |보기|에서 옳은 것
만을 있는 대로 고른 것은?

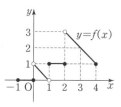

┤ **보기** ├

ㄱ. $\lim\limits_{x \to 1-}f(x)<\lim\limits_{x \to 1+}f(x)$

ㄴ. $\lim\limits_{t \to \infty}f\left(\dfrac{1}{t}\right)=1$

ㄷ. 함수 $f(f(x))$는 $x=3$에서 연속이다.

① ㄱ   ② ㄷ   ③ ㄱ, ㄴ

④ ㄴ, ㄷ   ⑤ ㄱ, ㄴ, ㄷ

013

두 함수 $y=f(x)$, $y=g(x)$의 그래프가 다음 그림과 같
을 때, 옳은 것만을 |보기|에서 있는 대로 고른 것은?

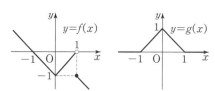

┤ **보기** ├

ㄱ. 함수 $g(f(x))$는 $x=-1$에서 연속이다.

ㄴ. 함수 $f(g(x))$는 $x=0$에서 연속이다.

ㄷ. 함수 $f(x)g(x)$는 $x=1$에서 연속이다.

① ㄱ   ② ㄱ, ㄴ   ③ ㄱ, ㄷ

④ ㄴ, ㄷ   ⑤ ㄱ, ㄴ, ㄷ

유형 04 함수의 연속과 미정계수

함수 $f(x)=\begin{cases} 2x+6 & (x\geq -2) \\ x^2-ax+2 & (x<-2) \end{cases}$ 가 모든 실수 x에서 연속일 때, 상수 a의 값을 구하여라.

풀이

함수 $f(x)$가 모든 실수 x에서 연속이려면 $x=-2$에서 연속이어야 하므로 $\lim\limits_{x\to-2+}f(x)=\lim\limits_{x\to-2-}f(x)=f(-2)$이어야 한다. 이때

$\lim\limits_{x\to-2+}f(x)=\lim\limits_{x\to-2+}(2x+6)=2$

$\lim\limits_{x\to-2-}f(x)=\lim\limits_{x\to-2-}(x^2-ax+2)=2a+6$

$f(-2)=2\times(-2)+6=2$

이므로 $2a+6=2$, $2a=-4$ $\therefore a=-2$

답 -2

014

함수 $f(x)$가 모든 실수 x에서 연속일 때, 상수 a의 값을 구하여라.

(1) $f(x)=\begin{cases} 3x-1 & (x\geq 2) \\ a & (x<2) \end{cases}$

(2) $f(x)=\begin{cases} -2x+a & (x\geq -1) \\ 2 & (x<-1) \end{cases}$

015

함수

$$f(x)=\begin{cases} x+5 & (x\geq 1) \\ 2x+a & (x<1) \end{cases}$$

가 $x=1$에서 연속이 되도록 하는 실수 a의 값은?

① 1   ② 2   ③ 3

④ 4   ⑤ 5

016

함수

$$f(x)=\begin{cases} ax & (x\geq 2) \\ 3x-2 & (-2\leq x<2) \\ x+b & (x<-2) \end{cases}$$

가 모든 실수 x에서 연속일 때, 상수 a, b에 대하여 $a+b$의 값은?

① -4 ② -3 ③ -2

④ -1 ⑤ 0

017 |평가원 기출|

함수

$$f(x)=\begin{cases} x^3+a & (x\geq 1) \\ 4x^2-a & (x<1) \end{cases}$$

가 실수 전체의 집합에서 연속일 때, 상수 a의 값은?

① $\dfrac{3}{2}$ ② 2   ③ $\dfrac{5}{2}$

④ 3   ⑤ $\dfrac{7}{2}$

018

함수

$$f(x)=\begin{cases} x-2 & (x\geq 1) \\ x+1 & (x<1) \end{cases}, \quad g(x)=x+a$$

에 대하여 함수 $f(x)g(x)$가 $x=1$에서 연속일 때, 상수 a의 값은?

① -2 ② -1 ③ 0

④ 1   ⑤ 2

유형 05 **유형 05** 주어진 점에서 함수의 연속과 미정계수

함수 $f(x) = \begin{cases} \dfrac{x^2-2x}{x-2} & (x \neq 2) \\ a & (x=2) \end{cases}$ 가 모든 실수 x에서 연속일

때, 상수 a의 값을 구하여라.

풀이

함수 $f(x)$가 모든 실수 x에서 연속이려면 $x=2$에서 연속이
어야 하므로 $\lim\limits_{x \to 2} f(x) = f(2)$이어야 한다. 이때

$$\lim\limits_{x \to 2} f(x) = \lim\limits_{x \to 2} \dfrac{x(x-2)}{x-2} = \lim\limits_{x \to 2} x = 2$$

$$f(2) = a$$

이므로 $a=2$

답 2

019

함수 $f(x)$가 모든 실수 x에서 연속일 때, 상수 a의 값
을 구하여라.

(1) $f(x) = \begin{cases} x+a & (x \neq 1) \\ 3 & (x=1) \end{cases}$

(2) $f(x) = \begin{cases} x+2 & (x \neq -3) \\ a & (x=-3) \end{cases}$

020

함수

$$f(x) = \begin{cases} x+4 & (x \neq 1) \\ -ax+3 & (x=1) \end{cases}$$

가 모든 실수 x에서 연속일 때, 상수 a의 값은?

① -3 　　② -2 　　③ -1

④ 1 　　⑤ 2

021

함수

$$f(x) = \begin{cases} \dfrac{x^2-ax+6}{x-3} & (x \neq 3) \\ b & (x=3) \end{cases}$$

가 $x=3$에서 연속일 때, 상수 a, b에 대하여 $a+b$의 값
은?

① 2 　　② 3 　　③ 4

④ 5 　　⑤ 6

022

함수

$$f(x) = \begin{cases} \dfrac{ax^2+4ax+6}{x+1} & (x \neq -1) \\ b & (x=-1) \end{cases}$$

가 $x=-1$에서 연속이 되도록 하는 상수 a, b에 대하여
$a+b$의 값은?

① -2 　　② 0 　　③ 2

④ 4 　　⑤ 6

023 　서술형

함수

$$f(x) = \begin{cases} \dfrac{\sqrt{x+a}+b}{x} & (x \neq 0) \\ 2 & (x=0) \end{cases}$$

가 모든 실수 x에서 연속일 때, 상수 a, b의 값을 각각
구하여라.

유형 06 연속함수의 성질

두 함수 $f(x)=x^2+3x$, $g(x)=x^2-2x-3$에 대하여 함수 $\dfrac{f(x)}{g(x)}$가 불연속이 되는 모든 x의 값의 합을 구하여라.

풀이

$$\dfrac{f(x)}{g(x)}=\dfrac{x^2+3x}{x^2-2x-3}=\dfrac{x(x+3)}{(x+1)(x-3)}$$

함수 $\dfrac{f(x)}{g(x)}$는 $g(x)=0$, 즉 $(x+1)(x-3)=0$이 되는 x의 값에서 불연속이다.

따라서 불연속이 되는 x의 값은 -1, 3이므로 그 합은 $-1+3=2$

답 2

024

두 함수 $f(x)$, $g(x)$가 실수 전체의 집합에서 연속일 때, 실수 전체의 집합에서 항상 연속인 함수인 것만을 |보기|에서 있는 대로 골라라.

| 보기 |

ㄱ. $f(x)-g(x)$　　　　ㄴ. $f(x)g(x)$

ㄷ. $\dfrac{g(x)}{f(x)}$　　　　ㄹ. $\dfrac{f(x)}{g(x)}$

025

두 함수 $f(x)=x^2-x-2$, $g(x)=x-3$에 대하여 다음 함수가 연속인 구간을 조사하여라.

(1) $f(x)+g(x)$　　　　(2) $f(x)-g(x)$

(3) $f(x)g(x)$　　　　(4) $\dfrac{f(x)}{g(x)}$

(5) $\dfrac{g(x)}{f(x)}$

026

두 함수 $f(x)=x^2+1$, $g(x)=x-1$에 대하여 다음 중 모든 실수 x에서 연속인 함수가 <u>아닌</u> 것은?

① $f(x)+g(x)$　　　　② $f(x)g(x)$

③ $\dfrac{f(x)}{g(x)}$　　　　④ $\dfrac{g(x)}{f(x)}$

⑤ $g(f(x))$

027

두 함수 $f(x)$, $g(x)$가 $x=a$에서 연속일 때, $x=a$에서 항상 연속인 함수인 것만을 |보기|에서 있는 대로 고른 것은?

| 보기 |

ㄱ. $2f(x)-g(x)$　　　　ㄴ. $f(x)g(x)$

ㄷ. $\{f(x)\}^2$　　　　ㄹ. $\dfrac{f(x)}{\{g(x)\}^2}$

① ㄱ, ㄴ　　　② ㄴ, ㄷ　　　③ ㄱ, ㄴ, ㄷ

④ ㄱ, ㄴ, ㄹ　　　⑤ ㄴ, ㄷ, ㄹ

028

두 함수
$$f(x)=\begin{cases} x^2+4 & (x\geq2) \\ 2 & (x<2) \end{cases}, \quad g(x)=x-a$$

에 대하여 함수 $\dfrac{g(x)}{f(x)}$가 모든 실수 x에서 연속일 때, 상수 a의 값은?

① -2　　　② -1　　　③ 0

④ 1　　　⑤ 2

유형 07 최대·최소 정리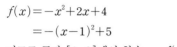

구간 $[0, 2]$에서 정의된 함수

$$f(x) = \begin{cases} -x^2+2x+4 & (x \neq 1) \\ 2 & (x=1) \end{cases}$$

의 최댓값과 최솟값을 각각 구하여라.

풀이

$f(x) = -x^2+2x+4$
$\quad\quad = -(x-1)^2+5$

이므로 구간 $[0, 2]$에서 함수 $y=f(x)$의
그래프는 오른쪽 그림과 같다.
따라서 함수 $f(x)$는 $x=1$에서 불연속이
므로 $f(x)$는 최댓값은 없고, $x=1$에서
최솟값 2를 갖는다.

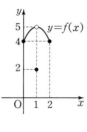

답 최댓값: 없다., 최솟값: 2

풍쌤 유형 TIP

함수 $f(x)$가 닫힌구간 $[a, b]$에서 연속이면 $f(x)$는 이 구간에서
반드시 최댓값과 최솟값을 갖는다. 그런데 함수 $f(x)$가 연속이 아니
면 닫힌구간에서도 최댓값과 최솟값을 갖지 않을 수 있다.
위의 문제에서 $\lim_{x \to 1} f(x) \neq f(1)$로 함수 $f(x)$가 $x=1$에서 연속이
아니므로 함수 $f(x)$의 최댓값은 5가 아니다.

029

구간 $[-1, 2]$에서 정의된 함수

$$f(x) = \begin{cases} x^2+3 & (x \neq 0) \\ -1 & (x=0) \end{cases}$$

의 최댓값과 최솟값의 합을 구하여라.

030

함수 $f(x) = \dfrac{1}{x-2}$에 대하여 다음 중 최솟값이 존재하
지 않는 구간은?

① $(-2, 0]$ ② $[0, 2)$ ③ $(2, 4]$

④ $(4, 6]$ ⑤ $[6, 8]$

031

구간 $[2, 4]$에서 함수 $f(x) = \dfrac{3x}{x-1}$의 최댓값을 M,
최솟값을 m이라고 할 때, $M-m$의 값은?

① -4 ② -2 ③ 0

④ 2 ⑤ 4

032

함수 $y=f(x)$의 그래프가 오른
쪽 그림과 같을 때, 다음 중 옳
은 것은?

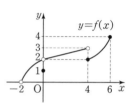

① 구간 $(-2, 4)$에서 $f(x)$가
불연속이 되는 x의 값은 2개
이다.

② 구간 $[-2, 4]$에서 $f(x)$의 최댓값은 3이다.

③ 구간 $[0, 4]$에서 $f(x)$의 최솟값은 1이다.

④ 구간 $[-2, 6]$에서 $f(x)$의 최솟값은 0이고, 최댓값
은 4이다.

⑤ 구간 $[0, 6]$에서 $f(x)$의 최댓값과 최솟값의 차는 4
이다.

033 서술형

두 함수 $f(x) = x+2$, $g(x) = \dfrac{1}{x-3}$에 대하여 구간
$[-2, 2]$에서 함수 $(f \circ g)(x)$의 최댓값과 최솟값의
합을 k라고 할 때, $5k$의 값을 구하여라.

유형 08 **사잇값의 정리**

방정식 $x^4+x^3+ax+2=0$이 열린구간 $(1, 2)$에서 적어도 하나의 실근을 가질 때, 정수 a의 개수를 구하여라.

풀이

$f(x)=x^4+x^3+ax+2$로 놓으면 $f(x)$는 구간 $[1, 2]$에서 연속이고

$f(1)=a+4$, $f(2)=2a+26$

이때 방정식 $f(x)=0$이 구간 $(1, 2)$에서 적어도 하나의 실근을 가지면 $f(1)f(2)<0$이어야 하므로

$(a+4)(2a+26)<0$, $2(a+4)(a+13)<0$

$\therefore -13<a<-4$

따라서 정수 a는 $-12, -11, \cdots, -5$의 8개이다.

답 8

034

연속함수 $f(x)$에 대하여

$$f(-2)=2, f(-1)=-4, f(0)=3,$$
$$f(1)=-2, f(2)=-5, f(3)=1$$

일 때, 방정식 $f(x)=0$은 열린구간 $(-2, 3)$에서 적어도 n개의 실근을 갖는다. n의 값은?

① 1   ② 2   ③ 3
④ 4   ⑤ 5

035

다음 중 방정식 $x^4-5x^3+8=0$의 적어도 하나의 실근이 존재하는 구간은?

① $(-2, -1)$ ② $(-1, 0)$ ③ $(0, 1)$
④ $(1, 2)$ ⑤ $(2, 3)$

036

방정식 $x^3+5x^2-10=0$이 적어도 하나의 실근을 가질 때, 다음 중 이 방정식의 실근이 존재하는 구간은?

① $(-4, -3)$ ② $(-3, -2)$ ③ $(-2, -1)$
④ $(-1, 0)$ ⑤ $(0, 1)$

037   서술형

연속함수 $f(x)$가 $f(0)=a$, $f(1)=a-2$일 때, 방정식 $f(x)=x$가 구간 $(0, 1)$ 사이에서 적어도 하나의 실근을 갖도록 하는 실수 a의 값의 범위를 구하여라.

038

현민이가 6주 동안 매주 월요일마다 몸무게를 측정하였더니 다음과 같았다고 한다. 이 6주 동안 현민이의 몸무게가 $60\,\mathrm{kg}$이었던 순간이 n번 있었다고 할 때, n의 최솟값은?

	1주	2주	3주	4주	5주	6주
몸무게 (kg)	58	59	62	59	61	63

① 1   ② 2   ③ 3
④ 4   ⑤ 5

01

함수 $f(x)=\begin{cases} 2x & (x\geq a) \\ x+3 & (x<a) \end{cases}$ 가 $x=a$에서 연속이 되도록 하는 실수 a의 값은?

① 2   ② 3   ③ 4

④ 5   ⑤ 6

02

두 함수 $y=f(x)$, $y=g(x)$의 그래프가 다음 그림과 같을 때, 옳은 것만을 |보기|에서 있는 대로 고른 것은?

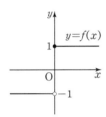 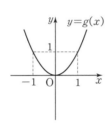

┤ **보기** ├

ㄱ. $f(x)g(x)$는 $x=-1$에서 연속이다.

ㄴ. $f(x)g(x)$는 $x=0$에서 불연속이다.

ㄷ. $f(x)g(x)$는 $x=1$에서 연속이다.

① ㄱ   ② ㄴ   ③ ㄱ, ㄴ

④ ㄱ, ㄷ   ⑤ ㄴ, ㄷ

03 |평가원 기출| 실력UP

실수 전체의 집합에서 정의된 함수 $f(x)$의 그래프가 오른쪽 그림과 같다. 합성함수 $(f\circ f)(x)$가 $x=a$에서 불연속이 되는 모든 a의 값의 합은? (단, $0\leq a\leq 6$)

① 3   ② 4   ③ 5

④ 6   ⑤ 7

04

함수 $f(x)=\begin{cases} ax+3 & (x\geq 1) \\ x^2+b & (-1<x<1) \\ 2x+c & (x\leq -1) \end{cases}$ 가 모든 실수 x에서 연속이고 $f(0)=3$일 때, 상수 a, b, c에 대하여 abc의 값은?

① 12   ② 14   ③ 16

④ 18   ⑤ 20

05

함수 $f(x)=\begin{cases} \dfrac{x^2+ax-4}{x-1} & (x\neq 1) \\ b & (x=1) \end{cases}$ 가 모든 실수 x에서 연속일 때, 상수 a, b에 대하여 $a+b$의 값은?

① 4   ② 5   ③ 6

④ 7   ⑤ 8

06

함수 $f(x)=a[x]-[x]$가 $x=2$에서 연속일 때, 상수 a의 값은?

(단, $[x]$는 x보다 크지 않은 최대의 정수이다.)

① -2 ② -1 ③ 0

④ 1   ⑤ 2

07

모든 실수 x에서 연속인 함수 $f(x)$가

$$(x-1)f(x)=6x^2+ax+2$$

를 만족시킬 때, $f(1)$의 값은? (단, a는 상수이다.)

① 0   ② 1   ③ 2

④ 3   ⑤ 4

08

모든 실수 x에서 연속인 함수 $f(x)$가

$$(x-2)f(x)=ax^2+bx$$

를 만족시킨다. $f(2)=6$일 때, 상수 a, b에 대하여 ab의 값을 구하여라.

09

모든 실수 x에서 정의된 두 함수 $f(x)$, $g(x)$에 대하여 옳은 것만을 |보기|에서 있는 대로 고른 것은?

┤ 보기 ├

ㄱ. $f(x)$와 $f(x)+g(x)$가 연속이면 $g(x)$도 연속이다.

ㄴ. $f(x)$와 $f(x)g(x)$가 연속이면 $g(x)$도 연속이다.

ㄷ. $f(x)$와 $\dfrac{f(x)}{g(x)}$가 연속이면 $g(x)$도 연속이다.

① ㄱ   ② ㄴ   ③ ㄷ

④ ㄱ, ㄴ   ⑤ ㄱ, ㄷ

10

구간 $[0, 3]$에서 정의된 함수

$$f(x)=\begin{cases} x^2-4x+6 & (x\neq2) \\ 1 & (x=2) \end{cases}$$

의 최댓값과 최솟값을 각각 구하여라.

11 실력 UP

두 함수 $f(x)=x^4-3x^3+x^2+k$, $g(x)=x^3-4x^2+1$에 대하여 구간 $(1, 2)$에서 방정식 $f(x)=g(x)$가 적어도 하나의 실근을 갖도록 하는 정수 k의 개수는?

① 1   ② 2   ③ 3

④ 4   ⑤ 5

12

다항함수 $f(x)$에 대하여

$$\lim_{x \to 0}\frac{f(x)}{x}=\lim_{x \to 4}\frac{f(x)}{x-4}=12$$

일 때, 방정식 $f(x)=0$은 구간 $[0, 4]$에서 적어도 몇 개의 실근을 갖는가?

① 1개   ② 2개   ③ 3개

④ 4개   ⑤ 5개

II

미분

미분계수와 도함수

1. 평균변화율

(1) 평균변화율: 함수 $y=f(x)$에서 x의 값이 a에서 b까지 변할 때의 평균변화율은

$$\frac{\varDelta y}{\varDelta x}=\frac{f(b)-f(a)}{b-a}=\frac{f(a+\varDelta x)-f(a)}{\varDelta x}$$

$\leftarrow$ $\varDelta x=b-a$이므로 $b=a+\varDelta x$
$\therefore \varDelta y=f(b)-f(a)=f(a+\varDelta x)-f(a)$

○ 함수 $y=f(x)$에서 x의 값이 a에서 b까지 변할 때 y의 값은 $f(a)$에서 $f(b)$까지 변한다. x의 변화량 $b-a$를 x의 증분 $\varDelta x$, y의 변화량 $f(b)-f(a)$를 y의 증분 $\varDelta y$라고 한다.

(2) 평균변화율의 기하적 의미: 함수 $y=f(x)$에서 x의 값이 a에서 b까지 변할 때의 평균변화율은 $y=f(x)$의 그래프 위의 두 점 $(a, f(a))$, $(b, f(b))$를 지나는 직선의 기울기와 같다.

2. 미분계수

(1) 미분계수(순간변화율): 함수 $y=f(x)$의 $x=a$에서의 미분계수는

$$f'(a)=\lim_{\varDelta x \to 0}\frac{\varDelta y}{\varDelta x}=\lim_{\varDelta x \to 0}\frac{f(a+\varDelta x)-f(a)}{\varDelta x}=\lim_{x \to a}\frac{f(x)-f(a)}{x-a}$$

(2) 미분계수의 기하적 의미: 함수 $f(x)$의 $x=a$에서의 미분계수 $f'(a)$는 곡선 $y=f(x)$ 위의 점 $(a, f(a))$에서의 접선의 기울기와 같다.

3. 미분가능성과 연속성

(1) 미분가능: 함수 $f(x)$의 $x=a$에서의 미분계수 $f'(a)$가 존재할 때, 함수 $f(x)$는 $x=a$에서 미분가능하다고 한다.

(2) 미분가능성과 연속성: 함수 $f(x)$가 $x=a$에서 미분가능하면 $f(x)$는 $x=a$에서 연속이다.

참고 일반적으로 그 역은 성립하지 않는다. 즉, 함수 $f(x)$가 $x=a$에서 연속이라고 해서 반드시 $x=a$에서 미분가능한 것은 아니다.

○ 함수 $f(x)$의 $x=a$에서의 미분계수 $f'(a)$가 존재하지 않으면 함수 $f(x)$가 $x=a$에서 미분가능하지 않다고 한다.
➡ 함수 $f(x)$가 $x=a$에서 미분가능하지 않은 경우
  (i) $x=a$에서 불연속인 경우
  (ii) $x=a$에서 그래프가 꺾인 경우

4. 도함수

미분가능한 함수 $y=f(x)$의 도함수는

$$f'(x)=\lim_{\varDelta x \to 0}\frac{f(x+\varDelta x)-f(x)}{\varDelta x}=\lim_{h \to 0}\frac{f(x+h)-f(x)}{h}$$

$\leftarrow \varDelta x$ 대신 h를 사용해서 나타낼 수 있다.

참고 함수 $y=f(x)$의 도함수 $f'(x)$를 구하는 것을 함수 $y=f(x)$를 x에 대하여 미분한다고 하고, 그 계산법을 미분법이라고 한다.

○ 함수 $y=f(x)$의 도함수 $f'(x)$는 y', $\frac{dy}{dx}$, $\frac{d}{dx}f(x)$ 등으로 나타내기도 한다.

5. 미분법

(1) 미분법의 공식
두 함수 $f(x)$, $g(x)$가 미분가능할 때, (단, n은 자연수이고, k는 상수이다.)
① $y=k$일 때 $y'=0$ ② $y=x^n$일 때 $y'=nx^{n-1}$
③ $y=kf(x)$일 때 $y'=kf'(x)$ ④ $y=f(x)+g(x)$일 때 $y'=f'(x)+g'(x)$
⑤ $y=f(x)-g(x)$일 때 $y'=f'(x)-g'(x)$

(2) 곱의 미분법
세 함수 $f(x)$, $g(x)$, $h(x)$가 미분가능할 때,
① $y=f(x)g(x)$이면 $y'=f'(x)g(x)+f(x)g'(x)$
② $y=f(x)g(x)h(x)$이면
  $y'=f'(x)g(x)h(x)+f(x)g'(x)h(x)+f(x)g(x)h'(x)$

참고 함수 $f(x)$가 미분가능할 때, $y=\{f(x)\}^n$ (n은 자연수)이면 $y'=n\{f(x)\}^{n-1}f'(x)$

○ 실수 a와 자연수 n에 대하여 함수 $y=(x+a)^n$의 도함수는 $y'=n(x+a)^{n-1}$

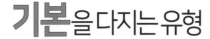

기본을 다지는 유형

정답과 풀이 023쪽

유형 01 평균변화율과 그 의미

함수 $f(x)=x^2-5$에 대하여 x의 값이 a에서 3까지 변할 때의 평균변화율이 2일 때, a의 값을 구하여라. (단, $a \neq 3$)

풀이

x의 값이 a에서 3까지 변할 때의 함수 $f(x)$의 평균변화율은

$$\frac{f(3)-f(a)}{3-a}=\frac{4-(a^2-5)}{3-a}=\frac{9-a^2}{3-a}=\frac{(3+a)(3-a)}{3-a}$$
$$=3+a$$

$a \neq 3$이므로 약분 가능

이때 $3+a=2$이므로 $a=-1$

답 -1

001

함수 $f(x)=x^2+2x$에서 x의 값이 다음과 같이 변할 때의 평균변화율을 구하여라.

(1) 0에서 2까지 변할 때

(2) -1에서 1까지 변할 때

(3) -1에서 -5까지 변할 때

002

다음 함수에서 x의 값이 1에서 3까지 변할 때의 평균변화율을 구하여라.

(1) $f(x)=-x$

(2) $f(x)=2x+1$

(3) $f(x)=2x^2-5$

003

함수 $f(x)=x^2-ax+5$에 대하여 x의 값이 -2에서 1까지 변할 때의 평균변화율이 8일 때, 상수 a의 값은?

① -9　　　② -6　　　③ -3

④ 3　　　⑤ 6

004 | 교육청 기출 |

함수 $f(x)=x(x+1)(x-2)$에서 x의 값이 -2에서 0까지 변할 때의 평균변화율과 x의 값이 0에서 a까지 변할 때의 평균변화율이 서로 같을 때, 양수 a의 값은?

① 1　　　② 2　　　③ 3

④ 4　　　⑤ 5

005

함수 $y=f(x)$의 그래프가 오른쪽 그림과 같고, 직선 AB의 기울기가 2일 때, x의 값이 0에서 1까지 변할 때의 함수 $y=f(x)$의 평균변화율은? (단, $f(0)=f(5)$)

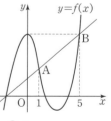

① -8　　　② -4　　　③ 0

④ 4　　　⑤ 8

유형 02 미분계수와 그 의미

함수 $f(x)=x^2+x$에 대하여 x의 값이 -2에서 1까지 변할 때의 평균변화율과 $x=a$에서의 미분계수가 같을 때, 상수 a의 값을 구하여라.

풀이

x의 값이 -2에서 1까지 변할 때의 함수 $f(x)$의 평균변화율은

$$\frac{f(1)-f(-2)}{1-(-2)}=\frac{2-2}{3}=0 \qquad \cdots\cdots \text{㉠}$$

함수 $f(x)$의 $x=a$에서의 미분계수는

$$f'(a)=\lim_{\Delta x \to 0}\frac{f(a+\Delta x)-f(a)}{\Delta x}$$

$$=\lim_{\Delta x \to 0}\frac{\{(a+\Delta x)^2+(a+\Delta x)\}-(a^2+a)}{\Delta x}$$

$$=\lim_{\Delta x \to 0}\frac{(\Delta x)^2+(2a+1)\Delta x}{\Delta x} \quad \leftarrow \Delta x \neq 0\text{이므로 약분할 수 있다.}$$

$$=\lim_{\Delta x \to 0}(\Delta x+2a+1)=2a+1 \qquad \cdots\cdots \text{㉡}$$

㉠, ㉡에서 $2a+1=0$이므로 $a=-\dfrac{1}{2}$

답 $-\dfrac{1}{2}$

006

다음 함수의 $x=1$에서의 미분계수를 구하여라.

(1) $f(x)=3x+4$

(2) $f(x)=2x^2$

007

다음 함수의 $x=a$에서의 미분계수가 12일 때, 양수 a의 값을 구하여라.

(1) $f(x)=x^2+1$

(2) $f(x)=x^3$

008

다항함수 $f(x)$에 대하여 $f(-1)=-1$이고, x의 값이 -1에서 a까지 변할 때의 평균변화율이 a일 때, $x=-1$에서의 미분계수는?

① -1 ② 0 ③ 1

④ 2 ⑤ 3

009 서술형

함수 $f(x)=3x^2+2x-7$에 대하여 x의 값이 a에서 b까지 변할 때의 평균변화율과 $x=-1$에서의 미분계수가 같을 때, $a+b$의 값을 구하여라.

010

곡선 $y=2x^2-x$ 위의 점 $(2, 6)$에서의 접선의 기울기는?

① 3 ② 4 ③ 5

④ 6 ⑤ 7

유형 03 미분계수의 정의를 이용한 극한값의 계산 −

$$f'(a) = \lim_{\Delta x \to 0} \frac{f(a+\Delta x) - f(a)}{\Delta x} \text{의 꼴}$$

다항함수 $f(x)$에 대하여 $f'(1) = 1$일 때,

$\lim_{\Delta x \to 0} \dfrac{f(1+2\Delta x) - f(1)}{\Delta x}$의 값을 구하여라.

풀이

$$\lim_{\Delta x \to 0} \frac{f(1+2\Delta x) - f(1)}{\Delta x} = \lim_{\Delta x \to 0} \frac{f(1+2\Delta x) - f(1)}{2\Delta x} \times 2$$
$$= 2f'(1) = 2 \times 1 = 2$$

답 2

011

다항함수 $f(x)$에 대하여 $f'(1) = -2$일 때,

$\lim_{\Delta x \to 0} \dfrac{f(1-3\Delta x) - f(1)}{\Delta x}$의 값은?

① -2 ② 0 ③ 2

④ 4 ⑤ 6

012

다항함수 $f(x)$에 대하여 $f'(2) = 3$일 때,

$\lim_{\Delta x \to 0} \dfrac{f(2-\Delta x) - f(2)}{-3\Delta x}$의 값은?

① -1 ② $-\dfrac{1}{3}$ ③ $\dfrac{1}{3}$

④ 1 ⑤ 3

013

다항함수 $f(x)$에 대하여 $f'(-3) = 4$일 때,

$\lim_{\Delta x \to 0} \dfrac{f(-3-5\Delta x) - f(-3)}{4\Delta x}$의 값은?

① -5 ② -1 ③ 0

④ 1 ⑤ 5

014

다항함수 $f(x)$에 대하여 $\lim_{\Delta x \to 0} \dfrac{f(a+2\Delta x) - f(a)}{3\Delta x}$의

값을 $f'(a)$를 이용하여 나타내면?

① $-\dfrac{3}{2}f'(a)$ ② $-\dfrac{2}{3}f'(a)$ ③ $\dfrac{2}{3}f'(a)$

④ $\dfrac{3}{2}f'(a)$ ⑤ $3f'(a)$

015

다항함수 $f(x)$에 대하여 $f'(3) = 2$일 때,

$\lim_{\Delta x \to 0} \dfrac{f(3+\Delta x) - f(3-2\Delta x)}{\Delta x}$의 값은?

① -6 ② -2 ③ -1

④ 2 ⑤ 6

016

다항함수 $f(x)$에 대하여 $f(-3)=5$, $f'(-3)=-4$일

때, $\lim\limits_{\Delta x \to 0} \dfrac{f(-3+\Delta x)-5}{\Delta x}$의 값은?

① -4 ② $-\dfrac{4}{5}$ ③ $\dfrac{1}{4}$

④ $\dfrac{4}{5}$ ⑤ 4

017

다항함수 $f(x)$에 대하여 $\lim\limits_{\Delta x \to 0} \dfrac{f(1+\Delta x)-f(1)}{\Delta x}=2$

일 때, $\lim\limits_{\Delta x \to 0} \dfrac{f(1+\Delta x)-f(1-\Delta x)}{2\Delta x}$의 값은?

① 0 ② $\dfrac{1}{2}$ ③ 1

④ $\dfrac{3}{2}$ ⑤ 2

018 서술형 ✐

다항함수 $f(x)$에 대하여 $\lim\limits_{\Delta x \to 0} \dfrac{f(3\Delta x)-f(-\Delta x)}{3\Delta x}=8$

일 때, $f'(0)$의 값을 구하여라.

유형 04 미분계수의 정의를 이용한 극한값의 계산 —
$$f'(a)=\lim_{x \to a} \dfrac{f(x)-f(a)}{x-a}$$의 꼴

다항함수 $f(x)$에 대하여 $f'(1)=3$일 때,

$\lim\limits_{x \to 1} \dfrac{f(x^2)-f(1)}{x-1}$의 값을 구하여라.

풀이

$x^2=t$라고 하면 $x \longrightarrow 1$일 때 $t \longrightarrow 1$이므로 ← ㉠

$\lim\limits_{x \to 1} \dfrac{f(x^2)-f(1)}{x-1}$

$=\lim\limits_{x \to 1} \left\{ \dfrac{f(x^2)-f(1)}{(x-1)(x+1)} \times (x+1) \right\}$

$=\lim\limits_{x \to 1} \left\{ \dfrac{f(x^2)-f(1)}{x^2-1} \times (x+1) \right\}$

$=\lim\limits_{t \to 1} \dfrac{f(t)-f(1)}{t-1} \times \lim\limits_{x \to 1} (x+1)$
         ㉠

$=2f'(1)=2 \times 3=6$

답 6

019

다항함수 $f(x)$에 대하여 $f'(-2)=5$일 때,

$\lim\limits_{x \to -2} \dfrac{f(x)-f(-2)}{x+2}$의 값은?

① -5 ② -2 ③ 0

④ 2 ⑤ 5

020

다항함수 $f(x)$에 대하여 $f'(1)=-2$일 때,

$\lim\limits_{x \to 1} \dfrac{f(x)-f(1)}{x^2-1}$의 값은?

① -2 ② -1 ③ 0

④ 1 ⑤ 2

021

다항함수 $f(x)$에 대하여 $f'(6) = -2$일 때,

$\lim\limits_{x \to 3} \dfrac{f(2x) - f(6)}{x - 3}$ 의 값은?

① -4 ② -2 ③ 0

④ 2 ⑤ 4

022

다항함수 $f(x)$에 대하여 $f(1) = 2$, $f'(1) = 3$일 때,

$\lim\limits_{x \to 1} \dfrac{xf(1) - f(x)}{x - 1}$ 의 값은?

① -6 ② -3 ③ -1

④ 1 ⑤ 3

023

다항함수 $f(x)$에 대하여 다음 중 $\lim\limits_{x \to a} \dfrac{f(x^3) - f(a^3)}{x - a}$ 과 값이 항상 같은 것은?

① $f'(a^3)$ ② $a^2 f'(a^3)$ ③ $3a^2 f'(a^3)$

④ $a^3 f'(a^3)$ ⑤ $3a^3 f'(a^3)$

024

다항함수 $f(x)$에 대하여 $f(2) = 0$, $f'(2) = 5$일 때,

$\lim\limits_{x \to 2} \dfrac{f(x)}{x^2 + x - 6}$ 의 값은?

① -5 ② -1 ③ 0

④ 1 ⑤ 5

025

다항함수 $f(x)$에 대하여 $\lim\limits_{x \to 1} \dfrac{f(x) - f(1)}{x^2 - 1} = -1$일 때,

$\lim\limits_{\Delta x \to 0} \dfrac{f(1 - 2\Delta x) - f(1 + 3\Delta x)}{\Delta x}$ 의 값을 구하여라.

026   서술형

다항함수 $f(x)$에 대하여

$$\lim_{\Delta x \to 0} \dfrac{f(1 + \Delta x) - f(1 - \Delta x)}{\Delta x} = 12$$

일 때, $\lim\limits_{x \to 1} \dfrac{x^2 - 1}{f(x) - f(1)}$ 의 값을 구하여라.

유형 05 미분가능성과 연속성

함수 $y=f(x)$의 그래프가 오른쪽 그림과 같을 때, 구간 $(-2, 3)$에서 함수 $f(x)$가 불연속인 x의 값은 a개, 미분가능하지 않은 x의 값은 b개라고 한다. $a+b$의 값을 구하여라.

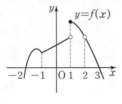

풀이

함수 $y=f(x)$는 $x=1$, $x=2$에서 불연속이므로 $a=2$

$x=-1$, $x=1$, $x=2$에서 미분가능하지 않으므로 $b=3$

$\therefore a+b=5$

답 5

풍쌤 유형 TIP

그래프로 확인하는 함수의 연속과 미분가능성

	$x=a$	$x=b$	$x=c$
	매끈함	끊어짐	뾰족점
	연속	불연속	연속
	미분가능	미분불가능	미분불가능

027

다음 함수의 $x=0$에서의 연속성과 미분가능성을 조사하여라.

(1) $f(x)=x$　　　(2) $f(x)=|x|$　　(3) $f(x)=\dfrac{1}{x}$

028

$x=1$에서 연속이지만 미분가능하지 않은 함수인 것만을 |보기|에서 있는 대로 고른 것은?

| 보기 |

ㄱ. $f(x)=x-1$

ㄴ. $f(x)=|x|-1$

ㄷ. $f(x)=|x^2-1|$

① ㄱ　　　　　② ㄴ　　　　　③ ㄷ

④ ㄱ, ㄴ　　　　⑤ ㄴ, ㄷ

029

다음 함수 $y=f(x)$의 그래프 중 $x=a$에서 미분가능한 것은?

①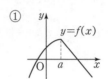

②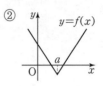

③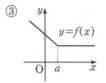

④

⑤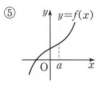

030

함수 $y=f(x)$의 그래프가 다음 그림과 같을 때, 다음 중 구간 $(0, 6)$에서 함수 $f(x)$에 대한 설명으로 옳지 않은 것은?

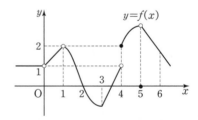

① 함수 $f(x)$가 불연속인 x의 값은 3개이다.

② 함수 $f(x)$가 미분가능하지 않은 x의 값은 4개이다.

③ 함수 $f(x)$가 연속이지만 미분가능하지 않은 x의 값은 1개이다.

④ 함수 $f(x)$의 값이 정의되지 않는 x의 값은 2개이다.

⑤ 함수 $f(x)$의 극한값이 존재하지 않는 x의 값은 1개이다.

유형 06 도함수의 정의를 이용하여 도함수 구하기

도함수의 정의를 이용하여 함수 $f(x)=x^2+2x-6$의 도함수를 구하고 $x=-1$에서의 미분계수를 구하여라.

풀이

$$f'(x)=\lim_{h\to 0}\frac{f(x+h)-f(x)}{h}$$
$$=\lim_{h\to 0}\frac{\{(x+h)^2+2(x+h)-6\}-(x^2+2x-6)}{h}$$
$$=\lim_{h\to 0}\frac{2xh+h^2+2h}{h}=\lim_{h\to 0}(2x+h+2)$$
$$=2x+2$$

이므로 $f'(-1)=2\times(-1)+2=0$

답 $f'(x)=2x+2,\ f'(-1)=0$

031

도함수의 정의를 이용하여 다음 함수의 도함수를 구하고 $x=1$에서의 미분계수를 구하여라.

(1) $f(x)=x$ (2) $f(x)=x^2$ (3) $f(x)=3x$

032

다음은 도함수의 정의를 이용하여 함수 $f(x)=2x^2+3$의 도함수를 구하는 과정이다. (가), (나)에 알맞은 다항식을 써넣어라.

$$f'(x)=\lim_{h\to 0}\frac{f(x+h)-f(x)}{h}$$
$$=\lim_{h\to 0}\frac{\{2(x+h)^2+3\}-(2x^2+3)}{h}$$
$$=\lim_{h\to 0}(\boxed{(가)})=\boxed{(나)}$$

033

n이 2 이상의 정수일 때, 다음은 도함수의 정의를 이용하여 함수 $f(x)=x^n$의 도함수를 구하는 과정이다. (가), (나)에 알맞은 것을 써넣어라.

$$f'(x)$$
$$=\lim_{h\to 0}\frac{f(x+h)-f(x)}{h}$$
$$=\lim_{h\to 0}\frac{(x+h)^n-x^n}{h}$$
$$=\lim_{h\to 0}\frac{\{(\boxed{(가)})-x\}\{(x+h)^{n-1}+(x+h)^{n-2}x+\cdots+x^{n-1}\}}{h}$$
$$=\lim_{h\to 0}\{(x+h)^{n-1}+(x+h)^{n-2}x+\cdots+x^{n-1}\}$$
$$=x^{n-1}+x^{n-1}+\cdots+x^{n-1}$$
$$=\boxed{(나)}\,x^{n-1}$$

034

다음은 두 함수 $f(x)$, $g(x)$가 모든 실수 x에서 미분가능할 때, 도함수의 정의를 이용하여 $g(x)=2xf(x)$의 도함수를 구하는 과정이다. 두 식 A, B를 각각 구하여라.

$$g'(x)=\lim_{h\to 0}\frac{g(x+h)-g(x)}{h}$$
$$=\lim_{h\to 0}\frac{2(x+h)f(x+h)-2xf(x)}{h}$$
$$=\lim_{h\to 0}\frac{2x\{f(x+h)-f(x)\}+A}{h}$$
$$=2xf'(x)+B$$

함수 $f(x)=\dfrac{3}{2}x^2-x+7$에 대하여 $f'(3)$의 값을 구하여라.

풀이

$f'(x)=\left(\dfrac{3}{2}\times 2\right)x-1=3x-1$이므로

$f'(3)=3\times 3-1=8$

답 8

035

다음 함수를 미분하여라.

(1) $y=-x^2+2$

(2) $y=4x^2+3x$

(3) $y=-2x^3+4x-5$

(4) $y=-2x^5$

036

함수

$$y=\dfrac{1}{3}x^3+\dfrac{1}{2}x^2+4x-2$$

에 대하여 $x=-3$에서의 미분계수는?

① 7   ② 8   ③ 9

④ 10   ⑤ 11

037

함수

$$f(x)=-3x^3+2x^2+5x-2$$

에 대하여 $f'(0)$의 값은?

① -5 ② -2 ③ 0

④ 2   ⑤ 5

038 |평가원 기출|

이차함수

$$f(x)=x^2+3x$$

에 대하여 $f(2)+f'(2)$의 값을 구하여라.

039

함수

$$f(x)=x^4+x^2+3$$

에 대하여 $f'(a)=36$일 때, 실수 a의 값은?

① -2 ② -1 ③ 0

④ 1   ⑤ 2

040 서술형 ✏️

함수
$$f(x)=\sum_{n=1}^{11} x^{n-1}$$
에 대하여 $f(1)+f'(1)$의 값을 구하여라.

041

함수
$$f(x)=\frac{2}{3}x^3-\frac{a}{2}x^2+3x+b$$
에 대하여 $f(0)=-5$, $f'(-3)=9$일 때, $f(3)$의 값은?
(단, a, b는 상수이다.)

① 36   ② 38   ③ 40

④ 42   ⑤ 45

042

함수
$$f(x)=x^2+ax+b$$
에 대하여 $f(3)=-4$, $f'(-1)=-5$일 때, 상수 a, b에 대하여 $a+b$의 값은?

① -7 ② -5 ③ -3

④ -1 ⑤ 1

유형 08 곱의 미분법

함수 $f(x)=(x^2+x-1)(x+1)^3$에 대하여 $f'(1)$의 값을 구하여라.

풀이

$$\begin{aligned}
f'(x)&=(x^2+x-1)'(x+1)^3+(x^2+x-1)\{(x+1)^3\}'\\
&=(2x+1)(x+1)^3+3(x^2+x-1)(x+1)^2(x+1)'\\
&=(2x+1)(x+1)^3+3(x^2+x-1)(x+1)^2\\
&=(x+1)^2(5x^2+6x-2)
\end{aligned}$$
이므로 $f'(1)=2^2\times9=36$

답 36

043

다음 함수를 미분하여라.

(1) $y=(x+1)(2x+3)$

(2) $y=(x^2-3)(4x+1)$

(3) $y=x(x+1)(x-2)$

044

다음 함수를 미분하여라.

(1) $y=(2x-3)^3$

(2) $y=(x^2+2x+3)^4$

(3) $y=x^3(x+2)^2$

045

함수
$$f(x)=(x^2+x)(x^5-x^4+x^3-x^2)$$
에 대하여 $f'(1)$의 값은?

① 0   ② 1   ③ 2

④ 3   ⑤ 4

046

함수
$$f(x)=x(3x-1)(4x+2)$$
에 대하여 $f'(a)=-2$일 때, 상수 a의 값을 모두 구하여라.

047

함수
$$f(x)=(x^2+1)^4$$
에 대하여 $f'(-1)$의 값은?

① -64 ② -60 ③ -56

④ -52 ⑤ -48

048 | 평가원 기출 |

함수
$$f(x)=(2x^3+1)(x-1)^2$$
에 대하여 $f'(-1)$의 값을 구하여라.

049

함수
$$f(x)=(3x+a)^4$$
에 대하여 $f'(1)=12$일 때, 상수 a의 값은?

① -3 ② -2 ③ -1

④ 0   ⑤ 1

050 서술형

곡선 $y=(x^2+3)^4$ 위의 $x=1$인 점에서의 접선의 기울기를 구하여라.

유형 09 미분계수를 이용한 극한값의 계산

함수 $f(x)=x^3-2x^2+4x-1$에 대하여

$$\lim_{h \to 0} \frac{f(1+2h)-f(1)}{h}$$

의 값을 구하여라.

풀이

$$\lim_{h \to 0} \frac{f(1+2h)-f(1)}{h}=\lim_{h \to 0} \frac{f(1+2h)-f(1)}{2h} \times 2=2f'(1)$$

이때 $f'(x)=3x^2-4x+4$이므로 $f'(1)=3-4+4=3$

따라서 구하는 값은 $2f'(1)=2 \times 3=6$

답 6

풍쌤 유형 TIP

도함수 $f'(x)$를 구하고, 미분계수의 정의를 이용하여 구하는 식을 $f'(a)$에 대한 식으로 나타내서 극한값을 구한다.

051

함수 $f(x)=3x^2+1$에 대하여

$$\lim_{h \to 0} \frac{f(2+h)-f(2)}{h}$$

의 값은?

① 6   ② 8   ③ 10

④ 12   ⑤ 14

052

함수 $f(x)=-3x^4+2x^3+4x$에 대하여

$$\lim_{x \to 1} \frac{f(x)-f(1)}{x^2-1}$$

의 값은?

① -1 ② 0   ③ 1

④ 2   ⑤ 3

053

함수 $f(x)=x^2+3x-4$에 대하여

$$\lim_{h \to 0} \frac{f(1+h)-f(1-h)}{h}$$

의 값은?

① 8   ② 9   ③ 10

④ 11   ⑤ 12

054 | 교육청 기출 |

함수 $f(x)=3x^2+2x-1$에 대하여

$$\lim_{x \to 1} \frac{f(x)-f(2x-1)}{x-1}$$

의 값은?

① -8 ② -4 ③ 0

④ 4   ⑤ 8

055

함수 $f(x)=x^3-2x^2+x$에 대하여

$$\lim_{h \to 0} \frac{f(a-2h)-f(a)}{h}=-10$$

을 만족시키는 정수 a의 값은?

① -2 ② -1 ③ 0

④ 1   ⑤ 2

056

$\lim\limits_{x \to 1} \dfrac{x^6 - 3x + 2}{x - 1}$ 의 값은?

① 0   ② 1   ③ 2

④ 3   ⑤ 4

057

$\lim\limits_{x \to -1} \dfrac{x^{10} - 3x^3 + x - 3}{x + 1}$ 의 값은?

① -18   ② -17   ③ -16

④ -15   ⑤ -14

058 서술형 ✎

$\lim\limits_{x \to 1} \dfrac{x^n - 5x^2 - 2x + 6}{x - 1} = 0$ 일 때, 자연수 n의 값을 구하여라.

유형 10 미분계수를 이용한 미정계수의 결정

함수 $f(x) = ax^3 + x^2 + bx - 4$에 대하여 $f(1) = -4$이고, $\lim\limits_{x \to 1} \dfrac{f(x) - f(1)}{x^2 - 1} = -\dfrac{5}{2}$일 때, 상수 a, b에 대하여 ab의 값을 구하여라.

풀이

$f(1) = -4$이므로 $a + 1 + b - 4 = -4$

$\therefore a + b = -1$ ········ ㉠

$\lim\limits_{x \to 1} \dfrac{f(x) - f(1)}{x^2 - 1} = -\dfrac{5}{2}$에서

$\lim\limits_{x \to 1} \left\{ \dfrac{f(x) - f(1)}{x - 1} \times \dfrac{1}{x + 1} \right\} = -\dfrac{5}{2}$

$\dfrac{1}{2} f'(1) = -\dfrac{5}{2}$ $\therefore f'(1) = -5$

이때 $f'(x) = 3ax^2 + 2x + b$이고, $f'(1) = -5$이므로

$3a + 2 + b = -5$ $\therefore 3a + b = -7$ ········ ㉡

㉠, ㉡을 연립하여 풀면 $a = -3$, $b = 2$

$\therefore ab = -6$

답 -6

059

함수 $f(x) = x^2 + ax + 3$에 대하여

$$\lim\limits_{h \to 0} \dfrac{f(2 - h) - f(2)}{h} = 3$$

일 때, $f(-2)$의 값을 구하여라.

060 |교육청 기출|

함수 $f(x) = x^2 + ax$에 대하여

$$\lim\limits_{h \to 0} \dfrac{f(1 + h) - f(1)}{2h} = 6$$

일 때, 상수 a의 값은?

① 10   ② 11   ③ 12

④ 13   ⑤ 14

061

함수 $f(x)=ax^2-6x$에 대하여

$$\lim_{h \to 0} \frac{f(5+h)-f(5-h)}{h}=8$$

을 만족시킬 때, $f(2)$의 값은? (단, a는 상수이다.)

① -8 　　② -6 　　③ -4

④ -2 　　⑤ 0

062

함수 $f(x)=x^2+ax+b$에 대하여 $\lim_{x \to 1} \dfrac{f(x)}{x-1}=7$이 성립할 때, $f(2)+f'(2)$의 값은? (단, a, b는 상수이다.)

① 14 　　② 15 　　③ 16

④ 17 　　⑤ 18

063

다항함수 $f(x)$가

$$\lim_{x \to \infty} \frac{f(x)}{2x^2+3x-1}=1, \quad \lim_{x \to -1} \frac{f(x)-6}{x+1}=-4$$

를 만족시킬 때, $f(2)$의 값을 구하여라.

유형 **11** **접선의 기울기를 이용한 미정계수의 결정**

함수 $f(x)=2x^2-3x+a$의 그래프 위의 점 $(k,\ 6)$에서의 접선의 기울기가 5일 때, 상수 a, k에 대하여 $a+k$의 값을 구하여라.

풀이

$f'(x)=4x-3$이고, 함수 $y=f(x)$의 그래프 위의 점 $(k,\ 6)$에서의 접선의 기울기가 5이므로 $f'(k)=5$에서

$4k-3=5$, $4k=8$

$\therefore k=2$

한편, $f(k)=6$, 즉 $f(2)=6$이므로 $8-6+a=6$

$a+2=6$ 　　$\therefore a=4$

$\therefore a+k=4+2=6$

답 6

064

다음 곡선 위의 $x=1$인 점에서의 접선의 기울기가 4일 때, 상수 a의 값을 구하여라.

(1) $y=x^2+ax$

(2) $y=ax^3+x+1$

065

함수 $f(x)=x^2+ax+1$에 대하여 함수 $y=f(x)$의 그래프 위의 점 $(-1,\ 7)$에서의 접선의 기울기가 m일 때, 상수 a, m에 대하여 am의 값은?

① 32 　　② 33 　　③ 34

④ 35 　　⑤ 36

066

곡선 $y=(2x+1)^3(x^2+k)$ 위의 $x=-1$인 점에서의 접선의 기울기가 -4이고, 곡선은 점 $(1, a)$를 지난다. 상수 a, k에 대하여 $a+k$의 값은?

① -31 ② -30 ③ -29

④ -28 ⑤ -27

067

함수 $f(x)=3x^2+kx+3$에 대하여 곡선 $y=f(x)$ 위의 점 $(a, 11)$에서의 접선의 기울기가 -10일 때, $a+f'(k)$의 값은? (단, a, k는 정수이다.)

① 10 ② 11 ③ 12

④ 13 ⑤ 14

068 서술형

점 $(2, -3)$을 지나는 함수 $f(x)=ax^2+bx+c$의 그래프 위의 점 $(-1, -9)$에서의 접선의 기울기가 8일 때, $f(3)$의 값을 구하여라. (단, a, b, c는 상수이다.)

유형 **12** 함수의 미분가능성을 이용한 미정계수의 결정

함수 $f(x)=\begin{cases} x^2+2a & (x\geq -1) \\ bx & (x<-1) \end{cases}$ 가 $x=-1$에서 미분가능할 때, 상수 a, b에 대하여 ab의 값을 구하여라.

풀이

함수 $f(x)$가 $x=-1$에서 연속이므로   ⌐ $x=-1$에서 미분가능 ➡ $x=-1$에서 연속

$\lim\limits_{x\to-1+} f(x)=\lim\limits_{x\to-1-} f(x)=f(-1)$

$\lim\limits_{x\to-1+} (x^2+2a)=\lim\limits_{x\to-1-} bx=(-1)^2+2a$

$1+2a=-b$ $\therefore 2a+b=-1$ .... ㉠

$f'(x)=\begin{cases} 2x & (x>-1) \\ b & (x<-1) \end{cases}$ 이고, $f'(-1)$의 값이 존재하므로

                ↘ $x=-1$에서 미분가능

$\lim\limits_{x\to-1+} f'(x)=\lim\limits_{x\to-1-} f'(x)$에서   ➡ $f'(-1)$의 값 존재

$\lim\limits_{x\to-1+} 2x=\lim\limits_{x\to-1-} b$ $\therefore b=-2$

$b=-2$를 ㉠에 대입하면 $2a-2=-1$

$2a=1$ $\therefore a=\dfrac{1}{2}$

$\therefore ab=\dfrac{1}{2}\times(-2)=-1$

답 -1

풍쌤 유형 TIP

상수 a를 기준으로 구간이 나누어진 함수 $f(x)$가 모든 실수 x에서 미분가능하면 $x=a$에서 미분가능하므로 $x=a$에서 연속이다. 즉, 다음이 모두 성립한다.

(i) $\lim\limits_{x\to a+} f(x)=\lim\limits_{x\to a-} f(x)=f(a)$

(ii) $\lim\limits_{x\to a+} f'(x)=\lim\limits_{x\to a-} f'(x)$

069

함수 $f(x)=\begin{cases} x^2+2ax & (x\geq 2) \\ bx^2+4 & (x<2) \end{cases}$ 가 $x=2$에서 미분가능할 때, 상수 a, b에 대하여 $a+b$의 값을 구하여라.

070

함수 $f(x)=\begin{cases} ax-1 & (x\geq 0) \\ x^3+2x+b & (x<0) \end{cases}$ 가 모든 실수 x에서 미분가능할 때, 상수 a, b에 대하여 ab의 값을 구하여라.

071

함수

$$f(x) = \begin{cases} 6x+a & (x \geq -1) \\ bx^3 & (x < -1) \end{cases}$$

이 모든 실수 x에서 미분가능할 때, 상수 a, b에 대하여 ab의 값은?

① 5   ② 6   ③ 7

④ 8   ⑤ 9

072

함수

$$f(x) = \begin{cases} a(x+b) & (x \geq 1) \\ x^2 & (x < 1) \end{cases}$$

이 $x=1$에서 미분가능할 때, $f(4)$의 값은?

(단, a, b는 상수이다.)

① 7   ② 8   ③ 9

④ 10   ⑤ 11

073 |교육청 기출|

미분가능한 함수

$$f(x) = \begin{cases} a(x-1)^2+b & (x \geq 0) \\ -x+1 & (x < 0) \end{cases}$$

에 대하여 $f(1)$의 값은? (단, a, b는 상수이다.)

① $\dfrac{1}{4}$ ② $\dfrac{1}{2}$ ③ 1

④ $\dfrac{3}{2}$ ⑤ 2

유형 **13** 다항식의 나눗셈에서 미분법의 활용

다항식 x^4+ax^2+b를 $(x+1)^2$으로 나누었을 때의 나머지가 $4x-1$일 때, 상수 a, b에 대하여 a^2-b^2의 값을 구하여라.

풀이

다항식 x^4+ax^2+b를 $(x+1)^2$으로 나누었을 때의 몫을 $Q(x)$라고 하면

$x^4+ax^2+b=(x+1)^2 Q(x)+4x-1$ ········ ㉠

㉠의 양변에 $x=-1$을 대입하면

$1+a+b=-5$ ∴ $a+b=-6$ ········ ㉡

㉠의 양변을 x에 대하여 미분하면

$4x^3+2ax=2(x+1)Q(x)+(x+1)^2 Q'(x)+4$

위 식의 양변에 $x=-1$을 대입하면

$-4-2a=4$ ∴ $a=-4$

$a=-4$를 ㉡에 대입하면 $-4+b=-6$ ∴ $b=-2$

∴ $a^2-b^2=12$

답 12

풍쌤 유형 TIP

다항식 $f(x)$를 다항식 $g(x)$로 나누었을 때의 몫을 $Q(x)$, 나머지를 $R(x)$라고 하면 $f(x)=g(x)Q(x)+R(x)$이다.

074

다항식 x^3+ax+b가 $(x-1)^2$으로 나누어떨어질 때, 상수 a, b에 대하여 ab의 값은?

① -6 ② -4 ③ -2

④ 0   ⑤ 2

075

다항식 $x^{10}+5x^2+1$을 $(x+1)^2$으로 나누었을 때의 나머지를 $R(x)$라고 할 때, $R(2)$의 값을 구하여라.

01

함수 $f(x)=-x^2+4x+1$에 대하여 x의 값이 0에서 3 까지 변할 때의 평균변화율과 x의 값이 -4에서 a까지 변할 때의 평균변화율이 같을 때, 양수 a의 값은?

① -4 ② -1 ③ 1

④ 4   ⑤ 7

02

함수 $f(x)=x^3+ax$에서 x의 값이 0에서 2까지 변할 때의 평균변화율이 7일 때, $f(1)$의 값은?

(단, a는 상수이다.)

① -2 ② 0   ③ 2

④ 4   ⑤ 6

03

함수 $f(x)=-x^2+2x+4$에 대하여 x의 값이 a부터 1 까지 변할 때의 평균변화율과 $x=2$에서의 미분계수가 같을 때, a의 값은?

① 2   ② 3   ③ 4

④ 5   ⑤ 6

04

곡선 $y=2x^2+x+3$ 위의 점 $(0, 3)$에서의 접선의 기울기를 구하여라.

05

다항함수 $f(x)$에 대하여 $f'(1)=6$일 때, $\lim\limits_{\varDelta x \to 0} \dfrac{f(1+4\varDelta x)-f(1+2\varDelta x)}{3\varDelta x}$의 값을 구하여라.

06 |평가원 기출|

함수 $y=f(x)$의 그래프는 y축에 대하여 대칭이고, $f'(-2)=-3$, $f'(4)=6$일 때, $\lim\limits_{x \to -2} \dfrac{f(x^2)-f(4)}{f(x)-f(-2)}$의 값은?

① -8 ② -4 ③ 4

④ 8   ⑤ 12

07

함수 $f(x)$가 다음과 같다.

$$f(x) = \begin{cases} x^3 - 3x & (x \le -1 \text{ 또는 } x \ge 0) \\ x^3 - 3x - 2 & (-1 < x < 0) \end{cases}$$

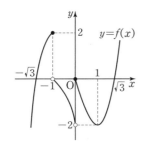

옳은 것만을 |보기|에서 있는 대로 고른 것은?

┌─ 보기 ├─────────────────────────
ㄱ. 함수 $f(x)$의 불연속인 점은 2개이다.
ㄴ. 함수 $f(x)$는 $x=0$에서 미분가능하다.
ㄷ. $\displaystyle\lim_{x \to 0} f'(x) = -3$
└────────────────────────────────

① ㄱ   ② ㄴ   ③ ㄷ

④ ㄱ, ㄷ   ⑤ ㄴ, ㄷ

08

함수 $f(x) = ax^2 + bx + c$가

$$f(2) = 0, \quad f'(-2) = 9, \quad f'(1) = 3$$

을 만족시킬 때, $f(1)$의 값은? (단, a, b, c는 상수이다.)

① -3 ② -2 ③ -1

④ 1 ⑤ 2

09

다항함수 $f(x)$가

$$f(x) = 3x^2 - xf'(1)$$

을 만족시킬 때, $f(2) + f'(2)$의 값을 구하여라.

10

함수

$$f(x) = (x^2 + 2x)^5$$

에 대하여 $f'(1)$의 값은?

① 1612   ② 1616   ③ 1620

④ 1624   ⑤ 1628

11

두 함수 $f(x)$, $g(x)$가 미분가능할 때,

$$g(x) = (2x + 3)f(x)$$

이다. $g(1) = -5$, $f'(1) = 7$일 때, $g'(1)$의 값은?

① 32   ② 33   ③ 34

④ 35   ⑤ 36

12

함수
$$f(x)=(x-1)(x-2)(x-3)\cdots(x-10)$$
에 대하여 $\dfrac{f'(1)}{f'(2)}$의 값은?

① -9 ② -6 ③ -3

④ 3 ⑤ 6

13

다항함수 $f(x)$가
$$\lim_{x\to1}\frac{f(x)-3}{x-1}=8$$
을 만족시킬 때, $g(x)=xf(x)$라고 한다. $g'(1)$의 값은?

① 8 ② 9 ③ 10

④ 11 ⑤ 12

14 |수능 기출|

함수 $f(x)=x^4+4x^2+1$에 대하여
$$\lim_{h\to0}\frac{f(1+2h)-f(1)}{h}$$
의 값을 구하여라.

15

$\lim\limits_{x\to1}\dfrac{x^{10}-2x+1}{x-1}$의 값은?

① -8 ② -4 ③ 0

④ 4 ⑤ 8

16

함수 $f(x)=x^3+ax+b$에 대하여
$$f(-1)=1,\quad \lim_{x\to-1}\frac{f(x)-f(-1)}{x^2-1}=-\frac{7}{2}$$
일 때, $f(1)$의 값은? (단, a, b는 상수이다.)

① 8 ② 9 ③ 10

④ 11 ⑤ 12

17 실력UP

두 함수 $y=f(x)$, $y=x$의 그래프가 오른쪽 그림과 같을 때, 다음 중 옳은 것은? (단, $0<a<b$)

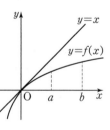

① $f(a)>f(b)$

② $\dfrac{f(a)}{a}<\dfrac{f(b)}{b}$

③ $f(b)-f(a)>b-a$

④ $f'(a)>1$

⑤ $f'(a)>f'(b)$

18

함수 $f(x)=x^2+ax$에 대하여 x의 값이 -1에서 k까지 변할 때의 평균변화율과 곡선 $y=f(x)$ 위의 $x=2$인 점에서의 접선의 기울기가 같을 때, k의 값을 구하여라. (단, a는 상수이고, $k \neq -1$이다.)

19 |평가원 기출|

함수

$$f(x)=\begin{cases} bx+4 & (x \geq 1) \\ x^3+ax+b & (x<1) \end{cases}$$

가 실수 전체의 집합에서 미분가능할 때, $a+b$의 값은? (단, a, b는 상수이다.)

① 6　　　　② 7　　　　③ 8
④ 9　　　　⑤ 10

20 실력UP

함수

$$f(x)=|x-1|(x+a)$$

가 $x=1$에서 미분가능할 때, 상수 a의 값은?

① -2　　　② -1　　　③ 0
④ 1　　　　⑤ 2

21 |수능 기출|

삼차함수 $y=f(x)$가 서로 다른 세 실수 a, b, c에 대하여

$$f(a)=f(b)=0,\ f'(a)=f'(c)=0$$

을 만족시킨다. c를 a와 b로 나타내면?

① $a+b$　　　② $\dfrac{a+b}{2}$　　　③ $\dfrac{a+b}{3}$

④ $\dfrac{a+2b}{3}$　　　⑤ $\dfrac{2a+b}{3}$

22

다항식 x^6+6x+a가 $(x+k)^2$으로 나누어떨어질 때, 정수 a, k에 대하여 ak의 값은?

① 4　　　　② 5　　　　③ 6
④ 7　　　　⑤ 8

23

다항함수 $y=f(x)$의 그래프가 점 $(4, -4)$를 지나고, 이때의 접선의 기울기는 3이다. 함수 $f(x)$를 $(x-4)^2$으로 나누었을 때의 나머지를 $R(x)$라고 할 때, $R(5)$의 값은?

① -2　　　② -1　　　③ 0
④ 1　　　　⑤ 2

04. 도함수의 활용 (1)

1. 접선의 방정식

(1) 곡선 $y=f(x)$ 위의 점 $P(a, f(a))$에서의 접선의 기울기는 $x=a$에서의 미분계수 $f'(a)$와 같다.

(2) 함수 $f(x)$가 $x=a$에서 미분가능할 때, 곡선 $y=f(x)$ 위의 점 $P(a, f(a))$에서의 접선의 방정식은
$$y-f(a)=f'(a)(x-a)$$

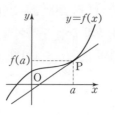

○ 곡선 $y=f(x)$ 위의 점 $P(a, f(a))$를 지나고, 이 점에서의 접선에 수직인 직선의 방정식은
$$y-f(a)=-\frac{1}{f'(a)}(x-a)$$
$$(\text{단, } f'(a) \neq 0)$$

2. 접선의 방정식 구하기

(1) 곡선 $y=f(x)$ 위의 접점 $(a, f(a))$가 주어진 경우　← 접선의 기울기를 구한다.
　① 접선의 기울기 $f'(a)$를 구한다.
　② 접선의 방정식 $y-f(a)=f'(a)(x-a)$를 구한다.

(2) 곡선 $y=f(x)$에 접하는 접선의 기울기 m이 주어진 경우　← 접점의 좌표를 구한다.
　① 접점의 좌표를 $(a, f(a))$로 놓는다.
　② $f'(a)=m$임을 이용하여 a의 값을 구한다.
　③ 접선의 방정식 $y-f(a)=m(x-a)$를 구한다.

(3) 곡선 $y=f(x)$ 밖의 한 점 (m, n)이 주어진 경우　← 접점의 좌표를 구한다.
　① 접점의 좌표를 $(a, f(a))$로 놓는다.
　② 접선 $y-f(a)=f'(a)(x-a)$가 점 (m, n)을 지남을 이용하여 a의 값을 구한다.
　③ 접선의 방정식 $y-f(a)=f'(a)(x-a)$를 구한다.

3. 공통인 접선

두 곡선 $y=f(x)$, $y=g(x)$가 $x=a$에서 공통인 접선을 가지면 다음이 성립한다.

(1) $f(a)=g(a)$ ➡ 두 곡선이 $x=a$인 점에서 만난다.

(2) $f'(a)=g'(a)$ ➡ $x=a$인 점에서의 두 곡선의 접선의 기울기가 같다.

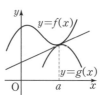

○ 두 곡선 $y=f(x)$, $y=g(x)$가 점 (a, b)에서 접하면
(1) $f(a)=g(a)=b$
(2) $f'(a)=g'(a)$

4. 롤의 정리

함수 $f(x)$가 닫힌구간 $[a, b]$에서 연속이고 열린구간 (a, b)에서 미분가능할 때, $f(a)=f(b)$이면 $f'(c)=0$인 c가 a와 b 사이에 적어도 하나 존재한다.

참고　롤의 정리는 열린구간 (a, b)에서 곡선 $y=f(x)$의 접선 중 x축과 평행한 것이 적어도 하나 존재함을 의미한다.

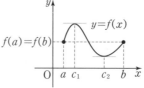

○ 롤의 정리와 평균값의 정리는 모두 열린구간 (a, b)에서 함수 $f(x)$가 미분가능할 때만 성립한다.

5. 평균값 정리

함수 $f(x)$가 닫힌구간 $[a, b]$에서 연속이고 열린구간 (a, b)에서 미분가능하면
$$\frac{f(b)-f(a)}{b-a}=f'(c)$$
인 c가 a와 b 사이에 적어도 하나 존재한다.

참고　평균값 정리는 열린구간 (a, b)에서 곡선 $y=f(x)$의 접선 중 두 점 $(a, f(a))$, $(b, f(b))$를 연결하는 직선과 평행한 것이 적어도 하나 존재함을 의미한다.

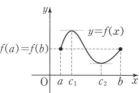

○ 평균값 정리에서 $f(a)=f(b)$인 경우가 롤의 정리이다.

유형 **01** 접선의 기울기

곡선 $y=x^3+ax+b$ 위의 점 $(1, 3)$에서의 접선의 기울기가 -2일 때, 상수 a, b에 대하여 ab의 값을 구하여라.

풀이

$f(x)=x^3+ax+b$라고 하면 $f'(x)=3x^2+a$

점 $(1, 3)$이 곡선 $y=f(x)$ 위의 점이므로

$f(1)=3$에서 $1+a+b=3$

$\therefore a+b=2$ ········· ㉠

점 $(1, 3)$에서의 접선의 기울기가 -2이므로

$f'(1)=-2$에서 $3+a=-2$ $\therefore a=-5$

$a=-5$를 ㉠에 대입하면 $b=7$

$\therefore ab=-5\times 7=-35$

답 -35

001

다음 곡선 위의 $x=2$인 점에서의 접선의 기울기를 구하여라.

(1) $y=-2x^2$

(2) $y=x^2+3x$

(3) $y=x^3+3x^2$

002

다음 곡선 위의 주어진 점에서의 접선의 기울기를 구하여라.

(1) $y=3x^2+2x-4$ $(1, 1)$

(2) $y=\dfrac{1}{3}x^3-9x$ $(-3, 18)$

003

곡선 $y=f(x)$ 위의 점 $(1, f(1))$에서의 접선의 기울기가 4일 때, $\displaystyle\lim_{h\to 0}\dfrac{f(1-h)-f(1)}{2h}$의 값은?

① -8 ② -4 ③ -2

④ 2 ⑤ 4

004 | 수능 기출 |

사차함수 $f(x)=x^4-4x^3+6x^2+4$의 그래프 위의 점 (a, b)에서의 접선의 기울기가 4일 때, a^2+b^2의 값을 구하여라.

005

곡선 $y=ax^3+bx^2+cx$ 위의 두 점 $(2, 12)$, $(4, 0)$에서의 접선이 서로 평행할 때, 상수 a, b, c에 대하여 $ab+c$의 값은?

① 3 ② 7 ③ 11

④ 18 ⑤ 25

유형 02 곡선 위의 점이 주어진 접선의 방정식

곡선 $y=-x^3-2x^2+x$ 위의 점 $(1, -2)$에서의 접선이 x축과 만나는 점의 좌표를 구하여라.

풀이

$f(x)=-x^3-2x^2+x$라고 하면 $f'(x)=-3x^2-4x+1$

점 $(1, -2)$에서의 접선의 기울기는

$f'(1)=-3-4+1=-6$

이므로 접선의 방정식은

$y-(-2)=-6(x-1)$

$\therefore y=-6x+4$

따라서 접선이 x축과 만나는 점의 좌표는 $0=-6x+4$에서

$6x=4$, 즉 $x=\dfrac{2}{3}$이므로 $\left(\dfrac{2}{3}, 0\right)$이다.

답 $\left(\dfrac{2}{3}, 0\right)$

006

곡선 $y=-x^3+2x$ 위의 점 $(1, 1)$에서의 접선에 대하여 다음을 구하여라.

(1) 접선의 기울기

(2) 접선의 방정식

007

곡선 $y=(x^2-1)(x+2)$ 위의 점 $(0, -2)$에서의 접선의 방정식은?

① $y=-x-2$ ② $y=-x$ ③ $y=-x+2$

④ $y=x$ ⑤ $y=x+2$

008

곡선 $y=x^4+2x^3+x+2$ 위의 $x=1$인 점에서의 접선이 점 $(2, k)$를 지날 때, k의 값은?

① 13   ② 14   ③ 15

④ 16   ⑤ 17

009

곡선 $y=x^3-4x^2+x+2$ 위의 점 $(1, 0)$에서의 접선을 l, 점 $(-1, -4)$에서의 접선을 m이라 할 때, 두 직선 l, m의 교점의 좌표를 구하여라.

010 | 평가원 기출 |

곡선 $y=x^3-3x^2+x+1$ 위의 서로 다른 두 점 A, B에서의 접선이 서로 평행하다. 점 A의 x좌표가 3일 때, 점 B에서의 접선의 y절편은?

① 5   ② 6   ③ 7

④ 8   ⑤ 9

011 | 평가원 기출 |

곡선 $y=x^3+2$ 위의 점 $\mathrm{P}(a,\ -6)$에서의 접선의 방정식을 $y=mx+n$이라고 할 때, 세 수 a, m, n의 합을 구하여라.

012

곡선 $y=x^3+ax+b$ 위의 점 $(-2,\ -2)$에서의 접선의 방정식이 $y=7x+12$일 때, 상수 a, b에 대하여 $a-b$의 값은?

① -2 ② -1 ③ 0
④ 1 ⑤ 2

013 서술형

곡선 $y=x^4+ax^3+bx^2$ 위의 점 $(-1,\ 2)$에서의 접선의 방정식이 $y=2x+c$일 때, 상수 a, b, c에 대하여 $a+b-c$의 값을 구하여라.

유형 03 | 접선과 수직인 직선의 방정식

곡선 $y=x^3-2x^2+3x+1$ 위의 점 $(1,\ 3)$을 지나고 이 점에서의 접선과 수직인 직선의 방정식이 $y=ax+b$일 때, 상수 a, b에 대하여 $a-b$의 값을 구하여라.

풀이

$f(x)=x^3-2x^2+3x+1$이라고 하면 $f'(x)=3x^2-4x+3$

점 $(1,\ 3)$에서의 접선의 기울기는 $f'(1)=3-4+3=2$

이므로 이 접선에 수직인 직선의 기울기는 $-\dfrac{1}{2}$이다.

따라서 점 $(1,\ 3)$을 지나고, 기울기가 $-\dfrac{1}{2}$인 직선의 방정식은

$y-3=-\dfrac{1}{2}(x-1)$ $\therefore y=-\dfrac{1}{2}x+\dfrac{7}{2}$

즉, $a=-\dfrac{1}{2}$, $b=\dfrac{7}{2}$이므로 $a-b=-\dfrac{1}{2}-\dfrac{7}{2}=-4$

답 -4

014

다음 곡선 $y=x^3+2x$ 위의 점 $(-1,\ -3)$에서의 접선 l과 점 $(-1,\ 1)$을 지나고 직선 l에 수직인 직선 m에 대하여 다음을 구하여라.

(1) 접선 l의 기울기
(2) 직선 m의 기울기
(3) 직선 m의 방정식

015

곡선 $y=x^3+ax^2+b$ 위의 점 $(-2,\ -6)$을 지나고 이 점에서의 접선과 수직인 직선의 기울기가 $-\dfrac{1}{4}$일 때, 상수 a, b에 대하여 $\dfrac{b}{a}$의 값은?

① -3 ② -2 ③ -1
④ 2 ⑤ 3

016

곡선 $y=2x^3-4x^2+3x$ 위의 $x=1$인 점 P에서의 접선을 l이라 하고, 직선 l과 점 P에서 수직으로 만나는 직선을 m이라고 하자. 직선 m의 y절편은?

① -1　　　② 0　　　③ 1
④ 2　　　⑤ 3

017

곡선 $y=ax^3-3ax$ 위의 $x=0$인 점에서의 접선과 곡선 위의 $x=2$인 점에서의 접선이 서로 수직일 때, 양수 a의 값은?

① $\dfrac{\sqrt{3}}{9}$　　　② $\dfrac{\sqrt{3}}{6}$　　　③ $\dfrac{\sqrt{3}}{3}$
④ $\sqrt{3}$　　　⑤ $3\sqrt{3}$

018 | 교육청 기출 |

함수 $f(x)=x(x-3)(x-a)$의 그래프 위의 점 $(0, 0)$에서의 접선과 점 $(3, 0)$에서의 접선이 서로 수직이 되도록 하는 모든 실수 a의 값의 합은?

① $\dfrac{3}{2}$　　　② 2　　　③ $\dfrac{5}{2}$
④ 3　　　⑤ $\dfrac{7}{2}$

유형 04 곡선과 접선의 교점

곡선 $y=x^3+2x^2-x$ 위의 점 $(0, 0)$에서의 접선이 이 곡선과 다시 만나는 점의 좌표가 (a, b)일 때, ab의 값을 구하여라.

풀이

$f(x)=x^3+2x^2-x$라고 하면 $f'(x)=3x^2+4x-1$
점 $(0, 0)$에서의 접선의 기울기는 $f'(0)=-1$이므로
접선의 방정식은 $y=-x$
곡선 $y=x^3+2x^2-x$와 직선 $y=-x$가 만나는 점의 x좌표는
$x^3+2x^2-x=-x$, $x^3+2x^2=0$, $x^2(x+2)=0$
$\therefore x=-2 \, (\because x\neq 0)$
따라서 다시 만나는 점의 좌표는 $(-2, 2)$이므로
$a=-2$, $b=2$　　$\therefore ab=-4$

$\begin{aligned} f(-2)&=-8+8+2 \\ &=2 \end{aligned}$

답 -4

풍쌤 유형 TIP

곡선 $y=f(x)$ 위의 점 $(a, f(a))$에서의 접선 $y=g(x)$가 이 곡선과 다시 만나는 점의 좌표는 방정식 $f(x)=g(x)$의 $x\neq a$인 실근이다.

019

곡선 $y=x^3-2x+7$ 위의 점 $P(1, 6)$에서의 접선이 점 P가 아닌 점 Q에서 만난다고 할 때, $\overline{PQ}$의 길이를 구하여라.

020　서술형 ✎

곡선 $f(x)=x^3+ax^2+bx+c$ 위의 점 $(-1, 1)$에서의 접선이 점 $(2, 4)$에서 곡선 $y=f(x)$와 다시 만날 때, $f(1)$의 값을 구하여라. (단, a, b, c는 상수이다.)

유형 05 기울기가 주어진 접선의 방정식

직선 $y=3x+7$과 평행한 직선이 곡선 $y=x^3-9x+2$에 접할 때, 접선의 방정식을 모두 구하여라.

풀이

$f(x)=x^3-9x+2$라고 하면 $f'(x)=3x^2-9$

접점의 좌표를 $(k,\ k^3-9k+2)$라고 하면 직선 $y=3x+7$과 평행한 접선의 기울기가 3이므로

$f'(k)=3$에서 $3k^2-9=3$, $k^2=4$

$\therefore k=-2$ 또는 $k=2$

(i) $k=-2$일 때,

접점의 좌표는 $(-2,\ 12)$이므로 이 점을 지나고 기울기가 3인 접선의 방정식은

$y-12=3\{x-(-2)\}$ $\therefore y=3x+18$

(ii) $k=2$일 때,

접점의 좌표는 $(2,\ -8)$이므로 이 점을 지나고 기울기가 3인 접선의 방정식은

$y-(-8)=3(x-2)$ $\therefore y=3x-14$

(i), (ii)에 의하여 구하는 접선의 방정식은

$y=3x+18,\ y=3x-14$

답 $y=3x+18,\ y=3x-14$

021

직선 $y=x+5$가 곡선 $y=x^3-3x^2+4x+2$에 접하는 직선과 평행할 때, 다음을 구하여라.

(1) 접점의 좌표
(2) 접선의 방정식

022

직선 $y=x+1$을 평행이동하면 곡선 $y=x^2+3x-2$에 접한다고 할 때, 접선의 방정식을 구하여라.

023

x축에 평행한 두 직선이 곡선 $y=x^3-3x+5$에 접할 때, 두 접선이 직선 $x=3$과 만나는 점의 y좌표를 모두 구하여라.

024 서술형

직선 $x+2y-4=0$에 수직이고, 곡선 $y=2x^3+3x^2+2x+1$에 접하는 직선의 방정식을 모두 구하여라.

025

곡선 $y=x^3-x^2+3$ 위의 $x=k$인 점에서의 접선이 x축의 양의 방향과 이루는 각의 크기가 $45°$라고 할 때, 이 접선의 y절편은? (단, k는 정수이다.)

① -4 ② -2 ③ 0
④ 2 ⑤ 4

유형 06 곡선 밖의 한 점이 주어진 접선의 방정식

점 $(0, 12)$에서 곡선 $y=x^3-2x^2+x+8$에 그은 접선의 접점을 P라고 할 때, $\overline{\text{OP}}$의 길이를 구하여라.

(단, O는 원점이다.)

풀이

$f(x)=x^3-2x^2+x+8$이라고 하면

$f'(x)=3x^2-4x+1$

접점 P의 좌표를 (k, k^3-2k^2+k+8)이라고 하면 접선의 기울기는 $f'(k)=3k^2-4k+1$이므로 접선의 방정식은

$y-(k^3-2k^2+k+8)=(3k^2-4k+1)(x-k)$

$\therefore y=(3k^2-4k+1)x-2k^3+2k^2+8$

이 접선이 점 $(0, 12)$를 지나므로 $12=-2k^3+2k^2+8$

$2k^3-2k^2+4=0, 2(k+1)(k^2-2k+2)=0$

$\therefore k=-1 \ (\because k^2-2k+2>0)$

따라서 접점의 좌표는 P$(-1, 4)$이므로

$\overline{\text{OP}}=\sqrt{(-1)^2+4^2}=\sqrt{17}$

답 $\sqrt{17}$

026

점 $(0, 5)$에서 곡선 $y=-x^3+x+3$에 그은 접선의 방정식에 대하여 다음을 구하여라.

(1) 접점의 좌표

(2) 접선의 기울기

(3) 접선의 방정식

027

점 $(2, -1)$에서 곡선 $y=x^3-6x+7$에 그은 접선이 곡선과 $x=k$인 점에서 접한다고 할 때, 정수 k의 값은?

① 1   ② 2   ③ 3

④ 4   ⑤ 5

028 |평가원 기출|

점 $(0, -4)$에서 곡선 $y=x^3-2$에 그은 접선이 x축과 만나는 점의 좌표를 $(a, 0)$이라고 할 때, a의 값은?

① $\dfrac{7}{6}$ ② $\dfrac{4}{3}$ ③ $\dfrac{3}{2}$

④ $\dfrac{5}{3}$ ⑤ $\dfrac{11}{6}$

029

점 $(-1, 10)$에서 그은 직선과 곡선 $y=x^3-12x+3$이 $x=k$에서 접한다. 이 접선과 x축, y축으로 둘러싸인 도형의 넓이는? (단, k는 정수이다.)

① $\dfrac{1}{18}$ ② $\dfrac{1}{12}$ ③ $\dfrac{1}{6}$

④ $\dfrac{1}{2}$ ⑤ 1

030 |교육청 기출|

함수 $f(x)=x^3-ax$에 대하여 점 $(0, 16)$에서 곡선 $y=f(x)$에 그은 접선의 기울기가 8일 때, $f(a)$의 값을 구하여라. (단, a는 상수이다.)

유형 07 곡선과 직선이 접할 조건

곡선 $y=x^3+x+a$와 직선 $y=4x+3$이 접하도록 하는 상수 a의 값을 모두 구하여라.

풀이

$f(x)=x^3+x+a$, $g(x)=4x+3$이라고 하면
$f'(x)=3x^2+1$, $g'(x)=4$
곡선과 직선이 $x=k$에서 접한다고 하면
$f(k)=g(k)$이므로 $k^3+k+a=4k+3$
$\therefore k^3-3k+a-3=0$ ········· ㉠
$f'(k)=g'(k)$이므로 $3k^2+1=4$
$3k^2=3$, $k^2=1$ $\therefore k=-1$ 또는 $k=1$
$k=-1$을 ㉠에 대입하면 $a=1$
$k=1$을 ㉠에 대입하면 $a=5$

답 1, 5

031

두 함수 $f(x)=x^2+ax+b$, $g(x)=2x-3$의 그래프가 $x=2$인 점에서 접한다고 할 때, 다음 물음에 답하여라.

(1) $f(2)=g(2)$를 간단히 하여라.

(2) $f'(2)=g'(2)$를 간단히 하여라.

(3) 함수 $f(x)$를 구하여라.

032

곡선 $y=x^3+2ax$와 직선 $y=x-2$가 접하도록 하는 상수 a의 값은?

① -3 ② -2 ③ -1

④ 2 ⑤ 3

033

직선 $y=5x+a$가 곡선 $y=2x^3-x$에 접할 때, 모든 실수 a의 값의 곱은?

① -16 ② -8 ③ 0

④ 8 ⑤ 16

034

곡선 $y=x^3-4x+3$에 접하고 직선 $y=ax-13$과 수직인 직선의 기울기는? (단, a는 상수이다.)

① $-\dfrac{1}{16}$ ② $-\dfrac{1}{8}$ ③ -1

④ $\dfrac{1}{8}$ ⑤ $\dfrac{1}{16}$

035 서술형

곡선 $y=-x^3+x+2$와 직선 $y=ax-2a$가 $x=k$에서 접하도록 하는 정수 a, k에 대하여 a^2+k^2의 값을 구하여라.

유형 08 두 곡선의 공통인 접선

두 곡선 $y=-x^3$, $y=x^2-5x+3$이 한 점에서 공통인 접선을 가질 때, 공통인 접선의 방정식을 구하여라.

풀이

$f(x)=-x^3$, $g(x)=x^2-5x+3$이라고 하면

$f'(x)=-3x^2$, $g'(x)=2x-5$

두 곡선이 $x=k$에서 접한다고 하면

$f(k)=g(k)$이므로 $-k^3=k^2-5k+3$

$k^3+k^2-5k+3=0$, $(k+3)(k-1)^2=0$

$\therefore k=-3$ 또는 $k=1$ ········· ㉠

$f'(k)=g'(k)$이므로 $-3k^2=2k-5$

$3k^2+2k-5=0$, $(3k+5)(k-1)=0$

$\therefore k=-\dfrac{5}{3}$ 또는 $k=1$ ········· ㉡

㉠, ㉡에서 $k=1$일 때, 즉 점 $(1, -1)$에서 공통인 접선을 갖고, 이때의 접선의 기울기는 $f'(1)=g'(1)=-3$이다.

따라서 공통인 접선의 방정식은

$y-(-1)=-3(x-1)$ $\quad\therefore y=-3x+2$

답 $y=-3x+2$

풍쌤 유형 TIP

두 곡선 $y=f(x)$, $y=g(x)$가 $x=k$인 점에서 접한다는 것은 두 곡선의 $x=k$인 점에서의 접선이 같다는 뜻으로, $f(k)=g(k)$과 $f'(k)=g'(k)$이 모두 성립함을 이용한다.

036

두 함수 $f(x)=4x^2-9x$, $g(x)=ax^3+bx$의 그래프가 $x=2$인 점에서 공통인 접선을 가질 때, 다음 물음에 답하여라.

(1) $f(2)=g(2)$를 간단히 하여라.

(2) $f'(2)=g'(2)$를 간단히 하여라.

(3) 함수 $g(x)$를 구하여라.

037

두 곡선 $y=x^3+ax+b$, $y=x^2+4x$가 $x=-1$인 점에서 공통인 접선을 가질 때, 상수 a, b에 대하여 ab의 값은?

① 0   ② 1   ③ 2

④ 3   ⑤ 4

038

두 곡선 $y=ax^3$, $y=bx^2+c$가 점 $(2, 8)$에서 공통인 접선을 가질 때, 상수 a, b, c에 대하여 abc의 값은?

① -12 ② -13 ③ -14

④ -15 ⑤ -16

039

두 곡선 $y=x^3-x+3$, $y=x^2+ax+2$가 한 점에서 접할 때, 상수 a의 값은?

① -2 ② -1 ③ 0

④ 1   ⑤ 2

유형 09 롤의 정리

함수 $f(x)=x^3+x^2$에 대하여 닫힌구간 $[-1, 0]$에서 롤의 정리를 만족시키는 상수 c의 값을 구하여라.

풀이

함수 $f(x)=x^3+x^2$은 다항함수이므로 닫힌구간 $[-1, 0]$에서 연속이면서 열린구간 $(-1, 0)$에서 미분가능하고, $f(-1)=f(0)=0$이다.

따라서 롤의 정리에 의하여 구간 $(-1, 0)$에서 $f'(c)=0$인 c가 적어도 하나 존재한다.

이때 $f'(x)=3x^2+2x$이므로 $f'(c)=0$에서

$3c^2+2c=0,\ c(3c+2)=0$

$\therefore c=-\dfrac{2}{3}\ (\because -1<c<0)$

답 $-\dfrac{2}{3}$

040

함수 $f(x)=kx^4-4x^2$에 대하여 닫힌구간 $[-3, 3]$에서 롤의 정리를 만족시키는 상수가 2일 때, 상수 k의 값을 구하여라.

041

함수 $f(x)=x^3-3x^2+3$에 대하여 닫힌구간 $[0, 3]$에서 롤의 정리를 만족시키는 상수 c의 값만을 |보기|에서 있는 대로 고른 것은?

┌ **보기** ┐

ㄱ. $c=0$ ㄴ. $c=1$ ㄷ. $c=2$

① ㄱ   ② ㄴ   ③ ㄷ

④ ㄱ, ㄴ   ⑤ ㄴ, ㄷ

042

함수 $f(x)=x^4+x^2-2$에 대하여 닫힌구간 $[-2, 2]$에서 롤의 정리를 만족시키는 상수 c의 값은?

① -1 ② $-\dfrac{1}{2}$ ③ 0

④ $\dfrac{1}{2}$ ⑤ 1

043

함수 $f(x)=x^2-ax$에 대하여 닫힌구간 $[0, 4]$에서 롤의 정리를 만족시키는 상수 c가 존재할 때, 상수 a, c에 대하여 $a-c$의 값은?

① -2 ② -1 ③ 0

④ 1 ⑤ 2

044

함수 $f(x)=x^2-6x$에 대하여 닫힌구간 $[a, 2a]$에서 롤의 정리를 만족시키는 상수 c가 존재할 때, ac의 값은? (단, $a\neq0$)

① 0 ② 2 ③ 4

④ 6 ⑤ 8

유형 10 평균값 정리

함수 $f(x)=x^3-2x^2-1$에 대하여 닫힌구간 $[0, 2]$에서 평균값 정리를 만족시키는 상수 c의 값을 구하여라.

풀이

함수 $f(x)=x^3-2x^2-1$은 다항함수이므로 닫힌구간 $[0, 2]$에서 연속이고 열린구간 $(0, 2)$에서 미분가능하다.

따라서 평균값 정리에 의하여 $\dfrac{f(2)-f(0)}{2-0}=f'(c)$인 c가 구간 $(0, 2)$에 적어도 하나 존재한다.

이때 $f'(x)=3x^2-4x$이므로 $f'(c)=3c^2-4c$

즉, $\dfrac{-1-(-1)}{2}=3c^2-4c$이므로 $3c^2-4c=0$

$c(3c-4)=0$ $\therefore c=\dfrac{4}{3}$ $(\because 0<c<2)$

답 $\dfrac{4}{3}$

045

함수 $f(x)=2x^2-x-1$에 대하여 닫힌구간 $[-1, 1]$에서 평균값 정리를 만족시키는 상수 c의 값을 구하여라.

046

함수 $f(x)=x(x-1)(x-2)$에 대하여 닫힌구간 $[-1, 2]$에서 평균값 정리를 만족시키는 상수 c의 값은?

① $-\dfrac{1}{2}$ ② 0 ③ $\dfrac{1}{2}$

④ 1 ⑤ $\dfrac{3}{2}$

047

함수 $f(x)=x^3$에 대하여 닫힌구간 $[0, a]$에서 평균값 정리를 만족시키는 상수가 $\sqrt{3}$일 때, a의 값은?

(단, $a>\sqrt{3}$)

① 2 ② $\sqrt{6}$ ③ $\sqrt{8}$

④ 3 ⑤ $2\sqrt{3}$

048

함수 $f(x)=2x^2-5x$에 대하여 닫힌구간 $[-1, a]$에서 평균값 정리를 만족시키는 상수가 1일 때, a의 값은? (단, $a>1$)

① 2 ② 3 ③ 4

④ 5 ⑤ 6

049

다항함수 $y=f(x)$의 그래프가 오른쪽 그림과 같을 때, 닫힌구간 $[0, 4]$에서 평균값 정리를 만족시키는 상수 c의 개수는?

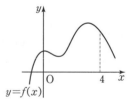

① 0 ② 1

③ 2 ④ 3

⑤ 4

01

곡선 $y=x^3+3x^2+x+5$에 접하는 직선의 기울기를 m이라 할 때, m의 최솟값은?

① -2 ② 0 ③ 2

④ 4 ⑤ 6

02

곡선 $y=x^3+ax^2+bx+c$ 위의 두 점 $(2, 5)$, $(-2, 1)$에서의 두 접선이 서로 평행할 때, 상수 a, b, c에 대하여 $a-b+c$의 값은?

① 3 ② 4 ③ 5

④ 6 ⑤ 7

03

다음 중 곡선 $y=\dfrac{2}{3}x^3-2x^2$ 위의 점 $(3, 0)$에서의 접선이 지나는 점의 좌표는?

① $(0, -6)$ ② $\left(\dfrac{1}{2}, -12\right)$ ③ $(1, -6)$

④ $\left(\dfrac{3}{2}, -12\right)$ ⑤ $(2, -6)$

04

곡선 $y=x^3-x^2+x-2$ 위의 점 $(1, -1)$에서의 접선이 x축과 만나는 점을 A, y축과 만나는 점을 B라고 할 때, 삼각형 AOB의 넓이는? (단, O는 원점이다.)

① $\dfrac{3}{2}$ ② $\dfrac{9}{4}$ ③ 3

④ $\dfrac{15}{4}$ ⑤ $\dfrac{9}{2}$

05

곡선 $y=-3x(x^2-1)$ 위의 한 점 P를 지나고 이 점에서의 접선과 수직인 직선의 기울기가 $-\dfrac{1}{3}$이다. 점 P에서의 접선의 방정식이 $y=mx+n$일 때, 상수 m, n에 대하여 $m+n$의 값은?

① -6 ② -3 ③ 0

④ 3 ⑤ 6

06

곡선 $y=\dfrac{1}{3}x^3+x^2-6$에 접하고 직선 $x+3y+21=0$과 수직인 모든 접선의 y절편의 곱은?

① -24 ② -23 ③ -22

④ -21 ⑤ -20

07 실력UP

곡선 $y=x^3-2x$ $(x<0)$ 위의 점과 직선 $y=x+8$ 사이의 거리의 최솟값을 구하여라.

08 |교육청 기출| 실력UP

삼각함수 $f(x)=x^3+ax$가 있다. 곡선 $y=f(x)$ 위의 점 A$(-1, -1-a)$에서의 접선이 이 곡선과 만나는 다른 한 점을 B라고 하자. 또, 곡선 $y=f(x)$ 위의 점 B에서의 접선이 이 곡선과 만나는 다른 한 점을 C라고 하자. 두 점 B, C의 x좌표를 각각 b, c라고 할 때, $f(b)+f(c)=-80$을 만족시킨다. 상수 a의 값은?

① 8   ② 10   ③ 12

④ 14   ⑤ 16

09

직선 $y=-x+1$이 곡선 $y=x^3-4x+3$에 접할 때, 접점을 지나고 접선에 수직인 직선의 y절편은?

① -2 ② -1 ③ 0

④ 1   ⑤ 2

10

점 $(2, 12)$에서 곡선 $y=2x^2+5x+2$에 그은 두 접선의 접점을 각각 A, B라고 할 때, 삼각형 OAB의 넓이를 구하여라. (단, O는 원점이다.)

11 실력UP

곡선 $y=x^3-2x$ 위의 점 $(1, -1)$에서의 접선에 평행하고 곡선 $y=x^2+3x$에 접하는 직선의 방정식을 $y=g(x)$라고 할 때, $g(5)$의 값은?

① 3   ② 4   ③ 5

④ 6   ⑤ 7

12

두 곡선 $y=x^3$, $y=ax^2+bx$가 점 $(1, 1)$에서 만나고, 이 점에서의 두 곡선의 접선이 서로 수직일 때, 상수 a, b에 대하여 $9ab$의 값을 구하여라.

13

곡선 $y=(x+1)(-x^2-x+a)$가 직선 $y=-4x-7$과 접한다고 할 때, 상수 a의 값은?

① -2 ② -1 ③ 0

④ 1 ⑤ 2

14

두 곡선 $y=x^3+ax$, $y=x^2+a$가 공통인 접선을 가질 때, 상수 a의 값을 구하여라. (단, $a \neq 0$)

15

함수 $f(x)=-2x^2+kx$에 대하여 닫힌구간 $[2a, 3a]$에서 롤의 정리를 만족시키는 상수가 5이다. 이때 상수 a, k의 값을 각각 구하여라. (단, $a \neq 0$)

16

함수
$$f(x)=\begin{cases} x^2+1 & (x \geq 0) \\ -x^2+1 & (x < 0) \end{cases}$$
에 대하여 닫힌구간 $[-2, 2]$에서 평균값 정리를 만족시키는 상수 c의 개수는?

① 1 ② 2 ③ 3

④ 4 ⑤ 없다.

17

다항함수 $y=f(x)$의 그래프가 다음 그림과 같을 때, 열린구간 (a, c)에서 롤의 정리를 만족시키는 실수 x가 p개, 열린구간 (a, b)에서 평균값 정리를 만족시키는 실수 x가 q개라고 할 때, $p+q$의 값은?

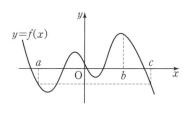

① 8 ② 9 ③ 10

④ 11 ⑤ 12

05 도함수의 활용 (2)

1. 함수의 증가와 감소

(1) 함수 $f(x)$가 어떤 구간에 속하는 임의의 두 수 x_1, x_2에 대하여
  ① $x_1 < x_2$일 때, $f(x_1) < f(x_2)$이면 함수 $f(x)$는 이 구간에서 증가한다고 한다.
  ② $x_1 < x_2$일 때, $f(x_1) > f(x_2)$이면 함수 $f(x)$는 이 구간에서 감소한다고 한다.

(2) 함수의 증가와 감소의 판정
  함수 $f(x)$가 어떤 구간에서 미분가능하고, 이 구간의 모든 x에 대하여
  ① $f'(x) > 0$이면 함수 $f(x)$는 이 구간에서 증가한다.
  ② $f'(x) < 0$이면 함수 $f(x)$는 이 구간에서 감소한다.

  참고 일반적으로 위 역은 성립하지 않는다. 예를 들어, $f(x) = x^3$은 모든 실수 x에서 증가하지만 $f'(0) = 0$이다.

2. 함수의 극대와 극소

(1) 함수 $f(x)$에서 $x = a$를 포함하는 어떤 열린구간에 속하는 모든 x에 대하여
  ① $f(x) \leq f(a)$일 때, 함수 $f(x)$는 $x = a$에서 극대라 하고, $f(a)$를 극댓값이라고 한다.
  ② $f(x) \geq f(a)$일 때, 함수 $f(x)$는 $x = a$에서 극소라 하고, $f(a)$를 극솟값이라고 한다.
  ③ 극댓값과 극솟값을 통틀어 극값이라고 한다.

(2) 극값과 미분계수
  함수 $f(x)$가 $x = a$에서 미분가능하고 $x = a$에서 극값을 가지면 $f'(a) = 0$이다.

(3) 함수의 극대와 극소의 판정
  미분가능한 함수 $f(x)$에 대하여 $f'(a) = 0$이고, $x = a$의 좌우에서 $f'(x)$의 부호가
  ① 양에서 음으로 바뀌면 $f(x)$는 $x = a$에서 극대이고, 극댓값은 $f(a)$이다.
  ② 음에서 양으로 바뀌면 $f(x)$는 $x = a$에서 극소이고, 극솟값은 $f(a)$이다.

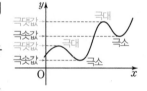

3. 함수의 그래프와 함수의 최대·최소

(1) 함수의 그래프
  미분가능한 함수 $y = f(x)$에서
  ① $f'(x) = 0$인 x의 값을 구한다.
  ② $f'(x) = 0$인 x의 값의 좌우에서 $f'(x)$의 부호를 구하여 함수의 증가와 감소를 조사한다.
  ③ 함수의 증가와 감소, 극대와 극소, 좌표축과의 교점 등을 이용하여 그래프를 그린다.

(2) 함수의 최댓값과 최솟값
  닫힌구간 $[a, b]$에서 연속인 함수 $f(x)$에 대하여
  ① 열린구간 (a, b)에서의 함수 $f(x)$의 극댓값과 극솟값을 구한다.
  ② 구간의 양 끝 값에서의 함숫값 $f(a)$, $f(b)$를 구한다.
  ③ ①, ②에서 가장 큰 값이 최댓값, 가장 작은 값이 최솟값이다.

◎ 함수 $f(x)$가 어떤 구간에서 미분가능하고, 이 구간에서 함수 $f(x)$가
(1) 증가하면 이 구간에서 $f'(x) \geq 0$
(2) 감소하면 이 구간에서 $f'(x) \leq 0$

◎ 미분가능한 함수 $f(x)$의 극대와 극소의 판정

$f'(x) = 0$을 만족시키는 x의 값 구하기
↓
$f'(x) = 0$인 x의 값의 좌우에서 $f'(x)$의 부호 구하기
↓
함수 $f(x)$의 극대와 극소 판정

◎ $f'(a) = 0$이어도 $x = a$의 좌우에서 $f'(x)$의 부호가 바뀌지 않으면 $f(a)$의 값은 극값이 아니다.

◎ 그래프를 그릴 때, 함수의 증가와 감소를 나타낸 표를 이용하면 더 편리하다.

◎ 닫힌구간 $[a, b]$에서 연속함수 $f(x)$의 극값이 오직 하나 존재할 때
(1) 극값이 극댓값이면
  (극댓값) = (최댓값)
(2) 극값이 극솟값이면
  (극솟값) = (최솟값)

기본을 다지는 유형

유형 01 함수의 증가와 감소

함수 $f(x)=x^3-12x+4$가 구간 $[\alpha, \beta]$에서 감소할 때, $\alpha\beta$의 값을 구하여라.

풀이

$f(x)=x^3-12x+4$에서

$f'(x)=3x^2-12=3(x+2)(x-2)$

함수 $f(x)$는 $f'(x)\le 0$인 구간에서 감소하므로

$3(x+2)(x-2)\le 0$ $\therefore -2\le x\le 2$

따라서 $\alpha=-2$, $\beta=2$이므로

$\alpha\beta=-4$

답 -4

001

주어진 구간에서 다음 함수의 증가와 감소를 조사하여라.

(1) $f(x)=x^2$ $(0, \infty)$

(2) $f(x)=x^2+1$ $(-\infty, -1)$

(3) $f(x)=x^3$ $(-\infty, \infty)$

002

다음 중 함수 $f(x)=x^3-3x+1$이 증가하는 구간이 아닌 것은?

① $(-\infty, -3)$ ② $(-3, -1)$ ③ $(-1, 1)$

④ $(1, 3)$ ⑤ $(3, \infty)$

003

함수 $f(x)=-x^3-ax^2+bx+8$이 $-4\le x\le 0$에서 감소하고, $x\le -4$ 또는 $x\ge 0$에서 증가할 때, 상수 a, b에 대하여 a^2+b^2의 값은?

① 24   ② 28   ③ 32

④ 36   ⑤ 40

004 서술형 ✍

함수 $f(x)=x^3-4x^2+3$이 감소하는 구간이 $[a, b]$일 때, $a+b$의 값을 구하여라.

005

다항함수 $y=f(x)$의 도함수 $y=f'(x)$의 그래프가 다음 그림과 같을 때, 함수 $f(x)$가 증가하는 x의 값의 범위는?

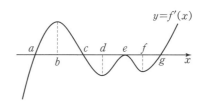

① $x\le b$ ② $b\le x\le c$ ③ $b\le x\le d$

④ $c\le x\le e$ ⑤ $x\ge f$

유형 02 실수 전체의 집합에서 삼차함수가 증가 또는 감소하기 위한 조건

함수 $f(x)=x^3+ax^2-ax+4$가 실수 전체의 집합에서 증가하도록 하는 정수 a의 최솟값을 구하여라.

풀이

$f(x)=x^3+ax^2-ax+4$에서 $f'(x)=3x^2+2ax-a$

함수 $f(x)$가 모든 실수 x에서 증가하려면 모든 실수 x에 대하여 $f'(x)\geq0$이어야 하므로 이차방정식 $f'(x)=0$의 판별식을 D라고 하면

$\dfrac{D}{4}=a^2+3a\leq0,\ a(a+3)\leq0$

$\therefore -3\leq a\leq0$

따라서 정수 a의 최솟값은 -3이다.

답 -3

006

함수 $f(x)=x^3+3x^2+ax+5$가 모든 실수 x에서 증가하도록 하는 상수 a의 값의 범위는?

① $a\leq-3$ ② $a\geq-3$ ③ $-3\leq a\leq3$

④ $a\leq3$ ⑤ $a\geq3$

007

함수 $f(x)=-x^3+2ax^2-ax+4$가 실수 전체의 집합에서 감소하도록 하는 정수 a의 개수는?

① 0   ② 1   ③ 2

④ 3   ⑤ 4

008

함수 $f(x)=\dfrac{1}{3}x^3+ax^2+(a+2)x-4$가 구간 $(-\infty,\ \infty)$에서 증가하도록 하는 실수 a의 최댓값은?

① -1 ② 0   ③ 1

④ 2   ⑤ 3

009

함수 $f(x)=x^3+3ax^2-2ax+1$이 일대일함수가 되도록 하는 상수 a의 값으로 가능한 것은?

① -3 ② -1 ③ $-\dfrac{1}{3}$

④ $\dfrac{1}{3}$ ⑤ 1

010

함수 $f(x)=-\dfrac{1}{3}x^3+(a-2)x^2-ax+4$의 역함수가 존재하도록 하는 모든 정수 a의 값의 합은?

① 7   ② 8   ③ 9

④ 10   ⑤ 11

011

함수

$$f(x)=-x^3+3ax^2-(a+4)x$$

가 $x_1<x_2$인 임의의 두 실수 x_1, x_2에 대하여
$f(x_1)>f(x_2)$를 만족시킨다고 할 때, 실수 a의 최댓값
은?

① $\dfrac{1}{3}$　　　② $\dfrac{2}{3}$　　　③ 1

④ $\dfrac{4}{3}$　　　⑤ $\dfrac{5}{3}$

012

함수 $f(x)=x^3+(a+1)x^2+(a+1)x$에 대하여 명제
'임의의 두 실수 x_1, x_2에 대하여

$$x_1<x_2$$이면 $f(x_1)<f(x_2)$이다.'

가 참일 때, 실수 a의 최댓값과 최솟값의 합은?

① -3　　　② -1　　　③ 1

④ 3　　　⑤ 5

013　서술형

함수 $f(x)=-x^3+ax^2+3ax+5$가 다음을 만족시킬
때, 정수 a의 개수를 구하여라.

임의의 두 실수 x_1, x_2에 대하여 $x_1\neq x_2$이면
$f(x_1)\neq f(x_2)$이다.

유형 03 주어진 구간에서 삼차함수가 증가 또는 감소하기
위한 조건

함수 $f(x)=\dfrac{2}{3}x^3-ax^2+3ax-4$가 $1<x<2$에서 증가하
도록 하는 실수 a의 값의 범위를 구하여라.

풀이

$f(x)=\dfrac{2}{3}x^3-ax^2+3ax-4$에서 $f'(x)=2x^2-2ax+3a$

함수 $f(x)$가 $1<x<2$에서 증가하려면 $1<x<2$에서
$f'(x)\geq0$이어야 하므로

$f'(1)=2-2a+3a=a+2\geq0$에서 $a\geq-2$ ·········· ㉠

$f'(2)=8-4a+3a=-a+8\geq0$에서 $a\leq8$ ·········· ㉡

㉠, ㉡의 공통 범위는 $-2\leq a\leq8$

답 $-2\leq a\leq8$

014

함수 $f(x)=x^3+ax+2$가 구간 $(0,\ 1)$에서 감소하도
록 하는 상수 a의 최댓값은?

① -3　　　② -2　　　③ -1

④ 1　　　⑤ 2

015

함수 $f(x)=-2x^3+3x^2+ax$가 $-1<x<2$에서 증가
하도록 하는 실수 a의 값의 최솟값은?

① -12　　　② 0　　　③ 12

④ 24　　　⑤ 48

016

함수 $f(x)=-x^3+ax^2+4x+4$가 구간 $(-1, 1)$에서 증가하도록 하는 실수 a의 값의 범위가 $\alpha\le a\le\beta$일 때, $|4\alpha\beta|$의 값은?

① $\dfrac{1}{8}$ ② $\dfrac{1}{4}$ ③ $\dfrac{1}{2}$

④ 1   ⑤ 2

017

함수 $f(x)=x^3+4x^2-(a+1)x+3$이 구간 $(-1, 3)$에서 감소하도록 하는 실수 a의 최솟값은?

① 49   ② 50   ③ 51

④ 52   ⑤ 53

018 서술형

함수 $f(x)=-2x^3-(a+2)x^2+6x-3$이 구간 $(-3, 1)$에서 감소하도록 하는 정수 a의 개수를 구하여라.

유형 04 함수의 극대와 극소

함수 $f(x)=-2x^3+9x^2-12x+3$의 모든 극값의 합을 구하여라.

풀이

$f(x)=-2x^3+9x^2-12x+3$에서

$f'(x)=-6x^2+18x-12=-6(x-1)(x-2)$

$f'(x)=0$에서 $x=1$ 또는 $x=2$

함수 $f(x)$의 증가와 감소를 표로 나타내면 다음과 같다.

x	$\cdots$	1	$\cdots$	2	$\cdots$
$f'(x)$	$-$	0	$+$	0	$-$
$f(x)$	$\searrow$	-2	$\nearrow$	-1	$\searrow$

함수 $f(x)$는 $x=1$에서 극솟값 -2, $x=2$에서 극댓값 -1을 가지므로 모든 극값의 합은

$-2+(-1)=-3$

답 -3

019

함수 $f(x)=x^3-12x+3$에 대하여 다음 물음에 답하여라.

(1) $f'(x)$를 구하여라.

(2) $f'(x)=0$인 x의 값을 구하여라.

(3) 함수 $f(x)$의 증가와 감소를 아래 표에 나타내어라.

x					
$f'(x)$					
$f(x)$					

(4) 함수 $f(x)$의 극댓값과 극솟값을 각각 구하여라.

020

삼차함수 $y=f(x)$의 그래프가 오른쪽 그림과 같을 때, 함수 $f(x)$의 극댓값과 극솟값을 각각 구하여라.

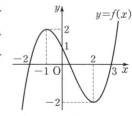

021

함수 $f(x)=x^3-3x^2+2$의 극댓값을 M, 극솟값을 m이라고 할 때, $M-m$의 값은?

① -4 ② -2 ③ 0
④ 2 ⑤ 4

022

함수 $f(x)=\dfrac{3}{2}x^4-4x^3+3x^2+1$의 극댓값의 개수를 a, 극솟값의 개수를 b라고 할 때, $a-b$의 값은?

① -3 ② -2 ③ -1
④ 0 ⑤ 1

023

함수 $f(x)=\dfrac{1}{3}x^3-\dfrac{3}{2}x^2+2x-\dfrac{2}{3}$가 극대인 점을 P, 극소인 점을 Q라고 하자. 삼각형 OPQ의 넓이를 S라고 할 때, $12S$의 값을 구하여라. (단, O는 원점이다.)

유형 05 함수의 극대와 극소를 이용한 미정계수의 결정

함수 $f(x)=x^3-6x^2+ax+b$가 $x=1$에서 극댓값 7을 가질 때, 상수 a, b에 대하여 ab의 값을 구하여라.

풀이

$f'(x)=3x^2-12x+a$이고, 함수 $f(x)$가 $x=1$에서 극댓값 7을 가지므로

$f(1)=7$, $f'(1)=0$

$f(1)=7$에서 $1-6+a+b=7$

$f'(1)=0$에서 $3-12+a=0$

$\therefore a=9$, $b=3$ $\therefore ab=27$

답 27

024

함수 $f(x)=2x^3-6x^2+a$의 극솟값이 -5일 때, 다음 물음에 답하여라.

(1) $f'(x)=0$인 x의 값을 구하여라.

(2) 함수 $f(x)$의 증가와 감소를 아래 표에 나타내어라.

x				
$f'(x)$				
$f(x)$				

(3) 상수 a의 값을 구하여라.

(4) 함수 $f(x)$의 극댓값을 구하여라.

025

함수 $f(x)=2x^3-12x^2+ax-2$가 $x=3$에서 극솟값 m을 가질 때, $a+m$의 값은? (단, a는 상수이다.)

① 10 ② 12 ③ 14
④ 16 ⑤ 18

026

함수 $f(x)=-x^3+ax$가 $x=-2$에서 극값을 갖는다. 함수 $f(x)$의 극댓값을 p라고 할 때, $a+p$의 값은?

(단, a는 상수이다.)

① -4 ② 4 ③ 12
④ 20 ⑤ 28

027 |수능 기출|

함수 $f(x)=(x-1)^2(x-4)+a$의 극솟값이 10일 때, 상수 a의 값을 구하여라.

028

함수 $f(x)=x^3-3x+a$의 모든 극값의 곱이 5일 때, 양수 a의 값은?

① 2 ② 3 ③ 4
④ 5 ⑤ 6

029

함수 $f(x)=-2x^3+9x^2-12x+a$의 극댓값과 극솟값의 절댓값이 같고, 그 부호가 서로 다를 때, 상수 a의 값은?

① $\dfrac{7}{2}$ ② 4 ③ $\dfrac{9}{2}$
④ 5 ⑤ $\dfrac{11}{2}$

030 서술형

함수 $f(x)=x^3+ax^2+bx+c$가 $x=-1$에서 극댓값 0을 갖고, $x=1$에서 극솟값을 가질 때, 극솟값을 구하여라. (단, a, b, c는 상수이다.)

031

함수 $f(x)=x^3+6ax^2-8a$의 그래프가 x축에 접하도록 하는 양수 a의 값은?

① $\dfrac{1}{4}$ ② $\dfrac{1}{3}$ ③ $\dfrac{1}{2}$
④ 1 ⑤ 2

유형 06 삼차함수의 극값에 대한 조건

함수 $f(x)=\dfrac{1}{3}x^3+ax^2+4x+2$가 극값을 갖도록 하는 실수 a의 값의 범위를 구하여라.

풀이

$f(x)=\dfrac{1}{3}x^3+ax^2+4x+2$에서 $f'(x)=x^2+2ax+4$

삼차함수 $f(x)$가 극값을 가지려면 방정식 $f'(x)=0$이 서로 다른 두 실근을 가져야 한다.

이차방정식 $f'(x)=0$의 판별식을 D라고 하면

$\dfrac{D}{4}=a^2-4>0$, $(a+2)(a-2)>0$

$\therefore a<-2$ 또는 $a>2$

답 $a<-2$ 또는 $a>2$

032

함수 $f(x)=x^3+ax^2+ax$가 극댓값과 극솟값을 모두 갖도록 하는 상수 a의 값의 범위가 $a<\alpha$ 또는 $a>\beta$일 때, $\alpha+\beta$의 값은?

① 3   ② 4   ③ 5
④ 6   ⑤ 7

033

함수 $f(x)=-\dfrac{2}{3}ax^3+3x^2-2ax+4$가 극댓값과 극솟값을 모두 가질 때, 자연수 a의 최댓값은?

① 1   ② 2   ③ 3
④ 4   ⑤ 5

034

함수 $f(x)=3x^3+(a+1)x^2+(a-1)x-3$이 극값을 갖도록 하는 실수 a의 값으로 가능한 것은?

① 2   ② 3   ③ 4
④ 5   ⑤ 6

035

함수 $f(x)=x^3+x^2+ax+3$이 극값을 갖지 않도록 하는 실수 a의 최솟값은?

① $-\dfrac{1}{2}$ ② $-\dfrac{1}{3}$ ③ 0
④ $\dfrac{1}{3}$ ⑤ $\dfrac{1}{2}$

036

함수 $f(x)=x^3+(a+1)x^2+(a+1)x-3$이 극값을 갖지 않도록 하는 실수 a의 값의 범위는?

① $-1<a<2$ ② $-1\le a\le2$
③ $-2\le a\le1$ ④ $a<-1$ 또는 $a>2$
⑤ $a<-2$ 또는 $a>1$

037

함수 $f(x)=-x^3+ax^2-ax+4$가 극값을 갖지 않도록 하는 정수 a의 개수는?

① 2   ② 3   ③ 4

④ 5   ⑤ 6

038

구간 $(0,\ 2)$에서 함수 $f(x)=\dfrac{1}{3}x^3-x^2+ax$가 극댓값과 극솟값을 모두 갖도록 하는 실수 a의 값의 범위는?

① $-1<a<0$ ② $-1\leq a\leq 0$

③ $-1<a<1$ ④ $0<a<1$

⑤ $0\leq a\leq 1$

039   서술형

함수 $f(x)=-x^3-x^2+ax-2$가 구간 $(0,\ 1)$에서 극댓값을 갖고, 구간 $(-\infty,\ 0)$에서 극솟값을 갖도록 하는 모든 정수 a의 값의 합을 구하여라.

유형 07   사차함수의 극값에 대한 조건

함수 $f(x)=x^4-8x^3+ax^2$이 극댓값과 극솟값을 모두 갖도록 하는 정수 a의 최댓값을 구하여라.

풀이

$f(x)=x^4-8x^3+ax^2$에서

$f'(x)=4x^3-24x^2+2ax=2x(2x^2-12x+a)$

함수 $f(x)$가 극댓값과 극솟값을 모두 가지므로 방정식 $f'(x)=0$은 서로 다른 세 실근을 갖는다.

이때 방정식 $f'(x)=0$의 한 실근이 $x=0$이므로 이차방정식 $2x^2-12x+a=0$은 0이 아닌 서로 다른 두 실근을 가져야 한다. 즉, a는 $a\neq 0$인 실수이어야 한다.   .... ㉠

이차방정식 $2x^2-12x+a=0$의 판별식을 D라고 하면

$\dfrac{D}{4}=36-2a>0,\ -2a>-36$ $\therefore a<18$ .... ㉡

㉠, ㉡에서 $a<0$ 또는 $0<a<18$

따라서 정수 a의 최댓값은 17이다.

답 17

풍쌤 유형 TIP

최고차항의 계수가 양수인 사차함수 $f(x)$가 극댓값과 극솟값을 모두 가지면 한 개의 극댓값과 두 개의 극솟값을 가지므로 삼차방정식 $f'(x)=0$은 서로 다른 세 실근을 갖는다.

040

함수 $f(x)=x^4-\dfrac{2}{3}(a+2)x^3+ax^2$이 극댓값을 갖기 위한 실수 a의 값으로 가능하지 <u>않은</u> 것은?

① 1   ② 2   ③ 3

④ 4   ⑤ 5

041

함수 $f(x)=-x^4+4x^3-ax^2$이 극솟값을 갖도록 하는 모든 자연수 a의 값의 합은?

① 10   ② 11   ③ 12

④ 13   ⑤ 14

042

함수 $f(x)=-\dfrac{1}{4}x^4-\dfrac{1}{3}(a+1)x^3+ax+2$가 극댓값은 갖고, 극솟값은 갖지 않도록 하는 실수 a의 값의 범위를 구하는 과정이다. 이때 a의 최솟값은?

$f(x)=-\dfrac{1}{4}x^4-\dfrac{1}{3}(a+1)x^3+ax+2$에서

$f'(x)=-(x+1)g(x)$라고 하자.

함수 $f(x)$가 극댓값은 갖고, 극솟값은 갖지 않으려면 삼차방정식 $f'(x)=0$이 한 실근과 두 허근을 갖거나 한 실근과 중근을 갖거나 삼중근을 가져야 한다.

(i) $f'(x)=0$이 한 실근과 두 허근을 갖는 경우
  이차방정식 $g(x)=0$이 허근을 가져야 하므로 $g(x)=0$의 판별식을 D라고 하면 $D<0$에서 a의 값의 범위는

  [   ]

(ii) $f'(x)=0$이 한 실근과 중근을 갖는 경우
  이차방정식 $g(x)=0$이 $x=-1$을 한 근으로 갖거나 -1이 아닌 실수를 중근으로 가져야 한다.
  $g(x)=0$이 $x=-1$을 한 근으로 가지면 a의 값은

  [   ]

  $g(x)=0$이 -1이 아닌 실수를 중근으로 가지면 판별식을 D라고 할 때 $D=0$에서 a의 값은

  [   ]

(iii) $f'(x)=0$이 삼중근을 갖는 경우
  $-(x+1)g(x)=0$에서 $g(x)=0$이 $x=-1$을 중근으로 가질 수 없으므로 삼차방정식 $f'(x)=0$은 삼중근을 가질 수 없다.

(i)~(iii)에 의하여 [   ] 또는 [   ]

① -5 ② -4 ③ -3
④ -2 ⑤ -1

정답과 풀이 053쪽

유형 08 $y=f(x)$의 그래프의 해석

함수 $f(x)=ax^3+bx^2+cx+d$의 그래프가 오른쪽 그림과 같다.
$f'(\alpha)=f(0)=f'(\beta)=0$일 때, 상수 a, b, c, d의 부호를 정하여라.
(단, $|\alpha|<\beta$)

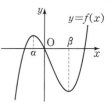

풀이

함수 $f(x)=ax^3+bx^2+cx+d$의 그래프에서 $x\to\infty$일 때 $f(x)\to\infty$이므로 $a>0$

또, $f(0)=0$이므로 $d=0$

$f'(x)=3ax^2+2bx+c$에서 $f'(x)=0$의 두 실근이 α, β이고, $\alpha<0<\beta$, $0<|\alpha|<\beta$이므로 이차방정식의 근과 계수의 관계에 의하여 $\alpha+\beta>0$, $\alpha\beta<0$에서

$-\dfrac{2b}{3a}>0$, $\dfrac{c}{3a}<0$

이때 $a>0$이므로 $b<0$, $c<0$

답 $a>0$, $b<0$, $c<0$, $d=0$

043

함수 $f(x)=x^3+ax^2+bx-3$의 그래프가 오른쪽 그림과 같다.
$f'(\alpha)=f'(\beta)=0$일 때, 상수 a, b의 부호를 정하여라.
(단, $\alpha<\beta<0$)

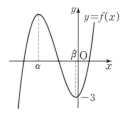

044

함수 $f(x)=ax^3+bx^2+cx+2$의 그래프가 오른쪽 그림과 같다.
$f'(\alpha)=f'(\beta)=0$일 때, 상수 a, b, c에 대하여 다음 중 옳은 것은?
(단, $0<\alpha<\beta$)

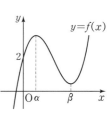

① $ab>0$ ② $ac<0$ ③ $a-b<0$
④ $a+c<0$ ⑤ $a-bc>0$

045

함수 $f(x)=-x^3+ax^2+bx+c$의 그래프가 오른쪽 그림과 같다. $f'(\alpha)=f'(\beta)=0$일 때, 다음 중 양수인 것은? (단, $\alpha<\beta<0$이고, a, b, c는 상수이다.)

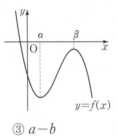

① a ② $a-c$ ③ $c-b$
④ ac ⑤ bc

046

함수 $f(x)=ax^3+bx^2-cx+d$의 그래프가 오른쪽 그림과 같다. $f'(\alpha)=f'(\beta)=0$일 때, 상수 a, b, c, d에 대하여 다음 중 부호가 다른 것은? (단, $0<\alpha<\beta$)

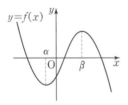

① ab ② bc ③ $a-b$
④ cd ⑤ $a+d$

047 서술형 ✎

함수 $f(x)=ax^3-bx^2+cx-d$의 그래프가 오른쪽 그림과 같다. $f'(\alpha)=f'(\beta)=0$일 때, 상수 a, b, c, d에 대하여 $\dfrac{|a|}{a}+\dfrac{|b|}{b}+\dfrac{|c|}{c}+\dfrac{|d|}{d}$의 값을 구하여라. (단, $\alpha<0<\beta$, $|\alpha|<\beta$)

유형 09 $y=f'(x)$의 그래프를 이용한 $y=f(x)$의 해석

삼차함수 $f(x)=-x^3+ax^2+bx+c$의 도함수 $f'(x)$에 대하여 $y=f'(x)$의 그래프가 오른쪽 그림과 같다. 함수 $f(x)$의 극솟값이 3일 때, $f(x)$의 극댓값을 구하여라.

(단, a, b, c는 상수이다.)

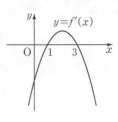

풀이

$f(x)=-x^3+ax^2+bx+c$에서 $f'(x)=-3x^2+2ax+b$
$y=f'(x)$의 그래프가 x축과 만나는 점의 x좌표가 1, 3이므로
$f'(x)=0$에서 $x=1$ 또는 $x=3$
함수 $f(x)$의 증가와 감소를 표로 나타내면 다음과 같다.

x	$\cdots$	1	$\cdots$	3	$\cdots$
$f'(x)$	$-$	0	$+$	0	$-$
$f(x)$	$\searrow$	극소	$\nearrow$	극대	$\searrow$

$f'(1)=0$이므로 $-3+2a+b=0$ ········· ㉠
$f'(3)=0$이므로 $-27+6a+b=0$ ········· ㉡
㉠, ㉡을 연립하여 풀면 $a=6$, $b=-9$이므로
$f(x)=-x^3+6x^2-9x+c$
이때 함수 $f(x)$의 극솟값이 3이므로 $f(1)=3$
$-1+6-9+c=3$ ∴ $c=7$
따라서 $f(x)=-x^3+6x^2-9x+7$이므로 함수 $f(x)$의 극댓값은 $f(3)=-27+54-27+7=7$이다.

답 7

048

함수 $y=f(x)$의 도함수 $y=f'(x)$의 그래프가 아래 그림과 같을 때, 구간 $[\alpha, \beta]$에서 함수 $f(x)$에 대하여 다음을 구하여라.

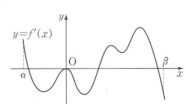

(1) 극댓값을 갖는 x의 값의 개수
(2) 극솟값을 갖는 x의 값의 개수

049

삼차함수
$f(x)=x^3+ax^2+bx+c$의 도함수 $f'(x)$에 대하여 $y=f'(x)$의 그래프가 오른쪽 그림과 같다. 함수 $f(x)$의 극솟값이 -5일 때, 다음을 구하여라.

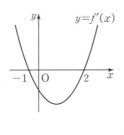

(1) 상수 a, b의 값

(2) 상수 c의 값

(3) 함수 $f(x)$의 극댓값

050

삼차함수
$f(x)=ax^3+bx^2+cx+d$의 도함수 $y=f'(x)$의 그래프가 오른쪽 그림과 같다. 함수 $f(x)$의 극댓값이 2, 극솟값이 -2라고 할 때, $f(1)$의 값을 구하여라. (단, a, b, c, d는 상수이다.)

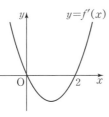

051

구간 $(-3, 11)$에서 함수 $f(x)$의 도함수 $y=f'(x)$의 그래프가 다음 그림과 같을 때, 함수 $f(x)$가 극댓값을 갖는 모든 x의 값의 합은?

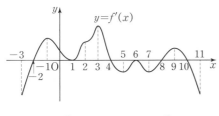

① 10   ② 11   ③ 12

④ 13   ⑤ 14

052

삼차함수 $f(x)$의 도함수 $y=f'(x)$의 그래프가 오른쪽 그림과 같을 때, 다음 중 옳은 것은?

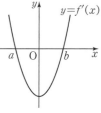

① $f(x)$는 $x=0$에서 극솟값을 갖는다.

② $f(x)$는 $x=b$에서 극댓값을 갖는다.

③ $f(x)$는 구간 $(0, b)$에서 증가한다.

④ $f(x)$는 구간 (a, b)에서 증가한다.

⑤ $f(x)$는 구간 $(-\infty, a)$에서 증가한다.

053

삼차함수 $f(x)$의 도함수 $y=f'(x)$의 그래프가 오른쪽 그림과 같을 때, 옳은 것만을 |보기|에서 있는 대로 고른 것은?

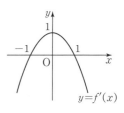

보기
ㄱ. $f(x)$는 $x=0$에서 극댓값을 갖는다.
ㄴ. $f(x)$는 구간 $(0, 1)$에서 감소한다.
ㄷ. $f(x)$는 구간 $(1, \infty)$에서 감소한다.

① ㄱ   ② ㄴ   ③ ㄷ

④ ㄱ, ㄴ   ⑤ ㄴ, ㄷ

054

사차함수 $f(x)$의 도함수 $y=f'(x)$의 그래프가 오른쪽 그림과 같을 때, 옳은 것만을 |보기|에서 있는 대로 고른 것은?

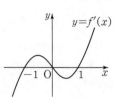

| 보기 |

ㄱ. $f(x)$는 극솟값이 존재하지 않는다.
ㄴ. $f(x)$는 $x=0$에서 극댓값을 갖는다.
ㄷ. $f(0)>f(1)$이다.

① ㄴ   ② ㄱ, ㄴ   ③ ㄱ, ㄷ
④ ㄴ, ㄷ   ⑤ ㄱ, ㄴ, ㄷ

055

다항함수 $y=f(x)$의 도함수 $y=f'(x)$의 그래프가 오른쪽 그림과 같을 때, 다음 중 $y=f(x)$의 그래프의 개형이 될 수 있는 것은?

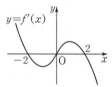

① 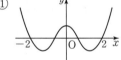   ②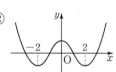

③   ④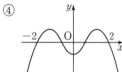

⑤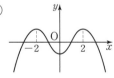

유형 10 **함수의 최대·최소**

구간 $[-4, 1]$에서 함수 $f(x)=x^3+6x^2+9x+1$의 최댓값을 M, 최솟값을 m이라고 할 때, $M-m$의 값을 구하여라.

풀이

$f(x)=x^3+6x^2+9x+1$에서
$f'(x)=3x^2+12x+9=3(x+3)(x+1)$
$f'(x)=0$에서 $x=-3$ 또는 $x=-1$
구간 $[-4, 1]$에서 함수 $f(x)$의 증가와 감소를 표로 나타내면 다음과 같다.

x	-4	$\cdots$	-3	$\cdots$	-1	$\cdots$	1
$f'(x)$		$+$	0	$-$	0	$+$	
$f(x)$	-3	↗	1	↘	-3	↗	17

함수 $f(x)$는 $x=1$일 때 최댓값 17을 갖고, $x=-4$ 또는 $x=-1$일 때 최솟값 -3을 갖는다.
따라서 $M=17$, $m=-3$이므로
$M-m=17-(-3)=20$

답 20

056

구간 $[-1, 2]$에서 함수 $f(x)=x^4-2x^2+3$에 대하여 다음 물음에 답하여라.

(1) 구간 $[-1, 2]$에서 함수 $f(x)$의 증가와 감소를 아래 표에 나타내어라.

x						
$f'(x)$						
$f(x)$						

(2) 최솟값을 구하여라.
(3) 최댓값을 구하여라.

057

구간 $[0, 2]$에서 함수 $f(x)=-x^3+3x+2$가 $x=a$에서 최댓값 b를 갖는다고 할 때, $a+b$의 값을 구하여라.

058 |교육청 기출|

닫힌구간 $[-1, 3]$에서 함수
$$f(x)=x^3-6x^2+9x+6$$
의 최댓값은?

① 6   ② 7   ③ 8

④ 9   ⑤ 10

059

구간 $[-1, 2]$에서 함수
$$f(x)=-x^4+8x^3-16x^2+6$$
의 최댓값을 M, 최솟값을 m이라고 할 때, $M+m$의 값은?

① -13 ② -6 ③ 1

④ 8   ⑤ 15

060 서술형 ✎

구간 $[-4, 0]$에서 함수
$$f(x)=(x+1)^3-3(x+1)+2$$
의 최댓값과 최솟값을 각각 구하여라.

유형 **11** 함수의 최대·최소를 이용한 미정계수의 결정

구간 $[-3, 1]$에서 함수 $f(x)=-x^3+3x+a$의 최솟값이 -1일 때, 최댓값을 구하여라. (단, a는 상수이다.)

풀이

$f(x)=-x^3+3x+a$에서
$f'(x)=-3x^2+3=-3(x+1)(x-1)$
$f'(x)=0$에서 $x=-1$ 또는 $x=1$
구간 $[-3, 1]$에서 함수 $f(x)$의 증가와 감소를 표로 나타내면 다음과 같다.

x	-3	$\cdots$	-1	$\cdots$	1
$f'(x)$		$-$	0	$+$	0
$f(x)$	$a+18$	↘	$a-2$	↗	$a+2$

함수 $f(x)$는 $x=-3$일 때 최댓값 $a+18$, $x=-1$일 때 최솟값 $a-2$를 갖는다.
이때 함수 $f(x)$의 최솟값이 -1이므로
$a-2=-1$ $\therefore a=1$
따라서 함수 $f(x)$의 최댓값은
$a+18=1+18=19$

답 19

061

구간 $[0, 3]$에서 함수 $f(x)=x^3-6x^2+12x+a$의 최댓값이 10일 때, 상수 a의 값을 구하여라.

062 |평가원 기출|

닫힌구간 $[1, 4]$에서 함수 $f(x)=x^3-3x^2+a$의 최댓값을 M, 최솟값을 m이라 하자. $M+m=20$일 때, 상수 a의 값은?

① 1   ② 2   ③ 3

④ 4   ⑤ 5

기본을 다지는 유형

063

함수 $f(x)=x^4-4x^3+a$의 최솟값이 -4일 때, 상수 a의 값은?

① 22   ② 23   ③ 24

④ 25   ⑤ 26

064

구간 $[-1, 1]$에서 함수 $f(x)=ax^3-3ax^2+b$의 최댓값이 4, 최솟값이 -4일 때, 양수 a, b에 대하여 ab의 값은?

① 2   ② 4   ③ 6

④ 8   ⑤ 10

065 ✎ 서술형

닫힌구간 $[0, 2]$에서 함수 $f(x)=ax^4-2ax^2+b$의 최댓값이 4, 최솟값이 1일 때, 양수 a, b에 대하여 $9ab$의 값을 구하여라.

유형 **12** 최대·최소의 활용

오른쪽 그림과 같이 한 변의 길이가 12 cm인 정사각형 모양의 종이가 있다. 이 종이의 네 모퉁이를 합동인 정사각형 모양으로 각각 잘라 내고, 남은 부분을 접어서 뚜껑이 없는 직육면체 모양의 상자를 만들려고 한다. 이때 만들 수 있는 상자의 부피의 최댓값을 구하여라.

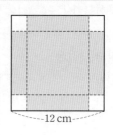

-12 cm-

풀이

잘라 내야 하는 정사각형의 한 변의 길이를 x cm라고 하면 상자의 밑면은 한 변의 길이가 $(12-2x)$ cm인 정사각형이므로 $x>0$, $12-2x>0$에서 $0<x<6$

상자의 부피를 $V(x)$ cm^{3}라고 하면

$V(x)=x(12-2x)^2=4x^3-48x^2+144x$

$\therefore V'(x)=12x^2-96x+144=12(x-2)(x-6)$

$V'(x)=0$에서 $x=2$ ($\because 0<x<6$)

$0<x<6$에서 $V(x)$의 증가와 감소를 표로 나타내면 다음과 같다.

x	(0)	$\cdots$	2	$\cdots$	(6)
$V'(x)$		$+$	0	$-$	
$V(x)$		↗	128	↘	

$V(x)$는 $x=2$일 때 극대이면서 최대이므로 상자의 부피의 최댓값은 $V(2)=128$이다.

🔲 128 cm^3

풍쌤 유형 TIP

위 문제에서 작은 정사각형을 자르고 남은 부분의 한 변의 길이를 x로 놓아도 문제는 해결할 수 있지만 식이 복잡해지기 때문에 적절하지 않다. 이와 같이 활용 문제에서는 적절하게 미지수를 놓고 식을 간단하게 풀 수 있게 하는 것이 중요하다.

066

오른쪽 그림과 같이 곡선 $y=-x^2+6$과 x축으로 둘러싸인 도형에 내접하고, 밑변이 x축 위에 있는 직사각형 ABDC가 있다. $A(-a, 0)$, $B(a, 0)$일 때, 다음 물음에 답하여라. (단, $0<a<\sqrt{6}$)

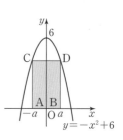

(1) 직사각형 ABDC의 넓이를 a에 대한 식으로 나타내어라.

(2) 직사각형 ABDC의 넓이의 최댓값을 구하여라.

067

곡선 $y=x^2$ 위를 움직이는 점과 점 $(0, 4)$ 사이의 거리를 l이라고 할 때, l^2의 최솟값은?

① $\dfrac{7}{2}$ ② $\dfrac{15}{4}$ ③ 4

④ $\dfrac{17}{4}$ ⑤ $\dfrac{9}{2}$

068

곡선 $y=x^3-3x^2+2x$ 위의 두 점 A, B의 x좌표가 각각 t, $t+1$일 때, $\overline{AB}$의 길이의 최댓값은?

$$(단, 0<t<1)$$

① 1   ② $\dfrac{5}{4}$ ③ $\dfrac{3}{2}$

④ $\dfrac{7}{4}$ ⑤ 2

069

오른쪽 그림과 같이 곡선 $y=x^2-4$가 x축과 만나는 두 교점을 A, B라고 하자. 선분 AB와 이 곡선으로 둘러싸인 부분에 내접하는 사다리꼴의 넓이의 최댓값을 k라고 할 때, $27k$의 값을 구하여라.

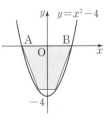

070

오른쪽 그림과 같이 가로, 세로의 길이가 각각 16, 10인 직사각형 모양의 종이의 네 모퉁이를 합동인 정사각형 모양으로 각각 잘라 내고, 남은 부분을 접어서 뚜껑이 없는 직육면체 모양의 상자를 만들려고 한다. 상자의 부피가 최대가 될 때의 잘라 내는 정사각형의 한 변의 길이를 k, 이때의 부피의 최댓값을 M이라고 할 때, $k+M$의 값은?

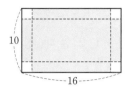

① 142   ② 143   ③ 144

④ 145   ⑤ 146

071 서술형

오른쪽 그림과 같이 밑면의 반지름의 길이가 6, 높이가 12인 원뿔에 내접하는 원기둥의 부피의 최댓값을 구하여라.

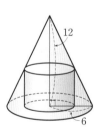

01

함수 $f(x) = 2x^3 - ax^2 + bx$가 감소하는 구간이 $[-1, 2]$일 때, 상수 a, b에 대하여 $\dfrac{b}{a}$의 값은?

① -4 ② -2 ③ -1

④ 2 ⑤ 4

02

함수 $f(x) = ax^3 + 3x^2 + (a+2)x + 3$의 역함수가 존재하도록 하는 음수 a의 최댓값은?

① -5 ② -4 ③ -3

④ -2 ⑤ -1

03 |교육청 기출| 실력UP

함수 $f(x) = x^3 + 6x^2 + 15|x - 2a| + 3$이 실수 전체의 집합에서 증가하도록 하는 실수 a의 최댓값은?

① $-\dfrac{5}{2}$ ② -2 ③ $-\dfrac{3}{2}$

④ -1 ⑤ $-\dfrac{1}{2}$

04

함수 $f(x) = -x^3 + ax^2 + 3$이 구간 $\left(\dfrac{1}{2},\ 1\right)$에서 증가하고, $(2,\ \infty)$에서 감소하도록 하는 상수 a의 값의 범위가 $\alpha \leq a \leq \beta$라고 할 때, $2\alpha\beta$의 값은?

① -3 ② -1 ③ 3

④ 6 ⑤ 9

05

함수 $f(x) = 2x^3 - 3x^2 + 2$의 그래프에서 극대가 되는 점을 P, 극소가 되는 점을 Q라고 할 때, 두 점 P, Q 사이의 거리는?

① $\sqrt{2}$ ② 2 ③ $\sqrt{6}$

④ $\sqrt{8}$ ⑤ 3

06

함수 $f(x) = (x-1)^2(x+1)^2$의 그래프에서 극대 또는 극소가 되는 세 점을 각각 A, B, C라고 할 때, 삼각형 ABC의 넓이는?

① $\dfrac{1}{4}$ ② $\dfrac{1}{2}$ ③ 1

④ $\dfrac{3}{2}$ ⑤ 2

07

함수 $f(x)=\dfrac{1}{3}x^3-\dfrac{3}{2}x^2+ax+b$가 $x=1$에서 극값을 갖고, 극댓값과 극솟값의 합이 $\dfrac{1}{2}$이라고 할 때, 함수 $f(x)$의 극솟값은?

① $\dfrac{1}{6}$　　　　② $\dfrac{1}{3}$　　　　③ $\dfrac{1}{2}$

④ $\dfrac{2}{3}$　　　　⑤ $\dfrac{5}{6}$

08

함수 $f(x)=2x^3-3ax^2+a$에 대하여 곡선 $y=f(x)$가 x축에 접할 때, 0이 아닌 모든 실수 a의 값의 곱은?

① -2　　　　② -1　　　　③ 1

④ 2　　　　⑤ 3

09

함수 $f(x)=x^3-3x^2+a$의 그래프에서 극대가 되는 점을 A, 극소가 되는 점을 B라 하자. 삼각형 AOB의 넓이가 8일 때, 양수 a의 값은? (단, O는 원점이다.)

① 4　　　　② 8　　　　③ 12

④ 16　　　　⑤ 20

10

삼차함수 $f(x)=ax^3-5x^2+4ax+4$가 극값을 가질 때, 정수 a의 최댓값은?

① -1　　　　② 0　　　　③ 1

④ 2　　　　⑤ 3

11

함수 $f(x)=x^3+(a+1)x^2+(2a-1)x-1$이 극값을 갖지 않을 때, 곡선 $y=f(x)$ 위의 점 중에서 접선의 기울기가 3인 모든 점의 x좌표의 합은?

① -3　　　　② -2　　　　③ -1

④ 0　　　　⑤ 1

12

함수 $f(x)=-x^4+2ax^2+4(a-1)x+3$이 극솟값을 갖지 않도록 하는 실수 a의 값의 범위를 구하여라.

13

함수 $f(x)=3x^4-4ax^3+6ax^2$이 극댓값을 갖지 않을 때, 실수 a의 값의 범위를 구하여라.

14

함수 $f(x)=ax^3+bx^2+cx+d$의 그래프가 오른쪽 그림과 같다.
$f'(\alpha)=f'(\beta)=0$일 때, 함수
$$g(x)=-ax^2+bx-d$$
의 그래프의 개형이 될 수 있는 것은? (단, $\alpha<0<\beta$, $|\alpha|>\beta$, a, b, c, d는 상수이다.)

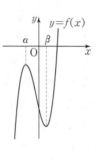

①   ②

③   ④

⑤

15

$0<x<e$에서 정의된 함수 $y=f(x)$의 그래프가 오른쪽 그림과 같을 때, 옳은 것만을 |보기|에서 있는 대로 고른 것은?

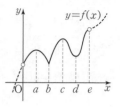

┤ 보기 ├

ㄱ. 구간 (a,b)에서 $f'(x)<0$이다.
ㄴ. $f'(a)=f'(c)=0$
ㄷ. 함수 $f(x)$의 극솟값은 $f(d)$ 뿐이다.

① ㄱ   ② ㄱ, ㄴ   ③ ㄱ, ㄷ
④ ㄴ, ㄷ   ⑤ ㄱ, ㄴ, ㄷ

16

삼차함수 $f(x)$의 도함수 $y=f'(x)$의 그래프가 오른쪽 그림과 같다. 함수 $f(x)$의 극댓값을 p, 극솟값을 q라고 할 때, $p-q$의 값을 구하여라.

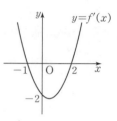

17 실력UP

삼차항의 계수가 1인 삼차함수 $y=f(x)$의 도함수 $y=f'(x)$의 그래프가 오른쪽 그림과 같다. 함수 $y=f(x)$의 그래프가 x축에 접할 때, 모든 $f(0)$의 값의 합을 구하여라.

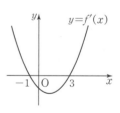

18

구간 $[-1, 2]$에서 함수
$$f(x)=2(x^2-1)^3-3(x^2-1)^2+2$$
의 최댓값을 M, 최솟값을 m이라고 할 때, $M-m$의
값은?

① 29　　　　② 30　　　　③ 31

④ 32　　　　⑤ 33

19 | 평가원 기출 |

양수 a에 대하여 함수 $f(x)=x^3+ax^2-a^2x+2$가 닫힌
구간 $[-a, a]$에서 최댓값 M, 최솟값 $\dfrac{14}{27}$를 갖는다.
$a+M$의 값을 구하여라.

20

닫힌구간 $[0, a]$에서 함수 $f(x)=2x^3-9x^2+12x-2$
의 최댓값이 7일 때, a의 값은?

① 1　　　　② 2　　　　③ 3

④ 4　　　　⑤ 5

21 | 교육청 기출 |

곡선 $y=\dfrac{1}{2}x^4-2x^3+8$ $(x>0)$ 위의 점에서 그은 접선
중에서 기울기가 최소인 접선과 x축, y축으로 둘러싸인
도형의 넓이를 구하여라.

22 실력UP

다음 그림과 같이 가장 긴 변을 제외한 나머지 세 변의
길이가 $1\,\text{m}$인 등변사다리꼴 모양의 철판 2장과 이웃한
두 변의 길이가 각각 $1\,\text{m}$, $8\,\text{m}$인 직사각형 모양의 철
판 3장으로 뚜껑이 없는 물통을 만들려고 한다. 이때 이
물통의 부피의 최댓값은?

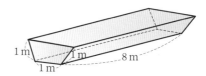

① $6\,\text{m}^3$　　　② $6\sqrt{3}\,\text{m}^3$　　　③ $6\sqrt{6}\,\text{m}^3$

④ $8\,\text{m}^3$　　　⑤ $8\sqrt{2}\,\text{m}^3$

도함수의 활용 (3)

1. 방정식의 실근과 함수의 그래프

(1) 방정식 $f(x)=0$의 실근은 함수 $y=f(x)$의 그래프와 x축의 교점의 x좌표와 같다.

(2) 방정식 $f(x)=g(x)$의 실근은 두 함수 $y=f(x)$, $y=g(x)$의 그래프의 교점의 x좌표와 같다.

> **참고** 방정식 $f(x)=g(x)$의 서로 다른 실근의 개수는 함수 $y=f(x)-g(x)$의 그래프와 x축의 교점의 개수로 구할 수도 있다.

2. 삼차방정식의 근의 판별

삼차함수 $f(x)=ax^3+bx^2+cx+d$ $(a>0)$가 극값을 가질 때, 삼차방정식 $f(x)=0$의 근을 판별하는 방법은 다음과 같다.

서로 다른 세 실근	서로 다른 두 실근 (중근과 다른 한 실근)	한 실근과 두 허근
(극댓값)×(극솟값)＜0	(극댓값)×(극솟값)＝0	(극댓값)×(극솟값)＞0

3. 부등식에의 활용

(1) 함수 $f(x)$가 어떤 구간에서 부등식 $f(x)≥0$임을 보이려면 그 구간에서 $(f(x)$의 최솟값$)≥0$임을 보인다.

(2) 함수 $f(x)$가 $x≥a$에서 부등식 $f(x)>0$임을 보이려면 $x≥a$에서 $f(x)$가 증가하고 $f(a)>0$임을 보인다.

4. 속도와 가속도

수직선 위를 움직이는 점 P의 시각 t에서의 위치를 $x=f(t)$라고 할 때

시각 $t=a$에서 시각 $t=b$까지의 평균속도	시각 t에서의 속도	시각 t에서의 가속도
$\dfrac{\Delta x}{\Delta t}=\dfrac{f(b)-f(a)}{b-a}$	$v=\lim\limits_{\Delta t\to 0}\dfrac{\Delta x}{\Delta t}=\dfrac{dx}{dt}=f'(t)$	$a=\lim\limits_{\Delta t\to 0}\dfrac{\Delta v}{\Delta t}=\dfrac{dv}{dt}=v'(t)$
(평균속도)＝(평균변화율)	(속도)＝(위치 변화율)	(가속도)＝(속도 변화율)

> **참고** 위치 x —미분→ 속도 v —미분→ 가속도 a

5. 시각에 대한 변화율

어떤 물체의 시각 t에서의 길이를 l, 넓이를 S, 부피를 V라고 할 때, 시간이 Δt만큼 경과한 후 길이, 넓이, 부피가 각각 Δl, ΔS, ΔV만큼 변했다고 하면

시각 t에서의 길이의 변화율	시각 t에서의 넓이의 변화율	시각 t에서의 부피의 변화율
$\lim\limits_{\Delta t\to 0}\dfrac{\Delta l}{\Delta t}=\dfrac{dl}{dt}$	$\lim\limits_{\Delta t\to 0}\dfrac{\Delta S}{\Delta t}=\dfrac{dS}{dt}$	$\lim\limits_{\Delta t\to 0}\dfrac{\Delta V}{\Delta t}=\dfrac{dV}{dt}$
길이의 미분	넓이의 미분	부피의 미분

(여백 설명)

$y=f(x)$

x_1 x_2 x_3 x

$f(x)=0$의 실근

○ 삼차함수 $f(x)$가 극값을 갖지 않으면 방정식 $f(x)=0$은 삼중근을 갖거나 한 실근과 두 허근을 갖는다.

○ 점 P의 속도 v가 $v>0$이면 점 P는 양의 방향으로, $v<0$이면 점 P는 음의 방향으로 움직이는 것이고, $v=0$이면 점 P는 운동 방향을 바꾸거나 정지한 것이다.

○ 속도의 절댓값은 속력이다.
➡ |(속도)|＝(속력)

기본을 다지는 유형

유형 01 삼차방정식의 근의 판별

방정식 $2x^3-9x^2+12x-k=0$이 서로 다른 두 개의 실근을 갖도록 하는 실수 k의 값을 모두 구하여라.

풀이

방정식 $2x^3-9x^2+12x-k=0$, 즉 $2x^3-9x^2+12x=k$의 실근의 개수는 곡선 $y=2x^3-9x^2+12x$와 직선 $y=k$의 교점의 개수와 같다.

$f(x)=2x^3-9x^2+12x$라고 하면

$f'(x)=6x^2-18x+12=6(x-1)(x-2)$

$f'(x)=0$에서 $x=1$ 또는 $x=2$

함수 $f(x)$의 증가와 감소를 표로 나타내면 다음과 같다.

x	$\cdots$	1	$\cdots$	2	$\cdots$
$f'(x)$	+	0	−	0	+
$f(x)$	↗	5	↘	4	↗

주어진 방정식이 서로 다른 두 개의 실근을 가지려면 한 개의 실근과 중근을 가져야 한다. 즉, 오른쪽 그림과 같이 곡선 $y=f(x)$와 직선 $y=k$가 한 점에서 만나고, 다른 한 점에서 접해야 하므로 $k=4$ 또는 $k=5$

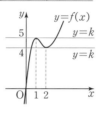

답 4, 5

| 다른 풀이 |

$f(x)=2x^3-9x^2+12x-k$라고 하면

$f'(x)=6x^2-18x+12=6(x-1)(x-2)$

$f'(x)=0$에서 $x=1$ 또는 $x=2$

삼차방정식 $f(x)=0$이 서로 다른 두 개의 실근을 가지려면 한 개의 실근과 중근을 가져야 하므로 $f(1)f(2)=0$이어야 한다.

즉, $(-k+5)(-k+4)=0$이므로 $k=4$ 또는 $k=5$

001

다음 방정식의 서로 다른 실근의 개수를 구하여라.

(1) $x^3-3x^2+2=0$

(2) $x^3-3x^2=0$

(3) $x^3-3x^2-2=0$

002

방정식 $2x^3+3x^2-12x-k=0$이 서로 다른 세 실근을 갖도록 하는 정수 k의 개수를 구하여라.

003

방정식 $x^3+3x^2-9x-k=0$이 한 개의 실근과 중근을 갖도록 하는 양수 k의 값을 구하여라.

004

방정식 $x^3-12x-k=0$이 오직 하나의 실근을 갖도록 하는 음의 정수 k의 최댓값을 구하여라.

005

함수 $y=x^3-6x^2+9x$의 그래프를 y축의 방향으로 k만큼 평행이동한 그래프를 함수 $y=f(x)$의 그래프라고 하자. 방정식 $f(x)=0$이 서로 다른 세 실근을 갖도록 하는 정수 k의 최솟값을 구하여라.

유형 02 사차방정식의 근의 판별

방정식 $x^4-4x^3-2x^2+12x-k=0$이 서로 다른 세 실근을 갖도록 하는 상수 k의 값을 구하여라.

풀이

방정식 $x^4-4x^3-2x^2+12x-k=0$,

즉, $x^4-4x^3-2x^2+12x=k$의 실근의 개수는 곡선

$y=x^4-4x^3-2x^2+12x$와 직선 $y=k$의 교점의 개수와 같다.

$f(x)=x^4-4x^3-2x^2+12x$라고 하면

$f'(x)=4x^3-12x^2-4x+12=4(x+1)(x-1)(x-3)$

$f'(x)=0$에서 $x=-1$ 또는 $x=1$ 또는 $x=3$

함수 $f(x)$의 증가와 감소를 표로 나타내면 다음과 같다.

x	$\cdots$	-1	$\cdots$	1	$\cdots$	3	$\cdots$
$f'(x)$	$-$	0	$+$	0	$-$	0	$+$
$f(x)$	$\searrow$	-9	$\nearrow$	7	$\searrow$	-9	$\nearrow$

주어진 방정식이 서로 다른 세 실근을 가지려면 오른쪽 그림과 같이 곡선 $y=f(x)$와 직선 $y=k$가 서로 다른 세 점에서 만나야 하므로

$k=7$

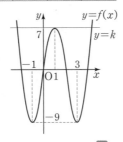

답 7

006

방정식 $x^4-4x^3+4x^2-k=0$이 서로 다른 네 실근을 갖도록 하는 실수 k의 값의 범위를 구하여라.

007

방정식 $3x^4-8x^3+8-k=0$이 오직 하나의 실근만을 갖도록 하는 상수 k의 값을 구하여라.

008 서술형

방정식 $x^4-2x^2-k=0$이 서로 다른 두 실근을 가질 때, 자연수 k의 최솟값을 구하여라.

009

다음 중 방정식 $x^4+\dfrac{4}{3}x^3-4x^2-k=0$이 서로 다른 두 실근을 갖도록 하는 상수 k의 값이 될 수 <u>없는</u> 것은?

① -3 ② -2 ③ -1

④ 1 ⑤ 2

010

방정식 $3x^4-4x^3-12x^2+3-k=0$이 한 개의 음근과 서로 다른 두 개의 양근을 갖도록 하는 상수 k의 값은?

① -4 ② -2 ③ 0

④ 2 ⑤ 4

유형 03 두 그래프의 교점의 개수

곡선 $y=4x^3-2x$와 직선 $y=x+k$가 서로 다른 세 점에서 만나도록 하는 실수 k의 값의 범위를 구하여라.

풀이

주어진 곡선과 직선이 서로 다른 세 점에서 만나려면 방정식 $4x^3-2x=x+k$, 즉 $4x^3-3x-k=0$이 서로 다른 세 실근을 가져야 한다.

방정식 $4x^3-3x-k=0$, 즉 $4x^3-3x=k$의 실근의 개수는 곡선 $y=4x^3-3x$와 직선 $y=k$의 교점의 개수와 같다.

$f(x)=4x^3-3x$라고 하면

$f'(x)=12x^2-3=3(2x+1)(2x-1)$

$f'(x)=0$에서 $x=-\dfrac{1}{2}$ 또는 $x=\dfrac{1}{2}$

함수 $f(x)$의 증가와 감소를 표로 나타내면 다음과 같다.

x	$\cdots$	$-\dfrac{1}{2}$	$\cdots$	$\dfrac{1}{2}$	$\cdots$
$f'(x)$	$+$	0	$-$	0	$+$
$f(x)$	$\nearrow$	1	$\searrow$	-1	$\nearrow$

방정식 $4x^3-3x-k=0$이 서로 다른 세 실근을 가지려면 오른쪽 그림과 같이 곡선 $y=f(x)$와 직선 $y=k$가 세 점에서 만나야 하므로

$-1<k<1$

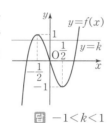

답 $-1<k<1$

|다른 풀이|

주어진 곡선과 직선이 서로 다른 세 점에서 만나려면 방정식 $4x^3-2x=x+k$가 서로 다른 세 실근을 가져야 한다.

$f(x)=4x^3-3x-k$라고 하면

$f'(x)=3(2x+1)(2x-1)$

$f'(x)=0$에서 $x=-\dfrac{1}{2}$ 또는 $x=\dfrac{1}{2}$

삼차방정식 $f(x)=0$이 서로 다른 세 실근을 가지려면

$f\left(-\dfrac{1}{2}\right)f\left(\dfrac{1}{2}\right)<0$이어야 하므로

$(-k+1)(-k-1)<0$

$(k-1)(k+1)<0$

$\therefore -1<k<1$

011

두 곡선 $y=x^3+4x^2-3x$, $y=x^2+6x+k$가 오직 한 점에서 만나도록 하는 실수 k의 값의 범위가 $k<\alpha$ 또는 $k>\beta$일 때, $\alpha+\beta$의 값을 구하여라.

012

곡선 $y=2x^3+3x^2-5x$와 직선 $y=7x+k$가 한 점에서 만나고 다른 한 점에서는 접하도록 하는 모든 실수 k의 값의 합은?

① 12   ② 13   ③ 14

④ 15   ⑤ 16

013 |평가원 기출|

두 함수 $f(x)=x^4-4x+k$, $g(x)=-x^2+2x-k$의 그래프가 오직 한 점에서 만날 때, 실수 k의 값은?

① 1   ② 2   ③ 3

④ 4   ⑤ 5

유형 04 실수 전체의 집합에서 부등식이 항상 성립할 조건

모든 실수 x에 대하여 부등식 $3x^4-8x^3+36x+k>0$이 성립하도록 하는 정수 k의 최솟값을 구하여라.

풀이

$f(x)=3x^4-8x^3+36x+k$라고 하면

$f'(x)=12x^3-24x^2+36=12(x+1)(x^2-3x+3)$

$f'(x)=0$에서 $x=-1$ $(\because x^2-3x+3>0)$

함수 $f(x)$의 증가와 감소를 표로 나타내면 다음과 같다.

x	$\cdots$	-1	$\cdots$
$f'(x)$	$-$	0	$+$
$f(x)$	$\searrow$	$k-25$	$\nearrow$

모든 실수 x에 대하여 함수 $f(x)$는 $x=-1$에서 극소이면서 최소이다. 즉, 모든 실수 x에 대하여 $f(x)>0$이려면

$f(-1)>0$이어야 하므로

$k-25>0$ $\therefore k>25$

따라서 구하는 정수 k의 최솟값은 26이다.

답 26

014

모든 실수 x에 대하여 부등식 $x^4+4x+k\geq0$이 성립하도록 하는 정수 k의 최솟값은?

① -1 ② 0 ③ 1
④ 2 ⑤ 3

015

모든 실수 x에 대하여 부등식

$6x^4-4x^3+x^2-k\geq3x^4+x^2$

이 항상 성립하도록 하는 실수 k의 최댓값은?

① -3 ② -2 ③ -1
④ 0 ⑤ 1

016

모든 실수 x에 대하여

$-4x^4-x+k\leq-3x^4-5x+6$

가 성립하도록 하는 모든 자연수 k의 값의 합은?

① 3 ② 4 ③ 5
④ 6 ⑤ 7

017 서술형

두 함수

$f(x)=x^4-2x,\ g(x)=2x^2-2x+k$

에 대하여 부등식 $f(x)\geq g(x)$가 성립하도록 하는 정수 k의 최댓값을 구하여라.

018 교육청 기출

모든 실수 x에 대하여 부등식

$x^4-4x-a^2+a+9\geq0$

이 항상 성립하도록 하는 정수 a의 개수는?

① 6 ② 7 ③ 8
④ 9 ⑤ 10

유형 05 주어진 구간에서 부등식이 항상 성립할 조건

$x \geq 0$일 때, 부등식 $x^3 + k > x^2 + x$가 항상 성립하도록 하는 상수 k의 값의 범위를 구하여라.

풀이

$x^3 + k > x^2 + x$에서 $x^3 - x^2 - x + k > 0$

$f(x) = x^3 - x^2 - x + k$라고 하면

$f'(x) = 3x^2 - 2x - 1 = (3x+1)(x-1)$

$f'(x) = 0$에서 $x = 1$ ($\because x \geq 0$)

$x \geq 0$에서 함수 $f(x)$의 증가와 감소를 표로 나타내면 다음과 같다.

x	0	$\cdots$	1	$\cdots$
$f'(x)$		$-$	0	$+$
$f(x)$	k	$\searrow$	$k-1$	$\nearrow$

$x \geq 0$일 때 함수 $f(x)$는 $x = 1$에서 극소이면서 최소이다.

즉, $x \geq 0$일 때 $f(x) > 0$이려면 $f(1) > 0$이어야 하므로

$k - 1 > 0$ $\quad \therefore k > 1$

답 $k > 1$

풍쌤 유형 TIP

어떤 구간에서 부등식 $f(x) > 0$이 성립하는 것을 증명할 때는 그 구간에서 $f(x)$의 최솟값이 0보다 큰 것을 보이면 된다.

019

$x \geq 0$일 때, 부등식 $2x^3 - 3x^2 + k \geq 0$이 항상 성립하도록 하는 상수 k의 최솟값은?

① 0 ② 1 ③ 2
④ 3 ⑤ 4

020

$x < 0$일 때, 부등식 $4x^3 - 3x^2 - 6x \leq k$가 항상 성립하도록 하는 정수 k의 최솟값은?

① 1 ② 2 ③ 3
④ 4 ⑤ 5

021

$x > -1$일 때, 부등식 $x^3 - 2x + 1 \geq x + k$가 항상 성립하도록 하는 정수 k의 최댓값은?

① -1 ② -2 ③ -3
④ -4 ⑤ -5

022

$x > 2$일 때, $-x^3 - 6x + 6 > -2x^3 + 6x - k$가 항상 성립하도록 하는 자연수 k의 최솟값은?

① 9 ② 10 ③ 11
④ 12 ⑤ 13

023 |평가원 기출|

두 함수
$$f(x) = 5x^3 - 10x^2 + k, \ g(x) = 5x^2 + 2$$
가 있다. $\{x \mid 0 < x < 3\}$에서 부등식 $f(x) \geq g(x)$가 성립하도록 하는 상수 k의 최솟값을 구하여라.

유형 06 속도와 가속도

수직선 위를 움직이는 점 P의 시각 t $(t \geq 0)$에서의 위치 x가
$$x = t^3 - 6t^2 + t + 3$$
이다. 점 P의 가속도가 12일 때의 점 P의 속도를 구하여라.

풀이

시각 t에서의 속도를 v, 가속도를 a라고 하면
$$v = \frac{dx}{dt} = 3t^2 - 12t + 1, \ a = \frac{dv}{dt} = 6t - 12$$
이때 가속도가 12이므로
$a = 12$에서 $6t - 12 = 12$, $6t = 24$
$\therefore t = 4$
따라서 $t = 4$에서의 점 P의 속도는
$3 \times 4^2 - 12 \times 4 + 1 = 1$

답 1

024

수직선 위를 움직이는 점 P의 시각 t에서의 위치 x가 $x = 2t^3 - 4t^2$일 때, 다음을 구하여라.

(1) $t = 2$일 때 점 P의 속도

(2) $t = 2$일 때 점 P의 가속도

025 |교육청 기출|

수직선 위를 움직이는 점 P의 시각 t $(t \geq 0)$에서의 속도 $v(t)$가
$$v(t) = -t^2 + 10t$$
이다. $t = k$에서의 점 P의 가속도가 0일 때, 상수 k의 값은?

① 4   ② 5   ③ 6

④ 7   ⑤ 8

026

원점을 출발하여 수직선 위를 움직이는 점 P의 시각 t에서의 위치 x가
$$x = 2t^3 - 9t^2$$
이다. $t = k$에서의 점 P의 속도가 24일 때, k의 값은?

① 1   ② 2   ③ 3

④ 4   ⑤ 5

027

수직선 위를 움직이는 점 P의 시각 t에서의 위치 x가
$$x = t^3 - 6t^2$$
일 때, 점 P가 출발 후 다시 원점을 지나는 순간의 가속도는?

① 20   ② 22   ③ 24

④ 26   ⑤ 28

028 서술형

원점을 출발하여 수직선 위를 움직이는 점 P의 시각 t에서의 위치 x가
$$x = t^3 - pt^2 + qt$$
이다. $t = 4$에서의 점 P의 속도가 9, 가속도가 12일 때, $t = 2$에서의 점 P의 위치를 구하여라.

(단, p, q는 상수이다.)

유형 07 속도·가속도와 운동 방향

원점을 출발하여 수직선 위를 움직이는 점 P의 시각 t에서의 위치 x가 $x=\dfrac{4}{3}t^3-2t^2$일 때, 점 P가 출발 후 운동 방향을 바꾸는 순간의 점 P의 가속도를 구하여라.

풀이

시각 t에서의 점 P의 속도를 v라고 하면

$$v=\frac{dx}{dt}=4t^2-4t$$

운동 방향을 바꾸는 순간의 속도는 0이므로

$v=0$에서 $4t^2-4t=0$, $4t(t-1)=0$

$\therefore t=1\ (\because t>0)$

시각 t에서의 점 P의 가속도를 a라고 하면

$$a=\frac{dv}{dt}=8t-4$$

따라서 $t=1$에서의 점 P의 가속도는 $8\times 1-4=4$

답 4

029

수직선 위를 움직이는 점 P의 시각 t에서 위치 x가 $x=-\dfrac{1}{3}t^3+t$일 때, 다음을 구하여라.

(1) 점 P가 운동 방향을 바꾸는 시각

(2) 점 P가 운동 방향을 바꾸는 순간의 가속도

030

수직선 위를 움직이는 점 P의 시각 t에서의 위치 x가
$$x=t^3-2t^2-4t$$
일 때, 점 P가 출발 후 운동 방향을 바꾸는 순간의 시각 t의 값은?

① 1   ② 2   ③ 3

④ 4   ⑤ 5

031

원점을 출발하여 수직선 위를 움직이는 점 P의 시각 t에서의 위치 x가
$$x=\frac{1}{3}t^3-4t^2+15t$$
일 때, 점 P가 출발 후 두 번째로 운동 방향을 바꾸는 순간의 점 P의 위치를 구하여라.

032 서술형 ✐

원점을 출발하여 수직선 위를 움직이는 점 P의 시각 t에서의 위치 x는
$$x=\frac{2}{3}t^3-5t^2+12t$$
이다. 점 P가 출발한 후 두 번째로 운동 방향을 바꾸는 순간의 가속도를 구하여라.

033 │평가원 기출│

수직선 위를 움직이는 두 점 P, Q의 시각 t일 때의 위치는 각각
$$f(t)=2t^2-2t,\ g(t)=t^2-8t$$
이다. 두 점 P와 Q가 서로 반대 방향으로 움직이는 시각 t의 범위는?

① $\dfrac{1}{2}<t<4$ ② $1<t<5$ ③ $2<t<5$

④ $\dfrac{3}{2}<t<6$ ⑤ $2<t<8$

유형 08 정지하는 물체의 속도와 움직인 거리

직선 선로 위를 달리는 기차가 제동을 건 후 t초 동안 이동한 거리 x m를 $x=12t-0.2t^2$이라고 할 때, 기차가 정지할 때까지 움직인 거리를 구하여라.

풀이

기차에 제동을 걸고 t초 후의 속도를 v m/s라고 하면

$$v=\frac{dx}{dt}=12-0.4t$$

기차가 정지할 때의 속도는 0이므로

$v=0$에서 $12-0.4t=0$

$\therefore t=30$

따라서 기차가 30초 동안 움직인 거리는

$12\times30-0.2\times30^2=180\,(\text{m})$

답 180 m

유형 09 위로 던진 물체의 위치와 속도

수평인 지면으로부터 40 m 높이에서 35 m/s의 속도로 수직으로 위로 던져 올린 물체의 t초 후의 높이 h m를 $h=40+35t-5t^2$이라고 할 때, 이 물체를 던져 올린 지 몇 초 후에 최고 높이에 도달하는지 구하여라.

풀이

물체의 t초 후의 속도를 v m/s라고 하면

$$v=\frac{dh}{dt}=35-10t$$

이 물체가 최고 높이에 도달하는 순간의 속도는 0이므로

$v=0$에서 $35-10t=0,\ -10t=-35$

$\therefore t=3.5$

따라서 물체가 최고 높이에 도달하는 것은 던져 올린 지 3.5초 후이다.

답 3.5초

034

직선 도로 위를 달리는 자동차가 브레이크를 밟은 후 t초 동안 이동한 거리 x m가 $x=40t-10t^2$일 때, 다음을 구하여라.

(1) 자동차가 정지할 때까지 걸린 시간

(2) 자동차가 브레이크를 밟은 후 정지할 때까지 움직인 거리

035

직선 도로 위의 자동차가 제동을 건 후 t초 동안 움직인 거리를 x m라고 하면 $x=60t-kt^2$의 관계가 성립한다고 할 때, 자동차가 정지해야 하는 곳에서 정확하게 멈추려면 3초 전에 제동을 걸어야 한다고 한다. 이 자동차가 정지할 때까지 움직인 거리를 구하여라.

(단, k는 상수이다.)

036

지상에서 지면과 수직으로 30 m/s의 속도로 쏘아 올린 물체의 시각 t에서의 높이 h m를

$$h=30t-5t^2$$

이라고 할 때, 다음을 구하여라.

(1) 이 물체의 시각 t에서의 속도

(2) 이 물체가 최고 높이에 도달할 때까지 걸린 시간

037 서술형

지표면에서 10 m/s의 속도로 수직으로 위로 던져 올린 공의 t초 후의 높이 h m가

$$h=10t-4t^2$$

일 때, 공이 지표면에 닿는 순간의 속도를 구하여라.

오른쪽 그림은 원점을 출발하여 수
직선 위를 움직이는 점 P의 시각 t
에서의 속도 $v(t)$의 그래프이다. 점
P가 출발한 후 가속도가 0일 때를
모두 골라라.

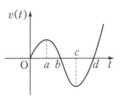

풀이

$v'(a)=0$, $v'(b)<0$, $v'(c)=0$, $v'(d)>0$이므로 점 P의 가
속도가 0일 때는 $t=a$, $t=c$일 때이다.

답 $t=a$, $t=c$

풍쌤 유형 TIP

속도를 미분한 것이 가속도이므로 속도 그래프의 접선의 기울기가 가
속도이다. $t=a$와 $t=c$에서 $v(t)$ 그래프의 접선은 x축과 평행하므로
기울기가 0이고, $t=b$와 $t=d$에서의 접선의 기울기는 0이 아니다.

038

오른쪽 그림은 수직선 위를 움직
이는 점 P의 시각 t에서의 위치
$x(t)$의 그래프이다. 구간 $(0, e)$
에서 점 P가 원점을 지나는 순간
은 몇 번인가?

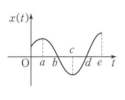

① 1번 ② 2번 ③ 3번
④ 4번 ⑤ 없다.

039

오른쪽 그림은 수직선 위를 움직
이는 점 P의 시각 t에서의 위치
$x(t)$의 그래프이다. $0<t<6$에
서 점 P가 원점에서 가장 멀리
떨어져 있는 순간은?

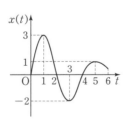

① $t=1$ ② $t=2$ ③ $t=3$
④ $t=4$ ⑤ $t=5$

040

오른쪽 그림은 수직선 위를 움직
이는 점 P의 시각 t에서의 위치
$x(t)$의 그래프이다. 원점을 출발
한 점 P가 다시 원점을 지나는 순
간의 속도와 그 값이 같은 것은?

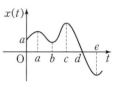

① $x(a)$ ② $x(d)$ ③ $x'(a)$
④ $x'(b)$ ⑤ $x'(d)$

041

오른쪽 그림은 원점을 출발하여
수직선 위를 움직이는 점 P의 시
각 t에서의 속도 $v(t)$의 그래프이
다. 점 P가 출발한 후 운동 방향
이 바뀌는 순간은?

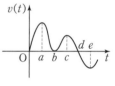

① $t=a$ ② $t=b$ ③ $t=c$
④ $t=d$ ⑤ $t=e$

042

수직선 위를 움직이는 점 P의 시
각 t에서의 위치 $x(t)$가
$$x(t)=at^3+bt^2+ct+d$$
이고, 그래프는 오른쪽 그림과 같
다. 옳은 것만을 |보기|에서 있는
대로 골라라. (단, a, b, c, d는 상수이다.)

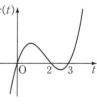

| 보기 |

ㄱ. $bc<0$

ㄴ. $t=2$일 때, 점 P의 속도는 0이다.

ㄷ. $t=\dfrac{5}{3}$일 때, 점 P의 가속도는 0이다.

유형 11 시각에 대한 길이의 변화율

시각 t에서 고무줄의 길이 l이 $l=t^3-3t^2+2t+12$인 관계를 만족하면서 늘어난다고 한다. 이 고무줄의 길이가 18이 되는 순간의 고무줄 길이의 변화율을 구하여라.

풀이

고무줄의 길이가 18이 되는 순간의 시각은

$t^3-3t^2+2t+12=18$

$t^3-3t^2+2t-6=0$, $(t-3)(t^2+2)=0$

$\therefore t=3$ ($\because t^2+2>0$)

한편, 시각 t에서의 고무줄 길이의 변화율은

$\dfrac{dl}{dt}=3t^2-6t+2$

따라서 $t=3$일 때의 고무줄 길이의 변화율은

$3\times3^2-6\times3+2=11$

답 11

043

어떤 물체의 시각 t에서의 길이 l이

$l=t^2+2t+3$

이다. t초 후 이 물체의 길이의 변화율은?

① 3   ② $2t$ ③ $2t+2$

④ t^2+2t ⑤ t^2+2t+3

044

시각 t에서의 불이 켜진 초의 남은 길이 l이

$l=\dfrac{1}{2}t^2-t+30$

이다. 이 초의 $t=3$에서의 길이의 변화율은?

① $\dfrac{1}{2}$ ② 1   ③ $\dfrac{3}{2}$

④ 2   ⑤ $\dfrac{5}{2}$

045

시각 t에서의 고무줄의 길이 l이

$l=t^3-2t^2+3$

일 때, $t=2$에서의 고무줄 길이의 변화율은?

① 1   ② 2   ③ 3

④ 4   ⑤ 5

046

한 변의 길이가 12 cm인 정사각형의 한 변의 길이가 매초 2 cm씩 길어진다고 한다. 이 정사각형의 한 대각선의 길이의 변화율이 p cm/s라고 할 때, p^2의 값은?

① 4   ② 5   ③ 6

④ 7   ⑤ 8

047

오른쪽 그림과 같이 키가 1.6 m인 현민이가 높이가 4.8 m인 가로등 바로 밑에서 출발하여 일직선으로 1.6 m/s의 속도로 걸

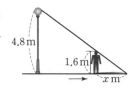

어가고 있다. 현민이가 출발한 지 t초 후의 그림자의 길이를 x m라고 할 때, 현민이의 그림자 길이의 변화율은?

① 0.8 m/s   ② 1.0 m/s   ③ 1.2 m/s

④ 1.4 m/s   ⑤ 1.6 m/s

유형 12 시각에 대한 넓이의 변화율

한 변의 길이가 4 cm인 정삼각형의 각 변의 길이가 매초 2 cm씩 길어질 때, 이 정삼각형의 넓이의 변화율이 $(pt+q)$ cm²/s일 때, pq의 값을 구하여라.

(단, p, q는 상수이다.)

풀이

t초 후 정삼각형의 한 변의 길이는

$(4+2t)$ cm

시각 t에서의 정삼각형의 넓이를 S cm²라고 하면

$S=\dfrac{\sqrt{3}}{4}(4+2t)^2$ ← 한 변의 길이가 a인 정삼각형의 넓이는 $\dfrac{\sqrt{3}}{4}a^2$이다.

시각 t에서의 구하는 정삼각형의 넓이의 변화율은

$\dfrac{dS}{dt}=\dfrac{\sqrt{3}}{4}\times 2(4+2t)\times 2=2\sqrt{3}t+4\sqrt{3}$ (cm²/s)

따라서 $p=2\sqrt{3}$, $q=4\sqrt{3}$이므로

$pq=2\sqrt{3}\times 4\sqrt{3}=24$

답 24

048

어떤 도형의 시각 t에서의 넓이 S가

$S=2t^2+4t+2$

이다. t초 후 이 도형의 넓이의 변화율은?

① -2 ② 4 ③ $4t+4$

④ $2t^2+4t$ ⑤ $2t^2+4t-2$

049

어떤 도형의 시각 t에서의 넓이 S가

$S=t^3-3t+4$

일 때, $t=2$에서의 넓이의 변화율은?

① 6   ② 7   ③ 8

④ 9   ⑤ 10

050

시각 t에서의 반지름의 길이가 $\dfrac{1}{2}t$인 구의 $t=4$에서의 겉넓이의 변화율은?

① π ② 2π ③ 4π

④ 8π ⑤ 16π

051

한 대각선의 길이가 $4\sqrt{2}$ cm인 정사각형의 각 대각선의 길이가 매초 $\sqrt{2}$ cm씩 길어진다고 한다. 정사각형의 넓이가 25 cm²가 되는 순간의 넓이의 변화율은?

① 6 cm²/s   ② 7 cm²/s   ③ 8 cm²/s

④ 9 cm²/s   ⑤ 10 cm²/s

052

물이 가득 차 있는 수영장에 무거운 추를 던지면 순차적으로 동심원들이 생긴다. 이 원들의 반지름의 길이가 매초 10 cm의 비율로 늘어난다고 할 때, 가장 바깥쪽 원의 반지름의 길이가 일정한 비율로 길어진다고 한다. 추를 던진 지 2초 후 가장 바깥쪽 원의 넓이의 변화율을 $p\pi$ cm²/s라고 할 때, 상수 p의 값은?

① 500   ② 400   ③ 300

④ 200   ⑤ 100

유형 13 시각에 대한 부피의 변화율

밑면의 반지름의 길이가 2 cm, 높이가 2 cm인 원뿔이 있다. 이 원뿔의 밑면의 반지름의 길이와 높이가 모두 매초 1 cm씩 늘어난다고 할 때, 3초 후 부피의 변화율을 구하여라.

풀이

t초 후 밑면의 반지름의 길이와 높이는 각각

$(2+t)$ cm, $(2+t)$ cm

시각 t에서의 원뿔의 부피를 V cm³라고 하면

$$V=\frac{1}{3}\pi(2+t)^2(2+t)=\frac{1}{3}\pi(2+t)^3$$

시각 t에서의 원뿔의 부피의 변화율은

$$\frac{dV}{dt}=\frac{1}{3}\pi\times3\times(2+t)^2=(2+t)^2\pi$$

따라서 $t=3$에서의 구하는 부피의 변화율은

$(2+3)^2\pi=25\pi$ (cm³/s)

답 25 cm³/s

053

어떤 도형의 시각 t에서의 부피 V가

$$V=\frac{2}{3}t^3-\frac{3}{2}t^2+t+1$$

이다. t초 후 이 도형의 부피의 변화율을 구하여라.

054

어떤 도형의 시각 t에서의 부피 V가

$$V=\frac{2}{9}t^3+\frac{1}{3}t^2+3$$

일 때, $t=3$에서의 이 도형의 부피의 변화율은?

① 8   ② 7   ③ 6

④ 5   ⑤ 4

055

시각 t에서의 반지름의 길이가 $\frac{3}{2}t$인 구의 $t=2$에서의 부피의 변화율은?

① 9π ② 18π ③ 27π

④ 54π ⑤ 108π

056

한 모서리의 길이가 2 cm인 정육면체의 각 모서리의 길이가 매초 2 cm씩 길어질 때, 3초 후 정육면체의 부피의 변화율은?

① 360 cm³/s   ② 366 cm³/s   ③ 372 cm³/s

④ 378 cm³/s   ⑤ 384 cm³/s

057

밑면의 반지름의 길이가 5 cm, 높이가 10 cm인 원기둥의 밑면의 반지름의 길이가 매초 1 cm씩 일정하게 늘어난다고 할 때, 원기둥의 반지름의 길이가 8 cm가 되는 순간 부피의 변화율은?

① 130 cm³/s   ② 140 cm³/s   ③ 150 cm³/s

④ 160 cm³/s   ⑤ 170 cm³/s

01 | 평가원 기출 |

함수 $f(x)=2x^3-3x^2-12x-10$의 그래프를 y축의 방향으로 a만큼 평행이동시켰더니 함수 $y=g(x)$의 그래프가 되었다. 방정식 $g(x)=0$이 서로 다른 두 실근만을 갖도록 하는 모든 a의 값의 합을 구하여라.

02

삼차함수 $y=f(x)$의 도함수 $y=f'(x)$의 그래프가 오른쪽 그림과 같다. $f(-1)=4$, $f(1)=-2$일 때, 방정식 $f(x)-k=0$이 서로 다른 두 실근을 갖도록 하는 모든 정수 k의 값의 곱을 구하여라.

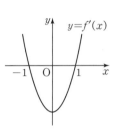

03 실력UP

사차함수 $y=f(x)$의 도함수 $y=f'(x)$의 그래프가 오른쪽 그림과 같을 때, 다음 중 사차방정식 $f(x)=0$이 서로 다른 두 실근을 갖기 위한 조건이 아닌 것은?

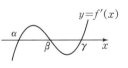

① $f(\alpha)<0$, $f(\beta)<0$, $f(\gamma)<0$
② $f(\alpha)>0$, $f(\beta)>0$, $f(\gamma)<0$
③ $f(\alpha)=0$, $f(\beta)>0$, $f(\gamma)=0$
④ $f(\alpha)<0$, $f(\beta)=0$, $f(\gamma)<0$
⑤ $f(\alpha)<0$, $f(\beta)>0$, $f(\gamma)>0$

04

함수 $y=x^3+2$의 그래프와 직선 $y=kx$가 만나는 교점의 개수를 $f(k)$라고 할 때, $f(1)+f(3)+f(5)$의 값을 구하여라.

05

자연수 k에 대하여 삼차방정식 $x^3-12x+22-4k=0$의 양의 실근의 개수를 $f(k)$라고 할 때, $f(1)+f(3)+f(5)+f(7)+f(9)$의 값을 구하여라.

06

두 함수
$$f(x)=2x^4-x^3+x^2-k$$
$$g(x)=-x^4+3x^3+x^2+k$$
에 대하여 부등식 $f(x) \geq g(x)$가 항상 성립하도록 하는 정수 a의 최댓값은?

① -1 ② 0 ③ 1
④ 2 ⑤ 3

07

$x \geq 0$일 때, 부등식 $5x^3-3x^2-7x \geq x^3-x+k$가 항상 성립하도록 하는 실수 k의 최댓값은?

① -6 ② -5 ③ -4

④ -3 ⑤ -2

08

$0<x<5$일 때, 곡선 $y=x^3-12x^2+37x-20$이 직선 $y=x+k$보다 항상 아래에 있도록 하는 정수 k의 최솟값은?

① 10   ② 11   ③ 12

④ 13   ⑤ 14

09

수직선 위를 움직이는 두 점 P, Q의 시각 t일 때의 위치는 각각

$$x_P = \frac{1}{3}t^3-3t+10, \quad x_Q=t^2-5$$

이다. 두 점 P, Q의 속도가 같아지는 순간 두 점 P, Q 사이의 거리는?

① 6   ② 7   ③ 8

④ 9   ⑤ 10

10 |교육청 기출| 실력UP

원점 O를 동시에 출발하여 수직선 위를 움직이는 두 점 P, Q의 t분 후의 좌표를 각각 x_1, x_2라고 하면

$$x_1=2t^3-9t^2, \quad x_2=t^2+8t$$

이다. 선분 PQ의 중점을 M이라고 할 때, 두 점 P, Q가 원점을 출발한 후 4분 동안 세 점 P, Q, M이 움직이는 방향을 바꾼 횟수를 각각 a, b, c라고 하자. 이때 $a+b+c$의 값은?

① 1   ② 2   ③ 3

④ 4   ⑤ 5

11

직선 선로 위를 달리는 기차에 제동을 건 후 t초 동안 기차가 달린 거리 x m가

$$x=72t-\frac{2}{3}t^3$$

이다. 제동을 건 후 2초가 되는 순간의 기차의 가속도를 p m/s², 제동을 건 후 정지할 때까지 걸린 시간을 q초라고 할 때, $p+q$의 값은?

① -3 ② -2 ③ -1

④ 0   ⑤ 1

12

직선 궤도의 활주로에 착륙하는 비행기의 바퀴가 지면에 닿은 후 t초 동안 움직인 거리 x m가

$$x=90t-\frac{3}{2}t^2$$

이라고 한다. 비행기의 바퀴가 지면에 닿은 후 정지할 때까지 걸린 시간을 p초, 정지할 때까지 움직인 거리를 q m라고 할 때, $\dfrac{q}{p}$의 값은?

① 35   ② 40   ③ 45

④ 50   ⑤ 55

13

직선 도로를 달리는 어떤 자동차의 운전자가 정지선 100 m 전에 브레이크를 밟았다. 브레이크를 밟은 후 t초 동안 달린 거리 x m가 $x=40t-kt^2$이라고 할 때, 정지선을 넘지 않고 멈추기 위한 양수 k의 최솟값은?

① 2   ② 4   ③ 6
④ 8   ⑤ 10

14

수평인 지면으로부터 25 m의 높이에서 20 m/s의 속도로 지면과 수직으로 쏘아 올린 물체의 t초 후의 지면으로부터의 높이를 h m라고 하면

$$h=25+20t-5t^2$$

이다. 다음 중 옳지 <u>않은</u> 것은?

① 쏘아 올린 지 1초 후 물체의 속도는 10 m/s이다.
② 물체의 가속도는 -10 m/s^{2}으로 일정하다.
③ 물체가 최고 높이에 도달하는 데 걸리는 시간은 2초 이다.
④ 물체가 최고 높이에 도달했을 때, 지면으로부터의 높이는 40 m이다.
⑤ 물체가 지면에 도착할 때까지 걸린 시간은 5초이다.

15

어느 스카이다이버가 지상 3000 m 높이에서 뛰어내린 후 자유낙하를 하다가 지상 1000 m 상공에서 낙하산의 조절 장치를 누른다고 한다. 스카이다이버가 뛰어내린 지 t초 후의 높이가 h m라고 하면

$$h=3000-5t^2$$

의 관계가 성립한다고 할 때, 낙하산의 조절 장치를 누르는 순간의 스카이다이버의 속도를 구하여라.

16 실력UP

수직선 위를 움직이는 두 점 P, Q의 시각 t에서의 위치는 각각 $f(t)$, $g(t)$이다. $y=f(t)$, $y=g(t)$의 그래프가 오른쪽 그림과 같을 때, 옳은 것만을 |보기|에서 있는 대로 고른 것은?

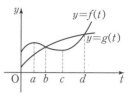

┌ 보기 ┐
ㄱ. 두 점 P, Q는 두 번 만난다.
ㄴ. $t=b$, $t=d$에서 두 점 P, Q의 속도는 같다.
ㄷ. $t=a$에서의 속도는 점 P가 점 Q보다 더 크다.
└────────┘

① ㄱ   ② ㄴ   ③ ㄱ, ㄴ
④ ㄴ, ㄷ   ⑤ ㄱ, ㄴ, ㄷ

17

높이가 2 m인 원기둥 모양의 무대장치가 지면으로부터의 높이가 8 m인 조명 바로 밑에서 출발하여 2 m/s의 속도로 일직선으로 놓인 레일을 따라 움직이고 있다. 출발한 지 t초 후의 조명 바로 밑에서부터 무대장치의 그림자 끝까지의 길이의 변화율은?

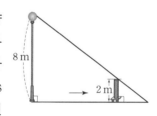

① $\dfrac{8}{3}$ m/s   ② 3 m/s   ③ $\dfrac{10}{3}$ m/s
④ $\dfrac{11}{3}$ m/s   ⑤ 4 m/s

18

오른쪽 그림과 같이 한 변의 길이가 10인 정사각형 ABCD에서 점 P는 A에서 출발하여 변 AB 위를 매초 2씩 움직여 B까지 이동하고, 점 Q는 B에서 점 P와 동시에 출발하여 변 BC 위를 매초 1씩 움직여 C까지 이동한다. 이때 사각형 DPBQ의 넓이가 정사각형 ABCD의 넓이의 $\frac{2}{5}$가 되는 순간의 삼각형 PBQ의 넓이의 변화율은?

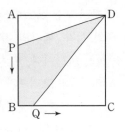

① $\frac{2}{5}$ ② 1 ③ $\frac{8}{5}$

④ 2 ⑤ $\frac{12}{5}$

19 |교육청 기출|

가로와 세로의 길이가 각각 9 cm, 4 cm인 직사각형이 있다. 이 직사각형의 가로와 세로의 길이가 각각 매초 0.2 cm, 0.3 cm씩 늘어난다고 할 때, 이 직사각형이 정사각형이 되는 순간의 넓이의 변화율은 몇 cm²/s인가?

① 9.5 ② 10 ③ 10.5

④ 11 ⑤ 11.5

20

반지름의 길이가 8 cm인 구의 반지름의 길이가 매초 1 cm씩 증가할 때, 2초 후 구의 부피의 변화율을 구하여라.

21

밑면은 한 변의 길이가 2 cm이고, 높이는 20 cm인 정사각기둥의 밑면의 가로와 세로의 길이가 각각 매초 2 cm씩 길어지고, 높이는 매초 1 cm씩 줄어든다고 할 때, 4초 후 이 정사각기둥의 부피의 변화율은?

① 520 cm³/s ② 530 cm³/s ③ 540 cm³/s

④ 550 cm³/s ⑤ 560 cm³/s

22 실력UP

오른쪽 그림과 같이 밑면의 반지름의 길이가 10 cm이고, 높이가 20 cm인 원뿔 모양의 비어 있는 그릇에 매초 2 cm의 속도로 수면의 높이가 상승하도록 물을 부을 때, 2초 후 그릇에 담긴 물의 부피의 변화율은? (단, 그릇의 두께는 무시한다.)

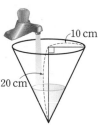

① 6π cm³/s ② $\frac{13}{2}$ cm³/s ③ 7π cm³/s

④ $\frac{15}{2}$ cm³/s ⑤ 8π cm³/s

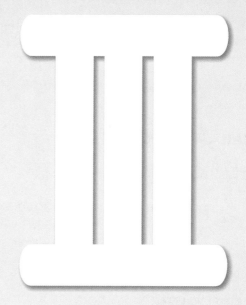

적분

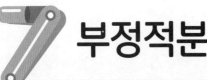 부정적분

1. 부정적분의 정의

(1) 함수 $F(x)$의 도함수가 $f(x)$일 때, 즉 $F'(x)=f(x)$일 때 $F(x)$를 $f(x)$의 부정적분이라 하고, $F(x)$를 기호로 $\int f(x)dx$와 같이 나타낸다.

(2) 함수 $f(x)$의 부정적분 중 하나를 $F(x)$라고 하면

$$\int f(x)dx=F(x)+C \iff F'(x)=f(x)$$

이고, 상수 C는 적분상수라고 한다.

> ✿ $\int f(x)dx=F(x)+C$
> ┌ $f(x)$: $F(x)+C$의 도함수
> ├ $F(x)+C$: $f(x)$의 한 부정적분
> └ C: 적분상수

2. 부정적분과 미분의 관계

(1) $\dfrac{d}{dx}\left\{\int f(x)dx\right\}=f(x)$

(2) $\int\left\{\dfrac{d}{dx}f(x)\right\}dx=f(x)+C$ (단, C는 적분상수이다.)

참고 $\int\left\{\dfrac{d}{dx}f(x)\right\}dx \neq \dfrac{d}{dx}\left\{\int f(x)dx\right\}$임에 주의한다.

3. 부정적분의 기본 공식

(1) $\int k\,dx=kx+C$ (단, k는 상수, C는 적분상수이다.)

참고 $\int 1\,dx=\int dx=x+C$ (단, C는 적분상수이다.)

(2) $\int x^n\,dx=\dfrac{1}{n+1}x^{n+1}+C$ (단, n은 음이 아닌 정수, C는 적분상수이다.)

(3) $\int (ax+b)^n\,dx=\dfrac{1}{a}\times\dfrac{1}{n+1}(ax+b)^{n+1}+C$

(단, $a\neq 0$, n은 자연수, C는 적분상수이다.)

> ✿ 일반적으로 $\int 1\,dx$는 $\int dx$로 나타낸다.

4. 함수의 실수배, 합, 차의 부정적분

함수 $f(x)$, $g(x)$의 부정적분이 존재할 때

(1) $\int kf(x)dx=k\int f(x)dx$ (단, k는 0이 아닌 상수이다.)

(2) $\int\{f(x)+g(x)\}dx=\int f(x)dx+\int g(x)dx$

(3) $\int\{f(x)-g(x)\}dx=\int f(x)dx-\int g(x)dx$

> ✿ (2), (3)은 세 개 이상의 함수에 대해서도 성립한다.

참고 적분상수가 여러 개일 경우 하나의 적분상수로 묶어서 나타낼 수도 있다. 즉, $C_1+C_2+C_3=C$로 나타낼 수 있다.

$$\int (3x^2+2x+4)dx=\int 3x^2dx+\int 2xdx+\int 4dx=3\int x^2dx+2\int xdx+\int 4dx$$
$$=3\left(\frac{1}{3}x^3+C_1\right)+2\left(\frac{1}{2}x^2+C_2\right)+(4x+C_3)$$
$$=x^3+x^2+4x+(C_1+C_2+C_3)$$
$$=x^3+x^2+4x+C$$

주의 $\int f(x)g(x)dx \neq \int f(x)dx\times\int g(x)dx$임에 주의한다.

유형 01 부정적분의 정의

함수 $f(x)$에 대하여 $\int f(x)dx = x^4 - x^2 + 3x + C$일 때, $f(-1)$의 값을 구하여라. (단, C는 적분상수이다.)

풀이

$f(x) = (x^4 - x^2 + 3x + C)' = 4x^3 - 2x + 3$이므로

$f(-1) = -4 + 2 + 3 = 1$

답 1

001

다음 등식을 만족시키는 함수 $f(x)$를 구하여라.

(단, C는 적분상수이다.)

(1) $\int f(x)dx = 2x + C$

(2) $\int f(x)dx = x^2 + C$

(3) $\int f(x)dx = x^2 + 2x + C$

002

다음 부정적분을 구하여라.

(1) $\int 5\,dx$

(2) $\int (-2x)\,dx$

(3) $\int 4x^3\,dx$

003 | 교육청 기출 |

함수 $f(x)$가

$$f(x) = \int 3x^2\,dx$$

이고, $f(0) = 1$일 때, $f(3)$의 값은?

① 20   ② 22   ③ 24

④ 26   ⑤ 28

004

두 함수 $f(x) = x^2 + 1$, $g(x) = 3x - 2$에 대하여

$$\int F(x)dx = f(x)g(x)$$

를 만족시킬 때, $F(x)$의 일차항의 계수는?

① -6 ② -4 ③ -2

④ 4   ⑤ 6

005

다항함수 $f(x)$가 $\int xf(x)dx = x^3 + 3x^2 + 5$를 만족시킬 때, $f(-1)$의 값은?

① 3   ② 4   ③ 5

④ 6   ⑤ 7

유형 02 부정적분과 미분의 관계

함수 $F(x)=\int\left\{\dfrac{d}{dx}(x^3-3x^2)\right\}dx$에 대하여 $F(0)=1$일

때, $F(1)$의 값을 구하여라.

풀이

$F(x)=\int\left\{\dfrac{d}{dx}(x^3-3x^2)\right\}dx=x^3-3x^2+C$

이때 $F(0)=1$이므로 $C=1$

따라서 $F(x)=x^3-3x+1$이므로

$F(1)=1-3+1=-1$

답 -1

006

다음을 구하여라.

(1) $\dfrac{d}{dx}\left\{\int(x^2+3x)dx\right\}$

(2) $\int\left\{\dfrac{d}{dx}(x^2+3x)\right\}dx$

007

함수 $f(x)$에 대하여

$$\dfrac{d}{dx}\left\{\int f(x)dx\right\}=4x^2+x+3$$

이 성립할 때, $f(2)$의 값은?

① 20 ② 21 ③ 22

④ 23 ⑤ 24

008

모든 실수 x에 대하여

$$\dfrac{d}{dx}\left\{\int(x^2+ax-3)dx\right\}=bx^2+2x+c$$

가 성립할 때, 상수 a, b, c에 대하여 abc의 값은?

① -6 ② -3 ③ 2

④ 3 ⑤ 6

009

함수

$$f(x)=\int\left\{\dfrac{d}{dx}(x^2+2x)\right\}dx$$

에 대하여 방정식 $f(x)=0$의 모든 근의 곱이 -2일 때, $f(2)$의 값은?

① 6 ② 7 ③ 8

④ 9 ⑤ 10

010 서술형

다항함수 $f(x)$에 대하여

$$\dfrac{d}{dx}\left[\int\{f(x)+x\}dx\right]=3x^2+2ax+b$$

가 성립한다. $f(0)=3$, $f'(1)=3$일 때, $f(-1)$의 값을 구하여라. (단, a, b, c는 상수이다.)

유형 03 부정적분의 계산

함수 $f(x)=\int(x^2+x)dx+\int(2x^2-x+1)dx$에 대하여 $f(1)=1$일 때, $f(2)$의 값을 구하여라.

풀이

$$f(x)=\int(x^2+x)dx+\int(2x^2-x+1)dx$$
$$=\int\{(x^2+x)+(2x^2-x+1)\}dx$$
$$=\int(3x^2+1)dx=x^3+x+C$$

이때 $f(1)=1$이므로 $1+1+C=1$

$\therefore C=-1$

따라서 $f(x)=x^3+x-1$이므로 $f(2)=8+2-1=9$

답 9

011

다음 부정적분을 구하여라.

(1) $\int(-2x+3)dx$

(2) $\int(12x^3+6x)dx$

(3) $\int x(x+1)(x-2)dx$

012 |교육청 기출|

함수 $f(x)$가

$$f(x)=\int(3x^2+2)dx$$

이고, $f(0)=1$일 때, $f(2)$의 값을 구하여라.

013

함수

$$f(x)=\int(x^2+2x-3)dx-\int(x^2-4)dx$$

에 대하여 $f(1)=-3$일 때, $f(-2)$의 값은?

① -3 ② -2 ③ -1

④ 0 ⑤ 1

014

함수

$$f(x)=\int\frac{x^2}{x+1}dx-\int\frac{1}{x+1}dx$$

에 대하여 $f(2)=8$일 때, $f(-2)$의 값은?

① 9 ② 10 ③ 11

④ 12 ⑤ 13

015

함수

$$f(x)=\int(x+\sqrt{3})^2dx-\int(x-\sqrt{3})^2dx$$

에 대하여 $f(0)=0$이다. $f(1)=k$일 때, k^2의 값은?

① 8 ② 9 ③ 10

④ 11 ⑤ 12

유형 04 도함수가 주어진 함수 구하기

다항함수 $f(x)$의 도함수 $f'(x)$가
$$f'(x)=3x^2-6x+a$$
이다. $f(-1)=2$, $f(1)=0$일 때, $f(-2)$의 값을 구하여라.
(단, a는 상수이다.)

풀이

$$f(x)=\int f'(x)dx=\int (3x^2-6x+a)dx$$
$$=x^3-3x^2+ax+C$$

$f(-1)=2$이므로 $-1-3-a+C=2$에서
$-a+C=6$ ·········· ㉠

$f(1)=0$이므로 $1-3+a+C=0$에서
$a+C=2$ ·········· ㉡

㉠, ㉡을 연립하여 풀면 $a=-2$, $C=4$
따라서 $f(x)=x^3-3x^2-2x+4$이므로
$f(-2)=-8-12+4+4=-12$

답 -12

016

다항함수 $f(x)$의 도함수 $f'(x)$가
$$f'(x)=3x^2+2x+1$$
이고, $f(0)=-2$일 때, $f(1)$의 값은?

① 1 ② 2 ③ 3
④ 4 ⑤ 5

017

다항함수 $f(x)$의 도함수 $f'(x)$가
$$f'(x)=3x^2-4x+k$$
이고, $f(0)=3$, $f(1)=5$일 때, $f(2)$의 값은?
(단, k는 상수이다.)

① 8 ② 9 ③ 10
④ 11 ⑤ 12

018

다항함수 $f(x)$를 적분해야 할 것을 잘못하여 미분하였더니 $-3x^2+4$가 되었다. $f(-1)=-2$일 때, 방정식 $f(x)=0$의 모든 근의 곱은?

① -2 ② -1 ③ 0
④ 1 ⑤ 2

019 | 수능 기출 |

다항함수 $f(x)$의 도함수 $f'(x)$가
$$f'(x)=6x^2+4$$
이다. 함수 $y=f(x)$의 그래프가 점 $(0, 6)$을 지날 때, $f(1)$의 값을 구하여라.

020 서술형

함수 $f(x)$의 도함수 $f'(x)$가
$$f'(x)=\frac{2x^3+2}{x^2-x+1}$$
이고, $f(-2)=6$일 때 방정식 $f(x)=0$의 모든 근의 합을 구하여라.

유형 05 함수와 그 부정적분 사이의 관계

다항함수 $f(x)$에 대하여 $\int f(x)dx - xf(x) = -4x^3 + 6x^2$

이 성립하고, $f(2) = 0$일 때, $f(1)$의 값을 구하여라.

풀이

$\int f(x)dx - xf(x) = -4x^3 + 6x^2$의 양변을 x에 대하여 미분하면

$f(x) - f(x) - xf'(x) = -12x^2 + 12x$

$-xf'(x) = -12x^2 + 12x$ $\therefore f'(x) = 12x - 12$

$\therefore f(x) = \int f'(x)dx = \int (12x - 12)dx$

$\qquad = 6x^2 - 12x + C$

이때 $f(2) = 0$이므로 $24 - 24 + C = 0$ $\therefore C = 0$

따라서 $f(x) = 6x^2 - 12x$이므로

$f(1) = 6 - 12 = -6$

답 -6

021

다항함수 $f(x)$의 도함수 $f'(x)$에 대하여 $f(2) = 1$, $f'(2) = -4$이고,

$$\int g(x)dx = x^2 f(x) + C \text{ (}C\text{는 적분상수)}$$

가 성립할 때, $g(2)$의 값을 구하여라.

022

이차함수 $f(x)$에 대하여

$$\int f(x)dx = xf(x) - x^3 + x^2 + C \text{ (}C\text{는 적분상수)}$$

가 성립하고, $f(2) = 5$일 때, $f(-2)$의 값은?

① 10 ② 11 ③ 12

④ 13 ⑤ 14

023

다항함수 $f(x)$에 대하여 $f(x) = F'(x)$이고,

$$F(x) + F'(x) = xf(x) - 3x^2 + 6x$$

가 성립한다. $f(2) = 3$이고, $f(k) = -3$일 때, k의 값은?

① -3 ② -2 ③ -1

④ 0 ⑤ 1

024

다항함수 $f(x)$의 한 부정적분 $F(x)$에 대하여

$$(x-1)f(x) - F(x) = 2x^3 - 2x^2 - 2x$$

가 성립하고 $f(2) = 8$일 때, 함수 $f(x)$의 최솟값은?

① $-\dfrac{25}{3}$ ② -8 ③ $-\dfrac{23}{3}$

④ $-\dfrac{22}{3}$ ⑤ -7

025 서술형

다항함수 $f(x)$에 대하여

$$f(x) + \int (x-1)f'(x)dx = 2x^4 - 2x^3 + 4x^2$$

이 성립한다. $f(0) = 3$일 때, 함수 $f(x)$를 구하여라.

유형 06 부정적분과 함수의 연속

$x=1$에서 연속인 함수 $f(x)$의 도함수 $f'(x)$가
$$f'(x)=\begin{cases} 6x^2-2x & (x>1) \\ 2x+2 & (x<1) \end{cases}$$
이고, $f(-2)=-3$일 때, $f(2)$의 값을 구하여라.

풀이

$f'(x)=\begin{cases} 6x^2-2x & (x>1) \\ 2x+2 & (x<1) \end{cases}$

이고 함수 $f(x)$가 $x=1$에서 연속이므로

$f(x)=\begin{cases} 2x^3-x^2+C_1 & (x\geq1) \\ x^2+2x+C_2 & (x<1) \end{cases}$ ← $f(x)$가 $x=1$에서 연속이므로 등호가 붙는다. ……… ㉠

이고, $f(1)=\lim\limits_{x\to1+}f(x)=\lim\limits_{x\to1-}f(x)$이다.

이때 $f(-2)=-3$이므로 ㉠에서

$4-4+C_2=-3$ $\therefore C_2=-3$

또한, $f(1)=\lim\limits_{x\to1-}f(x)$이므로 ㉠에서

$2-1+C_1=1+2-3$ $\therefore C_1=-1$

따라서 $f(x)=\begin{cases} 2x^3-x^2-1 & (x\geq1) \\ x^2+2x-3 & (x<1) \end{cases}$ 이므로

$f(2)=16-4-1=11$

답 11

026

함수 $f(x)$의 도함수 $f'(x)$가
$$f'(x)=\begin{cases} -3 & (x>-1) \\ 2x-1 & (x<-1) \end{cases}$$
이고, $f(x)$가 $x=-1$에서 연속일 때, $f(0)-f(-2)$의 값을 구하여라.

027

함수 $f(x)$의 도함수 $f'(x)$가
$$f'(x)=\begin{cases} 2x & (x>0) \\ -4x & (x<0) \end{cases}$$
이고, 함수 $f(x)$가 $x=0$에서 연속이다. $f(-2)=6$일 때, $f(1)$의 값을 구하여라.

028

모든 실수 x에서 연속인 함수 $f(x)$의 도함수 $f'(x)$가
$$f'(x)=\begin{cases} 2x+1 & (x>1) \\ k & (x<1) \end{cases}$$
이고, $f(-1)=4$, $f(2)=2$일 때, $f(-3)$의 값은?
(단, k는 상수이다.)

① -10 ② -6 ③ 2

④ 6 ⑤ 10

029 서술형

모든 실수 x에서 연속인 함수 $f(x)$의 도함수 $f'(x)$가
$$f'(x)=4|x-1|+3$$
이고, $f(0)=-6$일 때, $f(3)$의 값을 구하여라.

030

오른쪽 그림은 연속함수 $f(x)$의 도함수 $y=f'(x)$의 그래프이다. 함수 $y=f(x)$의 그래프가 점 $(0, 2)$를 지날 때, $f(3)$의 값은?

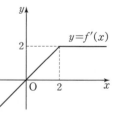

① 0 ② 2

③ 4 ④ 6

⑤ 8

유형 07 부정적분과 접선의 기울기

곡선 $y=f(x)$ 위의 임의의 점 $(x, f(x))$에서의 접선의 기울기가 $6x^2+4$이다. 이 곡선의 그래프가 점 $(0, 6)$을 지날 때, $f(-1)$의 값을 구하여라.

풀이

$f'(x)=6x^2+4$이므로

$f(x)=\int f'(x)dx=\int(6x^2+4)dx$

$\qquad =2x^3+4x+C$

곡선 $y=f(x)$가 점 $(0, 6)$을 지나므로

$f(0)=6 \qquad \therefore C=6$

따라서 $f(x)=2x^3+4x+6$이므로

$f(-1)=-2-4+6=0$

답 0

031

다항함수 $f(x)$의 그래프가 점 $(1, 0)$을 지나고, 점 $(x, f(x))$에서의 접선의 기울기가 $-2x-1$일 때, $f(-1)$의 값은?

① 1   ② 2   ③ 3

④ 4   ⑤ 5

032

점 $(0, -3)$을 지나는 곡선 $y=f(x)$ 위의 임의의 점 $(x, f(x))$에서의 접선의 기울기가 $2x+3$일 때, $f(2)$의 값은?

① 5   ② 6   ③ 7

④ 8   ⑤ 9

033

원점을 지나는 곡선 $y=f(x)$ 위의 임의의 점 (x, y)에서의 접선의 기울기가 $6x^2-2x+1$이다. 이때 방정식 $f(x)=0$의 모든 근의 합은?

① -1 ② $-\dfrac{1}{2}$ ③ 0

④ $\dfrac{1}{2}$ ⑤ 1

034

곡선 $y=f(x)$ 위의 임의의 점 $(x, f(x))$에서의 접선의 기울기가 $-3x^2$이고, 이 곡선이 점 $(1, 7)$을 지난다. 곡선 $y=f(x)$가 x축과 만나는 점의 좌표는?

① $(-3, 0)$ ② $(-2, 0)$ ③ $(-1, 0)$

④ $(1, 0)$ ⑤ $(2, 0)$

035 서술형

함수 $f(x)=\int(3x^2+4x+k)dx$에 대하여 곡선 $y=f(x)$ 위의 점 $(-1, 6)$에서의 접선의 기울기가 -5이다. 점 $(2, a)$가 곡선 $y=f(x)$ 위의 점일 때, a의 값을 구하여라. (단, k는 상수이다.)

유형 08 부정적분과 미분계수

함수 $f(x) = \int (2x-4)dx$에 대하여

$\lim\limits_{h \to 0} \dfrac{f(1+h)-f(1)}{-h}$의 값을 구하여라.

풀이

$\lim\limits_{h \to 0} \dfrac{f(1+h)-f(1)}{-h} = -\lim\limits_{h \to 0} \dfrac{f(1+h)-f(1)}{h} = -f'(1)$

$f(x) = \int (2x-4)dx$의 양변을 x에 대하여 미분하면

$f'(x) = 2x-4$

따라서 구하는 값은

$-f'(1) = -(2-4) = -(-2) = 2$

답 2

036

함수 $f(x)$의 한 부정적분이 $F(x)$이고,
$f(x) = 6x^2 - 4x - 3$일 때,

$\lim\limits_{x \to 1} \dfrac{F(x)-F(1)}{3x-3}$

의 값은?

① -3 ② $-\dfrac{1}{3}$ ③ $\dfrac{1}{3}$

④ 1 ⑤ 3

037 |교육청 기출|

함수 $f(x) = \int (x^2+2x)dx$일 때,

$\lim\limits_{h \to 0} \dfrac{f(2+h)-f(2-h)}{h}$

의 값은?

① 14 ② 16 ③ 18

④ 20 ⑤ 22

038

함수 $f(x) = \dfrac{d}{dx}\left\{\int 3x(x-2)dx\right\}$에 대하여

$\lim\limits_{h \to 0} \dfrac{f(3+h)-f(3-h)}{2h}$

의 값은?

① 6 ② 9 ③ 12

④ 15 ⑤ 18

039

함수 $f(x)$에 대하여

$\int f(x)dx = -x^3 - 2x^2 + 3$

이 성립할 때, $\lim\limits_{x \to -2} \dfrac{f(x)-f(-2)}{2x+4}$의 값은?

① 4 ② 5 ③ 6

④ 7 ⑤ 8

040 서술형

함수 $f(x)$에 대하여

$\lim\limits_{h \to 0} \dfrac{f(x-h)-f(x+h)}{h} = -6x^2 + 8x - 4$

가 성립하고, $f(1) = 3$일 때, $f(2)$의 값을 구하여라.

유형 09 부정적분과 극대, 극소

함수 $f(x)=\int(6x^2-6x-12)dx$의 극댓값이 3일 때, $f(x)$의 극솟값을 구하여라.

풀이

주어진 식의 양변을 x에 대하여 미분하면

$f'(x)=6x^2-6x-12=6(x+1)(x-2)$

$f'(x)=0$에서 $x=-1$ 또는 $x=2$

함수 $f(x)$의 증가와 감소를 표로 나타내면 다음과 같다.

x	$\cdots$	-1	$\cdots$	2	$\cdots$
$f'(x)$	+	0	−	0	+
$f(x)$	↗	극대	↘	극소	↗

함수 $f(x)$는 $x=-1$에서 극댓값 3을 가지므로

$f(-1)=3$

이때

$f(x)=\int(6x^2-6x-12)dx=2x^3-3x^2-12x+C$

이므로 $f(-1)=3$에서

$-2-3+12+C=3$ $\quad \therefore C=-4$

따라서 $f(x)=2x^3-3x^2-12x-4$이므로 극솟값은

$f(2)=16-12-24-4=-24$

답 -24

041

함수 $f(x)=-\int(x^2-6x+5)dx$가 $x=k$에서 극댓값을 갖는다고 할 때, k의 값은?

① -3 ② -1 ③ 1

④ 3   ⑤ 5

042

다항함수 $f(x)$의 도함수가 $f'(x)=3x^2-6x$이고, $f(x)$의 극댓값이 4일 때, $f(x)$의 극솟값은?

① -2 ② -1 ③ 0

④ 1   ⑤ 2

043

최고차항의 계수가 -1인 삼차함수 $y=f(x)$의 도함수 $y=f'(x)$의 그래프가 오른쪽 그림과 같다. 함수 $f(x)$의 극솟값이 5일 때, $f(x)$의 극댓값을 구하여라.

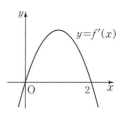

044 |교육청 기출|

삼차함수 $y=f(x)$의 도함수 $y=f'(x)$의 그래프가 오른쪽 그림과 같다. $f'(-1)=f'(1)=0$이고 함수 $f(x)$의 극댓값이 4, 극솟값이 0일 때, $f(3)$의 값은?

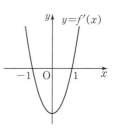

① 14   ② 16

③ 18   ④ 20

⑤ 22

045 서술형 ✎

최고차항의 계수가 1인 삼차함수 $f(x)$가
$$f'(-1)=f'(2)=0$$
을 만족시킨다. 함수 $f(x)$의 극솟값이 -9, 극댓값이 p일 때, $2p$의 값을 구하여라.

046

함수 $f(x)=3x^2-12x+9$의 한 부정적분 $F(x)$의 극댓값이 6일 때, $F(x)$의 극솟값은?

① -4 ② -2 ③ 0

④ 2 ⑤ 4

047

이차항의 계수가 1인 이차함수 $f(x)$의 한 부정적분을 $F(x)$라고 하자. $F(x)$가 $x=4$에서 극솟값 -20을 갖고, $x=-2$에서 극댓값 p를 가질 때, p의 값은?

① 16 ② 17 ③ 18

④ 19 ⑤ 20

유형 10 $f(x+y)$에 대한 등식을 만족시키는 함수 $f(x)$ 구하기

미분가능한 함수 $f(x)$가 임의의 실수 x, y에 대하여
$$f(x+y)=f(x)+f(y)-xy$$
를 만족시키고, $f'(0)=3$일 때, $f(2)$의 값을 구하여라.

풀이

주어진 식의 양변에 $x=0$, $y=0$을 대입하면
$$f(0)=f(0)+f(0)-0 \qquad \therefore f(0)=0 \qquad\cdots\cdots\cdots ㉠$$

$$\begin{aligned}
f'(x)&=\lim_{h\to 0}\frac{f(x+h)-f(x)}{h}\\
&=\lim_{h\to 0}\frac{f(x)+f(h)-xh-f(x)}{h}\\
&=\lim_{h\to 0}\left\{\frac{f(h)}{h}-x\right\}\\
&=\lim_{h\to 0}\frac{f(0+h)-f(0)}{h}-x \;(\because f(0)=0)\\
&=f'(0)-x=3-x
\end{aligned}$$

$$\therefore f(x)=\int f'(x)dx=\int (3-x)dx=-\frac{1}{2}x^2+3x+C$$

㉠에서 $f(0)=0$이므로 $C=0$

따라서 $f(x)=-\frac{1}{2}x^2+3x$이므로 $f(2)=-2+6=4$

답 4

> **풍쌤 유형 TIP**
>
> $f(x+y)=f(x)+f(y)-xy$의 양변에 적당한 수를 대입하여 함수 $f'(x)$ 또는 $f(x)$를 구한다.

048

임의의 실수 x, y에 대하여 미분가능한 함수 $f(x)$가
$$f(x+y)=f(x)+f(y)-3$$
을 만족시키고, $f'(0)=1$일 때, $f(-2)$의 값을 구하여라.

049

미분가능한 함수 $f(x)$가 임의의 실수 x, y에 대하여
$$f(x+y)=f(x)+xy+y^2$$
을 만족시킨다. $f(2)=5$일 때, $f(x)$의 최솟값을 구하여라.

01

다항함수 $f(x)$의 한 부정적분 $F(x)$가

$$F(x)=x^3+ax^2+bx+2$$

이고, $F(1)=2$, $f(0)=1$일 때, 상수 a, b에 대하여 ab의 값은?

① -2 ② -1 ③ 0

④ 1 ⑤ 2

02

함수

$$f(x)=\int\left\{\frac{d}{dx}(-2x^2+4x-k)\right\}dx$$

에 대하여 방정식 $f(x)=0$의 모든 근의 곱이 -3일 때, $f(1)$의 값은? (단, k는 상수이다.)

① 6 ② 7 ③ 8

④ 9 ⑤ 10

03

함수

$$f(x)=\frac{1}{100}x^{100}+\frac{1}{99}x^{99}+\frac{1}{98}x^{98}+\cdots+\frac{1}{2}x^2+x$$

에 대하여

$$G(x)=\int\left[\frac{d}{dx}\int\left\{\frac{d}{dx}f(x)\right\}dx\right]dx$$

일 때, $G'(-1)$의 값은?

① -100 ② -1 ③ 0

④ 1 ⑤ 100

04

함수

$$f(x)=\int dx+2\int x\,dx+3\int x^2\,dx+4\int x^3\,dx+5\int x^4\,dx$$

에 대하여 $f(1)=5$일 때, $f(-1)$의 값은?

① -1 ② 0 ③ 1

④ 3 ⑤ 5

05

다항함수 $f(x)$에 대하여

$$f'(x)=12x^2+6ax+2b$$

이고, 함수 $f(x)$의 한 부정적분이 $F(x)$이다. $f'(1)=4$, $f(0)=3$, $f(1)=2$일 때, $F(2)-F(1)$의 값은?

① 8 ② 9 ③ 10

④ 11 ⑤ 12

06

이차함수 $f(x)$에 대하여 함수 $g(x)$가

$$g(x)=\int\{x^2+f(x)\}dx,$$

$$f(0)=g(0)=0$$

을 만족시키고, $f(1)=6$, $g(-1)=1$일 때, $g(2)$의 값은?

① 15 ② 16 ③ 17

④ 18 ⑤ 19

07 실력UP

두 다항함수 $f(x)$, $g(x)$가 다음 세 조건을 만족시키고 $f(0)=-5$일 때, $f(1)$의 값은?

> (가) $g(x)$는 이차함수이다.
>
> (나) $f(x)=\int xg(x)dx$
>
> (다) $\dfrac{d}{dx}\{f(x)-g(x)\}=8x^3-2x$

① 1   ② 2   ③ 3

④ 4   ⑤ 5

08

모든 실수 x에서 연속인 함수 $f(x)$의 도함수 $f'(x)$가
$$f'(x)=3x^2+|2x|$$
이고, $f(1)=4$일 때, $f(2)+f(-1)$의 값은?

① 13   ② 14   ③ 15

④ 16   ⑤ 17

09

연속함수 $f(x)$의 도함수 $f'(x)$가
$$f'(x)=\begin{cases} 2x+1 & (|x|>1) \\ -2x+4 & (|x|<1) \end{cases}$$
이고, $f(3)=7$일 때, $f(-4)$의 값은?

① -3 ② -1 ③ 1

④ 3   ⑤ 5

10

자연수 n에 대하여 함수 $f_n(x)$가 $f_n(0)=0$이고,
$$f_n(x)=\int \frac{x^n}{n}dx$$
이다. $\displaystyle\sum_{n=1}^{100} f_n(1)=\frac{q}{p}$일 때, $p-q$의 값을 구하여라.

11

다항함수 $f(x)$의 도함수 $f'(x)$가
$$f'(x)=8x+a-1$$
일 때, 함수 $y=f(x)$의 그래프와 직선 $y=4x-2$는 서로 다른 두 점 A, B에서 만나고, 두 점 A, B의 x좌표의 합은 -2이다. 이때 상수 a의 값은?

① 10   ② 11   ③ 12

④ 13   ⑤ 14

12

함수 $f(x)=2x$의 한 부정적분을 $F(x)$라고 할 때, 함수 $y=F(x)$의 그래프 중에서 직선 $y=4x+5$와 접하는 그래프를 $y=F_k(x)$라고 하자. $F_k(-3)$의 값은?

① 16   ② 17   ③ 18

④ 19   ⑤ 20

13

다항함수 $f(x)$에 대하여

$$\int (x-1)f(x)dx = 3x^4 - 2x^3 - 12x^2 + 18x + 6$$

일 때, $\displaystyle\lim_{h \to 0} \frac{f(1+h) - f(1+2h)}{h}$의 값을 구하여라.

14

함수 $f(x)$에 대하여

$$f(x) = \int (x-2)(x+2)(x^2+4)dx$$

이고, $f(0) = -\dfrac{1}{5}$이다. $\displaystyle\lim_{x \to 1} \frac{xf(x) - f(1)}{x^2 - 1} = p$일 때, $2p$의 값은?

① -31 ② -28 ③ -25

④ -22 ⑤ -19

15 | 교육청 기출 |

곡선 $y = f(x)$ 위의 임의의 점 $P(x, y)$에서의 접선의 기울기가 $3x^2 - 12$이고 함수 $f(x)$의 극솟값이 3일 때, 함수 $f(x)$의 극댓값을 구하여라.

16 | 수능 기출 | 실력 UP

삼차함수 $y = f(x)$는 $x = 1$에서 극값을 갖고, 그 그래프가 원점에 대하여 대칭일 때, 이 그래프와 x축과의 교점의 x좌표 중에서 양수인 것은?

① $\sqrt{2}$ ② $\sqrt{3}$ ③ 2

④ $\sqrt{5}$ ⑤ $\sqrt{6}$

17

삼차함수 $f(x)$가 $x = 1$에서 극댓값 1을 갖고, $x = -1$에서 극솟값 -3을 갖는다. 곡선 $y = f(x)$와 직선 $y = mx - 1$이 서로 다른 세 점에서 만나도록 하는 실수 m의 값의 범위를 구하여라.

18

미분가능한 함수 $f(x)$가 임의의 실수 x, y에 대하여

$$f(x+y) = f(x) + f(y) + 2xy$$

를 만족시킨다. $f(-2) = 2$일 때, $f(x)$의 최솟값을 구하여라.

08 정적분

1. 정적분의 정의

함수 $f(x)$가 닫힌구간 $[a,\ b]$에서 연속일 때, $f(x)$의 한 부정적분 $F(x)$에 대하여 $f(x)$의 a에서 b까지의 정적분은 다음과 같다.

$$\int_a^b f(x)dx = \Big[F(x) \Big]_a^b = F(b) - F(a)$$

↖ a를 아래끝, b를 위끝이라고 한다.

○ $\int_a^a f(x)dx = 0$

○ $\int_a^b f(x)dx = -\int_b^a f(x)dx$

2. 적분과 미분의 관계

함수 $f(x)$가 닫힌구간 $[a,\ b]$에서 연속일 때

$$\frac{d}{dx}\int_a^x f(t)dt = f(x)\ (단,\ a < x < b)$$

3. 정적분의 기본 성질

세 실수 a, b, c를 포함하는 닫힌구간에서 두 함수 $f(x)$, $g(x)$가 연속일 때

(1) $\int_a^b kf(x)dx = k\int_a^b f(x)dx$ (단, k는 상수이다.)

(2) $\int_a^b \{f(x)+g(x)\}dx = \int_a^b f(x)dx + \int_a^b g(x)dx$

(3) $\int_a^b \{f(x)-g(x)\}dx = \int_a^b f(x)dx - \int_a^b g(x)dx$

(4) $\int_a^c f(x)dx + \int_c^b f(x)dx = \int_a^b f(x)dx$ ← a,b,c의 대소에 관계없이 성립만다.

○ 연속함수 $f(x) = \begin{cases} g(x)\ (x \geq b) \\ h(x)\ (x < b) \end{cases}$에 대하여 $a < b < c$일 때

$$\int_a^c f(x)dx$$
$$= \int_a^b h(x)dx + \int_b^c g(x)dx$$

4. 우함수 · 기함수의 정적분

함수 $f(x)$가 닫힌구간 $[-a,\ a]$에서 연속일 때

(1) $f(-x)=f(x)$이면 $f(x)$는 우함수이다. ➡ $\int_{-a}^a f(x)dx = 2\int_0^a f(x)dx$

➡ 함수 $y=f(x)$의 그래프는 y축에 대하여 대칭이다.

(2) $f(-x)=-f(x)$이면 $f(x)$는 기함수이다. ➡ $\int_{-a}^a f(x)dx = 0$

➡ 함수 $y=f(x)$의 그래프는 원점에 대하여 대칭이다.

○ $y=x^n$ (n은 자연수)일 때
(1) n이 짝수이면
$$\int_{-a}^a x^n dx = 2\int_0^a x^n dx$$
(2) n이 홀수이면
$$\int_{-a}^a x^n dx = 0$$

5. 정적분으로 정의된 함수

(1) 정적분으로 정의된 함수의 미분

① $\dfrac{d}{dx}\displaystyle\int_a^x f(t)dt = f(x)$ (단, a는 실수이다.)

② $\dfrac{d}{dx}\displaystyle\int_x^{x+a} f(t)dt = f(x+a) - f(x)$ (단, a는 실수이다.)

(2) 정적분으로 정의된 함수의 극한

① $\displaystyle\lim_{x \to 0}\frac{1}{x}\int_x^{x+a} f(t)dt = f(a)$

② $\displaystyle\lim_{x \to a}\frac{1}{x-a}\int_a^x f(t)dt = f(a)$

유형 01 정적분의 정의

정적분 $\displaystyle\int_{-1}^{2}(2x-1)(4x^2+2x+1)dx$의 값을 구하여라.

풀이

$$\int_{-1}^{2}(2x-1)(4x^2+2x+1)dx=\int_{-1}^{2}(8x^3-1)dx$$
$$=\Big[2x^4-x\Big]_{-1}^{2}$$
$$=(32-2)-(2+1)$$
$$=30-3=27$$

답 27

001

다음 정적분의 값을 구하여라.

(1) $\displaystyle\int_{0}^{1}2x\,dx$

(2) $\displaystyle\int_{-2}^{0}(3x^2+1)dx$

(3) $\displaystyle\int_{-1}^{3}(4x+2)dx$

002

함수 $f(x)=3x^2-4x+3$에 대하여 다음을 구하여라.

(1) $\displaystyle\int_{1}^{1}f(x)dx$

(2) $\displaystyle\int_{-1}^{1}f(x)dx$

(3) $\displaystyle\int_{1}^{-1}f(x)dx$

003

정적분

$$\int_{0}^{1}(x-1)(x+3)dx+\int_{0}^{2}(t+1)(-t+1)dt$$

의 값은?

① $-\dfrac{7}{3}$ ② $-\dfrac{4}{3}$ ③ $-\dfrac{1}{3}$

④ $\dfrac{2}{3}$ ⑤ $\dfrac{5}{3}$

004

정적분 $\displaystyle\int_{0}^{2}\dfrac{4x^2-1}{2x-1}dx$의 값은?

① 4 ② 5 ③ 6

④ 7 ⑤ 8

005

일차함수 $f(x)$에 대하여

$$\int_{0}^{1}f(x)dx=\frac{1}{2},\ \int_{-2}^{0}xf(x)dx=10$$

일 때, $f(2)$의 값은?

① 2 ② 3 ③ 4

④ 5 ⑤ 6

유형 02 정적분의 정의의 활용

$\displaystyle\int_{-1}^{2}(x^3+3ax^2-1)dx\leq3$일 때, 실수 a의 최댓값을 구하여라.

풀이

$$\int_{-1}^{2}(x^3+3ax^2-1)dx=\left[\frac{1}{4}x^4+ax^3-x\right]_{-1}^{2}$$
$$=(4+8a-2)-\left(\frac{1}{4}-a+1\right)$$
$$=9a+\frac{3}{4}$$

이때 $9a+\dfrac{3}{4}\leq3$이므로 $9a\leq\dfrac{9}{4}$

$\therefore a\leq\dfrac{1}{4}$

따라서 실수 a의 최댓값은 $\dfrac{1}{4}$이다.

답 $\dfrac{1}{4}$

006

등식 $\displaystyle\int_{0}^{k}(3x^2+8x-5)dx=0$이 성립할 때, 양수 k의 값은?

① 5   ② 4   ③ 3

④ 2   ⑤ 1

007

$\displaystyle\int_{0}^{2}x(3x+k)dx>4$를 만족시키는 정수 k의 최솟값은?

① -3 ② -2 ③ -1

④ 0   ⑤ 1

008

함수 $y=4x^3+x$의 그래프를 y축의 방향으로 k만큼 평행이동한 그래프를 나타내는 함수를 $y=f(x)$라고 할 때, $\displaystyle\int_{0}^{2}f(x)dx=0$을 만족시키는 실수 k의 값을 구하여라.

009

정적분 $\displaystyle\int_{0}^{a}(2x+4)dx$가 $a=m$일 때 최솟값 n을 갖는다고 할 때, mn의 값은?

① 2   ② 4   ③ 6

④ 8   ⑤ 10

010 서술형

함수 $y=f(x)$의 그래프 위의 점 $(x,\ y)$에서의 접선의 기울기가 $-2x+1$이고, $\displaystyle\int_{-2}^{2}f(x)dx=0$일 때, $3f(-1)$의 값을 구하여라.

정적분 $\displaystyle\int_0^2 (2x^2+3x)dx - \int_2^0 (t^2-t)dt$의 값을 구하여라.

풀이

$$\int_0^2 (2x^2+3x)dx - \int_2^0 (t^2-t)dt$$

$$=\int_0^2 (2x^2+3x)dx + \int_0^2 (x^2-x)dx$$

$$=\int_0^2 (2x^2+3x+x^2-x)dx$$

$$=\int_0^2 (3x^2+2x)dx = \Big[x^3+x^2 \Big]_0^2$$

$$=8+4=12$$

답 12

011

다음 정적분의 값을 구하여라.

(1) $\displaystyle\int_0^1 (x^2+x)dx + \int_0^1 (3x+1)dx$

(2) $\displaystyle\int_0^1 (x^2+x)dx + \int_1^0 (3x+1)dx$

012

정적분 $\displaystyle\int_0^{-3} (x^2+1)dx + 2\int_{-3}^0 (x^2-2)dx$의 값은?

① -9 ② -6 ③ -3

④ 3 ⑤ 6

013 |교육청 기출|

$\displaystyle\int_0^{10} (x+1)^2 dx - \int_0^{10} (x-1)^2 dx$의 값을 구하여라.

014

$\displaystyle\int_1^2 \frac{2x^3}{x+1}dx - \int_2^1 \frac{2}{x+1}dx = p$일 때, $3p$의 값은?

① -1 ② 2 ③ 5

④ 8 ⑤ 11

015

$\displaystyle -\int_0^3 (x+k)^2 dx + 2\int_3^0 (x^2+kx-1)dx = 6$을 만족시키는 상수 k의 값은?

① -3 ② -1 ③ 0

④ 1 ⑤ 3

유형 **04** 정적분의 성질과 계산 – 피적분함수가 같을 때

정적분
$$\int_{-2}^{1}(6x^2-4x+3)dx+\int_{1}^{3}(6t^2-4t+3)dt$$
의 값을 구하여라.

풀이

$\int_{-2}^{1}(6x^2-4x+3)dx+\int_{1}^{3}(6t^2-4t+3)dt$

$=\int_{-2}^{1}(6x^2-4x+3)dx+\int_{1}^{3}(6x^2-4x+3)dx$

$=\int_{-2}^{3}(6x^2-4x+3)dx=\Big[2x^3-2x^2+3x\Big]_{-2}^{3}$

$=(54-18+9)-(-16-8-6)$

$=45+30=75$

답 75

016

다음 정적분의 값을 구하여라.

(1) $\displaystyle\int_{0}^{2}(2x+1)dx+\int_{2}^{5}(2x+1)dx$

(2) $\displaystyle\int_{-2}^{-1}(3x^2-1)dx+\int_{-1}^{2}(3x^2-1)dx$

017

함수 $f(x)=x^2+3x$에 대하여 정적분
$$\int_{-3}^{1}f(x)dx+\int_{1}^{3}f(x)dx$$
의 값은?

① 6   ② 9   ③ 12

④ 15   ⑤ 18

018

정적분
$$\int_{0}^{4}(x-1)(x+3)dx+\int_{4}^{2}(x^2+2x-3)dx$$
의 값은?

① $\dfrac{1}{3}$ ② $\dfrac{2}{3}$ ③ 1

④ $\dfrac{4}{3}$ ⑤ $\dfrac{5}{3}$

019

연속함수 $f(x)$에 대하여
$$\int_{0}^{1}f(x)dx=3,\ \int_{2}^{4}f(x)dx=5,\ \int_{0}^{4}f(x)dx=6$$
일 때, 정적분 $\displaystyle\int_{1}^{2}f(x)dx$의 값은?

① -3 ② -2 ③ -1

④ 0   ⑤ 1

020   서술형

등식
$$\int_{0}^{2}(-3x^2+5)dx-\int_{a}^{2}(-3x^2+5)dx=-100$$
을 만족시키는 a의 값을 구하여라. (단, $a>2$)

정답과 풀이 090쪽

유형 05 정적분의 성질과 계산 – 구간에 따라 다르게 정의된 함수

함수 $f(x)=\begin{cases} x+1 & (x\geq 2) \\ 2x-1 & (x<2) \end{cases}$ 에 대하여 정적분

$\int_0^4 f(x)dx$의 값을 구하여라.

풀이

$$\int_0^4 f(x)dx=\int_0^2 f(x)dx+\int_2^4 f(x)dx$$

$$=\int_0^2 (2x-1)dx+\int_2^4 (x+1)dx$$

$$=\Big[x^2-x\Big]_0^2+\Big[\frac{1}{2}x^2+x\Big]_2^4$$

$$=(4-2)+(8+4)-(2+2)=10$$

답 10

021

함수 $f(x)=\begin{cases} -3x^2 & (x\geq 0) \\ 6x^2 & (x<0) \end{cases}$ 에 대하여 정적분

$\int_{-1}^2 f(x)dx$의 값은?

① -6 ② -3 ③ 3

④ 6 ⑤ 9

022

함수 $y=f(x)$의 그래프가 오른쪽 그림과 같을 때, 정적분

$$\int_{-2}^0 f(x)dx-\int_0^1 f(x)dx$$

의 값을 구하여라.

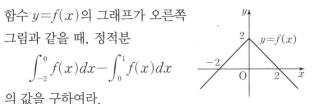

023

모든 실수 x에서 연속인 함수 $f(x)$가

$$f(x)=\begin{cases} x+4 & (x\geq 1) \\ -x^2+k & (x<1) \end{cases}$$

일 때, 정적분 $6\int_0^2 f(x)dx$의 값을 구하여라.

(단, k는 상수이다.)

024

모든 실수 x에 대하여 연속인 함수 $f(x)$가

$$f(x)=\begin{cases} 3x^2-2ax+a & (x\geq 0) \\ x^2+4x-2 & (x<0) \end{cases}$$

일 때, 정적분 $\int_0^{-1} f(x)dx-\int_0^1 f(x)dx$의 값은?

(단, a는 상수이다.)

① $\dfrac{5}{3}$ ② 2 ③ $\dfrac{7}{3}$

④ $\dfrac{8}{3}$ ⑤ 3

025

함수 $f(x)=\begin{cases} x^3+x^2 & (x\geq 0) \\ x^3+3x^2 & (x<0) \end{cases}$ 의 도함수를 $f'(x)$라고

할 때, 정적분 $\int_{-3}^3 f'(x)dx$의 값은?

① 27 ② 36 ③ 45

④ 54 ⑤ 63

유형 06 정적분의 성질과 계산
– 절댓값 기호를 포함한 함수

정적분 $\int_{-1}^{1} |x^2-2x|\,dx$의 값을 구하여라.

풀이

$|x^2-2x| = \begin{cases} x^2-2x & (x\le 0 \text{ 또는 } x\ge 2) \\ -x^2+2x & (0<x<2) \end{cases}$ 이므로

$\int_{-1}^{1} |x^2-2x|\,dx = \int_{-1}^{0} (x^2-2x)\,dx + \int_{0}^{1} (-x^2+2x)\,dx$

$\qquad = \left[\frac{1}{3}x^3-x^2\right]_{-1}^{0} + \left[-\frac{1}{3}x^3+x^2\right]_{0}^{1}$

$\qquad = -\left(-\frac{1}{3}-1\right)+\left(-\frac{1}{3}+1\right) = 2$

답 2

풍쌤 유형 TIP

절댓값 기호를 포함한 함수의 정적분의 값을 구할 때는 절댓값 기호 안의 식의 값을 0으로 하는 x의 값을 기준으로 적분 구간을 나눈 후 정적분의 성질을 이용하여 정적분의 값을 구한다.

026

정적분 $\int_{0}^{2} |x-1|\,dx$의 값은?

① -2 ② -1 ③ 0

④ 1 ⑤ 2

027

정적분 $\int_{-1}^{2} (2|x|+3)\,dx$의 값은?

① 12 ② 13 ③ 14

④ 15 ⑤ 16

028

정적분 $\int_{-2}^{0} \dfrac{|x^2-1|}{x+1}\,dx$의 값은?

① -1 ② 0 ③ 1

④ 2 ⑤ 3

029 |평가원 기출|

정적분 $\int_{0}^{2} |x^2(x-1)|\,dx$의 값은?

① $\dfrac{3}{2}$ ② 2 ③ $\dfrac{5}{2}$

④ 3 ⑤ $\dfrac{7}{2}$

030 서술형 ✍

등식

$$\int_{0}^{a} |2x-6|\,dx = 10$$

을 만족시키는 상수 a의 값을 구하여라. (단, $a>3$)

유형 07 우함수와 기함수의 정적분

함수 $f(x)$가

$$\int_{-2}^{2} 3x(x^2+x-2)dx = 2\int_{0}^{2} f(x)dx$$

를 만족시킬 때, $f(-1)$의 값을 구하여라.

풀이

$$\int_{-2}^{2} 3x(x^2+x-2)dx = \int_{-2}^{2} (3x^3+3x^2-6x)dx$$
$$= \int_{-2}^{2} 3x^2 dx = 2\int_{0}^{2} 3x^2 dx$$

이므로 $2\int_{0}^{2} 3x^2 dx = 2\int_{0}^{2} f(x)dx$

따라서 $f(x)=3x^2$이므로

$f(-1)=3$

답 3

풍쌤 유형 TIP

우함수	기함수
$f(-x)=f(x)$	$f(-x)=-f(x)$
$\int_{-a}^{a} f(x)dx = 2\int_{0}^{a} f(x)dx$	$\int_{-a}^{a} f(x)dx = 0$
예 상수, x^2, x^4, $\cdots$	예 x, x^3, x^5, $\cdots$

031

다음 정적분의 값을 구하여라.

(1) $\displaystyle\int_{-2}^{2} (2x+3)dx$ 　　(2) $\displaystyle\int_{-3}^{3} (x^2-3x)dx$

032

실수 a에 대하여

$$\int_{-a}^{a} (x^2-3x)dx = 144$$

일 때, a의 값은?

① 3　　　　② 4　　　　③ 5

④ 6　　　　⑤ 7

033

다항함수 $f(x)$가 $f(x)=f(-x)$를 만족시키고

$$\int_{0}^{2} f(x)dx = -3, \quad \int_{-3}^{3} f(x)dx = 14$$

일 때, 정적분 $\displaystyle\int_{2}^{3} f(x)dx$의 값은?

① 4　　　　② 6　　　　③ 8

④ 10　　　⑤ 12

034

두 다항함수 $f(x)$, $g(x)$가 모든 실수 x에서

$$f(x)=f(-x), \quad g(x)=-g(-x)$$

를 만족시킨다.

$$\int_{0}^{3} f(x)dx = 3, \quad \int_{0}^{3} g(x)dx = -4$$

일 때, 정적분 $\displaystyle\int_{-3}^{3} \{f(x)-g(x)\}dx$의 값은?

① 5　　　　② 6　　　　③ 7

④ 8　　　　⑤ 9

035

함수

$$f(x)=x+x^2+x^3+\cdots+x^{10}$$

에 대하여 정적분 $\displaystyle\int_{-1}^{1} f'(x)dx$의 값은?

① -20　　② -10　　③ 0

④ 10　　　⑤ 20

유형 08 정적분으로 정의된 함수 또는 등식 — 아래끝과 위끝이 상수일 때

모든 실수 x에 대하여 $f(x)=x^2-6x+\int_0^3 f(t)dt$가 성립할 때, $f(1)$의 값을 구하여라.

풀이

$\int_0^3 f(t)dt=k$ (k는 상수)라고 하면 ········· ㉠

$f(x)=x^2-6x+k$

위 식을 ㉠에 대입하면 $\int_0^3 (t^2-6t+k)dt=k$

$\left[\dfrac{1}{3}t^3-3t^2+kt\right]_0^3=k$, $3k-18=k$

$2k=18$ $\therefore k=9$

따라서 $f(x)=x^2-6x+9$이므로 $f(1)=1-6+9=4$

답 4

036

다항함수 $f(x)$가

$$f(x)=4x+\int_0^2 f(t)dt$$

를 만족시킬 때, $f(1)$의 값은?

① -4 ② -3 ③ -2
④ -1 ⑤ 0

037

다항함수 $f(x)$에 대하여

$$f(x)=x^2-2x+\int_0^3 tf'(t)dt$$

가 성립할 때, $f(2)$의 값은?

① -6 ② -3 ③ 3
④ 6 ⑤ 9

038

다항함수 $f(x)$가

$$f(x)=4x^2+6x+\int_0^1 tf(t)dt$$

일 때, $f(2)$의 값은?

① 26 ② 28 ③ 30
④ 32 ⑤ 34

039

다항함수 $f(x)$에 대하여

$$f(x)=-3x^2+\int_0^2 (x+1)f(t)dt$$

가 성립할 때, $f(2)$의 값은?

① -6 ② -4 ③ -2
④ 0 ⑤ 2

040 서술형

다항함수 $f(x)$에 대하여

$$f(x)=\left(\dfrac{4}{3}x\right)^2+2x\int_0^3 f(t)dt+\dfrac{1}{3}\left\{\int_0^3 f(t)dt\right\}^2$$

이 성립할 때, $\int_{-1}^1 f(x)dx$의 값을 구하여라.

유형 09 정적분으로 정의된 함수 또는 등식 - 아래끝 또는 위 끝에 변수가 있을 때

다항함수 $f(x)$가

$$\int_1^x f(t)dt = x^3 + ax^2 + 3$$

을 만족시킬 때, $f(a)$의 값을 구하여라. (단, a는 상수이다.)

풀이

$\int_1^x f(t)dt = x^3 + ax^2 + 3$의 양변에 $x=1$을 대입하면

$0 = 1 + a + 3$　$\therefore a = -4$

$\int_1^x f(t)dt = x^3 - 4x^2 + 3$의 양변을 x에 대하여 미분하면

$f(x) = 3x^2 - 8x$

$\therefore f(a) = f(-4) = 48 + 32 = 80$

답 80

041

함수 $f(x)$가 모든 실수 x에서

$$\int_a^x f(t)dt = 3x^2 - 12$$

를 만족시킬 때, 양수 a의 값은?

① 1　　　② 2　　　③ 3

④ 4　　　⑤ 5

042

함수 $f(x) = \int_1^x (t^2 - 2t - 1)dt$에 대하여 $f(1) + f'(1)$

의 값은?

① -2　　　② -1　　　③ 0

④ 1　　　⑤ 2

043

함수 $f(x)$가 모든 실수 x에서

$$f(x) = \int_0^x (at + 3)dt$$

이고, $f'(3) = 12$일 때, 상수 a의 값은?

① -1　　　② 1　　　③ 3

④ 5　　　⑤ 7

044

함수 $f(x)$가

$$f(x) = \int_0^x (6t^2 + 1)dt$$

일 때, $\lim_{x \to 2} \dfrac{f(x) - f(2)}{x - 2}$의 값을 구하여라.

045 서술형

함수 $f(x) = \int_0^x (t^2 + 3t - 4)dt$의 극댓값을 a, 극솟값을 b라고 할 때, $a + b$의 값을 구하여라.

유형 10 정적분으로 정의된 함수의 극한

함수 $f(x)=\displaystyle\int_0^x (3t^2-2t-1)dt$에 대하여

$\displaystyle\lim_{x\to 0}\frac{1}{x}\int_0^x f'(t)dt$의 값을 구하여라.

풀이

$f(x)=\displaystyle\int_0^x (3t^2-2t-1)dt$의 양변을 x에 대하여 미분하면

$f'(x)=3x^2-2x-1$

$\therefore \displaystyle\lim_{x\to 0}\frac{1}{x}\int_0^x f'(t)dt=\lim_{x\to 0}\frac{1}{x}\Big[f(t)\Big]_0^x$

$\qquad\qquad =\displaystyle\lim_{x\to 0}\frac{f(x)-f(0)}{x}=f'(0)=-1$

답 -1

046

$\displaystyle\lim_{h\to 0}\frac{1}{h}\int_0^h (x^2-2x+3)dx$의 값은?

① 0　　　　　② 1　　　　　③ 2

④ 3　　　　　⑤ 4

047

함수 $f(x)=2x^3-x^2+3x$에 대하여

$\displaystyle\lim_{h\to 0}\frac{1}{h}\int_1^{1+2h} f(x)dx$

의 값은?

① 4　　　　　② 5　　　　　③ 6

④ 7　　　　　⑤ 8

048

함수 $f(x)=-2x^3+6x+1$에 대하여

$\displaystyle\lim_{x\to 2}\frac{1}{x-2}\int_2^x f(x)dx$

의 값은?

① -3　　　　② -1　　　　③ 1

④ 3　　　　　⑤ 5

049

$\displaystyle\lim_{h\to 0}\frac{1}{h}\int_{1-h}^{1+h}(3x+k)dx=4$일 때, 상수 k의 값은?

① -3　　　　② -2　　　　③ -1

④ 0　　　　　⑤ 1

050

$\displaystyle\lim_{x\to 1}\frac{1}{x^2-1}\int_1^x (t^2-2t)dt$의 값은?

① -1　　　　② $-\dfrac{1}{2}$　　　　③ 0

④ $\dfrac{1}{2}$　　　　⑤ 1

01

다항함수 $f(x)$에 대하여

$$\int_{-1}^{2}\{2f'(x)-2x+4\}dx=7,\ f(-1)=3$$

일 때, $f(2)$의 값을 구하여라.

02

함수 $f(x)=2x^2-ax+3$이 $\displaystyle\int_{0}^{1}xf(x)dx=\frac{2}{3}$를 만족

시킬 때, 상수 a의 값을 구하여라.

03

이차함수 $f(x)$가 $\displaystyle\int_{-1}^{0}f(x)dx=0$을 만족시키고, 함수

$y=f(x)$의 그래프가 두 점 $(0,\ 4)$, $(1,\ 7)$을 지날 때,

$f(2)$의 값을 구하여라.

04

두 함수

$$f(x)=\frac{d}{dx}\int_{0}^{x}(t^3-1)dt,$$

$$g(x)=\frac{d}{dx}\int_{-1}^{x}(t-1)dt$$

에 대하여 정적분 $\displaystyle\int_{-1}^{2}\frac{f(x)}{g(x)}dx$의 값은?

① 6 　　　② $\dfrac{13}{2}$ 　　　③ 7

④ $\dfrac{15}{2}$ 　　　⑤ 8

05

정적분

$$2\int_{0}^{1}(x+k)^2dx-\int_{1}^{0}(2x+k)^2dx$$

의 최솟값을 구하여라. (단, k는 실수이다.)

06

함수 $f(x)=2x(2x+1)(x-1)$에 대하여 정적분

$$\int_{-1}^{-3}\frac{f(x)}{2x^2-3}dx+\int_{0}^{-1}\frac{f(y)}{2y^2-3}dy-\int_{-3}^{0}\frac{-4x+3}{2x^2-3}dx$$

의 값은?

① -12 　　　② -6 　　　③ 0

④ 6 　　　⑤ 12

07 | 교육청 기출 |

함수 $f(x)$를

$$f(x)=\begin{cases} -x^2+2x+2 & (x\geq0) \\ 2x+2 & (x<0) \end{cases}$$

라고 하자. 양의 실수 a에 대하여 $\displaystyle\int_{-a}^{a}f(x)dx$의 최댓값

은?

① 5 　　　② $\dfrac{16}{3}$ 　　　③ $\dfrac{17}{3}$

④ 6 　　　⑤ $\dfrac{19}{3}$

08

함수 $f(x) = \begin{cases} -2x-7 & (x \geq -1) \\ 4x-1 & (x < -1) \end{cases}$ 에 대하여

$\int_{-2}^{a} f(x)dx = -3$ 을 만족시키는 정수 a의 값을 모두 구하여라. (단, $a \neq -2$)

09

두 함수 $f(x) = x + |x|$, $g(x) = x^2 - x$에 대하여 정적분 $\int_{-2}^{2} f(g(x))dx$의 값은?

① 8   ② 9   ③ 10

④ 11   ⑤ 12

10

정적분 $\int_{0}^{3} (2|x-1| + 4|x-2|)dx$의 값은?

① 11   ② 13   ③ 15

④ 17   ⑤ 19

11 실력UP

함수 $f(x)$가
$$f(x) = 1 + 2x + 3x^2 + \cdots + nx^{n-1}$$
일 때, $\int_{-1}^{1} f(x)dx = 20$을 만족시키는 자연수 n의 최댓값을 구하여라.

12

다항함수 $f(x)$가 모든 실수 x에서 $f(x) = f(-x)$를 만족시키고, $\int_{0}^{1} f(x)dx = 3$일 때, $\int_{-1}^{1} (x+1)f(x)dx$ 의 값을 구하여라.

13 실력UP

모든 실수 x에서 정의된 연속함수 $f(x)$가
$$f(x) = \begin{cases} -5x+9 & (0 \leq x < 2) \\ x^2 - x + a & (2 \leq x \leq 4) \end{cases}$$
이고, $f(x) = f(x+4)$를 만족시킨다. 이때 $6\int_{6}^{9} f(x)dx$의 값을 구하여라.

14

모든 실수 x에 대하여 함수 $f(x)$가

$$\int_0^x (x-t)f(t)\,dt = -x^4 + 2x^3 + 3x^2$$

을 만족시킬 때, $f(x)$의 최댓값은?

① 6 ② 7 ③ 8
④ 9 ⑤ 10

15

일차함수 $f(x)$에 대하여

$$f(x) = 6x - \int_0^2 f(t)\,dt + \int_0^4 f(t)\,dt$$

가 성립할 때, $f(6)$의 값은?

① -12 ② -6 ③ 0
④ 6 ⑤ 12

16

다항함수 $f(x)$가

$$\int_1^x f(t)\,dt = xf(x) + 2x^3 - 3x^2$$

을 만족시킬 때, $f(2)$의 값은?

① -6 ② -4 ③ -2
④ 2 ⑤ 4

17 |평가원 기출|

다항함수 $f(x)$에 대하여

$$\int_0^x f(t)\,dt = x^3 - 2x^2 - 2x\int_0^1 f(t)\,dt$$

일 때, $f(0) = a$라고 하자. $60a$의 값을 구하여라.

18

함수 $f(x) = \int_0^x (3t^2 + at + b)\,dt$가 $x = -2$에서 극댓값 28을 가질 때, $f(2)$의 값을 구하여라.

(단, a, b는 상수이다.)

19 |교육청 기출| 실력UP

다항함수 $f(x)$가

$$\lim_{x \to 1} \frac{\int_1^x f(t)\,dt - f(x)}{x - 1} = 3$$

을 만족시킬 때, $f'(1)$의 값은?

① -4 ② -3 ③ -2
④ -1 ⑤ 0

정적분의 활용

1. 곡선과 좌표축 사이의 넓이

(1) 함수 $f(x)$가 닫힌구간 $[a, b]$에서 연속이고 $f(x) \geq 0$일 때, 정적분 $\int_a^b f(x)dx$는

곡선 $y=f(x)$와 x축 및 두 직선 $x=a$, $x=b$로 둘러싸인 도형의 넓이와 같다.

(2) 곡선과 x축 사이의 넓이

함수 $f(x)$가 닫힌구간 $[a, b]$에서 연속일 때, 곡선 $y=f(x)$와 x축 및 두 직선 $x=a$, $x=b$로 둘러싸인 도형의 넓이 S는

➡ $S = \int_a^b |f(x)|\,dx$

참고 정적분의 값은 음의 값과 양의 값을 모두 가질 수 있지만 넓이는 절댓값을 이용하여 항상 양의 값만 나온다.

닫힌구간 $[a, b]$에서 함수 $f(x)$가 양의 값과 음의 값을 모두 가지면 $f(x)$의 값이 양수인 구간과 음수인 구간으로 나누어 생각한다. 즉, 구간 $[a, c]$에서 $f(x) \geq 0$, 구간 $[c, b]$에서 $f(x) \leq 0$이면 넓이 S는

$$S = \int_a^c f(x)dx + \int_c^b \{-f(x)\}dx$$

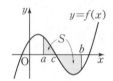

2. 두 곡선 사이의 넓이

두 함수 $f(x)$, $g(x)$가 닫힌구간 $[a, b]$에서 연속일 때, 두 곡선 $y=f(x)$와 $y=g(x)$ 및 두 직선 $x=a$, $x=b$로 둘러싸인 도형의 넓이 S는

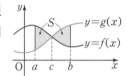

➡ $S = \int_a^b |f(x)-g(x)|\,dx$

3. 수직선 위를 움직이는 점의 위치와 움직인 거리

수직선 위를 움직이는 점 P의 시각 t에서의 속도가 $v(t)$이고 시각 $t=a$에서의 위치가 x_0일 때

(1) 시각 t에서의 점 P의 위치 x는 ➡ $x = x_0 + \int_a^t v(t)dt$

(2) 시각 $t=a$에서 $t=b$까지 점 P의 위치의 변화량은 ➡ $\int_a^b v(t)dt$

(3) 시각 $t=a$에서 $t=b$까지 점 P가 움직인 거리 s는 ➡ $s = \int_a^b |v(t)|\,dt$

참고 수직선 위를 움직이는 점 P의 시각 t에서의 속도 $v(t)$의 그래프가 오른쪽 그림과 같을 때

$$S_1 = \int_0^a v(t)dt, \quad S_2 = -\int_a^b v(t)dt$$

라고 하면

(1) $v(t)$의 값의 부호가 바뀌는 지점인 $t=a$에서 점 P의 운동 방향이 바뀐다.

(2) $t=0$에서 $t=b$까지 점 P의 위치의 변화량은 $S_1 - S_2$

(3) $t=0$에서 $t=b$까지 점 P가 움직인 거리는 $S_1 + S_2$

위치 x $\xleftarrow[\text{미분}]{\text{적분}}$ 속도 v

구간 $[a, b]$에서 점 P의 t초 후의 속도를 $v(t)$라고 하면

(1) 위치의 변화량은 구간 $[a, b]$에서 $v(t)$의 정적분의 값이다.

(2) 실제 움직인 거리는 구간 $[a, b]$에서 $v(t)$의 그래프와 t축으로 둘러싸인 도형의 넓이, 즉 $|v(t)|$의 값이다.

정답과 풀이 **099**쪽

유형 01 곡선과 좌표축 사이의 넓이

곡선 $y=(x+1)(x-1)(x-2)$와 x축으로 둘러싸인 도형의 넓이를 구하여라.

풀이

곡선
$y=(x+1)(x-1)(x-2)$와
x축의 교점의 x좌표는
$(x+1)(x-1)(x-2)=0$에
서
$x=-1$ 또는 $x=1$ 또는 $x=2$
$y=(x+1)(x-1)(x-2)=x^3-2x^2-x+2$이므로 구하는
넓이는

$\int_{-1}^{2}|x^3-2x^2-x+2|\,dx$

$=\int_{-1}^{1}(x^3-2x^2-x+2)dx+\int_{1}^{2}(-x^3+2x^2+x-2)dx$

$=2\int_{0}^{1}(-2x^2+2)dx+\int_{1}^{2}(-x^3+2x^2+x-2)dx$

$=2\left[-\dfrac{2}{3}x^3+2x\right]_{0}^{1}+\left[-\dfrac{1}{4}x^4+\dfrac{2}{3}x^3+\dfrac{1}{2}x^2-2x\right]_{1}^{2}$

$=\dfrac{8}{3}+\dfrac{5}{12}=\dfrac{37}{12}$

답 $\dfrac{37}{12}$

001

오른쪽 그림과 같이 곡선
$y=-x^2(x-2)$와 x축으로 둘러싸인 도형의 넓이를 구하여라.

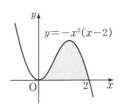

002

곡선 $y=x^2-4$와 x축으로 둘러싸인 도형의 넓이를 구하여라.

003

곡선 $y=4x^3-36x$와 x축으로 둘러싸인 도형의 넓이를 구하여라.

004

곡선 $y=x^2-ax$와 x축으로 둘러싸인 도형의 넓이가 $\dfrac{4}{3}$일 때, 양수 a의 값은?

① 1   ② 2   ③ 3

④ 4   ⑤ 5

005 |평가원 기출|

함수 $f(x)$의 도함수 $f'(x)$가
$f'(x)=x^2-1$이고, $f(0)=0$일
때, 곡선 $y=f(x)$와 x축으로 둘러싸인 도형의 넓이는?

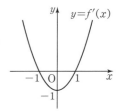

① $\dfrac{9}{8}$ ② $\dfrac{5}{4}$

③ $\dfrac{11}{8}$ ④ $\dfrac{3}{2}$

⑤ $\dfrac{13}{8}$

006

곡선 $y=9-x^2$과 x축 및 두 직선 $x=1$, $x=4$로 둘러 싸인 도형의 넓이는?

① 12   ② $\dfrac{37}{3}$ ③ $\dfrac{38}{3}$

④ 13   ⑤ $\dfrac{40}{3}$

007

곡선 $y=x^2-2x$와 x축 및 두 직선 $x=-2$, $x=2$로 둘 러싸인 도형의 넓이는?

① 4   ② 6   ③ 8

④ 10   ⑤ 12

008

곡선 $y=x^2+2x+2$와 x축 및 두 직선 $x=-2$, $x=a$ 로 둘러싸인 도형의 넓이가 6일 때, 양수 a의 값은?

① 1   ② 2   ③ 3

④ 4   ⑤ 5

유형 02 곡선과 직선 사이의 넓이

곡선 $y=4x^3-x$와 직선 $y=3x$로 둘러싸인 도형의 넓이를 구하여라.

풀이

곡선 $y=4x^3-x$와 직선 $y=3x$의 교점 의 x좌표는

$4x^3-x=3x$, $4x^3-4x=0$

$4x(x+1)(x-1)=0$

$\therefore x=0$ 또는 $x=-1$ 또는 $x=1$

따라서 구하는 넓이는

$$\int_{-1}^{1}|(4x^3-x)-3x|dx$$

$$=\int_{-1}^{0}(4x^3-4x)dx+\int_{0}^{1}(-4x^3+4x)dx$$

$$=2\int_{0}^{1}(-4x^3+4x)dx$$

곡선과 직선 모두 원점에 대하여 대칭이므로
$\int_{-1}^{0}(4x^3-4x)dx=\int_{0}^{1}(-4x^3+4x)dx$

$$=2\left[-x^4+2x^2\right]_{0}^{1}=2\times1=2$$

답 2

009

곡선 $y=-x^2+2x+3$과 직선 $y=3$으로 둘러싸인 도형 의 넓이는?

① 1   ② $\dfrac{4}{3}$ ③ $\dfrac{5}{3}$

④ 2   ⑤ $\dfrac{7}{3}$

010

곡선 $y=-x^2+6x$와 직선 $y=2x$로 둘러싸인 도형의 넓이는?

① $\dfrac{32}{3}$ ② 11   ③ $\dfrac{34}{3}$

④ $\dfrac{35}{3}$ ⑤ 12

011

곡선 $y=x^2-5x+3$과 직선 $y=x-2$로 둘러싸인 도형의 넓이를 S라고 할 때, $3S$의 값을 구하여라.

012

곡선 $y=x^3$과 y축 및 $y=8$로 둘러싸인 도형의 넓이는?

① 8　　　　② 9　　　　③ 10

④ 11　　　　⑤ 12

013 | 수능 기출 |

곡선 $y=-2x^2+3x$와 직선 $y=x$로 둘러싸인 도형의 넓이가 $\dfrac{q}{p}$일 때, $p+q$의 값을 구하여라.

(단, p와 q는 서로소인 자연수이다.)

014

곡선 $y=x^2$과 직선 $y=ax$로 둘러싸인 도형의 넓이가 $\dfrac{9}{2}$일 때, 양수 a의 값은?

① 1　　　　② 2　　　　③ 3

④ 4　　　　⑤ 5

015

곡선 $y=|x^2-1|$과 직선 $y=3$으로 둘러싸인 도형의 넓이는?

① 6　　　　② 8　　　　③ 10

④ 12　　　　⑤ 14

016 서술형

곡선 $y=x^2+x$와 직선 $y=x+n^2$으로 둘러싸인 도형의 넓이를 S_n이라고 할 때, $\displaystyle\sum_{n=1}^{5} S_n$의 값을 구하여라.

(단, n은 자연수이다.)

기본을다지는유형

유형 03 두 곡선 사이의 넓이

두 곡선 $y=x^3$과 $y=-2x^3+3x$로 둘러싸인 도형의 넓이를 구하여라.

풀이

두 곡선 $y=x^3$과 $y=-2x^3+3x$의
교점의 x좌표는
$-2x^3+3x=x^3$, $3x^3-3x=0$
$3x(x+1)(x-1)=0$
$\therefore x=-1$ 또는 $x=0$ 또는 $x=1$
따라서 구하는 넓이는

$\int_{-1}^{1}|(-2x^3+3x)-x^3|\,dx$

$=\int_{-1}^{0}\{x^3-(-2x^3+3x)\}dx+\int_{0}^{1}\{(-2x^3+3x)-x^3\}dx$

$=\underline{\int_{-1}^{0}(3x^3-3x)dx}+\underline{\int_{0}^{1}(-3x^3+3x)dx}$

$=2\int_{0}^{1}(-3x^3+3x)dx$ ← 주어진 두 곡선이 모두 원점에 대하여 대칭이므로 서로 같다.

$=2\left[-\dfrac{3}{4}x^4+\dfrac{3}{2}x^2\right]_{0}^{1}=2\times\dfrac{3}{4}=\dfrac{3}{2}$

답 $\dfrac{3}{2}$

017

두 곡선 $y=x^2-1$과 $y=-x^2+1$로 둘러싸인 도형의 넓이를 구하여라.

018

오른쪽 그림과 같이 두 곡선
$y=x^3-2x+1$과
$y=-x^2+1$로 둘러싸인 두 도형의 넓이를 각각 S_1, S_2라고 할 때, S_1-S_2의 값을 구하여라.

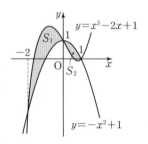

019

두 곡선 $y=x^2-4x$와 $y=-x^3+x^2$으로 둘러싸인 도형의 넓이는?

① 6   ② $\dfrac{13}{2}$ ③ 7

④ $\dfrac{15}{2}$ ⑤ 8

020

곡선 $y=-x^2+ax+6$과 $y=x^2+bx$가 점 $(-3, 0)$에서 만날 때, 이 두 곡선으로 둘러싸인 도형의 넓이는?
(단, a, b는 상수이다.)

① $\dfrac{127}{6}$ ② $\dfrac{64}{3}$ ③ $\dfrac{43}{2}$

④ $\dfrac{65}{3}$ ⑤ $\dfrac{131}{6}$

021

두 곡선 $y=x^2$과 $y=-x^2+2a^2$으로 둘러싸인 도형의 넓이가 9일 때, 양수 a의 값은?

① $\dfrac{1}{2}$ ② 1   ③ $\dfrac{3}{2}$

④ 2   ⑤ $\dfrac{5}{2}$

유형 04 곡선과 접선으로 둘러싸인 도형의 넓이

곡선 $y=x^3$과 이 곡선 위의 점 $(1, 1)$에서의 접선으로 둘러싸인 도형의 넓이를 구하여라.

풀이

$y=x^3$에서 $y'=3x^2$

곡선 위의 점 $(1, 1)$에서의 접선의 기울기는

$3\times 1^2=3$

이므로 접선의 방정식은

$y-1=3(x-1)$ $\quad \therefore y=3x-2$

곡선 $y=x^3$과 직선 $y=3x-2$의 교점의

x좌표는

$x^3=3x-2$, $x^3-3x+2=0$

$(x+2)(x-1)^2=0$

$\therefore x=-2$ 또는 $x=1$

따라서 구하는 넓이는

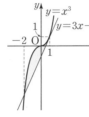

$$\int_{-2}^{1}\{x^3-(3x-2)\}dx=\int_{-2}^{1}(x^3-3x+2)dx$$
$$=\left[\frac{1}{4}x^4-\frac{3}{2}x^2+2x\right]_{-2}^{1}=\frac{27}{4}$$

답 $\dfrac{27}{4}$

022

곡선 $y=3x^2-6x$와 이 곡선 위의 한 점 $(2, 0)$에서의 접선 및 y축으로 둘러싸인 도형의 넓이는?

① 5 　　② 6 　　③ 7

④ 8 　　⑤ 9

023

곡선 $y=x^3-3x^2+x$와 이 곡선 위의 점 $(2, -2)$에서의 접선으로 둘러싸인 도형의 넓이를 구하여라.

024

점 $(0, 8)$에서 곡선 $y=x^3+2x^2-x$에 그은 접선과 이 곡선으로 둘러싸인 도형의 넓이는?

① $\dfrac{62}{3}$ 　　② 21 　　③ $\dfrac{64}{3}$

④ $\dfrac{65}{3}$ 　　⑤ 22

025

곡선 $y=x^2-6x+8$과 이 곡선 위의 두 점 $(2, 0)$과 $(4, 0)$에서의 접선으로 둘러싸인 도형의 넓이는?

① 2 　　② $\dfrac{5}{3}$ 　　③ $\dfrac{4}{3}$

④ 1 　　⑤ $\dfrac{2}{3}$

026 서술형

오른쪽 그림과 같이 곡선 $y=ax^2+b$와 이 곡선 위의 점 $(1, 3)$에서의 접선 및 y축으로 둘러싸인 도형의 넓이가 $\dfrac{1}{3}$일 때, 두 양수 a, b의 값을 각각 구하여라.

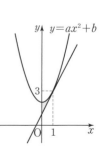

유형 05 두 부분의 넓이가 같을 때

오른쪽 그림과 같이 곡선 $y=x^2-(a+1)x+a$와 x축 및 y축으로 둘러싸인 도형의 넓이를 S_1, 이 곡선과 x축으로 둘러싸인 도형의 넓이를 S_2라고 하자. $S_1=S_2$일 때, 상수 a의 값을 구하여라. (단, $0<a<1$)

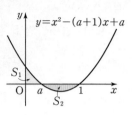

풀이

$S_1=S_2$이므로

$$\int_0^1 \{x^2-(a+1)x+a\}dx=0$$

$$\left[\frac{1}{3}x^3-\frac{1}{2}(a+1)x^2+ax\right]_0^1=0, \quad \frac{1}{3}-\frac{1}{2}(a+1)+a=0$$

$$\frac{1}{2}a=\frac{1}{6} \qquad \therefore a=\frac{1}{3}$$

답 $\frac{1}{3}$

027

곡선 $y=x(x-2)(x-a)$와 x축으로 둘러싸인 두 도형의 넓이가 서로 같을 때, 상수 a의 값은? (단, $a>2$)

① 1   ② 2   ③ 3

④ 4   ⑤ 5

028

오른쪽 그림과 같이 $x \geq 0$에서 곡선 $y=-x^2+9$와 y축 및 두 직선 $x=3$, $y=a$로 둘러싸인 두 도형의 넓이가 서로 같을 때, a의 값을 구하여라. (단, $0<a<9$)

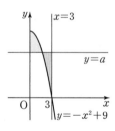

029

오른쪽 그림과 같이 두 곡선 $y=x(a-x)$와 $y=x^2(a-x)$로 둘러싸인 두 도형의 넓이가 서로 같을 때, 상수 a의 값은? (단, $a>1$)

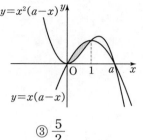

① $\frac{3}{2}$ ② 2   ③ $\frac{5}{2}$

④ 3   ⑤ $\frac{7}{2}$

030

오른쪽 그림과 같이 곡선 $y=x^2-x$와 x축으로 둘러싸인 도형을 A, 곡선 $y=x^2-x$와 x축 및 직선 $x=a$로 둘러싸인 도형을 B라고 하자. 도형 A와 도형 B의 넓이가 서로 같을 때, a의 값을 구하여라. (단, $a>1$)

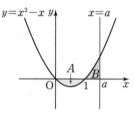

031

오른쪽 그림과 같이 곡선 $y=x(x-2)+a$와 y축 및 x축과 직선 $x=2$로 둘러싸인 도형의 넓이를 각각 S_1, S_2, S_3이라고 하자. $S_1+S_3=S_2$일 때, a의 값은? (단, $0<a<1$)

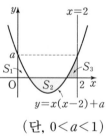

① $\frac{1}{6}$ ② $\frac{1}{3}$ ③ $\frac{1}{2}$

④ $\frac{2}{3}$ ⑤ $\frac{5}{6}$

유형 **06** 두 곡선 사이의 넓이의 활용 − 이등분

곡선 $y=-x^2+2x$와 x축으로 둘러싸인 도형의 넓이가 곡선 $y=ax^2$에 의하여 이등분될 때, 양수 a의 값을 구하여라.

풀이

곡선 $y=-x^2+2x$와 곡선 $y=ax^2$의 교점의 x좌표는

$-x^2+2x=ax^2$, $(a+1)x^2-2x=0$

$x\{(a+1)x-2\}=0$ ∴ $x=0$ 또는 $x=\dfrac{2}{a+1}$

오른쪽 그림에서 색칠한 부분의 넓이는

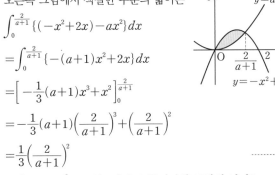

$\displaystyle\int_0^{\frac{2}{a+1}}\{(-x^2+2x)-ax^2\}dx$

$=\displaystyle\int_0^{\frac{2}{a+1}}\{-(a+1)x^2+2x\}dx$

$=\left[-\dfrac{1}{3}(a+1)x^3+x^2\right]_0^{\frac{2}{a+1}}$

$=-\dfrac{1}{3}(a+1)\left(\dfrac{2}{a+1}\right)^3+\left(\dfrac{2}{a+1}\right)^2$

$=\dfrac{1}{3}\left(\dfrac{2}{a+1}\right)^2$ ·········· ㉠

곡선 $y=-x^2+2x$와 x축으로 둘러싸인 도형의 넓이는

$\displaystyle\int_0^2(-x^2+2x)dx=\left[-\dfrac{1}{3}x^3+x^2\right]_0^2=-\dfrac{8}{3}+4=\dfrac{4}{3}$ ·········· ㉡

㉠, ㉡에서 $\dfrac{1}{3}\left(\dfrac{2}{a+1}\right)^2=\dfrac{1}{2}\times\dfrac{4}{3}$이므로

$(a+1)^2=2$ ∴ $a=\sqrt{2}-1\,(∵\,a>0)$

답 $\sqrt{2}-1$

032

함수 $f(x)=\begin{cases} x & (x\geq0) \\ x^2 & (x<0) \end{cases}$ 의 그

래프와 직선 $y=k^2$으로 둘러싸인 도형의 넓이가 y축에 의하여 이등분될 때, 양수 k의 값은?

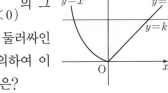

① $\dfrac{1}{3}$ ② $\dfrac{2}{3}$ ③ 1

④ $\dfrac{4}{3}$ ⑤ $\dfrac{5}{3}$

033

곡선 $y=x(6-x)$와 x축으로 둘러싸인 도형의 넓이가 $y=mx$에 의하여 이등분될 때, $(6-m)^3$의 값은?

(단, $m>0$)

① 104 ② 106 ③ 108
④ 110 ⑤ 112

034

함수 $y=x^2$의 그래프와 직선 $y=x+2$로 둘러싸인 부분의 넓이를 직선 $x=k$가 이등분할 때, k의 값은? (단, $0<k<2$)

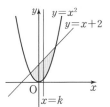

① $\dfrac{1}{4}$ ② $\dfrac{1}{2}$

③ $\dfrac{3}{4}$ ④ 1

⑤ $\dfrac{5}{4}$

035 서술형

곡선 $y=x^2-4x$와 직선 $y=mx$로 둘러싸인 도형의 넓이가 x축에 의하여 이등분될 때, $(m+4)^3$의 값을 구하여라. (단, $m>0$)

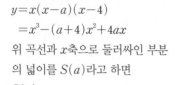
유형 **07** 두 곡선 사이의 넓이의 활용 – 넓이의 최솟값

$0<a<4$일 때, 곡선 $y=x(x-a)(x-4)$와 x축으로 둘러싸인 부분의 넓이가 최소가 되도록 하는 a의 값을 구하여라.

풀이

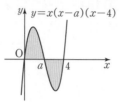

$y=x(x-a)(x-4)$
　$=x^3-(a+4)x^2+4ax$

위 곡선과 x축으로 둘러싸인 부분의 넓이를 $S(a)$라고 하면

$S(a)$
$=\displaystyle\int_0^a \{x^3-(a+4)x^2+4ax\}dx$

$\qquad\qquad +\displaystyle\int_a^4 \{-x^3+(a+4)x^2-4ax\}dx$

$=\left[\dfrac{1}{4}x^4-\dfrac{1}{3}(a+4)x^3+2ax^2\right]_0^a$

$\qquad\qquad +\left[-\dfrac{1}{4}x^4+\dfrac{1}{3}(a+4)x^3-2ax^2\right]_a^4$

$=-\dfrac{1}{6}a^4+\dfrac{4}{3}a^3-\dfrac{32}{3}a+\dfrac{64}{3}$

$S'(a)=-\dfrac{2}{3}a^3+4a^2-\dfrac{32}{3}=-\dfrac{2}{3}(a-2)(a^2-4a-8)$

$S'(a)=0$에서 $a=2$ ($\because 0<a<4$)

$0<a<4$에서 $S(a)$의 증가와 감소를 표로 나타내면 다음과 같다.

a	(0)	$\cdots$	2	$\cdots$	(4)
$S'(a)$		$-$	0	$+$	
$S(a)$		↘	극소	↗	

따라서 $S(a)$는 $a=2$에서 극소이면서 최소이다.

답 2

풍쌤 유형 TIP

넓이의 최솟값을 해결할 때는 산술평균과 기하평균의 관계, 함수의 증가와 감소, 극대와 극소 등을 이용해야 하는 경우가 많다.

036

두 곡선 $y=a^2x^3$, $y=-\dfrac{1}{a^2}x^3$과 직선 $x=1$로 둘러싸인 도형의 넓이의 최솟값을 구하여라. (단, $a\neq 0$)

유형 **08** 두 곡선 사이의 넓이의 활용 – 함수와 역함수

오른쪽 그림은 함수 $y=f(x)$와 그 역함수 $y=g(x)$의 그래프이다. 두 그래프가 두 점 $(1, 1)$, $(4, 4)$에서 만나고, $\displaystyle\int_1^4 f(x)dx=\dfrac{9}{2}$일 때, 두 함수 $y=f(x)$와 $y=g(x)$의 그래프로 둘러싸인 도형의 넓이를 구하여라.

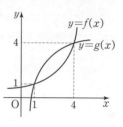

풀이

함수 $f(x)$의 역함수가 $g(x)$이므로 두 곡선 $y=f(x)$와 $y=g(x)$는 직선 $y=x$에 대하여 대칭이다.

즉, 함수 $f(x)$의 그래프와 직선 $y=x$의 교점의 x좌표는 두 곡선 $y=f(x)$와 $y=g(x)$의 교점의 x좌표와 같으므로 $x=1$, $x=4$이다.

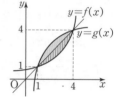

이때 함수 $y=f(x)$의 그래프와 직선 $y=x$로 둘러싸인 도형의 넓이는

$\displaystyle\int_1^4 \{x-f(x)\}dx=\int_1^4 x\,dx-\int_1^4 f(x)dx$

$\qquad\qquad =\left[\dfrac{1}{2}x^2\right]_1^4-\dfrac{9}{2}=\dfrac{15}{2}-\dfrac{9}{2}=3$

따라서 구하는 넓이는 위 넓이의 2배이므로

$3\times2=6$

답 6

풍쌤 유형 TIP

함수 $y=f(x)$와 그 역함수 $y=g(x)$의 그래프로 둘러싸인 도형의 넓이는 함수 $y=f(x)$의 그래프와 직선 $y=x$로 둘러싸인 도형의 넓이의 2배와 같다.

037

함수 $f(x)=x^2\ (x\geq0)$과 그 역함수 $g(x)$에 대하여 다음을 구하여라.

(1) 곡선 $y=f(x)$와 직선 $y=x$로 둘러싸인 도형의 넓이

(2) 두 곡선 $y=f(x)$, $y=g(x)$로 둘러싸인 도형의 넓이

038

함수 $f(x)=(x-1)^3+1$의 역함수를 $g(x)$라고 할 때, 두 곡선 $y=f(x)$와 $y=g(x)$로 둘러싸인 도형의 넓이는?

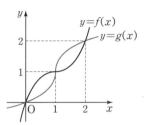

① 1   ② 2

③ 3   ④ 4

⑤ 5

039

함수 $f(x)=3x^2+1$ $(x\geq0)$의 역함수를 $g(x)$라고 할 때, 정적분 $\int_1^4 g(x)dx$의 값은?

① 2   ② 3   ③ 4

④ 5   ⑤ 6

040

함수 $f(x)=x^3+2$의 역함수를 $g(x)$라고 할 때, 정적분 $\int_0^1 f(x)dx+\int_2^3 g(x)dx$의 값은?

① 1   ② 2   ③ 3

④ 4   ⑤ 5

유형 09 위치와 움직인 거리

원점을 출발하여 수직선 위를 움직이는 점 P의 시각 t에서의 속도가 $v(t)=16-3t^2$일 때, 점 P가 다시 원점을 통과하는 시각을 구하여라.

풀이

점 P가 원점을 출발한 후 다시 원점을 통과할 때의 시각을 $t=a$라고 하면 이때의 점 P의 위치는 0이므로

$0+\int_0^a v(t)dt=0$에서 $\int_0^a (16-3t^2)dt=0$

$\left[-t^3+16t\right]_0^a=0,\ -a^3+16a=0$

$-a(a+4)(a-4)=0$

$\therefore a=4\ (\because a>0)$

따라서 시각 $t=4$일 때 점 P가 다시 원점을 통과한다.

답 4

041

좌표가 -3인 점에서 출발하여 수직선 위를 움직이는 점 P의 시각 t에서의 속도가 $v(t)=6-2t$일 때, 다음을 구하여라.

⑴ 시각 $t=2$에서의 점 P의 위치

⑵ 시각 $t=2$에서 $t=4$까지 점 P의 위치의 변화량

⑶ 시각 $t=2$에서 $t=4$까지 점 P가 움직인 거리

042

지상 45 m 높이의 건물 옥상에서 지면과 수직으로 40 m/s의 속도로 쏘아 올린 어떤 물체의 t초 후의 속도 $v(t)$ m/s가 $v(t)=40-10t$일 때, 다음을 구하여라.

(단, $0\leq t\leq9$)

⑴ 물체를 쏘아 올린 지 2초 후 지상으로부터의 높이

⑵ 물체를 쏘아 올린 지 2초 후부터 5초까지 물체가 움직인 거리

⑶ 물체가 최고 지점에 도달했을 때, 지면으로부터의 높이

043

직선 도로를 $20\,\mathrm{m/s}$의 속도로 달리는 자동차에 제동을 건 지 t초 후의 속도 $v(t)\,\mathrm{m/s}$가

$$v(t)=20-4t\ (0\le t\le 5)$$

이다. 제동을 건 후 자동차가 정지할 때까지 달린 거리는?

① 30 m   ② 35 m   ③ 40 m

④ 45 m   ⑤ 50 m

044

좌표가 3인 점에서 출발하여 수직선 위를 움직이는 점 P의 시각 t에서의 속도 $v(t)$가

$$v(t)=12-2t$$

이다. 점 P가 움직이는 방향이 바뀌는 시각에서의 점 P의 위치는?

① 36   ② 37   ③ 38

④ 39   ⑤ 40

045

원점을 출발하여 수직선 위를 움직이는 물체의 시각 t에서의 속도 $v(t)$가

$$v(t)=3t^2-12t$$

이다. 이 물체가 움직이는 방향을 바꾼 후부터 다시 원점으로 돌아오는 데 걸린 시간은?

① 1   ② 2   ③ 3

④ 4   ⑤ 5

046 | 수능 기출 |

수직선 위를 움직이는 점 P의 시각 $t\ (t\ge 0)$에서의 속도 $v(t)$가

$$v(t)=-2t+4$$

이다. $t=0$부터 $t=4$까지 점 P가 움직인 거리는?

① 8   ② 9   ③ 10

④ 11   ⑤ 12

047

원점을 출발하여 수직선 위를 움직이는 점 P의 시각 t에서의 속도 $v(t)$가

$$v(t)=\begin{cases} 4t-t^2 & (0\le t\le 4) \\ 8-2t & (t\ge 4) \end{cases}$$

일 때, 점 P가 시각 $t=0$에서 시각 $t=6$까지 움직인 거리는?

① $\dfrac{32}{3}$ ② 12   ③ $\dfrac{40}{3}$

④ $\dfrac{44}{3}$ ⑤ 16

048 서술형

지상 $15\,\mathrm{m}$ 높이에서 $10\,\mathrm{m/s}$의 속도로 지면과 수직이 되게 위로 던져 올린 공의 t초 후의 속도를 $v(t)\,\mathrm{m/s}$라고 하면

$$v(t)=10-10t\ (0\le t\le 3)$$

이다. 이 물체의 최고 높이를 $p\,\mathrm{m}$, 이 물체가 최고 높이에 도달한 후 2초 동안 움직인 거리를 $q\,\mathrm{m}$라고 할 때, $p+q$의 값을 구하여라.

유형 ⑩ 그래프에서의 위치와 움직인 거리

원점에서 출발하여 수직선 위를 움직이는 점 P의 시각 t $(0 \le t \le 7)$에서의 속도 $v(t)$의 그래프가 오른쪽 그림과 같을 때, 점 P가 출발 후 7초 동안 움직인 거리를 구하여라.

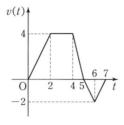

풀이

$$\int_0^7 |v(t)|\, dt = \int_0^5 v(t)\, dt + \int_5^7 \{-v(t)\}\, dt$$
$$= \frac{1}{2} \times (2+5) \times 4 + \frac{1}{2} \times 2 \times 2$$
$$= 14 + 2 = 16$$

답 16

049

원점에서 출발하여 수직선 위를 움직이는 점 P의 시각 t $(0 \le t \le 4)$에서의 속도 $v(t)$의 그래프가 오른쪽 그림과 같을 때, 다음을 구하여라.

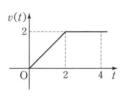

(1) 시각 $t=4$에서의 점 P의 위치
(2) 시각 $t=0$에서 시각 $t=4$까지 점 P가 움직인 거리

050

원점에서 출발하여 수직선 위를 움직이는 점 P의 시각 t $(0 \le t \le 5)$에서의 속도 $v(t)$의 그래프가 오른쪽 그림과 같을 때, 다음을 구하여라.

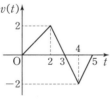

(1) 시각 $t=5$에서의 점 P의 위치
(2) 시각 $t=0$에서 시각 $t=5$까지 점 P가 움직인 거리

051

원점에서 출발하여 수직선 위를 움직이는 점 P의 시각 t $(0 \le t \le 6)$에서의 속도 $v(t)$의 그래프가 오른쪽 그림과 같다. 점 P가 원점으로부터 가장 멀리 떨어져 있을 때, 점 P의 위치는?

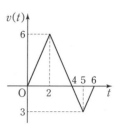

① 8   ② 9   ③ 10
④ 11   ⑤ 12

052

원점을 출발하여 수직선 위를 움직이는 물체의 시각 t $(0 \le t \le 10)$에서의 속도 $v(t)$의 그래프가 오른쪽 그림과 같다. 이 물체가 다시 원점을 지나는 시각은?

① 4   ② 5   ③ 6
④ 7   ⑤ 8

053

좌표가 2인 점에서 출발하여 수직선 위를 움직이는 점 P의 시각 t $(0 \le t \le 6)$에서의 속도 $v(t)$의 그래프가 오른쪽 그림과 같을 때, 점 P가 처음으로 운동 방향을 바꾸는 순간의 점 P의 위치는?

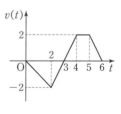

① -2 ② -1 ③ 1
④ 2   ⑤ 3

01

자연수 n에 대하여 곡선 $y=-x^2+n^2$과 x축으로 둘러싸인 도형의 넓이를 $S(n)$이라고 할 때, $\displaystyle\int_0^{\sqrt{3}} S(n)dn$ 의 값을 구하여라.

02

삼차함수 $y=f(x)$의 그래프가 점 $(2, 4)$를 지나고, $f(x)$의 도함수 $f'(x)$가 $f'(x)=3x^2-3$일 때, 함수 $y=f(x)$의 그래프와 x축으로 둘러싸인 도형의 넓이는?

① $\dfrac{23}{4}$ ② 6 ③ $\dfrac{25}{4}$

④ $\dfrac{13}{2}$ ⑤ $\dfrac{27}{4}$

03 |교육청 기출| 실력UP

오른쪽 그림과 같이 네 점 $(0, 0)$, $(1, 0)$, $(1, 1)$, $(0, 1)$ 을 꼭짓점으로 하는 정사각형의 내부를 두 곡선 $y=\dfrac{1}{2}x^2$, $y=ax^2$으로 나눈 세 부분의 넓이를 각각 S_1, S_2, S_3이라고 하자.
S_1, S_2, S_3이 이 순서로 등차수열을 이룰 때, 양수 a의 값은?

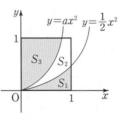

① $\dfrac{16}{9}$ ② $\dfrac{17}{9}$ ③ 2

④ $\dfrac{19}{9}$ ⑤ $\dfrac{20}{9}$

04

점 $(0, -2)$에서 곡선 $y=3x^2+1$에 그은 두 접선과 곡선으로 둘러싸인 도형의 넓이를 구하여라.

05

최고차항의 계수가 1인 이차함수 $y=f(x)$의 그래프와 삼차함수 $g(x)=x^3-4x^2+3x$의 그래프가 점 $(1, 0)$에서 접하고, 점 $(3, 0)$에서 만난다고 할 때, 이차함수 $y=f(x)$의 그래프와 삼차함수 $y=g(x)$의 그래프로 둘러싸인 도형의 넓이는?

① $\dfrac{2}{3}$ ② 1 ③ $\dfrac{4}{3}$

④ $\dfrac{5}{3}$ ⑤ 2

06

오른쪽 그림과 같이 곡선 $y=-x^2+6x$와 직선 $y=ax$로 둘러싸인 도형의 넓이를 S_1, 이 곡선과 직선 및 x축으로 둘러싸인 도형의 넓이를 S_2라고 하자.
$S_1=S_2$일 때, $(-a+6)^3$의 값은? (단, $a>0$)

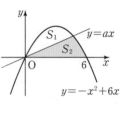

① 92 ② 96 ③ 100

④ 104 ⑤ 108

07

오른쪽 그림과 같이 곡선 $f(x)=-x^3-3x^2-3x+7$이 x축과 만나는 점을 P라고 하자. 점 P를 지나는 직선 $x=a$와 곡선 $y=f(x)$ 및 직선 $y=b$로 둘러싸인 도형의 넓이를 S_1, 곡선 $y=f(x)$와 직선 $y=b$ 및 y축으로 둘러싸인 도형의 넓이를 S_2라고 하자. 이때 $S_1=S_2$가 되도록 하는 양수 a, b에 대하여 $a+4b$의 값을 구하여라. (단, $0<b<7$)

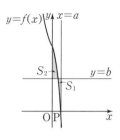

08 실력UP

오른쪽 그림과 같이 곡선 $y=ax^2$과 직선 $y=-3x+6$ 및 y축으로 둘러싸인 부분의 넓이를 S_1, 곡선 $y=ax^2$과 직선 $y=-3x+6$ 및 x축으로 둘러싸인 부분의 넓이를 S_2라고 하자. $S_1:S_2=7:5$일 때, 양수 a의 값을 구하여라.

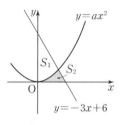

09

오른쪽 그림과 같이 곡선 $y=x^2$과 직선 $y=1$로 둘러싸인 도형의 넓이를 곡선 $y=a^2x^2$이 이등분할 때, 양수 a의 값을 구하여라.

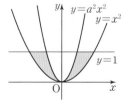

10 |평가원 기출|

두 곡선 $y=x^4-x^3$, $y=-x^4+x$로 둘러싸인 도형의 넓이가 곡선 $y=ax(1-x)$에 의하여 이등분될 때, 상수 a의 값은? (단, $0<a<1$)

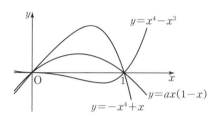

① $\dfrac{1}{4}$ ② $\dfrac{3}{8}$ ③ $\dfrac{5}{8}$

④ $\dfrac{3}{4}$ ⑤ $\dfrac{7}{8}$

11

곡선 $y=-x^2+2nx$와 직선 $y=nx$로 둘러싸인 도형의 넓이를 S_n이라고 할 때, $S_n>36$을 만족시키는 자연수 n의 최솟값을 구하여라.

12

오른쪽 그림은 함수 $y=f(x)$와 그 역함수 $y=g(x)$의 그래프이다. 두 그래프가 두 점 $(1, 1)$, $(5, 5)$에서 만나고, $\displaystyle\int_1^5 f(x)dx=15$일 때, 두 함수 $y=f(x)$와 $y=g(x)$의 그래프로 둘러싸인 도형의 넓이는?

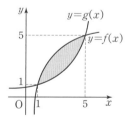

① 3 ② 4 ③ 5

④ 6 ⑤ 7

13

함수 $f(x)=x^3+1$의 역함수를 $g(x)$라고 할 때, $\int_0^2 f(x)dx+\int_1^9 g(x)dx$의 값을 구하여라.

14 |교육청 기출| 실력UP

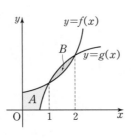

오른쪽 그림과 같이 함수 $f(x)=ax^2+b$ $(x\geq 0)$의 그래프와 그 역함수 $g(x)$의 그래프가 만나는 두 점의 x좌표는 1과 2이다. $0\leq x\leq 1$에서 두 곡선 $y=f(x)$, $y=g(x)$ 및 x축, y축으로 둘러싸인 부분의 넓이를 A라 하고, $1\leq x\leq 2$에서 두 곡선 $y=f(x)$, $y=g(x)$로 둘러싸인 부분의 넓이를 B라고 하자. 이때 $A-B$의 값은? (단, a, b는 상수이다.)

① $\dfrac{1}{9}$ ② $\dfrac{2}{9}$ ③ $\dfrac{1}{3}$

④ $\dfrac{4}{9}$ ⑤ $\dfrac{5}{9}$

15

원점을 동시에 출발하여 수직선 위를 움직이는 두 점 P, Q의 시각 t $(t\geq 0)$에서의 속도가 각각 $3t^2+6t-6$, $10t-6$이다. 두 점 P, Q가 출발 후 $t=a$에서 다시 만날 때, 상수 a의 값은?

① 1   ② $\dfrac{3}{2}$ ③ 2

④ $\dfrac{5}{2}$ ⑤ 3

16

원점을 출발하여 수직선 위를 움직이는 점 P의 시각 t에서의 속도 $v(t)$가

$$v(t)=\begin{cases} a(t-3)-9 & (t\geq 3) \\ -t^2 & (0\leq t\leq 3) \end{cases}$$

이다. 점 P가 출발한 후 시각 $t=6$에서 원점을 다시 지난다고 할 때, 상수 a의 값을 구하여라.

17

원점을 출발하여 수직선 위를 움직이는 점 P의 시각 t $(0\leq t\leq 9)$에서의 속도 $v(t)$의 그래프가 오른쪽 그림과 같을 때, 옳은 것만을 |보기|에서 있는 대로 고른 것은?

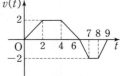

┌ 보기 ├─────────────────────────
ㄱ. 시각 $t=4$일 때 점 P가 처음으로 운동 방향이 바뀐다.
ㄴ. 시각 $t=6$일 때 점 P는 처음 출발한 위치에 있다.
ㄷ. 점 P가 시각 $t=0$에서 시각 $t=9$까지 실제로 움직인 거리는 12이다.
└─────────────────────────────

① ㄴ   ② ㄷ   ③ ㄱ, ㄴ

④ ㄱ, ㄷ   ⑤ ㄴ, ㄷ

18

원점을 출발하여 수직선 위를 움직이는 점 P의 시각 t $(0\leq t\leq 8)$에서의 속도 $v(t)$를 나타내는 그래프가 오른쪽 그림과 같다.

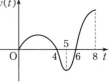

$\int_0^4 v(t)dt=\int_4^8 |v(t)|dt=6$이고 점 P의 시각 $t=6$에서의 위치가 4일 때, 시각 $t=6$에서 시각 $t=8$까지 점 P가 움직인 거리를 구하여라.

01 함수의 극한

기본을 다지는 유형

001 (1) ∞ (2) ∞ (3) 0 (4) 0 　　**002** (1) 7 (2) 3 (3) 0 (4) 3

003 ③ 　　**004** 27 　　**005** ⑤ 　　**006** 4

007 (1) 0 (2) 0 (3) 0 　　**008** (1) 1 (2) -1 (3) 존재하지 않는다.

009 ㄷ 　　**010** ⑤ 　　**011** 2, 3 　　**012** (1) 2 (2) 3 (3) -3

(4) -3 　　**013** (1) 1 (2) -1 　　**014** ② 　　**015** ④

016 4 　　**017** (1) -1 (2) -1 (3) 9 (4) 0 　　**018** ④

019 (1) 1 (2) 0 (3) 0 (4) 0 (5) 0 (6) 1 　　**020** (1) -2 (2) 0

021 ④ 　　**022** -1 　　**023** (1) -3 (2) 12 (3) -18 (4) -3

(5) 9 (6) -2 　**024** (1) 15 (2) 4 (3) 5 (4) 10 　　**025** ③

026 ④ 　　**027** -2 　　**028** ② 　　**029** ① 　　**030** ②

031 -2 　　**032** (1) 2 (2) -5 (3) -2 (4) 1 (5) $\dfrac{\sqrt{3}}{6}$ (6) 4

033 ① 　　**034** ④ 　　**035** ③ 　　**036** -5

037 (1) 0 (2) ∞ (3) $-\infty$ 　　**038** (1) 0 (2) 1 (3) 2 (4) $\dfrac{1}{2}$

039 ① 　　**040** ① 　　**041** ⑤ 　　**042** (1) ∞ (2) $-\infty$

043 ② 　　**044** -2 　　**045** (1) -1 (2) 2 　　**046** $\dfrac{1}{2}$

047 ① 　　**048** (1) 0 (2) -1 　　**049** ④ 　　**050** ⑤

051 14 　　**052** ⑤ 　　**053** ① 　　**054** ⑤ 　　**055** -2

056 ⑤ 　　**057** 24 　　**058** ③ 　　**059** ① 　　**060** -5

061 -3 　　**062** ⑤ 　　**063** (1) $\sqrt{t^2-t+1}$ (2) $\sqrt{t^2-3t+4}$

(3) 1 (4) 1 　　**064** (1) $2x^2$ (2) $3x$ (3) $\dfrac{2}{3}$ 　　**065** ④

실력을 높이는 연습 문제

01 ③ 　　**02** ③ 　　**03** ⑤ 　　**04** ⑤ 　　**05** ⑤

06 ③ 　　**07** -2 　　**08** 1 　　**09** ② 　　**10** ⑤

11 30 　　**12** ④ 　　**13** 3 　　**14** ① 　　**15** ①

16 ④ 　　**17** ③ 　　**18** ② 　　**19** ④ 　　**20** ①

21 ③ 　　**22** ④ 　　**23** ②

02 함수의 연속

기본을 다지는 유형

001 (1) 연속 (2) 불연속 (3) 불연속 　　**002** 풀이 참조 　　**003** ④

004 ③ 　　**005** -1, 3 　　**006** (1) -1, 0 (2) -1, 0, 1 　　**007** 1

008 ④ 　　**009** ③ 　　**010** 연속 　　**011** (1) 연속 (2) 불연속

012 ③ 　　**013** ① 　　**014** (1) 5 (2) 0 　　**015** ④

016 ① 　　**017** ① 　　**018** ② 　　**019** (1) 2 (2) -1

020 ② 　　**021** ⑤ 　　**022** ⑤ 　　**023** $a=\dfrac{1}{16}$, $b=-\dfrac{1}{4}$

024 ㄱ, ㄴ 　　**025** (1) $(-\infty, \infty)$ (2) $(-\infty, \infty)$ (3) $(-\infty, \infty)$

(4) $(-\infty, 3)$, $(3, \infty)$ (5) $(-\infty, -1)$, $(-1, 2)$, $(2, \infty)$

026 ③ 　　**027** ③ 　　**028** ⑤ 　　**029** 6 　　**030** ②

031 ④ 　　**032** ③ 　　**033** 14 　　**034** ④ 　　**035** ④

036 ③ 　　**037** $0<a<3$ 　　**038** ③

실력을 높이는 연습 문제

01 ② 　　**02** ④ 　　**03** ⑤ 　　**04** ④ 　　**05** ⑤

06 ④ 　　**07** ⑤ 　　**08** -18 　　**09** ④

10 최댓값: 6, 최솟값: 1 　　**11** ① 　　**12** ③

03 미분계수와 도함수

기본을 다지는 유형

001 (1) 4 (2) 2 (3) -4 　　**002** (1) -1 (2) 2 (3) 8 　　**003** ①

004 ③ 　　**005** ① 　　**006** (1) 3 (2) 4

007 (1) 6 (2) 2 　　**008** ① 　　**009** -2 　　**010** ⑤

011 ⑤ 　　**012** ④ 　　**013** ① 　　**014** ③ 　　**015** ⑤

016 ① 　　**017** ⑤ 　　**018** 6 　　**019** ⑤ 　　**020** ②

021 ① 　　**022** ② 　　**023** ③ 　　**024** ④ 　　**025** 10

026 $\dfrac{1}{3}$ 　　**027** (1) 연속, 미분가능 (2) 연속, 미분불가능

(3) 불연속, 미분불가능 　　**028** ③ 　　**029** ⑤ 　　**030** ④

031 (1) $f'(x)=1$, $f'(1)=1$ (2) $f'(x)=2x$, $f'(1)=2$

(3) $f'(x)=3$, $f'(1)=3$ 　　**032** ㈎ $4x+2h$ ㈏ $4x$

033 ㈎ $x+h$ ㈏ n 　　**034** $A=2hf(x+h)$, $B=2f(x)$

035 (1) $y'=-2x$ (2) $y'=8x+3$ (3) $y'=-6x^2+4$ (4) $y'=-10x^4$

036 ④ 　　**037** ⑤ 　　**038** 17 　　**039** ⑤ 　　**040** 66

041 ③ 　　**042** ① 　　**043** (1) $y'=4x+5$

(2) $y'=12x^2+2x-12$ (3) $y'=3x^2-2x-2$

044 (1) $y'=6(2x-3)^2$ (2) $y'=8(x+1)(x^2+2x+3)^3$

(3) $y'=x^2(x+2)(5x+6)$ 　　**045** ⑤ 　　**046** 0, $-\dfrac{1}{9}$ 　　**047** ①

048 28 　　**049** ② 　　**050** 512 　　**051** ④ 　　**052** ①

053 ③ 　　**054** ① 　　**055** ① 　　**056** ④ 　　**057** ①

058 12 　　**059** 21 　　**060** ① 　　**061** ① 　　**062** ④

063 12 　　**064** (1) 2 (2) 1 　　**065** ④ 　　**066** ③

067 ③ 　　**068** -9 　　**069** 4 　　**070** -2 　　**071** ④

072 ① 　　**073** ② 　　**074** ① 　　**075** -53

실력을 높이는 연습 문제

01 ⑤ 　　**02** ④ 　　**03** ② 　　**04** 1 　　**05** 4

06 ④ 　　**07** ④ 　　**08** ② 　　**09** 15 　　**10** ③

11 ② 　　**12** ① 　　**13** ④ 　　**14** 24 　　**15** ⑤

16 ④ 　　**17** ⑤ 　　**18** 5 　　**19** ④ 　　**20** ②

21 ④ 　　**22** ② 　　**23** ②

04 도함수의 활용 (1)

기본을 다지는 유형

001 (1) -8 (2) 7 (3) 24 **002** (1) 8 (2) 0 **003** ③

004 50 **005** ③   **006** (1) -1 (2) $y=-x+2$

007 ①   **008** ⑤   **009** $\left(-\dfrac{1}{4},\ 5\right)$ **010** ②

011 28 **012** ②   **013** 13 **014** (1) 5 (2) $-\dfrac{1}{5}$

(3) $y=-\dfrac{1}{5}x+\dfrac{4}{5}$ **015** ①   **016** ④   **017** ①

018 ④   **019** $3\sqrt{2}$ **020** -1 **021** (1) $(1,\ 4)$ (2) $y=x+3$

022 $y=x-3$ **023** $3,\ 7$ **024** $y=2x+2,\ y=2x+1$

025 ④   **026** (1) $(1,\ 3)$ (2) -2 (3) $y=-2x+5$ **027** ①

028 ②   **029** ①   **030** 48 **031** (1) $2a+b=-3$

(2) $a=-2$ (3) $f(x)=x^2-2x+1$ **032** ③   **033** ①

034 ②   **035** 5 **036** (1) $4a+b=-1$ (2) $12a+b=7$

(3) $g(x)=x^3-5x$ **037** ④   **038** ①   **039** ③

040 $\dfrac{1}{2}$ **041** ③   **042** ③   **043** ⑤   **044** ④

045 0 **046** ②   **047** ④   **048** ②   **049** ③

실력을 높이는 연습 문제

01 ①   **02** ④   **03** ⑤   **04** ②   **05** ④

06 ②   **07** $3\sqrt{2}$ **08** ③   **09** ②   **10** 4

11 ②   **12** -28 **13** ④   **14** -1

15 $a=2,\ k=20$ **16** ②   **17** ①

05 도함수의 활용 (2)

기본을 다지는 유형

001 (1) 증가 (2) 감소 (3) 증가   **002** ③   **003** ④

004 $\dfrac{8}{3}$ **005** ②   **006** ⑤   **007** ②   **008** ④

009 ③   **010** ④   **011** ④   **012** ⑤   **013** 10

014 ①   **015** ③   **016** ④   **017** ②   **018** 9

019 (1) $f'(x)=3x^2-12$ (2) $-2,\ 2$ (3) 풀이 참조 (4) 극댓값: 19,

극솟값: -13 **020** 극댓값: 2, 극솟값: -2 **021** ⑤

022 ③   **023** 2 **024** (1) $0,\ 2$ (2) 풀이 참조 (3) 3 (4) 3

025 ④   **026** ⑤   **027** 14 **028** ②   **029** ③

030 -4 **031** ③   **032** ①   **033** ①   **034** ⑤

035 ④   **036** ②   **037** ③   **038** ④   **039** 10

040 ②   **041** ①   **042** ②   **043** $a>0,\ b>0$

044 ⑤   **045** ③   **046** ②   **047** 0 **048** (1) 2 (2) 1

049 (1) $a=-\dfrac{3}{2},\ b=-6$ (2) 5 (3) $\dfrac{17}{2}$ **050** 0 **051** ⑤

052 ⑤   **053** ③   **054** ④   **055** ⑤

056 (1) 풀이 참조 (2) 2 (3) 11 **057** 5 **058** ⑤

059 ①   **060** 최댓값: 4, 최솟값: -16 **061** 1

062 ④   **063** ②   **064** ④   **065** 4

066 (1) $-2a^3+12a$ (2) $8\sqrt{2}$ **067** ②   **068** ②

069 256 **070** ⑤   **071** 64π

실력을 높이는 연습 문제

01 ①   **02** ③   **03** ①   **04** ⑤   **05** ①

06 ③   **07** ①   **08** ②   **09** ②   **10** ③

11 ②   **12** $a\leq\dfrac{3}{4}$ 또는 $a=3$ **13** $0\leq a\leq 4$ **14** ④

15 ②   **16** $\dfrac{9}{2}$ **17** 22 **18** ④   **19** 12

20 ③   **21** 16 **22** ②

06 도함수의 활용 (3)

기본을 다지는 유형

001 (1) 3 (2) 2 (3) 1 **002** 26 **003** 27 **004** -17

005 -3 **006** $0<k<1$ **007** -8 **008** 1 **009** ③

010 ②   **011** 22 **012** ②   **013** ②   **014** ⑤

015 ③   **016** ④   **017** -1 **018** ①   **019** ②

020 ②   **021** ①   **022** ③   **023** 22

024 (1) 8 (2) 16 **025** ②   **026** ④   **027** ③

028 2 **029** (1) 1 (2) -2 **030** ②   **031** $\dfrac{50}{3}$

032 2 **033** ①   **034** (1) 2초 (2) 40 m   **035** 90 m

036 (1) $(30-10t)$m/s (2) 3초   **037** -10 m/s

038 ②   **039** ①   **040** ⑤   **041** ④   **042** ㄱ, ㄷ

043 ③   **044** ④   **045** ④   **046** ⑤   **047** ①

048 ③   **049** ④   **050** ④   **051** ⑤   **052** ②

053 $2t^2-3t+1$ **054** ①   **055** ④   **056** ⑤

057 ④

실력을 높이는 연습 문제

01 33 **02** -8 **03** ④   **04** 6 **05** 6

06 ①   **07** ②   **08** ④   **09** ①   **10** ③

11 ②   **12** ①   **13** ②   **14** ④

15 -200 m/s   **16** ①   **17** ①   **18** ②

19 ①   **20** 400π cm³/s   **21** ③   **22** ⑤

07 부정적분

기본을 다지는 유형

001 (1) 2 (2) $2x$ (3) $2x+2$　　　　**002** (1) $5x+C$ (2) $-x^2+C$
(3) x^4+C　**003** ⑤　　**004** ②　　**005** ①

006 (1) x^2+3x (2) x^2+3x+C　　**007** ②　　**008** ①

009 ①　　**010** 9　　**011** (1) $-x^2+3x+C$ (2) $3x^4+3x^2+C$
(3) $\dfrac{1}{4}x^4-\dfrac{1}{3}x^3-x^2+C$　**012** 13　　**013** ①　　**014** ④

015 ⑤　　**016** ①　　**017** ②　　**018** ④　　**019** 12

020 -2　　**021** -12　　**022** ④　　**023** ⑤　　**024** ①

025 $f(x)=\dfrac{8}{3}x^3-3x^2+8x+3$　　**026** -7　　**027** 15

028 ⑤　　**029** 13　　**030** ④　　**031** ②　　**032** ③

033 ④　　**034** ⑤　　**035** 9　　**036** ②　　**037** ②

038 ③　　**039** ①　　**040** 6　　**041** ⑤　　**042** ③

043 9　　**044** ④　　**045** 9　　**046** ④　　**047** ①

048 1　　**049** 3

실력을 높이는 연습 문제

01 ①　　**02** ③　　**03** ③　　**04** ①　　**05** ①

06 ②　　**07** ④　　**08** ②　　**09** ③　　**10** 1

11 ④　　**12** ③　　**13** -30　　**14** ①　　**15** 35

16 ②　　**17** $m<3$　　**18** $-\dfrac{1}{4}$

08 정적분

기본을 다지는 유형

001 (1) 1 (2) 10 (3) 24　　**002** (1) 0 (2) 8 (3) -8　　**003** ①

004 ③　　**005** ④　　**006** ⑤　　**007** ③　　**008** -9

009 ④　　**010** -2　　**011** (1) $\dfrac{10}{3}$ (2) $-\dfrac{5}{3}$　　**012** ②

013 200　　**014** ⑤　　**015** ①　　**016** (1) 30 (2) 12

017 ⑤　　**018** ②　　**019** ②　　**020** 5　　**021** ①

022 $\dfrac{1}{2}$　　**023** 67　　**024** ④　　**025** ②　　**026** ④

027 ③　　**028** ①　　**029** ①　　**030** 4　　**031** (1) 12
(2) 18　　**032** ④　　**033** ④　　**034** ②　　**035** ④

036 ①　　**037** ⑤　　**038** ⑤　　**039** ②　　**040** $\dfrac{320}{27}$

041 ②　　**042** ①　　**043** ③　　**044** 25　　**045** $\dfrac{33}{2}$

046 ④　　**047** ⑤　　**048** ①　　**049** ②　　**050** ②

실력을 높이는 연습 문제

01 2　　**02** 4　　**03** 4　　**04** ④　　**05** $\dfrac{2}{3}$

06 ⑤　　**07** ②　　**08** 2, 5　　**09** ④　　**10** ③

11 20　　**12** 6　　**13** 79　　**14** ④　　**15** ③

16 ③　　**17** 40　　**18** -52　　**19** ②

09 정적분의 활용

기본을 다지는 유형

001 $\dfrac{4}{3}$　　**002** $\dfrac{32}{3}$　　**003** 162　　**004** ②　　**005** ④

006 ③　　**007** ③　　**008** ①　　**009** ②　　**010** ①

011 32　　**012** ⑤　　**013** 4　　**014** ③　　**015** ②

016 300　　**017** $\dfrac{8}{3}$　　**018** $\dfrac{9}{4}$　　**019** ⑤　　**020** ②

021 ③　　**022** ④　　**023** $\dfrac{27}{4}$　　**024** ①　　**025** ⑤

026 $a=1$, $b=2$　　**027** ④　　**028** 6　　**029** ②

030 $\dfrac{3}{2}$　　**031** ④　　**032** ④　　**033** ③　　**034** ②

035 128　　**036** $\dfrac{1}{2}$　　**037** (1) $\dfrac{1}{6}$ (2) $\dfrac{1}{3}$　　**038** ①

039 ①　　**040** ③　　**041** (1) 5 (2) 0 (3) 2

042 (1) 105 m (2) 25 m (3) 125 m　　**043** ⑤　　**044** ④

045 ②　　**046** ①　　**047** ④　　**048** 40

049 (1) 6 (2) 6　　**050** (1) 1 (2) 5　　**051** ⑤

052 ⑤　　**053** ②

실력을 높이는 연습 문제

01 3　　**02** ⑤　　**03** ①　　**04** 2　　**05** ③

06 ⑤　　**07** 18　　**08** 3　　**09** 2　　**10** ④

11 7　　**12** ④　　**13** 18　　**14** ④　　**15** ③

16 8　　**17** ②　　**18** 4

고등 풍산자와 함께하면
개념부터 ~ 고난도 문제까지!
어떤 시험 문제도 익숙해집니다!

고등 풍산자 **1등급 로드맵**

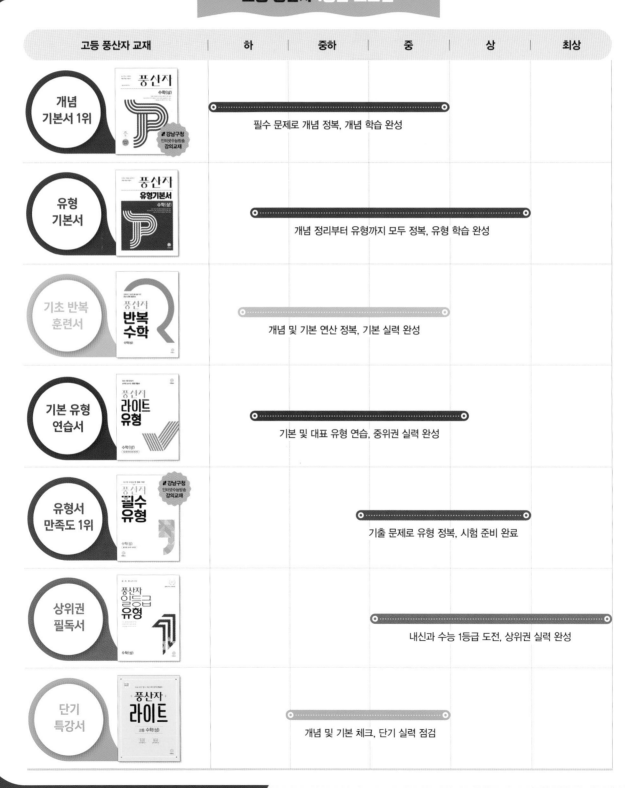

고등 풍산자 교재	하	중하	중	상	최상
개념 기본서 1위 · 풍산자 수학(상)	필수 문제로 개념 정복, 개념 학습 완성				
유형 기본서 · 풍산자 유형기본서 수학(상)		개념 정리부터 유형까지 모두 정복, 유형 학습 완성			
기초 반복 훈련서 · 풍산자 반복수학 수학(상)	개념 및 기본 연산 정복, 기본 실력 완성				
기본 유형 연습서 · 풍산자 라이트 유형 수학(상)		기본 및 대표 유형 연습, 중위권 실력 완성			
유형서 만족도 1위 · 풍산자 필수유형 수학(상)			기출 문제로 유형 정복, 시험 준비 완료		
상위권 필독서 · 풍산자 일등급 유형 수학(상)			내신과 수능 1등급 도전, 상위권 실력 완성		
단기 특강서 · 풍산자 라이트 고등 수학(상)		개념 및 기본 체크, 단기 실력 점검			

대표 유형 중심의
실력을 높이는 **유형 연습서**

지학사

풍산자
라이트
유형

정답과 풀이

수학Ⅱ

지학사

풍산자
라이트
유형

수학 II

01 함수의 극한

본문 009쪽

기본을 다지는 유형

001

(1) $\lim_{x \to \infty} x = \infty$

(2) $\lim_{x \to -\infty} x^2 = \infty$

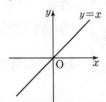 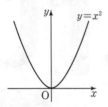

(3) $\lim_{x \to -\infty} \dfrac{1}{x} = 0$

(4) $\lim_{x \to \infty} \left| -\dfrac{1}{x} \right| = 0$

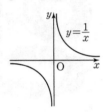 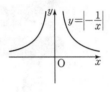

답 (1) ∞ (2) ∞ (3) 0 (4) 0

002

(1) $\lim_{x \to 2} (x^2 + 3) = 2^2 + 3 = 7$

(2) $\lim_{x \to 3} \sqrt{2x + 3} = \sqrt{2 \times 3 + 3} = \sqrt{9} = 3$

(3) $\lim_{x \to -1} (x - x^3) = \{-1 - (-1)^3\} = 0$

(4) $\lim_{x \to \sqrt{2}} \dfrac{6}{x^2} = \dfrac{6}{(\sqrt{2})^2} = 3$

답 (1) 7 (2) 3 (3) 0 (4) 3

003

$\lim_{x \to -3} \dfrac{4}{x+1} + \lim_{x \to 3} \dfrac{x+1}{4} = \dfrac{4}{-3+1} + \dfrac{3+1}{4}$

$= -2 + 1 = -1$

답 ③

004

$\lim_{x \to 3} \dfrac{x^3}{x-2} = \dfrac{3^3}{3-2} = 27$

답 27

005

$\lim_{x \to -1} (x^2 + ax + 3) = 2$에서 $(-1)^2 - a + 3 = 2$

$-a = -2 \quad \therefore a = 2$

$\lim_{x \to 3} (bx - 4) = 5$에서 $3b - 4 = 5$

$3b = 9 \quad \therefore b = 3$

$\therefore a + b = 2 + 3 = 5$

답 ⑤

006

$\lim_{x \to a} (x^2 - 2x + 4) = 3$에서 $a^2 - 2a + 4 = 3$

$a^2 - 2a + 1 = 0, \ (a-1)^2 = 0$

$\therefore a = 1$ ────────────────────── ❶

$\lim_{x \to b} (x^2 - 4) = 12$에서 $b^2 - 4 = 12$

$b^2 = 16$

$\therefore b = -4$ 또는 $b = 4$ ──────────────── ❷

따라서 $a = 1$, $b = 4$일 때 ab는 최댓값 4를 갖는다. ── ❸

답 4

채점 기준	비율
❶ a의 값을 구할 수 있다.	40%
❷ b의 값을 구할 수 있다.	40%
❸ ab의 최댓값을 구할 수 있다.	20%

007

함수 $y = f(x)$의 그래프는 오른쪽 그림과 같으므로

(1) $\lim_{x \to 1+} f(x) = 0$

(2) $\lim_{x \to 1-} f(x) = 0$

(3) $\lim_{x \to 1} f(x) = 0$

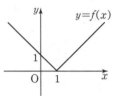

답 (1) 0 (2) 0 (3) 0

| 다른 풀이 |

(1) $\lim_{x \to 1+} f(x) = \lim_{x \to 1+} (x-1) = 0$

(2) $\lim_{x \to 1-} f(x) = \lim_{x \to 1-} (-x+1) = 0$

(3) $\lim_{x \to 1+} f(x) = \lim_{x \to 1-} f(x) = 0$이므로 $\lim_{x \to 1} f(x) = 0$

008

함수 $y = f(x)$의 그래프는 오른쪽 그림과 같으므로

(1) $\lim_{x \to 0+} f(x) = 1$

(2) $\lim_{x \to 0-} f(x) = -1$

(3) $\lim_{x \to 0+} f(x) \neq \lim_{x \to 0-} f(x)$이므로

$\lim_{x \to 0} f(x)$의 값은 존재하지 않는다.

답 (1) 1 (2) −1 (3) 존재하지 않는다.

| 다른 풀이 |

(1) $\lim_{x \to 0+} f(x) = \lim_{x \to 0+} \dfrac{x}{x} = \lim_{x \to 0+} 1 = 1$

(2) $\lim_{x \to 0-} f(x) = \lim_{x \to 0-} \dfrac{-x}{x} = -1$

(3) $\lim_{x \to 0+} f(x) \neq \lim_{x \to 0-} f(x)$이므로 $\lim_{x \to 0} f(x)$의 값은 존재하지 않는다.

009

ㄱ. $x = a$에서의 우극한이 존재하므로 $\lim_{x \to a+} f(x)$의 값이 존재한다.

ㄴ. $x = b$에서의 우극한과 좌극한이 일치하므로 $\lim_{x \to b} f(x)$의 값이 존재한다.

ㄷ. $x = c$에서의 우극한과 좌극한이 일치하지 않으므로 $\lim_{x \to c} f(x)$의 값이 존재하지 않는다.

ㄹ. $x=d$에서의 우극한이 존재하므로 $\lim_{x \to d+} f(x)$의 값이 존재한다.

ㅁ. $x=e$에서의 우극한과 좌극한이 일치하므로 $\lim_{x \to e} f(x)$의 값이 존재한다.

ㅂ. $x=f$에서의 우극한과 좌극한이 일치하므로 $\lim_{x \to f} f(x)$의 값이 존재한다.

따라서 극한값이 존재하지 않는 것은 ㄷ이다.

답 ㄷ

010

함수 $x \geq -2$일 때, $y=3x+2$의 그래프가 오른쪽 그림과 같으므로 $\lim_{x \to -2} f(x)$의 값이 존재하려면 $\lim_{x \to -2+} f(x) = \lim_{x \to -2-} f(x)$이어야 하므로

$-4 = -2k$

$\therefore k = 2$

답 ⑤

| 다른 풀이 |

$\lim_{x \to -2+} f(x) = \lim_{x \to -2+} (3x+2) = -4$

$\lim_{x \to -2-} f(x) = \lim_{x \to -2-} kx = -2k$

이때 $\lim_{x \to -2} f(x)$의 값이 존재하려면 $\lim_{x \to -2+} f(x) = \lim_{x \to -2-} f(x)$이어야 하므로

$-4 = -2k$ $\therefore k = 2$

011

$\lim_{x \to 2+} f(x) = \lim_{x \to 2+} (-x+k) = -2+k$

$\lim_{x \to 2-} f(x) = \lim_{x \to 2-} (x-k)^2 = (2-k)^2$

이때 $\lim_{x \to 2} f(x)$의 값이 존재하려면 $\lim_{x \to 2+} f(x) = \lim_{x \to 2-} f(x)$이어야 하므로 ❶

$-2+k = (2-k)^2$ ❷

$-2+k = 4-4k+k^2$

$k^2 - 5k + 6 = 0, \ (k-2)(k-3) = 0$

$\therefore k=2$ 또는 $k=3$ ❸

답 2, 3

채점 기준	비율
❶ $\lim_{x \to 2} f(x)$의 값이 존재하기 위한 조건을 알 수 있다.	50%
❷ k에 대한 식을 세울 수 있다.	30%
❸ k의 값을 구할 수 있다.	20%

012

(1) $\lim_{x \to -3+} f(x) = 2$

(2) $\lim_{x \to -3-} f(x) = 3$

(3) $\lim_{x \to 2+} f(x) = -3$

(4) $\lim_{x \to 2-} f(x) = -3$

답 (1) 2 (2) 3 (3) -3 (4) -3

013

$f(x) = |x-1| = \begin{cases} x-1 & (x \geq 1) \\ -x+1 & (x<1) \end{cases}$ ↖ $x-1 \geq 0$이면 $x \geq 1$이고 $|x-1| = x-1$ ↙ $x-1 < 0$이면 $x < 1$이고 $|x-1| = -(x-1)$

(1) $\lim_{x \to 1+} \dfrac{f(x)}{x-1} = \lim_{x \to 1+} \dfrac{x-1}{x-1} = 1$

(2) $\lim_{x \to 1-} \dfrac{f(x)}{x-1} = \lim_{x \to 1-} \dfrac{-x+1}{x-1} = \lim_{x \to 1-} \dfrac{-(x-1)}{x-1} = -1$

답 (1) 1 (2) -1

014

$\lim_{x \to 1+} f(x) - \lim_{x \to 3-} f(x) = 1-2 = -1$

답 ②

015

$\lim_{x \to -2+} f(x) + \lim_{x \to -1-} f(x) + \lim_{x \to 1-} f(x) = 3+1+2 = 6$

답 ④

016

$\lim_{x \to -2+} f(x) = -3$에서 $\lim_{x \to -2+} (x^2 + ax + 1) = -3$

$(-2)^2 - 2a + 1 = -3, \ -2a = -8$

$\therefore a = 4$ ❶

$\lim_{x \to -2-} f(x) = 3$에서 $\lim_{x \to -2-} (-x+b) = 3$

$2 + b = 3$ $\therefore b = 1$ ❷

$\therefore ab = 4 \times 1 = 4$ ❸

답 4

채점 기준	비율
❶ a의 값을 구할 수 있다.	40%
❷ b의 값을 구할 수 있다.	40%
❸ ab의 값을 구할 수 있다.	20%

017

(1) $x \to 1+$일 때 $x-2 \to -1+$이므로 $\lim_{x \to 1+} [x-2] = -1$

(2) $x \to 3-$일 때 $x-3 \to 0-$이므로 $\lim_{x \to 3-} [x-3] = -1$

(3) $x \to -2-$일 때 $[x] = -3$이므로 $\lim_{x \to -2-} [x]^2 = (-3)^2 = 9$

(4) $x \to 0+$일 때 $[x] = 0$이므로 $\lim_{x \to 0+} \dfrac{[x]}{x} = \lim_{x \to 0+} \dfrac{0}{x} = 0$

답 (1) -1 (2) -1 (3) 9 (4) 0

018

$x \to 1+$일 때 $2x \to 2+$이므로 $\lim_{x \to 1+} [2x] = 2$

$x \to 1-$일 때 $[x] = 0$이므로 $\lim_{x \to 1-} 3[x] = 0$

$\therefore \lim_{x \to 1+} [2x] + \lim_{x \to 1-} 3[x] = 2+0 = 2$

답 ④

019

$f(x) = t$로 놓으면

(1) $x \to 1+$일 때 $t \to 1+$이므로

$\lim_{x \to 1+} f(f(x)) = \lim_{t \to 1+} f(t) = 1$

(2) $x \to 1-$일 때 $t=0$이므로

$\lim_{x \to 1-} f(f(x))=f(0)=0$

(3) $x \to 0+$일 때 $t=0$이므로

$\lim_{x \to 0+} f(f(x))=f(0)=0$

(4) $x \to 0-$일 때 $t=0$이므로

$\lim_{x \to 0-} f(f(x))=f(0)=0$

(5) $x \to -1+$일 때 $t=0$이므로

$\lim_{x \to -1+} f(f(x))=f(0)=0$

(6) $x \to -1-$일 때 $t \to 1+$이므로

$\lim_{x \to -1-} f(f(x))=\lim_{t \to 1+} f(t)=1$

답 (1) 1 (2) 0 (3) 0 (4) 0 (5) 0 (6) 1

020

$f(x)=t$로 놓으면

(1) $x \to 0+$일 때 $t \to -2+$이므로

$\lim_{x \to 0+} f(f(x))=\lim_{t \to -2+} f(t)=\lim_{t \to -2+} t=-2$

(2) $x \to 0-$일 때 $t \to 0-$이므로

$\lim_{x \to 0-} f(f(x))=\lim_{t \to 0-} f(t)=\lim_{t \to 0-} t=0$

답 (1) -2 (2) 0

021

$f(x)=t$로 놓으면

$x \to -1+$일 때 $t \to 3-$이므로

$\lim_{x \to -1+} f(f(x))=\lim_{t \to 3-} f(t)=2$

$x \to 2+$일 때 $t \to 1+$이므로

$\lim_{x \to 2+} f(f(x))=\lim_{t \to 1+} f(t)=3$

$\therefore \lim_{x \to -1+} f(f(x))+\lim_{x \to 2+} f(f(x))=2+3=5$

답 ④

022

$f(x)=t$로 놓으면 $x \to 0-$일 때 $t \to 1-$이므로

$\lim_{x \to 0-} g(f(x))=\lim_{t \to 1-} g(t)=0$ ················· ❶

$g(x)=s$로 놓으면 $x \to 1+$일 때 $s \to 0+$이므로

$\lim_{x \to 1+} f(g(x))=\lim_{s \to 0+} f(s)=-1$ ················· ❷

$\therefore \lim_{x \to 0-} g(f(x))+\lim_{x \to 1+} f(g(x))=0+(-1)=-1$ ········· ❸

답 -1

채점 기준	비율
❶ $\lim_{x \to 0-} g(f(x))$의 값을 구할 수 있다.	40%
❷ $\lim_{x \to 1+} f(g(x))$의 값을 구할 수 있다.	40%
❸ $\lim_{x \to 0-} g(f(x))+\lim_{x \to 1+} f(g(x))$의 값을 구할 수 있다.	20%

023

(1) $\lim_{x \to 1} \{f(x)+g(x)\}=\lim_{x \to 1} f(x)+\lim_{x \to 1} g(x)$

$=3+(-6)=-3$

(2) $\lim_{x \to 1} \{2f(x)-g(x)\}=\lim_{x \to 1} 2f(x)-\lim_{x \to 1} g(x)$

$=2\lim_{x \to 1} f(x)-\lim_{x \to 1} g(x)$

$=2\times 3-(-6)=12$

(3) $\lim_{x \to 1} f(x)g(x)=\lim_{x \to 1} f(x)\times\lim_{x \to 1} g(x)$

$=3\times(-6)=-18$

(4) $\lim_{x \to 1} \dfrac{3g(x)}{2f(x)}=\dfrac{\lim_{x \to 1} 3g(x)}{\lim_{x \to 1} 2f(x)}=\dfrac{3\lim_{x \to 1} g(x)}{2\lim_{x \to 1} f(x)}=\dfrac{3\times(-6)}{2\times 3}=-3$

(5) $\lim_{x \to 1} \{f(x)\}^2=\lim_{x \to 1} f(x)\times\lim_{x \to 1} f(x)=3\times 3=9$

(6) $\lim_{x \to 1} \dfrac{f(x)+1}{g(x)+4}=\dfrac{\lim_{x \to 1} \{f(x)+1\}}{\lim_{x \to 1} \{g(x)+4\}}=\dfrac{\lim_{x \to 1} f(x)+1}{\lim_{x \to 1} g(x)+4}$

$=\dfrac{3+1}{-6+4}=-2$

답 (1) -3 (2) 12 (3) -18 (4) -3 (5) 9 (6) -2

024

(1) $\lim_{x \to -2} (3x+1)(x-1)=\{3\times(-2)+1\}(-2-1)$

$=-5\times(-3)=15$

(2) $\lim_{x \to -1} (x^2+1)(x+3)=\{(-1)^2+1\}(-1+3)$

$=2\times 2=4$

(3) $\lim_{x \to 3} \dfrac{x^2-4}{x-2}=\dfrac{3^2-4}{3-2}=5$

(4) $\lim_{x \to 4} \sqrt{x}\sqrt{x^2+9}=\sqrt{4}\sqrt{4^2+9}=2\times 5=10$

답 (1) 15 (2) 4 (3) 5 (4) 10

025

$2f(x)+g(x)=h(x)$라고 하면

$\lim_{x \to 0} h(x)=7$이고 $g(x)=h(x)-2f(x)$이므로

$\lim_{x \to 0} g(x)=\lim_{x \to 0} \{h(x)-2f(x)\}$

$=\lim_{x \to 0} h(x)-2\lim_{x \to 0} f(x)$

$=7-2\times 3=1$

답 ③

참고

$\lim_{x \to 0} g(x)$가 수렴한다는 조건이 없으므로 위와 같은 방법을 이용한다.

026

$\lim_{x \to -3} g(x)$가 수렴하므로

$\lim_{x \to -3} f(x)=\lim_{x \to -3} \dfrac{f(x)g(x)}{g(x)}=\dfrac{\lim_{x \to -3} f(x)g(x)}{\lim_{x \to -3} g(x)}=\dfrac{-8}{4}=-2$

$\therefore \lim_{x \to -3} \{f(x)\}^2=(-2)^2=4$

답 ④

027

$\lim_{x \to 0} \dfrac{x+f(x)}{x-f(x)}=\lim_{x \to 0} \dfrac{1+\dfrac{f(x)}{x}}{1-\dfrac{f(x)}{x}}=\dfrac{1+\lim_{x \to 0} \dfrac{f(x)}{x}}{1-\lim_{x \to 0} \dfrac{f(x)}{x}}$

$=\dfrac{1+3}{1-3}=\dfrac{4}{-2}=-2$

답 -2

028

$\lim_{x \to 3} (x^2+2x-8)f(x)=\lim_{x \to 3} (x-2)(x+4)f(x)$

$$= \lim_{x \to 3}(x-2) \times \lim_{x \to 3}(x+4)f(x)$$
$$= 1 \times (-3) = -3$$

답 ②

029

ㄱ. $\lim_{x \to a}f(x)=\alpha$, $\lim_{x \to a}g(x)=\beta$ (α, β는 실수)라고 하면

$\lim_{x \to a}\{f(x)+g(x)\}=\lim_{x \to a}f(x)+\lim_{x \to a}g(x)=\alpha+\beta$ (참)

ㄴ, ㄷ. [반례] $f(x)=\begin{cases}1 & (x \geq a) \\ 0 & (x < a)\end{cases}$, $g(x)=\begin{cases}0 & (x \geq a) \\ 1 & (x < a)\end{cases}$

이라고 하면 $\lim_{x \to a}f(x)$, $\lim_{x \to a}g(x)$의 값은 모두 존재하지 않지만

$f(x)+g(x)=1$이므로 $\lim_{x \to a}\{f(x)+g(x)\}=1$이다. (거짓)

따라서 옳은 것은 ㄱ이다.

답 ①

030

$\dfrac{2f(x)}{f(x)+g(x)}=h(x)$라고 하면

$\lim_{x \to 1000}h(x)=\dfrac{1}{2}$이고 $g(x)=\dfrac{2f(x)}{h(x)}-f(x)$이므로

$$\lim_{x \to 1000}g(x)=\lim_{x \to 1000}\left\{\dfrac{2f(x)}{h(x)}-f(x)\right\}$$
$$=\dfrac{2\lim\limits_{x \to 1000}f(x)}{\lim\limits_{x \to 1000}h(x)}-\lim_{x \to 1000}f(x)$$
$$=\dfrac{2 \times (-5)}{\dfrac{1}{2}}-(-5)=-20+5=-15$$

답 ②

031

$x-2=t$로 놓으면 $x \to 2$일 때 $t \to 0$이므로

$\lim_{x \to 2}f(x-2)=\lim_{t \to 0}f(t)=-3$

$\therefore \lim_{x \to 0}f(x)=-3$ ━━━━━━━━━━━━━━━ ❶

$\therefore \lim_{x \to 0}\dfrac{2f(x)-6}{3-f(x)}=\dfrac{2 \times (-3)-6}{3-(-3)}=\dfrac{-12}{6}=-2$ ━━ ❷

답 -2

채점 기준	비율
❶ $\lim\limits_{x \to 0}f(x)$의 값을 구할 수 있다.	50%
❷ $\lim\limits_{x \to 0}\dfrac{2f(x)-6}{3-f(x)}$의 값을 구할 수 있다.	50%

032

(1) $\lim_{x \to 1}\dfrac{x^2-1}{x-1}=\lim_{x \to 1}\dfrac{(x-1)(x+1)}{x-1}=\lim_{x \to 1}(x+1)=2$

(2) $\lim_{x \to 0}\dfrac{2x^2-5x}{x}=\lim_{x \to 0}\dfrac{x(2x-5)}{x}=\lim_{x \to 0}(2x-5)=-5$

(3) $\lim_{x \to -3}\dfrac{x^2+4x+3}{x+3}=\lim_{x \to -3}\dfrac{(x+1)(x+3)}{x+3}=\lim_{x \to -3}(x+1)=-2$

(4) $\lim_{x \to 2}\dfrac{x^2-3x+2}{x-2}=\lim_{x \to 2}\dfrac{(x-1)(x-2)}{x-2}=\lim_{x \to 2}(x-1)=1$

(5) $\lim_{x \to 3}\dfrac{\sqrt{x}-\sqrt{3}}{x-3}=\lim_{x \to 3}\dfrac{(\sqrt{x}-\sqrt{3})(\sqrt{x}+\sqrt{3})}{(x-3)(\sqrt{x}+\sqrt{3})}$
$$=\lim_{x \to 3}\dfrac{x-3}{(x-3)(\sqrt{x}+\sqrt{3})}$$
$$=\lim_{x \to 3}\dfrac{1}{\sqrt{x}+\sqrt{3}}=\dfrac{1}{2\sqrt{3}}=\dfrac{\sqrt{3}}{6}$$

(6) $\lim_{x \to -2}\dfrac{x+2}{\sqrt{x+6}-2}=\lim_{x \to -2}\dfrac{(x+2)(\sqrt{x+6}+2)}{(\sqrt{x+6}-2)(\sqrt{x+6}+2)}$
$$=\lim_{x \to -2}\dfrac{(x+2)(\sqrt{x+6}+2)}{x+2}$$
$$=\lim_{x \to -2}(\sqrt{x+6}+2)=2+2=4$$

답 (1) 2 (2) -5 (3) -2 (4) 1 (5) $\dfrac{\sqrt{3}}{6}$ (6) 4

033

$\lim_{x \to 2}\dfrac{3x^2-6x}{x-2}=\lim_{x \to 2}\dfrac{3x(x-2)}{x-2}=\lim_{x \to 2}3x=3 \times 2=6$

답 ①

034

$\lim_{x \to -3}\dfrac{x+3}{\sqrt{x+7}-2}=\lim_{x \to -3}\dfrac{(x+3)(\sqrt{x+7}+2)}{(\sqrt{x+7}-2)(\sqrt{x+7}+2)}$
$$=\lim_{x \to -3}\dfrac{(x+3)(\sqrt{x+7}+2)}{x+7-4}$$
$$=\lim_{x \to -3}(\sqrt{x+7}+2)$$
$$=2+2=4$$

답 ④

035

$\lim_{x \to -1}\dfrac{x+1}{\dfrac{1}{x}+1}=\lim_{x \to -1}\dfrac{x(x+1)}{1+x}=\lim_{x \to -1}x=-1$

답 ③

036

$\lim_{x \to 1}\dfrac{x-1}{(\sqrt{x}-1)f(x)}=\lim_{x \to 1}\dfrac{(x-1)(\sqrt{x}+1)}{(\sqrt{x}-1)(\sqrt{x}+1)f(x)}$
$$=\lim_{x \to 1}\dfrac{(x-1)(\sqrt{x}+1)}{(x-1)f(x)}$$
$$=\lim_{x \to 1}\dfrac{\sqrt{x}+1}{f(x)}$$ ━━━━━━━━━━ ❶
$$=\dfrac{2}{\lim\limits_{x \to 1}f(x)}$$ ━━━━━━━━━━━━━ ❷

이때 $\dfrac{2}{\lim\limits_{x \to 1}f(x)}=-\dfrac{2}{5}$이므로 $\lim_{x \to 1}f(x)=-5$ ━━━ ❸

답 -5

채점 기준	비율
❶ 분모를 유리화 할 수 있다.	40%
❷ $\lim\limits_{x \to 1}\dfrac{x-1}{(\sqrt{x}-1)f(x)}$을 간단히 할 수 있다.	30%
❸ $\lim\limits_{x \to 1}f(x)$의 값을 구할 수 있다.	30%

037

(1) $\displaystyle\lim_{x\to\infty}\frac{x+1}{x^2-2}=\lim_{x\to\infty}\frac{\dfrac{1}{x}+\dfrac{1}{x^2}}{1-\dfrac{2}{x^2}}=\frac{0}{1}=0$

    └→ 분자, 분모를 x^2으로 나눈다.

(2) $\displaystyle\lim_{x\to\infty}\frac{4x^3+3x}{x^2-x+1}=\lim_{x\to\infty}\frac{4x+\dfrac{3}{x}}{1-\dfrac{1}{x}+\dfrac{2}{x^2}}=\lim_{x\to\infty}4x=\infty$

    └→ 분자, 분모를 x^2으로 나눈다.

(3) $x=-t$로 놓으면 $x\to-\infty$일 때 $t\to\infty$이므로

$$\lim_{x\to-\infty}\frac{x^3-8}{x^2-4x}=\lim_{t\to\infty}\frac{-t^3-8}{t^2+4t}=\lim_{t\to\infty}\frac{-t-\dfrac{8}{t^2}}{1+\dfrac{4}{t}}$$

    분자, 분모를 t^2으로 나눈다. ←

$$=\lim_{t\to\infty}(-t)=-\infty$$

답 (1) 0   (2) ∞ (3) $-\infty$

참고

$\dfrac{\infty}{\infty}$ 꼴의 극한은 분모의 최고차항으로 분자, 분모를 각각 나누어서 구한다.

(1) (분자의 차수)=(분모의 차수) ➡ 극한값은 최고차항의 계수의 비이다.

(2) (분자의 차수)<(분모의 차수) ➡ 극한값은 0이다.

(3) (분자의 차수)>(분모의 차수) ➡ 극한값은 없다.

038

(1) $\displaystyle\lim_{x\to\infty}\frac{\sqrt{x+1}}{2x}=\lim_{x\to\infty}\frac{\sqrt{\dfrac{1}{x}+\dfrac{1}{x^2}}}{2}=\frac{0}{2}=0$

(2) $\displaystyle\lim_{x\to\infty}\frac{x+2}{\sqrt{x^2+1}-1}=\lim_{x\to\infty}\frac{1+\dfrac{2}{x}}{\sqrt{1+\dfrac{1}{x^2}}-\dfrac{1}{x}}=\frac{1}{1}=1$

(3) $\displaystyle\lim_{x\to\infty}\frac{\sqrt{x^2+x-3}+3x}{\sqrt{4x^2-x}+1}=\lim_{x\to\infty}\frac{\sqrt{1+\dfrac{1}{x}-\dfrac{3}{x^2}}+3}{\sqrt{4-\dfrac{1}{x}}+\dfrac{1}{x}}=\frac{1+3}{2}=2$

(4) $\displaystyle\lim_{x\to\infty}\frac{\sqrt{x^2+2}}{\sqrt{x+1}+2x}=\lim_{x\to\infty}\frac{\sqrt{1+\dfrac{2}{x^2}}}{\sqrt{\dfrac{1}{x}+\dfrac{1}{x^2}}+2}=\frac{1}{2}$

답 (1) 0   (2) 1   (3) 2   (4) $\dfrac{1}{2}$

039

$A=\displaystyle\lim_{x\to\infty}\frac{2x-1}{3x^2}=\lim_{x\to\infty}\frac{\dfrac{2}{x}-\dfrac{1}{x^2}}{3}=\frac{0}{3}=0$

$B=\displaystyle\lim_{x\to\infty}\frac{\sqrt{4x^2+4x+1}}{-x}=\lim_{x\to\infty}\frac{\sqrt{4+\dfrac{4}{x}+\dfrac{1}{x^2}}}{-1}=\frac{\sqrt{4}}{-1}=-2$

$C=\displaystyle\lim_{x\to\infty}\frac{3-5x-6x^2}{(x+1)(2x+3)}=\lim_{x\to\infty}\frac{3-5x-6x^2}{2x^2+5x+3}$

$=\displaystyle\lim_{x\to\infty}\frac{\dfrac{3}{x^2}-\dfrac{5}{x}-6}{2+\dfrac{5}{x}+\dfrac{3}{x^2}}=\frac{-6}{2}=-3$

$\therefore A+B-C=0+(-2)-(-3)=1$

답 ①

040

$x=-t$로 놓으면 $x\to-\infty$일 때 $t\to\infty$이므로

$\displaystyle\lim_{x\to-\infty}\frac{5x-2}{\sqrt{9x^2-1}-\sqrt{4x^2-4}}=\lim_{t\to\infty}\frac{-5t-2}{\sqrt{9t^2-1}-\sqrt{4t^2-4}}$

$=\displaystyle\lim_{t\to\infty}\frac{-5-\dfrac{2}{t}}{\sqrt{9-\dfrac{1}{t^2}}-\sqrt{4-\dfrac{4}{t^2}}}$

$=\dfrac{-5}{3-2}=-5$

답 ①

041

$\displaystyle\lim_{x\to\infty}\frac{3\{f(x)\}^2-x}{3x^2-f(x)}=\lim_{x\to\infty}\frac{3\left\{\dfrac{f(x)}{x}\right\}^2-\dfrac{1}{x}}{3-\dfrac{f(x)}{x}\times\dfrac{1}{x}}$

$=\dfrac{3\times(-2)^2-0}{3-(-2)\times 0}=\dfrac{12}{3}=4$

답 ⑤

042

(1) $\displaystyle\lim_{x\to\infty}(x^2-x)=\lim_{x\to\infty}x^2\left(1-\dfrac{1}{x}\right)=\infty$

(2) $\displaystyle\lim_{x\to\infty}(\sqrt{x}-x)=\lim_{x\to\infty}\frac{(\sqrt{x}-x)(\sqrt{x}+x)}{\sqrt{x}+x}=\lim_{x\to\infty}\frac{x-x^2}{\sqrt{x}+x}$

$=\displaystyle\lim_{x\to\infty}\frac{1-x}{\sqrt{\dfrac{1}{x}}+1}=-\infty$

답 (1) ∞ (2) $-\infty$

043

$\displaystyle\lim_{x\to\infty}(\sqrt{x^2-x}-x)=\lim_{x\to\infty}\frac{(\sqrt{x^2-x}-x)(\sqrt{x^2-x}+x)}{\sqrt{x^2-x}+x}$

$=\displaystyle\lim_{x\to\infty}\frac{x^2-x-x^2}{\sqrt{x^2-x}+x}$

$=\displaystyle\lim_{x\to\infty}\frac{-x}{\sqrt{x^2-x}+x}$

$=\displaystyle\lim_{x\to\infty}\frac{-1}{\sqrt{1-\dfrac{1}{x}}+1}$

$=-\dfrac{1}{2}$

답 ②

044

$x=-t$로 놓으면 $x\to-\infty$일 때 $t\to\infty$이므로

$\displaystyle\lim_{x\to-\infty}\frac{1}{\sqrt{x^2+x}+x}=\lim_{t\to\infty}\frac{1}{\sqrt{t^2-t}-t}$

$=\displaystyle\lim_{t\to\infty}\frac{\sqrt{t^2-t}+t}{(\sqrt{t^2-t}-t)(\sqrt{t^2-t}+t)}$

$=\displaystyle\lim_{t\to\infty}\frac{\sqrt{t^2-t}+t}{t^2-t-t^2}=\lim_{t\to\infty}\frac{\sqrt{t^2-t}+t}{-t}$

$=\displaystyle\lim_{t\to\infty}\frac{\sqrt{1-\dfrac{1}{t}}+1}{-1}=\dfrac{1+1}{-1}=-2$

답 -2

045

(1) $\displaystyle\lim_{x\to 0}\frac{1}{x}\left(\frac{1}{x+1}-1\right)=\lim_{x\to 0}\frac{1}{x}\left\{\frac{1-(x+1)}{x+1}\right\}$

$\qquad\qquad\qquad\qquad\;=\displaystyle\lim_{x\to 0}\left(\frac{1}{x}\times\frac{-x}{x+1}\right)$

$\qquad\qquad\qquad\qquad\;=\displaystyle\lim_{x\to 0}\left(-\frac{1}{x+1}\right)=-1$

(2) $\displaystyle\lim_{x\to 0}\frac{1}{x}\left(x+\frac{x}{x+1}\right)=\lim_{x\to 0}\frac{1}{x}\left(\frac{x^2+x+x}{x+1}\right)$

$\qquad\qquad\qquad\qquad\;=\displaystyle\lim_{x\to 0}\left\{\frac{1}{x}\times\frac{x(x+2)}{x+1}\right\}$

$\qquad\qquad\qquad\qquad\;=\displaystyle\lim_{x\to 0}\frac{x+2}{x+1}=2$

$\qquad\qquad\qquad\qquad\qquad\qquad$ 답 (1) -1 (2) 2

046

$\displaystyle\lim_{x\to -1}\frac{1}{x+1}\left(1-\frac{1}{\sqrt{x+2}}\right)=\lim_{x\to -1}\frac{1}{x+1}\left(\frac{\sqrt{x+2}-1}{\sqrt{x+2}}\right)$

$\qquad\qquad\;=\displaystyle\lim_{x\to -1}\frac{(\sqrt{x+2}-1)(\sqrt{x+2}+1)}{(x+1)\sqrt{x+2}(\sqrt{x+2}+1)}$

$\qquad\qquad\;=\displaystyle\lim_{x\to -1}\frac{x+2-1}{(x+1)\sqrt{x+2}(\sqrt{x+2}+1)}$

$\qquad\qquad\;=\displaystyle\lim_{x\to -1}\frac{1}{\sqrt{x+2}(\sqrt{x+2}+1)}$

$\qquad\qquad\;=\displaystyle\frac{1}{1\times 2}=\frac{1}{2}$

$\qquad\qquad\qquad\qquad\qquad\qquad$ 답 $\dfrac{1}{2}$

047

$\displaystyle\lim_{x\to 2}\frac{1}{x-2}\left(2+\frac{x^2-5x}{x+1}\right)=\lim_{x\to 2}\frac{1}{x-2}\left\{\frac{2(x+1)+(x^2-5x)}{x+1}\right\}$

$\qquad\qquad\;=\displaystyle\lim_{x\to 2}\left\{\frac{1}{x-2}\times\frac{(x-1)(x-2)}{x+1}\right\}$

$\qquad\qquad\;=\displaystyle\lim_{x\to 2}\frac{x-1}{x+1}=\frac{1}{3}$

$\qquad\qquad\qquad\qquad\qquad\qquad$ 답 ①

048

(1) $x\to 0$일 때 극한값이 존재하고 (분모) $\to 0$이므로
(분자) $\to 0$이어야 한다.
즉, $\displaystyle\lim_{x\to 0}(2x+a)=0$이므로 $a=0$

(2) $x\to 1$일 때 0이 아닌 극한값이 존재하고 (분자) $\to 0$이므로
(분모) $\to 0$이어야 한다.
즉, $\displaystyle\lim_{x\to 1}(x+a)=0$이므로
$1+a=0\quad\therefore a=-1$

$\qquad\qquad\qquad\qquad\qquad\qquad$ 답 (1) 0 (2) -1

049

$x\to -1$일 때 0이 아닌 극한값이 존재하고 (분자) $\to 0$이므로
(분모) $\to 0$이어야 한다.
즉, $\displaystyle\lim_{x\to -1}(x^2+ax+4)=0$이므로
$1-a+4=0\quad\therefore a=5$

$\qquad\qquad\qquad\qquad\qquad\qquad$ 답 ④

050

$x\to 1$일 때 극한값이 존재하고 (분모) $\to 0$이므로 (분자) $\to 0$이
어야 한다.
즉, $\displaystyle\lim_{x\to 1}(3x-a)=0$이므로 $3-a=0$
$\therefore a=3$
$\displaystyle\lim_{x\to 1}\frac{3x-3}{x-1}=\lim_{x\to 1}\frac{3(x-1)}{x-1}=3$
$\therefore b=3$
$\therefore ab=3\times 3=9$

$\qquad\qquad\qquad\qquad\qquad\qquad$ 답 ⑤

051

$x\to -2$일 때 0이 아닌 극한값이 존재하고 (분자) $\to 0$이므로
(분모) $\to 0$이어야 한다.
즉, $\displaystyle\lim_{x\to -2}(\sqrt{x+a}-b)=0$이므로
$\sqrt{-2+a}-b=0$
$\therefore b=\sqrt{a-2}$ $\qquad\qquad\qquad\qquad$ ·········· ㉠

$\displaystyle\lim_{x\to -2}\frac{x+2}{\sqrt{x+a}-b}=\lim_{x\to -2}\frac{x+2}{\sqrt{x+a}-\sqrt{a-2}}$

$\qquad\qquad\;=\displaystyle\lim_{x\to -2}\frac{(x+2)(\sqrt{x+a}+\sqrt{a-2})}{(\sqrt{x+a}-\sqrt{a-2})(\sqrt{x+a}+\sqrt{a-2})}$

$\qquad\qquad\;=\displaystyle\lim_{x\to -2}\frac{(x+2)(\sqrt{x+a}+\sqrt{a-2})}{x+a-(a-2)}$

$\qquad\qquad\;=\displaystyle\lim_{x\to -2}(\sqrt{x+a}+\sqrt{a-2})$

$\qquad\qquad\;=\sqrt{-2+a}+\sqrt{a-2}$

$\qquad\qquad\;=2\sqrt{a-2}$

이때 $2\sqrt{a-2}=6$이므로 $\sqrt{a-2}=3$
$a-2=9\quad\therefore a=11$
$a=11$을 ㉠에 대입하면
$b=\sqrt{11-2}=\sqrt{9}=3$
$\therefore a+b=11+3=14$

$\qquad\qquad\qquad\qquad\qquad\qquad$ 답 14

052

$x=-t$로 놓으면 $x\to -\infty$일 때 $t\to\infty$이므로

$\displaystyle\lim_{x\to -\infty}(\sqrt{ax^2+bx}+x)=\lim_{t\to\infty}(\sqrt{at^2-bt}-t)$

$\qquad\qquad\;=\displaystyle\lim_{t\to\infty}\frac{(\sqrt{at^2-bt}-t)(\sqrt{at^2-bt}+t)}{\sqrt{at^2-bt}+t}$

$\qquad\qquad\;=\displaystyle\lim_{t\to\infty}\frac{at^2-bt-t^2}{\sqrt{at^2-bt}+t}$

$\qquad\qquad\;=\displaystyle\lim_{t\to\infty}\frac{(a-1)t^2-bt}{\sqrt{at^2-bt}+t}$ $\qquad$ ·········· ㉠

㉠의 극한값이 존재하므로 $a-1=0$
$\therefore a=1$
$a=1$을 ㉠에 대입하면
$\displaystyle\lim_{t\to\infty}\frac{-bt}{\sqrt{t^2-bt}+t}=\lim_{t\to\infty}\frac{-b}{\sqrt{1-\frac{b}{t}}+1}=\frac{-b}{1+1}=-\frac{b}{2}$

이때 $-\dfrac{b}{2}=4$이므로 $b=-8$

$\therefore a-b=1-(-8)=9$

$\qquad\qquad\qquad\qquad\qquad\qquad$ 답 ⑤

053

$x \to 3$일 때 0이 아닌 극한값이 존재하고 (분자) $\to 0$이므로 (분모) $\to 0$이어야 한다.

즉, $\lim\limits_{x \to 3}(ax+b)=0$이므로 $3a+b=0$

$\therefore b=-3a$ .... ㉠

$$\lim_{x \to 3}\frac{3\sqrt{x^2-5}-2x}{ax+b}=\lim_{x \to 3}\frac{3\sqrt{x^2-5}-2x}{ax-3a}$$
$$=\lim_{x \to 3}\frac{(3\sqrt{x^2-5}-2x)(3\sqrt{x^2-5}+2x)}{a(x-3)(3\sqrt{x^2-5}+2x)}$$
$$=\lim_{x \to 3}\frac{9(x^2-5)-4x^2}{a(x-3)(3\sqrt{x^2-5}+2x)}$$
$$=\lim_{x \to 3}\frac{5x^2-45}{a(x-3)(3\sqrt{x^2-5}+2x)}$$
$$=\lim_{x \to 3}\frac{5(x-3)(x+3)}{a(x-3)(3\sqrt{x^2-5}+2x)}$$
$$=\lim_{x \to 3}\frac{5(x+3)}{a(3\sqrt{x^2-5}+2x)}$$
$$=\frac{30}{12a}=\frac{5}{2a}$$

이때 $\dfrac{5}{2a}=15$이므로 $a=\dfrac{1}{6}$

$a=\dfrac{1}{6}$을 ㉠에 대입하면 $b=-3 \times \dfrac{1}{6}=-\dfrac{1}{2}$

$\therefore ab=\dfrac{1}{6} \times \left(-\dfrac{1}{2}\right)=-\dfrac{1}{12}$

답 ①

054

$\lim\limits_{x \to 3}\left(\dfrac{a}{x-3}-\dfrac{b}{x^2-9}\right)=1$에서

$\lim\limits_{x \to 3}\dfrac{ax+3a-b}{x^2-9}=1$ .... ㉠

㉠에서 $x \to 3$일 때 극한값이 존재하고 (분모) $\to 0$이므로 (분자) $\to 0$이어야 한다. 즉, $\lim\limits_{x \to 3}(ax+3a-b)=0$이므로

$3a+3a-b=0$ $\therefore b=6a$ .... ㉡

㉠에 ㉡을 대입하면

$$\lim_{x \to 3}\frac{ax+3a-b}{x^2-9}=\lim_{x \to 3}\frac{ax+3a-6a}{(x-3)(x+3)}=\lim_{x \to 3}\frac{ax-3a}{(x-3)(x+3)}$$
$$=\lim_{x \to 3}\frac{a(x-3)}{(x-3)(x+3)}$$
$$=\lim_{x \to 3}\frac{a}{x+3}=\frac{a}{3+3}=\frac{a}{6}$$

이때 $\dfrac{a}{6}=1$이므로 $a=6$

$a=6$을 ㉡에 대입하면 $b=6 \times 6=36$

$\therefore b-a=36-6=30$

답 ⑤

055

$\lim\limits_{x \to 1}\dfrac{f(x)}{x-1}=\lim\limits_{x \to 1}\dfrac{x^2+ax+b}{x-1}=-3$ .... ㉠

㉠에서 $x \to 1$일 때 극한값이 존재하고 (분모) $\to 0$이므로 (분자) $\to 0$이어야 한다.

즉, $\lim\limits_{x \to 1}(x^2+ax+b)=0$이므로 $1+a+b=0$

$\therefore b=-a-1$ .... ㉡ ──── ❶

㉠에 ㉡을 대입하면

$$\lim_{x \to 1}\frac{x^2+ax+b}{x-1}=\lim_{x \to 1}\frac{x^2+ax-a-1}{x-1}$$
$$=\lim_{x \to 1}\frac{(x-1)(x+a+1)}{x-1}$$
$$=\lim_{x \to 1}(x+a+1)$$
$$=a+2$$

이때 $a+2=-3$이므로 $a=-5$

$a=-5$를 ㉡에 대입하면

$b=-(-5)-1=4$ ──── ❷

따라서 $f(x)=x^2-5x+4$이므로

$f(2)=2^2-5 \times 2+4=-2$ ──── ❸

답 -2

채점 기준	비율
❶ b를 a에 대한 식으로 정리할 수 있다.	30%
❷ a, b의 값을 구할 수 있다.	50%
❸ $f(2)$의 값을 구할 수 있다.	20%

056

$\lim\limits_{x \to \infty}\dfrac{f(x)}{x}=3$에서 $f(x)$는 일차항의 계수가 3인 일차식이다.

즉, $f(x)=3x+k$ (k는 상수)로 놓으면

$\lim\limits_{x \to 1}\dfrac{f(x)}{x}=\lim\limits_{x \to 1}\dfrac{3x+k}{x}=\dfrac{3+k}{1}=3+k$

이때 $3+k=3$이므로 $k=0$

따라서 $f(x)=3x$이므로 $f(2)=3 \times 2=6$

답 ⑤

057

$\lim\limits_{x \to \infty}\dfrac{f(x)}{-4x-1}=1$에서 $f(x)$는 일차항의 계수가 -4인 일차식이다.

즉, $f(x)=-4x+k$ (k는 상수)로 놓으면

$\lim\limits_{x \to 2}\dfrac{f(x)}{x-2}=-4$에서 $\lim\limits_{x \to 2}\dfrac{-4x+k}{x-2}=-4$

이때 $x \to 2$일 때 극한값이 존재하고 (분모) $\to 0$이므로 (분자) $\to 0$이어야 한다. 즉, $\lim\limits_{x \to 2}(-4x+k)=0$이므로

$-4 \times 2+k=0$, $-8+k=0$

$\therefore k=8$

따라서 $f(x)=-4x+8$이므로

$(f \circ f)(3)=f(f(3))=f(-4)=24$

답 24

058

조건 ㈎에서 $f(x)$는 이차항의 계수가 1인 이차식이다.

즉, $f(x)=x^2+ax+b$ (a, b는 상수)로 놓으면 조건 ㈏의

$\lim\limits_{x \to 0}\dfrac{f(x)}{x}=-2$에서 $\lim\limits_{x \to 0}\dfrac{x^2+ax+b}{x}=-2$ .... ㉠

이때 $x \to 0$일 때 극한값이 존재하고 (분모) $\to 0$이므로 (분자) $\to 0$이어야 한다.

즉, $\lim\limits_{x \to 0}(x^2+ax+b)=0$이므로 $b=0$

$b=0$을 ㉠에 대입하면

$$\lim_{x\to 0}\frac{x^2+ax}{x}=\lim_{x\to 0}(x+a)=a=-2$$

따라서 $f(x)=x^2-2x$이므로

$$f(4)=4^2-2\times 4=8$$

답 ③

059

$\lim_{x\to\infty}\dfrac{f(x)}{x^2}=3$에서 $f(x)$는 이차항의 계수가 3인 이차식이다.

즉, $f(x)=3x^2+ax+b$ (a, b는 상수)로 놓으면

$$\lim_{x\to 2}\frac{f(x)}{x^2-x-2}=6\text{에서 }\lim_{x\to 2}\frac{3x^2+ax+b}{x^2-x-2}=6 \quad\cdots\cdots\text{㉠}$$

이때 $x\to 2$일 때 극한값이 존재하고 (분모)$\to 0$이므로
(분자)$\to 0$이어야 한다.

즉, $\lim_{x\to 2}(3x^2+ax+b)=0$이므로

$$12+2a+b=0 \qquad \therefore b=-2a-12 \quad\cdots\cdots\text{㉡}$$

$b=-2a-12$를 ㉠에 대입하면

$$\begin{aligned}
\lim_{x\to 2}\frac{3x^2+ax-2a-12}{(x-2)(x+1)}&=\lim_{x\to 2}\frac{(x-2)(3x+a+6)}{(x-2)(x+1)}\\
&=\lim_{x\to 2}\frac{3x+a+6}{x+1}\\
&=\frac{3\times 2+a+6}{2+1}=\frac{a+12}{3}
\end{aligned}$$

이때 $\dfrac{a+12}{3}=6$이므로 $a=6$

$a=6$을 ㉡에 대입하면 $b=-24$

따라서 $f(x)=3x^2+6x-24$이므로

$$f(0)=-24$$

답 ①

060

$\lim_{x\to\infty}\left\{\dfrac{f(x)}{x^2}+1\right\}=0$에서 $\lim_{x\to\infty}\dfrac{f(x)}{x^2}=-1$이므로

$f(x)$는 이차항의 계수가 -1인 이차식이다. ────────── ❶

즉, $f(x)=-x^2+ax+b$ (a, b는 상수)로 놓으면

$$\lim_{x\to 0}\frac{f(x)-4}{x^2}=-1\text{에서 }\lim_{x\to 0}\frac{-x^2+ax+b-4}{x^2}=-1 \quad\cdots\cdots\text{㉠}$$

이때 $x\to 0$일 때 극한값이 존재하고 (분모)$\to 0$이므로
(분자)$\to 0$이어야 한다.

즉, $\lim_{x\to 0}(-x^2+ax+b-4)=0$이므로

$$b-4=0 \qquad \therefore b=4$$

$b=4$를 ㉠에 대입하면

$$\lim_{x\to 0}\frac{-x^2+ax}{x^2}=\lim_{x\to 0}\left(-1+\frac{a}{x}\right)=-1$$

이므로 $a=0$

$$\therefore f(x)=-x^2+4 \text{ ──────────────────── ❷}$$

$$\therefore f(3)=-3^2+4=-5 \text{ ─────────────── ❸}$$

답 -5

채점 기준	비율
❶ $f(x)$의 차수와 최고차항의 계수를 알 수 있다.	30%
❷ $f(x)$를 구할 수 있다.	60%
❸ $f(3)$의 값을 구할 수 있다.	10%

061

$f(x)\le h(x)\le g(x)$이고

$$\lim_{x\to 2}f(x)=\lim_{x\to 2}(x^2-2x-3)=2^2-2\times 2-3=-3$$
$$\lim_{x\to 2}g(x)=\lim_{x\to 2}(2x^2-6x+1)=2\times 2^2-6\times 2+1=-3$$

이므로 $\lim_{x\to 2}h(x)=-3$

답 -3

참고

$f(x)\le h(x)\le g(x)$이고 $\lim_{x\to a}f(x)=\lim_{x\to a}g(x)=\alpha$이면 $\lim_{x\to a}h(x)=\alpha$
이다.

062

$3x+1<f(x)<3x+2$에서 $(3x+1)^2<\{f(x)\}^2<(3x+2)^2$

$3x^2+1>0$이므로 $\dfrac{(3x+1)^2}{3x^2+1}<\dfrac{\{f(x)\}^2}{3x^2+1}<\dfrac{(3x+2)^2}{3x^2+1}$

이때

$$\begin{aligned}
\lim_{x\to\infty}\frac{(3x+1)^2}{3x^2+1}&=\lim_{x\to\infty}\frac{9x^2+6x+1}{3x^2+1}\\
&=\lim_{x\to\infty}\frac{9+\dfrac{6}{x}+\dfrac{1}{x^2}}{3+\dfrac{1}{x^2}}=\frac{9}{3}=3
\end{aligned}$$

$$\begin{aligned}
\lim_{x\to\infty}\frac{(3x+2)^2}{3x^2+1}&=\lim_{x\to\infty}\frac{9x^2+12x+4}{3x^2+1}\\
&=\lim_{x\to\infty}\frac{9+\dfrac{12}{x}+\dfrac{4}{x^2}}{3+\dfrac{1}{x^2}}=\frac{9}{3}=3
\end{aligned}$$

이므로 $\lim_{x\to\infty}\dfrac{\{f(x)\}^2}{3x^2+1}=3$

답 ⑤

063

(1) $\overline{\mathrm{AP}}=\sqrt{(t-1)^2+(\sqrt{t}\,)^2}=\sqrt{t^2-t+1}$

(2) $\overline{\mathrm{BP}}=\sqrt{(t-2)^2+(\sqrt{t}\,)^2}=\sqrt{t^2-3t+4}$

(3) $\lim_{t\to\infty}(\overline{\mathrm{AP}}-\overline{\mathrm{BP}})$

$$\begin{aligned}
&=\lim_{t\to\infty}(\sqrt{t^2-t+1}-\sqrt{t^2-3t+4})\\
&=\lim_{t\to\infty}\frac{(\sqrt{t^2-t+1}-\sqrt{t^2-3t+4})(\sqrt{t^2-t+1}+\sqrt{t^2-3t+4})}{\sqrt{t^2-t+1}+\sqrt{t^2-3t+4}}\\
&=\lim_{t\to\infty}\frac{2t-3}{\sqrt{t^2-t+1}+\sqrt{t^2-3t+4}}\\
&=\lim_{t\to\infty}\frac{2-\dfrac{3}{t}}{\sqrt{1-\dfrac{1}{t}+\dfrac{1}{t^2}}+\sqrt{1-\dfrac{3}{t}+\dfrac{4}{t^2}}}\\
&=\frac{2}{1+1}=1
\end{aligned}$$

(4) $\lim_{t\to\infty}\dfrac{\overline{\mathrm{AP}}}{\overline{\mathrm{BP}}}=\lim_{t\to\infty}\dfrac{\sqrt{t^2-t+1}}{\sqrt{t^2-3t+4}}$

$$=\lim_{t\to\infty}\frac{\sqrt{1-\dfrac{1}{t}+\dfrac{1}{t^2}}}{\sqrt{1-\dfrac{3}{t}+\dfrac{4}{t^2}}}=\frac{1}{1}=1$$

답 (1) $\sqrt{t^2-t+1}$　(2) $\sqrt{t^2-3t+4}$　(3) 1　(4) 1

두 점 사이의 거리_高 수학_

두 점 (x_1, y_1), (x_2, y_2) 사이의 거리는

$\sqrt{(x_2-x_1)^2+(y_2-y_1)^2}$

064

(1) $S_A = \dfrac{1}{2} \times 4 \times y = 2y = 2x^2 \ (\because y = x^2)$

(2) $S_B = \dfrac{1}{2} \times 6 \times x = 3x$

(3) $\displaystyle\lim_{x\to\infty} \dfrac{S_A}{xS_B} = \lim_{x\to\infty} \dfrac{2x^2}{x \times 3x} = \lim_{x\to\infty} \dfrac{2x^2}{3x^2} = \dfrac{2}{3}$

답 (1) $2x^2$ (2) $3x$ (3) $\dfrac{2}{3}$

065

$P(t, \sqrt{t})$이므로 $\overline{OP}^2 = t^2 + t$

선분 PH의 길이는 점 $P(t, \sqrt{t})$와 직선 $y = \dfrac{1}{2}x$, 즉 $x - 2y = 0$ 사이의 거리와 같으므로

$\overline{PH} = \dfrac{|t - 2\sqrt{t}|}{\sqrt{5}}$

삼각형 PHO는 직각삼각형이므로 ← 피타고라스 정리 이용

$\overline{OH}^2 = \overline{OP}^2 - \overline{PH}^2$

$\qquad = t^2 + t - \dfrac{(t - 2\sqrt{t})^2}{5}$

$\qquad = \dfrac{4t^2 + 4t\sqrt{t} + t}{5}$

$\therefore \displaystyle\lim_{t\to\infty} \dfrac{\overline{OH}^2}{\overline{OP}^2} = \lim_{t\to\infty} \dfrac{4t^2 + 4t\sqrt{t} + t}{5t^2 + 5t}$

$\qquad = \displaystyle\lim_{t\to\infty} \dfrac{4 + \dfrac{4\sqrt{t}}{t} + \dfrac{1}{t}}{5 + \dfrac{5}{t}} = \dfrac{4}{5}$

답 ④

 풍쌤 개념 CHECK

점과 직선 사이의 거리_高 수학_

한 점 (x_1, y_1)과 직선 $ax + by + c = 0$ 사이의 거리는

$\dfrac{|ax_1 + by_1 + c|}{\sqrt{a^2 + b^2}}$

실력을 높이는 연습 문제

01

ㄱ. $\displaystyle\lim_{x\to-2+} f(x) = \lim_{x\to-2-} f(x) = -2$이므로

$\displaystyle\lim_{x\to-2} f(x) = -2$

ㄴ. $\displaystyle\lim_{x\to1+} f(x) = 1$, $\displaystyle\lim_{x\to1-} f(x) = 2$, 즉 $\displaystyle\lim_{x\to1+} f(x) \neq \lim_{x\to1-} f(x)$이므

로 $\displaystyle\lim_{x\to1} f(x)$의 값은 존재하지 않는다.

ㄷ. $\displaystyle\lim_{x\to3-} f(x) = 5$

따라서 극한값이 존재하는 것은 ㄱ, ㄷ이다.

답 ③

02

$\displaystyle\lim_{x\to a+} f(x) = \lim_{x\to a+} (2x+1) = 2a+1$

$\displaystyle\lim_{x\to a-} f(x) = \lim_{x\to a-} (-3x-4) = -3a-4$

이때 $\displaystyle\lim_{x\to a} f(x)$의 값이 존재하려면 $\displaystyle\lim_{x\to a+} f(x) = \lim_{x\to a-} f(x)$이어야

하므로

$2a+1 = -3a-4$, $5a = -5$

$\therefore a = -1$

답 ③

03

함수 $x \geq 1$일 때, $y = x^2$의 그래프가 오른쪽 그림과 같으므로 $\displaystyle\lim_{x\to1} f(x)$의 값이 존재하지 않으려면 $\displaystyle\lim_{x\to1+} f(x) \neq \lim_{x\to1-} f(x)$이어야 하므로

$1 \neq -1 + a$

$\therefore a \neq 2$

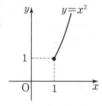

답 ⑤

|다른 풀이|

$\displaystyle\lim_{x\to1+} f(x) = \lim_{x\to1+} x^2 = 1$

$\displaystyle\lim_{x\to1-} f(x) = \lim_{x\to1-} (-x+a) = -1+a$

이때 $\displaystyle\lim_{x\to1} f(x)$의 값이 존재하지 않으려면 $\displaystyle\lim_{x\to1+} f(x) \neq \lim_{x\to1-} f(x)$

이어야 하므로

$1 \neq -1 + a$ $\qquad \therefore a \neq 2$

04

함수 $y = f(x)$의 그래프는 오른쪽 그림과 같다. 이때

$\displaystyle\lim_{x\to2+} f(x) = 1$

$\displaystyle\lim_{x\to2-} f(x) = 5$

이므로

$\displaystyle\lim_{x\to2+} f(x) \neq \lim_{x\to2-} f(x)$

즉, $\displaystyle\lim_{x\to2} f(x)$의 값이 존재하지 않으므로

$a = 2$이다.

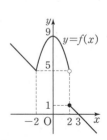

답 ⑤

05

① $x=-3$에서의 우극한이 존재하므로 $\lim\limits_{x \to -3+} f(x)$의 값이 존재한다.

② $\lim\limits_{x \to -1-} f(x) = \lim\limits_{x \to -1+} f(x)$이므로 $\lim\limits_{x \to -1} f(x)$의 값이 존재한다.

③ $\lim\limits_{x \to 0+} f(x) = \lim\limits_{x \to 0-} f(x) = \lim\limits_{x \to 0} f(x) = 0$이다.

④ $-2 < a < 1$인 실수 a에 대하여 $x=a$의 우극한과 좌극한이 일치하므로 $\lim\limits_{x \to a} f(x)$의 값이 항상 존재한다.

⑤ $x=1$에서의 우극한과 좌극한이 모두 존재하지만 $\lim\limits_{x \to 1+} f(x) = 2$, $\lim\limits_{x \to 1-} f(x) = 1$로 $\lim\limits_{x \to 1+} f(x) \neq \lim\limits_{x \to 1-} f(x)$이므로 $\lim\limits_{x \to 1} f(x)$의 값이 존재하지 않는다.

답 ⑤

06

$x \to 2+$일 때, $x-2 > 0$이므로

$\lim\limits_{x \to 2+} \dfrac{|x-2|}{x-2} = \lim\limits_{x \to 2+} \dfrac{x-2}{x-2} = 1$

$x \to -2-$일 때, $x+2 < 0$이므로

$\lim\limits_{x \to -2-} \dfrac{|x+2|}{x+2} = \lim\limits_{x \to -2-} \dfrac{-(x+2)}{x+2} = -1$

$\therefore \lim\limits_{x \to 2+} \dfrac{|x-2|}{x-2} + \lim\limits_{x \to -2-} \dfrac{|x+2|}{x+2} = 1-1 = 0$

답 ③

07

$x \to 1+$일 때 $[x]=1$이므로

$\lim\limits_{x \to 1+} f(x) = \lim\limits_{x \to 1+} ([x]+a) = 1+a$

$x \to 1-$일 때 $x-1 \to 0-$이므로

$\lim\limits_{x \to 1-} f(x) = \lim\limits_{x \to 1-} [x-1] = -1$ ← $x-1 \to 0-$이면 $-1 < x-1 < 0$이므로!

이때 함수 $f(x)$가 $x=1$에서 극한값이 존재하려면

$\lim\limits_{x \to 1+} f(x) = \lim\limits_{x \to 1-} f(x)$이어야 하므로

$1+a = -1$ $\therefore a = -2$

답 -2

08

$\lim\limits_{x \to 2+} f(x) = \lim\limits_{x \to 2+} \dfrac{[x-2]}{x-2} = \lim\limits_{x \to 2+} \dfrac{0}{x-2} = 0$ ↗ $\lim\limits_{x \to 2+} [x-2] = 0$

$\lim\limits_{x \to 2-} f(x) = \lim\limits_{x \to 2-} \left[\dfrac{x^2-2x}{x-2} \right] = \lim\limits_{x \to 2-} \left[\dfrac{x(x-2)}{x-2} \right]$

$\qquad = \lim\limits_{x \to 2-} [x] = 1$

$\therefore \lim\limits_{x \to 2+} f(x) + \lim\limits_{x \to 2-} f(x) = 0+1 = 1$

답 1

09

$f(x)=t$로 놓으면

$x \to 0+$일 때 $t \to -1+$이므로

$A = \lim\limits_{x \to 0+} f(f(x)) = \lim\limits_{t \to -1+} f(t) = 0$

$x \to -1-$일 때 $t \to 0+$이므로

$B = \lim\limits_{x \to -1-} g(f(x)) = \lim\limits_{t \to 0+} g(t) = 3$

$g(x)=s$라고 하면

$x \to 1+$일 때 $s \to 1-$이므로

$C = \lim\limits_{x \to 1+} g(g(x)) = \lim\limits_{s \to 1-} g(s) = 2$

$\therefore A < C < B$

답 ②

10

> **문제 접근하기**
>
> 함수의 극한에 대한 성질 중 관련된 성질이 무엇인지 생각해 보고, 참이 아니라면 [반례]를 이용해서 거짓을 확인한다.

① [반례] $f(x) = \begin{cases} 1 & (x \geq a) \\ -1 & (x < a) \end{cases}$, $g(x) = \begin{cases} 1 & (x \geq a) \\ -1 & (x < a) \end{cases}$ 이면

$\lim\limits_{x \to a} \{f(x) - g(x)\} = 0$이지만 $\lim\limits_{x \to a} f(x) \neq \lim\limits_{x \to a} g(x)$이다.
$\quad$ $\lim\limits_{x \to a} f(x)$와 $\lim\limits_{x \to a} g(x)$의 값은 존재하지 않는다. ←

② [반례] $f(x) = \begin{cases} 1 & (x \geq a) \\ 0 & (x < a) \end{cases}$, $g(x) = \begin{cases} 0 & (x \geq a) \\ 1 & (x < a) \end{cases}$ 이면

$\lim\limits_{x \to a} f(x)g(x) = 0$이지만 $\lim\limits_{x \to a} f(x) \neq 0$, $\lim\limits_{x \to a} g(x) \neq 0$이다.

③ [반례] $f(x) = 0$, $g(x) = \begin{cases} -1 & (x \geq a) \\ 1 & (x < a) \end{cases}$ 이면

$\lim\limits_{x \to a} f(x) = 0$, $\lim\limits_{x \to a} f(x)g(x) = 0$이지만 $\lim\limits_{x \to a} g(x)$의 값은 존재하지 않는다.

④ [반례] $f(x) = 0$, $g(x) = \begin{cases} -1 & (x \geq a) \\ 1 & (x < a) \end{cases}$ 이면

$\lim\limits_{x \to a} f(x) = 0$, $\lim\limits_{x \to a} \dfrac{f(x)}{g(x)} = 0$이지만 $\lim\limits_{x \to a} g(x)$의 값은 존재하지 않는다.

⑤ $\lim\limits_{x \to a} g(x) = \alpha$, $\lim\limits_{x \to a} \dfrac{f(x)}{g(x)} = \beta$ (α, β는 상수)이면

$\lim\limits_{x \to a} f(x) = \lim\limits_{x \to a} \left\{ g(x) \times \dfrac{f(x)}{g(x)} \right\} = \lim\limits_{x \to a} g(x) \times \lim\limits_{x \to a} \dfrac{f(x)}{g(x)} = \alpha\beta$

로 극한값이 존재한다.

답 ⑤

11

$\lim\limits_{x \to 1} (x+1)f(x) = 1$에서 $g(x) = (x+1)f(x)$로 놓으면

$\lim\limits_{x \to 1} g(x) = 1$

이때 $x \neq -1$이면 $f(x) = \dfrac{g(x)}{x+1}$이므로

$\lim\limits_{x \to 1} (2x^2+1)f(x) = \lim\limits_{x \to 1} \left\{ (2x^2+1) \times \dfrac{g(x)}{x+1} \right\}$

$\qquad = \lim\limits_{x \to 1} \dfrac{2x^2+1}{x+1} \times \lim\limits_{x \to 1} g(x)$

$\qquad = \dfrac{2+1}{1+1} \times 1 = \dfrac{3}{2}$

이때 $a = \dfrac{3}{2}$이므로

$20a = 20 \times \dfrac{3}{2} = 30$

답 30

12

$$\lim_{x \to 2} \frac{(x^2-4)f(x)}{x^3-8} = \lim_{x \to 2} \frac{(x-2)(x+2)f(x)}{(x-2)(x^2+2x+4)}$$

$$= \lim_{x \to 2} \frac{(x+2)f(x)}{x^2+2x+4}$$

$$= \frac{(2+2) \times 4}{2^2+2 \times 2+4}$$

$$= \frac{16}{12} = \frac{4}{3}$$

답 ④

13

$$\lim_{x \to \infty} \frac{ax^2}{x^2-1} = 2 \text{에서} \lim_{x \to \infty} \frac{a}{1-\frac{1}{x^2}} = 2$$

↳ $\frac{\infty}{\infty}$ 꼴의 함수의 극한을 이용한다.

$$\frac{a}{1} = 2 \qquad \therefore a = 2$$

$$\lim_{x \to 1} \frac{a(x-1)}{x^2-1} = \lim_{x \to 1} \frac{2(x-1)}{(x-1)(x+1)}$$

$$= \lim_{x \to 1} \frac{2}{x+1}$$

$$= \frac{2}{1+1} = 1$$

이므로 $b=1$

$$\therefore a+b = 2+1 = 3$$

답 3

14

$x=-t$로 놓으면 $x \to -\infty$일 때 $t \to \infty$이므로

$$\lim_{x \to -\infty} \frac{f(x)}{x} = \alpha \text{에서} \lim_{t \to \infty} \frac{f(-t)}{-t} = \alpha$$

$$\therefore \lim_{t \to \infty} \frac{f(-t)}{t} = -\alpha$$

$$\therefore \lim_{x \to -\infty} \frac{2-3f(x)}{2f(x)+\sqrt{2x-3f(x)}}$$

$$= \lim_{t \to \infty} \frac{2-3f(-t)}{2f(-t)+\sqrt{-2t-3f(-t)}}$$

$$= \lim_{t \to \infty} \frac{\frac{2}{t}-\frac{3f(-t)}{t}}{\frac{2f(-t)}{t}+\sqrt{-\frac{2}{t}-\frac{3f(-t)}{t^2}}}$$

$$= \frac{-3 \times (-\alpha)}{2 \times (-\alpha)} = -\frac{3}{2}$$

답 ①

15

$A = \lim_{x \to \infty} (\sqrt{x^2-x} - \sqrt{x^2-4x})$ ↰ $\infty - \infty$ 꼴이므로 분모를 1로 생각하고 근호가 있는 부분을 유리화한다.

$$= \lim_{x \to \infty} \frac{(\sqrt{x^2-x}-\sqrt{x^2-4x})(\sqrt{x^2-x}+\sqrt{x^2-4x})}{\sqrt{x^2-x}+\sqrt{x^2-4x}}$$

$$= \lim_{x \to \infty} \frac{x^2-x-(x^2-4x)}{\sqrt{x^2-x}+\sqrt{x^2-4x}}$$

$$= \lim_{x \to \infty} \frac{3x}{\sqrt{x^2-x}+\sqrt{x^2-4x}}$$

$$= \lim_{x \to \infty} \frac{3}{\sqrt{1-\frac{1}{x}}+\sqrt{1-\frac{4}{x}}} = \frac{3}{2}$$

$$B = \lim_{x \to 0} \frac{1}{x}\left(\frac{2}{x+2}-1\right) = \lim_{x \to 0} \frac{1}{x}\left\{\frac{2-(x+2)}{x+2}\right\}$$

$$= \lim_{x \to 0}\left(\frac{1}{x} \times \frac{-x}{x+2}\right) = \lim_{x \to 0}\left(-\frac{1}{x+2}\right) = -\frac{1}{2}$$

$$\therefore 4AB = 4 \times \frac{3}{2} \times \left(-\frac{1}{2}\right) = -3$$

답 ①

16

$x \to 2$일 때 극한값이 존재하고 (분모) $\to 0$이므로 (분자) $\to 0$이어야 한다.

즉, $\lim_{x \to 2}(x^3-a)=0$이므로 $8-a=0$

$$\therefore a=8$$

$$\therefore b = \lim_{x \to 2} \frac{x^3-a}{x-2} = \lim_{x \to 2} \frac{x^3-8}{x-2}$$

$$= \lim_{x \to 2} \frac{(x-2)(x^2+2x+4)}{x-2}$$

$$= \lim_{x \to 2}(x^2+2x+4)$$

$$= 2^2+2 \times 2+4 = 12$$

$$\therefore a+b = 8+12 = 20$$

답 ④

17

$x \to 4$일 때 극한값이 존재하고 (분모) $\to 0$이므로 (분자) $\to 0$이어야 한다.

즉, $\lim_{x \to 4}(x-a)=0$이므로 $4-a=0$

$$\therefore a=4$$

$$\therefore b = \lim_{x \to 4} \frac{x-4}{\sqrt{x}-2} = \lim_{x \to 4} \frac{(x-4)(\sqrt{x}+2)}{(\sqrt{x}-2)(\sqrt{x}+2)}$$

$$= \lim_{x \to 4} \frac{(x-4)(\sqrt{x}+2)}{x-4}$$

$$= \lim_{x \to 4}(\sqrt{x}+2) = 2+2 = 4$$

$$\therefore ab = 4 \times 4 = 16$$

답 ③

18

$\lim_{x \to \infty} \frac{f(x)}{x^2+2x-8} = 1$에서 $f(x)$는 이차항의 계수가 1인 이차식이다.

즉, $f(x)=x^2+ax+b$ (a, b는 상수)로 놓으면

$$\lim_{x \to -2} \frac{f(x)}{x+2} = 3 \text{에서} \lim_{x \to -2} \frac{x^2+ax+b}{x+2} = 3 \quad \cdots\cdots ㉠$$

이때 $x \to -2$일 때 극한값이 존재하고 (분모) $\to 0$이므로 (분자) $\to 0$이어야 한다.

즉, $\lim_{x \to -2}(x^2+ax+b)=0$이므로 $4-2a+b=0$

$$\therefore b=2a-4 \quad \cdots\cdots ㉡$$

㉠에 ㉡을 대입하면

$$\lim_{x \to -2} \frac{x^2+ax+2a-4}{x+2} = \lim_{x \to -2} \frac{(x+2)(x+a-2)}{x+2}$$

$$= \lim_{x \to -2}(x+a-2)$$

$$= a-4$$

이때 $a-4=3$이므로 $a=7$

$a=7$을 ㉡에 대입하면 $b=14-4=10$

따라서 $f(x)=x^2+7x+10$이므로
$$f(-3)=(-3)^2+7\times(-3)+10=-2$$

답 ②

19

이차함수 $f(x)$는 실수 a에 대하여 항상 $\lim\limits_{x\to a} f(x)$의 값이 존재하므로 $\lim\limits_{x\to a}\dfrac{f(x)-(x-a)}{f(x)+(x-a)}=\dfrac{3}{5}$에서 함수의 극한의 성질을 이용할 수 있다.

이차함수 $f(x)$의 최고차항의 계수가 1이고, $f(x)=0$의 두 근이 α, β이므로
$$f(x)=(x-a)(x-\beta)$$
$\lim\limits_{x\to a} f(x)\neq 0$이면   → 함수의 극한의 성질을 이용한다.
$$\lim_{x\to a}\frac{f(x)-(x-a)}{f(x)+(x-a)}=\frac{f(a)-(a-a)}{f(a)+(a-a)}=1\neq\frac{3}{5}$$
이므로 $\lim\limits_{x\to a} f(x)=0$이다.

즉, $f(x)$는 $x-a$를 인수로 가지므로 $a=\alpha$라고 하면
$$\lim_{x\to a}\frac{f(x)-(x-a)}{f(x)+(x-a)}=\lim_{x\to a}\frac{(x-\alpha)(x-\beta)-(x-\alpha)}{(x-\alpha)(x-\beta)+(x-\alpha)}$$
$$=\lim_{x\to a}\frac{x-\beta-1}{x-\beta+1}$$
$$=\frac{a-\beta-1}{a-\beta+1}$$

이때 $\dfrac{a-\beta-1}{a-\beta+1}=\dfrac{3}{5}$이므로
$$5(\alpha-\beta-1)=3(\alpha-\beta+1)$$
$$2(\alpha-\beta)=8$$
$$\therefore \alpha-\beta=4$$
$$\therefore |\alpha-\beta|=4$$

답 ④

$a=\beta$라고 하면
$$\lim_{x\to a}\frac{f(x)-(x-a)}{f(x)+(x-a)}=\lim_{x\to\beta}\frac{(x-\alpha)(x-\beta)-(x-\beta)}{(x-\alpha)(x-\beta)+(x-\beta)}$$
$$=\lim_{x\to\beta}\frac{x-\alpha-1}{x-\alpha+1}$$
$$=\frac{\beta-\alpha-1}{\beta-\alpha+1}$$
이때 $\dfrac{\beta-\alpha-1}{\beta-\alpha+1}=\dfrac{3}{5}$이므로
$$5(\beta-\alpha-1)=3(\beta-\alpha+1)$$
$$2(\alpha-\beta)=-8$$
$$\therefore \alpha-\beta=-4 \qquad \therefore |\alpha-\beta|=4$$

20

$\lim\limits_{x\to\infty}\dfrac{f(x)g(x)}{2x^3}=-1$에서 $f(x)g(x)$는 삼차항의 계수가 -2인 삼차식이다.

즉, $f(x)g(x)=-2x^3+ax^2+bx+c$ (a, b, c는 상수)로 놓으면
$$\lim_{x\to 0}\frac{f(x)g(x)}{x^2}=6$$에서
$$\lim_{x\to 0}\frac{-2x^3+ax^2+bx+c}{x^2}=6 \qquad\qquad \cdots\cdots ㉠$$

이때 $x\to 0$일 때 극한값이 존재하고 (분모) → 0이므로 (분자) → 0이어야 한다.

즉, $\lim\limits_{x\to 0}(-2x^3+ax^2+bx+c)=0$이므로 $c=0$

$c=0$을 ㉠에 대입하면
$$\lim_{x\to 0}\frac{-2x^3+ax^2+bx}{x^2}=6$$에서
$$\lim_{x\to 0}\frac{-2x^2+ax+b}{x}=6 \qquad\qquad \cdots\cdots ㉡$$

이때 $x\to 0$일 때 극한값이 존재하고 (분모) → 0이므로 (분자) → 0이어야 한다.

즉, $\lim\limits_{x\to 0}(-2x^2+ax+b)=0$이므로 $b=0$

$b=0$을 ㉡에 대입하면
$$\lim_{x\to 0}\frac{-2x^2+ax}{x}=\lim_{x\to 0}(-2x+a)=a=6$$

따라서 $f(x)g(x)=-2x^3+6x^2$이므로
$$\lim_{x\to 1} f(x)g(x)=\lim_{x\to 1}(-2x^3+6x^2)=-2+6=4$$

답 ①

21

$$\lim_{x\to 2}(-2x^2+8x-11)=-8+16-11=-3$$
$$\lim_{x\to 2}(x^2-4x+1)=4-8+1=-3$$
$$\therefore \lim_{x\to 2} f(x)=-3$$

답 ③

22

$x^2+2x-3\leq f(x)\leq 2x^2-2$에서
$$(x-1)(x+3)\leq f(x)\leq 2(x-1)(x+1) \qquad\qquad \cdots\cdots ㉠$$

(i) $x-1>0$, 즉 $x>1$일 때,

㉠의 각 변을 $x-1$로 나누면
$$x+3\leq\frac{f(x)}{x-1}\leq 2(x+1)$$
$$\lim_{x\to 1+}(x+3)\leq\lim_{x\to 1+}\frac{f(x)}{x-1}\leq\lim_{x\to 1+}2(x+1)$$
이때
$$\lim_{x\to 1+}(x+3)=4, \quad \lim_{x\to 1+}2(x+1)=2\times 2=4$$
이므로
$$\lim_{x\to 1+}\frac{f(x)}{x-1}=4$$

(ii) $x-1<0$, 즉 $x<1$일 때,

㉠의 각 변을 $x-1$로 나누면
$$2(x+1)\leq\frac{f(x)}{x-1}\leq x+3 \qquad → \begin{array}{l}x-1<0\text{이므로}\\ \text{부등호의 방향이 바뀐다.}\end{array}$$
$$\lim_{x\to 1-}2(x+1)\leq\lim_{x\to 1-}\frac{f(x)}{x-1}\leq\lim_{x\to 1-}(x+3)$$
이때
$$\lim_{x\to 1-}2(x+1)=2\times 2=4, \quad \lim_{x\to 1-}(x+3)=4$$
이므로
$$\lim_{x\to 1-}\frac{f(x)}{x-1}=4$$

(i), (ii)에 의하여 $\lim\limits_{x\to 1}\dfrac{f(x)}{x-1}=4$ → (우극한)=(좌극한)=4이므로!

답 ④

23

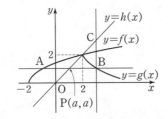

점 $P(a, a)$ $(0<a<2)$를 지나고 x축에 평행한 직선과 두 함수 $y=f(x)$, $y=g(x)$의 그래프가 만나므로 두 점 A, B의 y좌표는 모두 a이다.

$\sqrt{x+2}=a$에서 $x+2=a^2$

즉, $x=a^2-2$이므로 $A(a^2-2, a)$

$-\sqrt{x-2}+2=a$에서 $-\sqrt{x-2}=a-2$

$x-2=a^2-4a+4$

즉, $x=a^2-4a+6$이므로 $B(a^2-4a+6, a)$

$\therefore \overline{AB}=|(a^2-4a+6)-(a^2-2)|$

$\qquad =|-4a+8|$

$\qquad =-4a+8 (\because 0<a<2$일 때 $-4a+8>0)$

점 $B(a^2-4a+6, a)$를 지나고 y축에 평행한 직선이 함수 $y=h(x)$, 즉 $y=x$의 그래프와 점 C에서 만나므로

$C(a^2-4a+6, a^2-4a+6)$

$\therefore \overline{BC}=|(a^2-4a+6)-a|=|a^2-5a+6|$

$\qquad =a^2-5a+6 (\because 0<a<2$일 때 $a^2-5a+6>0)$

$\therefore \lim\limits_{a \to 2-} \dfrac{\overline{BC}}{\overline{AB}}=\lim\limits_{a \to 2-} \dfrac{a^2-5a+6}{-4a+8}$

$\qquad =\lim\limits_{a \to 2-} \dfrac{(a-2)(a-3)}{-4(a-2)}$

$\qquad =\lim\limits_{a \to 2-} \dfrac{a-3}{-4}=\dfrac{2-3}{-4}=\dfrac{1}{4}$

달 ②

02 함수의 연속

본문 027쪽

기본을 다지는 유형

001

(1) $f(0)=1$, $\lim\limits_{x \to 0} f(x)=1$이므로 $\lim\limits_{x \to 0} f(x)=f(0)$

따라서 함수 $f(x)$는 $x=0$에서 연속이다.

(2) $f(0)$이 정의되지 않으므로 함수 $f(x)$는 $x=0$에서 불연속이다.

(3) $\lim\limits_{x \to 0+} f(x)=\lim\limits_{x \to 0+} (x-1)=-1$, $\lim\limits_{x \to 0-} f(x)=\lim\limits_{x \to 0-} x=0$

$\lim\limits_{x \to 0+} f(x) \neq \lim\limits_{x \to 0-} f(x)$이므로 $\lim\limits_{x \to 0} f(x)$가 존재하지 않는다.

따라서 함수 $f(x)$는 $x=0$에서 불연속이다.

달 (1) 연속 (2) 불연속 (3) 불연속

002

(1) $f(a)$가 정의되어 있지 않으므로 함수 $f(x)$는 $x=a$에서 불연속이다.

(2) $\lim\limits_{x \to b+} f(x) \neq \lim\limits_{x \to b-} f(x)$이므로 $\lim\limits_{x \to b} f(x)$가 존재하지 않는다.

따라서 함수 $f(x)$는 $x=b$에서 불연속이다.

(3) $\lim\limits_{x \to c} f(x) \neq f(c)$이므로 함수 $f(x)$는 $x=c$에서 불연속이다.

달 풀이 참조

003

ㄱ. $f(0)=0$, $\lim\limits_{x \to 0} f(x)=0$이므로 $\lim\limits_{x \to 0} f(x)=f(0)$

따라서 함수 $f(x)$는 $x=0$에서 연속이다.

ㄴ. $f(0)=0$, $\lim\limits_{x \to 0} f(x)=0$이므로 $\lim\limits_{x \to 0} f(x)=f(0)$

따라서 함수 $f(x)$는 $x=0$에서 연속이다.

ㄷ. $\lim\limits_{x \to 0+} f(x)=0$, $\lim\limits_{x \to 0-} f(x)=-1$에서 $\lim\limits_{x \to 0+} f(x) \neq \lim\limits_{x \to 0-} f(x)$

이므로 $\lim\limits_{x \to 0} f(x)$가 존재하지 않는다.

따라서 함수 $f(x)$는 $x=0$에서 불연속이다.

따라서 $x=0$에서 연속인 함수는 ㄱ, ㄴ이다.

달 ④

004

ㄱ. $f(-1)$이 정의되지 않으므로 함수 $f(x)$는 $x=-1$에서 불연속이다.

ㄴ. $f(-1)=-1+1=0$

$\lim\limits_{x \to -1} f(x)=\lim\limits_{x \to -1} (-x+1)=1+1=2$

즉, $\lim\limits_{x \to -1} f(x) \neq f(-1)$이므로 함수 $f(x)$는 $x=-1$에서 불연속이다.

ㄷ. $f(-2)=0$ ········· ㉠

$\lim\limits_{x \to -2+} f(x)=\lim\limits_{x \to -2+} \sqrt{x+2}=\sqrt{-2+2}=0$

$\lim\limits_{x \to -2-} f(x)=0$이므로 $\lim\limits_{x \to -2} f(x)=0$ ········· ㉡

㉠, ㉡에서 $\lim\limits_{x \to -2} f(x)=f(-2)$

따라서 함수 $f(x)$는 $x=-2$에서 연속이므로 모든 실수 x에서

연속이다.
따라서 모든 실수 x에서 연속인 함수는 ㄷ이다.

답 ③

005

$$f(x)=\frac{1}{x^2-2x-3}=\frac{1}{(x+1)(x-3)} \quad \text{①}$$

이므로 함수 $f(x)$는 $x=-1$, $x=3$에서 불연속이다. ── ❷

따라서 실수 k의 값은 -1, 3이다. ── ❸

답 -1, 3

채점 기준	비율
❶ $f(x)$의 분모를 인수분해할 수 있다.	40%
❷ $f(x)$의 불연속을 조사할 수 있다.	40%
❸ k의 값을 모두 구할 수 있다.	20%

참고
(1) 다항함수 $f(x)$는 모든 실수 x에서 연속이다.
(2) 두 다항함수 $f(x)$, $g(x)$에 대하여 유리함수 $\dfrac{f(x)}{g(x)}$는 $g(x)\neq0$인 모든 실수 x에서 연속이다.

006

(1) $\displaystyle\lim_{x\to-1-}f(x)\neq\lim_{x\to0+}f(x)$, $\displaystyle\lim_{x\to-1+}f(x)\neq\lim_{x\to0-}f(x)$이므로 함수 $f(x)$는 $x=-1$, $x=0$에서 극한값이 존재하지 않는다.

(2) $\displaystyle\lim_{x\to-1}f(x)$, $\displaystyle\lim_{x\to0}f(x)$의 값이 존재하지 않고, $\displaystyle\lim_{x\to1}f(x)\neq f(1)$ 이므로 함수 $f(x)$는 $x=-1$, $x=0$, $x=1$에서 불연속이다.

답 (1) -1, 0 (2) -1, 0, 1

007

주어진 그래프에서 $\displaystyle\lim_{x\to1+}f(x)=\lim_{x\to1-}f(x)$이지만 $f(1)$의 값이 정의되어 있지 않으므로 $f(x)$는 $x=1$에서 불연속이다.
$\therefore a=1$

답 1

참고
함수 $f(x)$는 $x=2$, $x=4$에서도 불연속이지만, 이때는 $\displaystyle\lim_{x\to2-}f(x)\neq\lim_{x\to2+}f(x)$, $\displaystyle\lim_{x\to4-}f(x)\neq\lim_{x\to4+}f(x)$이다.

008

① $f(-1)=2$
② $\displaystyle\lim_{x\to-1+}f(x)=2$, $\displaystyle\lim_{x\to-1-}f(x)=1$이므로 $\displaystyle\lim_{x\to-1+}f(x)\neq\lim_{x\to-1-}f(x)$
③ $\displaystyle\lim_{x\to1+}f(x)=1$
④ $f(-1)=2$이므로 함수 $f(x)$는 $x=-1$에서 함숫값을 갖는다.
⑤ 구간 $(-1, 1)$에서 함수 $f(x)$는 $x=0$에서 불연속이므로 불연속이 되는 x의 값은 1개이다.

답 ④

009

ㄱ. $\displaystyle\lim_{x\to0+}f(x)=1$ (참)
ㄴ. $\displaystyle\lim_{x\to2-}f(x)=1$ (거짓)

ㄷ. $\displaystyle\lim_{x\to2+}|f(x)|=|-1|=1$, $\displaystyle\lim_{x\to2-}|f(x)|=|1|=1$이므로 $\displaystyle\lim_{x\to2}|f(x)|=1$
이때 $|f(2)|=|-1|=1$이므로 $\displaystyle\lim_{x\to2}|f(x)|=1=|f(2)|$
따라서 함수 $|f(x)|$는 $x=2$에서 연속이다. (참)
따라서 옳은 것은 ㄱ, ㄷ이다.

답 ③

참고
함수 $y=|f(x)|$의 그래프는 오른쪽 그림과 같다.
즉, 함수 $y=|f(x)|$는 $x=0$에서 불연속이다.

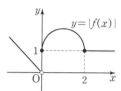

010

$f(1)=0$이므로 $(f\circ f)(1)=f(f(1))=f(0)=1$
$f(x)=t$로 놓으면 $x\to1+$일 때 $t\to-1+$이므로
$$\lim_{x\to1+}(f\circ f)(x)=\lim_{x\to1+}f(f(x))=\lim_{t\to-1+}f(t)=1 \quad \text{⋯⋯ ㉠}$$
또, $x\to1-$일 때 $t\to1-$이므로
$$\lim_{x\to1-}(f\circ f)(x)=\lim_{x\to1-}f(f(x))=\lim_{t\to1-}f(t)=1 \quad \text{⋯⋯ ㉡}$$
㉠, ㉡에서 $\displaystyle\lim_{x\to1}(f\circ f)(x)=1$
따라서 $\displaystyle\lim_{x\to1}(f\circ f)(x)=(f\circ f)(1)$이므로 함수 $(f\circ f)(x)$는 $x=1$에서 연속이다.

답 연속

011

(1) $(f\circ g)(0)=f(g(0))=f(0)=1$ ⋯⋯ ㉠
$$\lim_{x\to0}(f\circ g)(x)=\lim_{x\to0}f(g(x))=f(0)=1 \quad \text{⋯⋯ ㉡}$$
㉠, ㉡에서 $\displaystyle\lim_{x\to0}(f\circ g)(x)=(f\circ g)(0)$
따라서 함수 $(f\circ g)(x)$는 $x=0$에서 연속이다.

(2) $(g\circ f)(0)=g(f(0))=g(1)=1$ ⋯⋯ ㉠
$f(x)=t$로 놓으면 $x\to0$일 때 $t\to0$이므로
$$\lim_{x\to0}(g\circ f)(x)=\lim_{x\to0}g(f(x))=\lim_{t\to0}g(t)=0 \quad \text{⋯⋯ ㉡}$$
㉠, ㉡에서 $\displaystyle\lim_{x\to0}(g\circ f)(x)\neq(g\circ f)(0)$
따라서 함수 $(g\circ f)(x)$는 $x=0$에서 불연속이다.

답 (1) 연속 (2) 불연속

012

ㄱ. $\displaystyle\lim_{x\to1-}f(x)=0$, $\displaystyle\lim_{x\to1+}f(x)=1$이므로 $\displaystyle\lim_{x\to1-}f(x)<\lim_{x\to1+}f(x)$ (참)

ㄴ. $\dfrac{1}{t}=x$로 놓으면 $t\to\infty$일 때 $x\to0+$이므로 $\displaystyle\lim_{t\to\infty}f\left(\frac{1}{t}\right)=\lim_{x\to0+}f(x)=1$ (참)

ㄷ. $f(x)=t$로 놓으면 $x\to3+$일 때 $t\to2-$이므로 $\displaystyle\lim_{x\to3+}f(f(x))=\lim_{t\to2-}f(t)=1$
또, $x\to3-$일 때 $t\to2+$이므로 $\displaystyle\lim_{x\to3-}f(f(x))=\lim_{t\to2+}f(t)=3$
즉, $\displaystyle\lim_{x\to3}f(f(x))$의 값이 존재하지 않으므로 함수 $f(f(x))$는

$x=3$에서 불연속이다. (거짓)

따라서 옳은 것은 ㄱ, ㄴ이다.

답 ③

참고

모든 실수 x에서 정의된 두 함수 $f(x)$, $g(x)$에 대하여 합성함수 $(f \circ g)(x)$가 $x=a$에서 연속이려면 $\lim\limits_{x \to a+} f(g(x)) = \lim\limits_{x \to a-} f(g(x)) = f(g(a))$가 성립해야 한다.

013

ㄱ. $g(f(-1)) = g(0) = 1$ .... ㉠

$f(x) = t$로 놓으면 $x \to -1$일 때 $t \to 0$이므로

$\lim\limits_{x \to -1} g(f(x)) = \lim\limits_{t \to 0} g(t) = 1$ .... ㉡

㉠, ㉡에서 $\lim\limits_{x \to -1} g(f(x)) = g(f(-1))$

따라서 함수 $g(f(x))$는 $x=-1$에서 연속이다. (참)

ㄴ. $f(g(0)) = f(1) = -1$ .... ㉠

$g(x) = s$로 놓으면 $x \to 0$일 때 $s \to 1-$이므로

$\lim\limits_{x \to 0} f(g(x)) = \lim\limits_{s \to 1-} f(s) = 0$ .... ㉡

㉠, ㉡에서 $\lim\limits_{x \to 0} f(g(x)) \neq f(g(0))$

따라서 함수 $f(g(x))$는 $x=0$에서 불연속이다. (거짓)

ㄷ. $f(1)g(1) = -1 \times 0 = 0$ .... ㉠

$\lim\limits_{x \to 1+} f(x)g(x) = \lim\limits_{x \to 1+} f(x) \times \lim\limits_{x \to 1+} g(x)$
$\qquad\qquad\qquad = -1 \times 0 = 0$

$\lim\limits_{x \to 1-} f(x)g(x) = \lim\limits_{x \to 1-} f(x) \times \lim\limits_{x \to 1-} g(x)$
$\qquad\qquad\qquad = 0 \times 0 = 0$

$\therefore \lim\limits_{x \to 1} f(x)g(x) = 0$ .... ㉡

㉠, ㉡에서 $\lim\limits_{x \to 1} f(x)g(x) = f(1)g(1)$

따라서 함수 $f(x)g(x)$는 $x=1$에서 연속이다. (참)

따라서 옳은 것은 ㄱ, ㄷ이다.

답 ③

참고

ㄷ에서 $\lim\limits_{x \to a} f(x) = \alpha$, $\lim\limits_{x \to a} g(x) = \beta$이면 극한의 성질이 성립하고,

$\lim\limits_{x \to a} f(x)g(x) = \lim\limits_{x \to a} f(x) \times \lim\limits_{x \to a} g(x) = \alpha\beta$임을 이용한다.

014

(1) 함수 $f(x)$가 모든 실수 x에서 연속이려면 $x=2$에서 연속이어야 하므로 $\lim\limits_{x \to 2+} f(x) = \lim\limits_{x \to 2-} f(x) = f(2)$이어야 한다. 이때

$\lim\limits_{x \to 2+} f(x) = \lim\limits_{x \to 2+} (3x-1) = 5$

$\lim\limits_{x \to 2-} f(x) = \lim\limits_{x \to 2-} a = a$

$f(2) = 3 \times 2 - 1 = 5$이므로 $a=5$

(2) 함수 $f(x)$가 모든 실수 x에서 연속이려면 $x=-1$에서 연속이어야 하므로 $\lim\limits_{x \to -1+} f(x) = \lim\limits_{x \to -1-} f(x) = f(-1)$이어야 한다.

이때

$\lim\limits_{x \to -1+} f(x) = \lim\limits_{x \to -1+} (-2x+a) = 2+a$

$\lim\limits_{x \to -1-} f(x) = \lim\limits_{x \to -1-} 2 = 2$

$f(-1) = -2 \times (-1) + a = 2+a$

이므로

$2+a = 2$ $\qquad \therefore a=0$

답 (1) 5 (2) 0

015

함수 $f(x)$가 $x=1$에서 연속이려면

$\lim\limits_{x \to 1+} f(x) = \lim\limits_{x \to 1-} f(x) = f(1)$이어야 한다. 이때

$\lim\limits_{x \to 1+} f(x) = \lim\limits_{x \to 1+} (x+5) = 6$

$\lim\limits_{x \to 1-} f(x) = \lim\limits_{x \to 1-} (2x+a) = 2+a$

$f(1) = 1+5 = 6$

이므로

$2+a = 6$ $\qquad \therefore a=4$

답 ④

016

함수 $f(x)$가 모든 실수 x에서 연속이려면 $x=2$, $x=-2$에서 연속이어야 한다.

$x=2$에서 연속이려면 $\lim\limits_{x \to 2+} f(x) = \lim\limits_{x \to 2-} f(x) = f(2)$이어야 하고

$\lim\limits_{x \to 2+} f(x) = \lim\limits_{x \to 2+} ax = 2a$

$\lim\limits_{x \to 2-} f(x) = \lim\limits_{x \to 2-} (3x-2) = 4$

$f(2) = 2a$

이므로

$2a = 4$ $\qquad \therefore a=2$

$x=-2$에서 연속이려면 $\lim\limits_{x \to -2+} f(x) = \lim\limits_{x \to -2-} f(x) = f(-2)$이어야 하고

$\lim\limits_{x \to -2+} f(x) = \lim\limits_{x \to -2+} (3x-2) = -8$

$\lim\limits_{x \to -2-} f(x) = \lim\limits_{x \to -2-} (x+b) = -2+b$

$f(-2) = 3 \times (-2) - 2 = -8$

이므로

$-2+b = -8$ $\qquad \therefore b=-6$

$\therefore a+b = 2+(-6) = -4$

답 ①

017

함수 $f(x)$가 실수 전체의 집합에서 연속이려면 $x=1$에서 연속이어야 하므로 $\lim\limits_{x \to 1+} f(x) = \lim\limits_{x \to 1-} f(x) = f(1)$이어야 한다. 이때

$\lim\limits_{x \to 1+} f(x) = \lim\limits_{x \to 1+} (x^3+a) = 1+a$

$\lim\limits_{x \to 1-} f(x) = \lim\limits_{x \to 1-} (4x^2-a) = 4-a$

$f(1) = 1+a$

이므로

$1+a = 4-a$, $2a=3$ $\qquad \therefore a = \dfrac{3}{2}$

답 ①

018

함수 $f(x)g(x)$가 $x=1$에서 연속이려면

$\lim\limits_{x \to 1+} f(x)g(x) = \lim\limits_{x \to 1-} f(x)g(x) = f(1)g(1)$이어야 한다. 이때

$\lim\limits_{x \to 1+} f(x)g(x) = \lim\limits_{x \to 1+} (x-2)(x+a)$
$\qquad\qquad\qquad = -(1+a) = -a-1$

$\lim\limits_{x \to 1-} f(x)g(x) = \lim\limits_{x \to 1-} (x+1)(x+a)$
$\qquad\qquad\qquad = 2(1+a) = 2a+2$

$f(1)g(1)=-(1+a)=-a-1$

이므로

$2a+2=-a-1$, $3a=-3$

$\therefore a=-1$

답 ②

019

(1) 함수 $f(x)$가 모든 실수 x에서 연속이려면 $x=1$에서 연속이어야 하므로 $\lim\limits_{x \to 1} f(x)=f(1)$이어야 한다. 이때

$\lim\limits_{x \to 1} f(x)=\lim\limits_{x \to 1}(x+a)=1+a$

$f(1)=3$

이므로

$1+a=3$ $\therefore a=2$

(2) 함수 $f(x)$가 모든 실수 x에서 연속이려면 $x=-3$에서 연속이어야 하므로 $\lim\limits_{x \to -3} f(x)=f(-3)$이어야 한다. 이때

$\lim\limits_{x \to -3} f(x)=\lim\limits_{x \to -3}(x+2)=-1$

$f(-3)=a$

이므로 $a=-1$

답 (1) 2 (2) -1

020

함수 $f(x)$가 모든 실수 x에서 연속이려면 $x=1$에서 연속이어야 하므로 $\lim\limits_{x \to 1} f(x)=f(1)$이어야 한다. 이때

$\lim\limits_{x \to 1} f(x)=\lim\limits_{x \to 1}(x+4)=5$

$f(1)=-a+3$

이므로 $-a+3=5$

$\therefore a=-2$

답 ②

021

함수 $f(x)$가 $x=3$에서 연속이므로 $\lim\limits_{x \to 3} f(x)=f(3)$이어야 한다.

$\therefore \lim\limits_{x \to 3} \dfrac{x^2-ax+6}{x-3}=b$ ·········· ㉠

이때 $x \to 3$일 때 극한값이 존재하고 (분모) $\to 0$이므로 (분자) $\to 0$이어야 한다.

즉, $\lim\limits_{x \to 3}(x^2-ax+6)=0$이므로

$9-3a+6=0$, $-3a=-15$

$\therefore a=5$

$a=5$를 ㉠에 대입하면

$b=\lim\limits_{x \to 3} \dfrac{x^2-5x+6}{x-3}=\lim\limits_{x \to 3} \dfrac{(x-2)(x-3)}{x-3}$

$\quad =\lim\limits_{x \to 3}(x-2)=1$

$\therefore a+b=5+1=6$

답 ⑤

참고
미정계수가 포함된 분수 꼴의 함수에서
(1) $x \to a$일 때, 극한값이 존재하고 (분모) $\to 0$이면 (분자) $\to 0$이다.
(2) $x \to a$일 때, 0이 아닌 극한값이 존재하고 (분자) $\to 0$이면 (분모) $\to 0$이다.

022

함수 $f(x)$가 $x=-1$에서 연속이려면 $\lim\limits_{x \to -1} f(x)=f(-1)$이어야 한다.

$\therefore \lim\limits_{x \to -1} \dfrac{ax^2+4ax+6}{x+1}=b$ ·········· ㉠

이때 $x \to -1$일 때 극한값이 존재하고 (분모) $\to 0$이므로 (분자) $\to 0$이어야 한다.

즉, $\lim\limits_{x \to -1}(ax^2+4ax+6)=0$이므로

$a-4a+6=0$, $-3a=-6$

$\therefore a=2$

$a=2$를 ㉠에 대입하면

$b=\lim\limits_{x \to -1} \dfrac{2x^2+8x+6}{x+1}$

$\quad =\lim\limits_{x \to -1} \dfrac{2(x+1)(x+3)}{x+1}$

$\quad =\lim\limits_{x \to -1} 2(x+3)=4$

$\therefore a+b=2+4=6$

답 ⑤

023

함수 $f(x)$가 모든 실수 x에서 연속이려면 $x=0$에서 연속이어야 하므로 $\lim\limits_{x \to 0} f(x)=f(0)$이어야 한다.

$\therefore \lim\limits_{x \to 0} \dfrac{\sqrt{x+a}+b}{x}=2$ ·········· ㉠

❶

이때 $x \to 0$일 때 극한값이 존재하고 (분모) $\to 0$이므로 (분자) $\to 0$이어야 한다.

즉, $\lim\limits_{x \to 0}(\sqrt{x+a}+b)=0$이므로 $\sqrt{a}+b=0$

$\therefore b=-\sqrt{a}$ ·········· ㉡

㉡을 ㉠에 대입하면

$\lim\limits_{x \to 0} \dfrac{\sqrt{x+a}-\sqrt{a}}{x}=\lim\limits_{x \to 0} \dfrac{(\sqrt{x+a}-\sqrt{a})(\sqrt{x+a}+\sqrt{a})}{x(\sqrt{x+a}+\sqrt{a})}$

$\quad =\lim\limits_{x \to 0} \dfrac{x}{x(\sqrt{x+a}+\sqrt{a})}$

$\quad =\lim\limits_{x \to 0} \dfrac{1}{\sqrt{x+a}+\sqrt{a}}$

$\quad =\dfrac{1}{2\sqrt{a}}$

이때 $\dfrac{1}{2\sqrt{a}}=2$이므로 $a=\dfrac{1}{16}$ ❷

$a=\dfrac{1}{16}$을 ㉡에 대입하면

$b=-\sqrt{a}=-\dfrac{1}{4}$ ❸

답 $a=\dfrac{1}{16}$, $b=-\dfrac{1}{4}$

채점 기준	비율
❶ $f(x)$가 모든 실수 x에서 연속인 조건을 식으로 나타낼 수 있다.	30%
❷ a의 값을 구할 수 있다.	50%
❸ b의 값을 구할 수 있다.	20%

024

ㄱ. 두 함수 $f(x)$, $g(x)$가 실수 전체의 집합에서 연속이므로 연속함수의 성질에 따라 $\underline{f(x)-g(x)}$도 실수 전체의 집합에서 연속이다.
→ 실수 전체의 집합에서 연속인 두 함수끼리 빼도 실수 전체의 집합에서 연속이다.

ㄴ. 두 함수 $f(x)$, $g(x)$가 실수 전체의 집합에서 연속이므로 연속함수의 성질에 따라 $\underline{f(x)g(x)}$도 실수 전체의 집합에서 연속이다.
→ 실수 전체의 집합에서 연속인 두 함수끼리 곱해도 실수 전체의 집합에서 연속이다.

ㄷ. 함수 $\dfrac{g(x)}{f(x)}$는 $f(x)=0$일 때 불연속이므로 실수 전체의 집합에서 항상 연속이라고 할 수 없다.

ㄹ. 함수 $\dfrac{f(x)}{g(x)}$는 $g(x)=0$일 때 불연속이므로 실수 전체의 집합에서 항상 연속이라고 할 수 없다.

따라서 실수 전체의 집합에서 항상 연속인 함수는 ㄱ, ㄴ이다.

답 ㄱ, ㄴ

025

(1) 두 다항함수 $f(x)$, $g(x)$는 모든 실수 x에서 연속이므로 연속함수의 성질에 따라 $f(x)+g(x)$도 모든 실수 x에서 연속이다.
따라서 연속인 구간은 $(-\infty, \infty)$이다.

(2) 두 다항함수 $f(x)$, $g(x)$는 모든 실수 x에서 연속이므로 연속함수의 성질에 따라 $f(x)-g(x)$도 모든 실수 x에서 연속이다.
따라서 연속인 구간은 $(-\infty, \infty)$이다.

(3) 두 다항함수 $f(x)$, $g(x)$는 모든 실수 x에서 연속이므로 연속함수의 성질에 따라 $f(x)g(x)$도 모든 실수 x에서 연속이다.
따라서 연속인 구간은 $(-\infty, \infty)$이다.

(4) 함수 $\dfrac{f(x)}{g(x)}$는 $g(x)\neq 0$, 즉 $x\neq 3$인 모든 실수 x에서 연속이다.
→ $x-3\neq 0$에서 $x\neq 3$

(5) 함수 $\dfrac{g(x)}{f(x)}$는 $f(x)\neq 0$, 즉 $x\neq -1$이고 $x\neq 2$인 모든 실수 x에서 연속이다.
→ $x^2-x-2\neq 0$에서 $(x+1)(x-2)\neq 0$
∴ $x\neq -1, x\neq 2$
따라서 연속인 구간은 $(-\infty, -1)$, $(-1, 2)$, $(2, \infty)$이다.

답 (1) $(-\infty, \infty)$ (2) $(-\infty, \infty)$
(3) $(-\infty, \infty)$ (4) $(-\infty, 3)$, $(3, \infty)$
(5) $(-\infty, -1)$, $(-1, 2)$, $(2, \infty)$

|다른 풀이|

(1) $f(x)+g(x)=(x^2-x-2)+(x-3)=x^2-5$
즉, $f(x)+g(x)$는 다항함수이므로 모든 실수 x에서 연속이다.
따라서 연속인 구간은 $(-\infty, \infty)$이다.

(2) $f(x)+g(x)=(x^2-x-2)-(x-3)=x^2-2x+1$
즉, $f(x)-g(x)$는 다항함수이므로 모든 실수 x에서 연속이다.
따라서 연속인 구간은 $(-\infty, \infty)$이다.

(3) $f(x)g(x)=(x^2-x-2)(x-3)=x^3-4x^2+x+6$
즉, $f(x)g(x)$는 다항함수이므로 모든 실수 x에서 연속이다.
따라서 연속인 구간은 $(-\infty, \infty)$이다.

(4) $\dfrac{f(x)}{g(x)}=\dfrac{x^2-x-2}{x-3}=\dfrac{(x+1)(x-2)}{x-3}$
즉, $\dfrac{f(x)}{g(x)}$는 $x-3\neq 0$, 즉 $x\neq 3$인 모든 실수 x에서 연속이다.
따라서 연속인 구간은 $(-\infty, 3)$, $(3, \infty)$이다.

(5) $\dfrac{g(x)}{f(x)}=\dfrac{x-3}{x^2-x-2}=\dfrac{x-3}{(x+1)(x-2)}$
즉, $\dfrac{g(x)}{f(x)}$는 $(x+1)(x-2)\neq 0$, 즉 $x\neq -1$이고 $x\neq 2$인 모든 실수 x에서 연속이다.
따라서 연속인 구간은 $(-\infty, -1)$, $(-1, 2)$, $(2, \infty)$이다.

026

① 두 다항함수 $f(x)$, $g(x)$는 모든 실수 x에서 연속이므로 연속함수의 성질에 따라 $f(x)+g(x)$도 모든 실수 x에서 연속이다.

② 두 다항함수 $f(x)$, $g(x)$는 모든 실수 x에서 연속이므로 연속함수의 성질에 따라 $f(x)g(x)$도 모든 실수 x에서 연속이다.

③ 함수 $\dfrac{f(x)}{g(x)}$는 $g(x)\neq 0$, 즉 $x\neq 1$인 실수 x에서만 연속이다.
→ $x-1\neq 0$에서 $x\neq 1$
따라서 $x=1$에서 불연속이다.

④ 모든 실수 x에서 $f(x)\neq 0$이므로 함수 $\dfrac{g(x)}{f(x)}$는 모든 실수 x에서 연속이다.

⑤ $g(f(x))=(x^2+1)-1=x^2$이므로 함수 $g(f(x))$는 모든 실수 x에서 연속이다.

답 ③

|다른 풀이|

① $f(x)+g(x)=x^2+x$이므로 모든 실수 x에서 연속이다.

② $f(x)g(x)=(x^2+1)(x-1)=x^3-x^2+x-1$이므로 모든 실수 x에서 연속이다.

③ $\dfrac{f(x)}{g(x)}=\dfrac{x^2+1}{x-1}$이므로 함수 $\dfrac{f(x)}{g(x)}$는 $x\neq 1$에서 연속이다. 즉, 함수 $\dfrac{f(x)}{g(x)}$는 $x=1$에서 불연속이다.

④ $\dfrac{g(x)}{f(x)}=\dfrac{x-1}{x^2+1}$이고, $x^2+1\neq 0$이므로 함수 $\dfrac{g(x)}{f(x)}$는 모든 실수 x에서 연속이다.

027

ㄱ. 두 함수 $f(x)$, $g(x)$가 $x=a$에서 연속이므로 연속함수의 성질에 따라 $2f(x)-g(x)$, 즉 $f(x)+f(x)-g(x)$도 $x=a$에서 연속이다.

ㄴ. 두 함수 $f(x)$, $g(x)$가 $x=a$에서 연속이므로 연속함수의 성질에 따라 $f(x)g(x)$도 $x=a$에서 연속이다.

ㄷ. 함수 $f(x)$가 $x=a$에서 연속이므로 연속함수의 성질에 따라 $\{f(x)\}^2$, 즉 $f(x)f(x)$도 $x=a$에서 연속이다.

ㄹ. 함수 $\dfrac{f(x)}{\{g(x)\}^2}$는 $g(x)=0$인 x의 값에서 불연속이다.
$g(a)=0$인지 알 수 없으므로 함수 $\dfrac{f(x)}{\{g(x)\}^2}$가 $x=a$에서 항상 연속이라고 할 수 없다.

따라서 $x=a$에서 항상 연속인 함수는 ㄱ, ㄴ, ㄷ이다.

답 ③

|다른 풀이|

두 함수 $f(x)$, $g(x)$가 $x=a$에서 연속이므로
$\lim_{x\to a} f(x)=f(a)$, $\lim_{x\to a} g(x)=g(a)$

ㄱ. $\lim_{x \to a} \{2f(x) - g(x)\} = \lim_{x \to a} \{2f(x)\} - \lim_{x \to a} g(x)$
$= 2f(a) - g(a)$
이므로 함수 $2f(x) - g(x)$는 $x = a$에서 연속이다.

ㄴ. $\lim_{x \to a} f(x)g(x) = \lim_{x \to a} f(x) \times \lim_{x \to a} g(x) = f(a)g(a)$
이므로 함수 $f(x)g(x)$는 $x = a$에서 연속이다.

ㄷ. $\lim_{x \to a} \{f(x)\}^2 = \lim_{x \to a} f(x) \times \lim_{x \to a} f(x) = \{f(a)\}^2$
이므로 함수 $\{f(x)\}^2$은 $x = a$에서 연속이다.

028

$\lim_{x \to 2+} f(x) = \lim_{x \to 2+} (x^2 + 4) = 2^2 + 4 = 8$

$\lim_{x \to 2-} f(x) = \lim_{x \to 2-} 2 = 2$

이므로

$\lim_{x \to 2+} f(x) \neq \lim_{x \to 2-} f(x)$

따라서 $\lim_{x \to 2} f(x)$의 값이 존재하지 않으므로 함수 $f(x)$는 $x = 2$에서 불연속이다.

한편, 다항함수 $g(x)$는 모든 실수 x에서 연속이므로 $\dfrac{g(x)}{f(x)}$가 모든 실수 x에서 연속이려면 $x = 2$에서 연속이어야 한다. 이때

$\lim_{x \to 2+} \dfrac{g(x)}{f(x)} = \lim_{x \to 2+} \dfrac{x - a}{x^2 + 4} = \dfrac{2 - a}{8}$

$\lim_{x \to 2-} \dfrac{g(x)}{f(x)} = \lim_{x \to 2-} \dfrac{x - a}{2} = \dfrac{2 - a}{2}$

$\dfrac{g(2)}{f(2)} = \dfrac{2 - a}{8}$

이므로

$\dfrac{2 - a}{8} = \dfrac{2 - a}{2}$

$4 - 2a = 16 - 8a,\ 6a = 12$

$\therefore a = 2$

답 ⑤

029

구간 $[-1, 2]$에서 함수 $y = f(x)$의 그래프는 오른쪽 그림과 같다.
따라서 함수 $f(x)$는 $x = 0$에서 불연속이고 $f(x)$는 $x = 2$에서 최댓값 7, $x = 0$에서 최솟값 -1을 가지므로 최댓값과 최솟값의 합은
$7 + (-1) = 6$

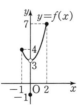

답 6

030

함수 $f(x) = \dfrac{1}{x - 2}$은 $x \neq 2$인 모든 실수 x에서 연속이고 그 그래프는 오른쪽 그림과 같다.
따라서 $f(x)$는 $x < 2$일 때 x의 값이 증가할수록 y의 값이 감소하므로 구간 $[0, 2)$에서 최솟값이 존재하지 않는다.

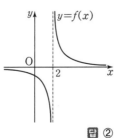

답 ②

031

$f(x) = \dfrac{3x}{x - 1} = 3 + \dfrac{3}{x - 1}$

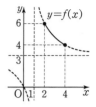

이므로 구간 $[2, 4]$에서 함수 $y = f(x)$의 그래프는 오른쪽 그림과 같다.
따라서 $f(x)$는 $x = 2$에서 최댓값 6, $x = 4$에서 최솟값 4를 가지므로
$M = 6,\ m = 4$ $\therefore M - m = 2$

답 ④

032

① 구간 $(-2, 4)$에서 함수 $f(x)$가 불연속이 되는 x의 값은 0의 1개이다.
② 구간 $[-2, 4]$에서 함수 $f(x)$의 최댓값은 없다.
④ 구간 $[-2, 6]$에서 함수 $f(x)$의 최솟값은 없고, 최댓값은 4이다.
⑤ 구간 $[0, 6]$에서 함수 $f(x)$의 최댓값은 4이고, 최솟값은 1이므로 최댓값과 최솟값의 차는 $4 - 1 = 3$이다.

답 ③

033

$(f \circ g)(x) = f(g(x))$
$= f\left(\dfrac{1}{x - 3}\right)$
$= \dfrac{1}{x - 3} + 2$

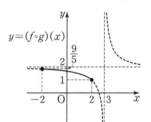

이므로 구간 $[-2, 2]$에서 함수 $y = (f \circ g)(x)$의 그래프는 오른쪽 그림과 같다.
따라서 함수 $(f \circ g)(x)$의 최댓값은
$(f \circ g)(-2) = f(g(-2)) = \dfrac{1}{-2 - 3} + 2 = \dfrac{9}{5}$ ⋯⋯ ❶

최솟값은
$(f \circ g)(2) = f(g(2)) = \dfrac{1}{2 - 3} + 2 = 1$ ⋯⋯ ❷

이므로 $k = \dfrac{9}{5} + 1 = \dfrac{14}{5}$

$\therefore 5k = 5 \times \dfrac{14}{5} = 14$ ⋯⋯ ❸

답 14

채점 기준	비율
❶ 함수 $(f \circ g)(x)$의 최댓값을 구할 수 있다.	40%
❷ 함수 $(f \circ g)(x)$의 최솟값을 구할 수 있다.	40%
❸ $5k$의 값을 구할 수 있다.	20%

034

$f(-2)f(-1) = 2 \times (-4) = -8 < 0$
$f(-1)f(0) = -4 \times 3 = -12 < 0$
$f(0)f(1) = 3 \times (-2) = -6 < 0$
$f(1)f(2) = -2 \times (-5) = 10 > 0$
$f(2)f(3) = -5 \times 1 = -5 < 0$

이므로 사잇값의 정리에 의하여 방정식 $f(x)=0$은 구간 $(-2, -1)$, $(-1, 0)$, $(0, 1)$, $(2, 3)$에서 각각 적어도 하나의 실근을 갖는다.

따라서 방정식 $f(x)=0$은 적어도 4개의 실근을 가지므로 $n=4$

답 ④

035

$f(x)=x^4-5x^3+8$이라고 하면 $f(x)$는 모든 실수 x에서 연속이고 $f(-2)=64>0$, $f(-1)=14>0$, $f(0)=8>0$, $f(1)=4>0$, $f(2)=-16<0$, $f(3)=-46<0$

이때 $f(1)f(2)<0$이므로 사잇값의 정리에 의하여 주어진 방정식의 실근이 존재하는 구간은 $(1, 2)$이다.

답 ④

036

$f(x)=x^3+5x^2-10$으로 놓으면

$f(-4)=6$, $f(-3)=8$, $f(-2)=2$, $f(-1)=-6$, $f(0)=-10$, $f(1)=4$

① $f(-4)>0$, $f(-3)>0$이므로 $f(-4)f(-3)>0$

② $f(-3)>0$, $f(-2)>0$이므로 $f(-3)f(-2)>0$

③ $f(-2)>0$, $f(-1)<0$이므로 $f(-2)f(-1)<0$

④ $f(-1)<0$, $f(0)<0$이므로 $f(-1)f(0)>0$

⑤ $f(0)<0$, $f(1)<0$이므로 $f(0)f(-1)>0$

따라서 사잇값의 정리에 의하여 방정식 $f(x)=0$은 구간 $(-2, -1)$에서 각각 적어도 하나의 실근을 갖는다.

답 ③

037

$g(x)=f(x)-x$로 놓으면 함수 $g(x)$는 연속함수이므로 $g(0)g(1)<0$이면 $g(x)=0$은 구간 $(0, 1)$ 사이에서 적어도 하나의 실근을 갖는다. ·········· ❶

$f(0)=a$, $f(1)=a-2$이므로

$g(0)=a$, $g(1)=(a-2)-1=a-3$

$g(0)g(1)=a(a-2-1)=a(a-3)<0$

$\therefore 0<a<3$ ·········· ❷

답 $0<a<3$

채점 기준	비율
❶ 방정식 $f(x)=x$가 적어도 하나의 실근을 갖게 하기 위한 조건을 구할 수 있다.	70%
❷ a의 값의 범위를 구할 수 있다.	30%

038

현민이의 몸무게가 $60\,\text{kg}$인 순간이 적어도 한 번 존재하는 때는 2주와 3주 사이, 3주와 4주 사이, 4주와 5주 사이이다.

따라서 6주 동안 현민이의 몸무게가 $60\,\text{kg}$이었던 순간이 3번 이상 존재하므로 n의 최솟값은 3이다.

답 ③

실력을 높이는 연습 문제

01

함수 $f(x)$가 $x=a$에서 연속이려면 $\lim\limits_{x \to a} f(x)$가 존재하고

$\lim\limits_{x \to a} f(x)=f(a)$이어야 한다. 이때

$\lim\limits_{x \to a+} f(x)=\lim\limits_{x \to a+} 2x=2a$

$\lim\limits_{x \to a-} f(x)=\lim\limits_{x \to a-} (x+3)=a+3$

$f(a)=2a$

이므로 $2a=a+3$ $\therefore a=3$

답 ②

02

ㄱ. $\lim\limits_{x \to -1} f(x)g(x)=\lim\limits_{x \to -1} f(x) \times \lim\limits_{x \to -1} g(x)=-1 \times 1=-1$

　　이고, $f(-1)g(-1)=-1$이므로

　　$\lim\limits_{x \to -1} f(x)g(x)=f(-1)g(-1)$

　　따라서 함수 $f(x)g(x)$는 $x=-1$에서 연속이다. (참)

ㄴ. $\lim\limits_{x \to 0+} f(x)g(x)=\lim\limits_{x \to 0+} f(x) \times \lim\limits_{x \to 0+} g(x)$

　　　　　　　　　$=1 \times 0=0$

　　$\lim\limits_{x \to 0-} f(x)g(x)=\lim\limits_{x \to 0-} f(x) \times \lim\limits_{x \to 0-} g(x)$

　　　　　　　　　$=-1 \times 0=0$

　　$\therefore \lim\limits_{x \to 0} f(x)g(x)=0$

　　이때 $f(0)g(0)=1 \times 0=0$이므로

　　$\lim\limits_{x \to 0} f(x)g(x)=f(0)g(0)$

　　따라서 함수 $f(x)g(x)$는 $x=0$에서 연속이다. (거짓)

ㄷ. $\lim\limits_{x \to 1} f(x)g(x)=\lim\limits_{x \to 1} f(x) \times \lim\limits_{x \to 1} g(x)=1 \times 1=1$이고,

　　$f(1)g(1)=1$이므로

　　$\lim\limits_{x \to 1} f(x)g(x)=f(1)g(1)$

　　따라서 함수 $f(x)g(x)$는 $x=1$에서 연속이다. (참)

따라서 옳은 것은 ㄱ, ㄷ이다.

답 ④

03

> **문제 접근하기**
>
> $x=a$에서 불연속인 함수 $f(x)$에 대하여 함수 $(f \circ f)(x)$는 $f(x)=a$인 점에서 불연속임을 이용한다.

주어진 그래프에서 $f(x)=\begin{cases} x-3 & (x \neq 2) \\ 1 & (x=2) \end{cases}$이므로 $(f \circ f)(x)$에 대하여

(ⅰ) $f(x) \neq 2$일 때

$(f \circ f)(x)=f(f(x))$

$=\begin{cases} f(x)-3 & (f(x) \neq 2) \\ f(2)-3 & (x=2) \end{cases}$

$=\begin{cases} (x-3)-3 & (x-3 \neq 2) \\ 1-3 & (x=2) \end{cases}$

$=\begin{cases} x-6 & (x \neq 5) \\ -2 & (x=2) \end{cases}$

(ii) $f(x)=2$일 때
$$(f \circ f)(x)=f(f(x))$$
$$=\begin{cases} f(x)-3 & (x \neq 2) \\ 1 & (f(x)=2) \end{cases}$$
$$=\begin{cases} (x-3)-3 & (x \neq 2) \\ 1 & (x-3=2) \end{cases}$$
$$=\begin{cases} x-6 & (x \neq 2) \\ 1 & (x=5) \end{cases}$$

(i), (ii)에서
$$(f \circ f)(x)=\begin{cases} x-6 & (x \neq 2, x \neq 5) \\ -2 & (x=2) \\ 1 & (x=5) \end{cases}$$
이므로 함수 $(f \circ f)(x)$는 $x=2$, $x=5$에서 불연속이므로 $a=2$, $a=5$이다.
따라서 모든 a의 값의 합은
$2+5=7$

답 ⑤

04

함수 $f(x)$가 모든 실수 x에서 연속이므로 $x=1$, $x=-1$에서 연속이어야 한다.
$x=1$에서 연속이려면 $\lim\limits_{x \to 1+} f(x)=\lim\limits_{x \to 1-} f(x)=f(1)$이어야 한다.
이때
$$\lim\limits_{x \to 1+} f(x)=\lim\limits_{x \to 1+}(ax+3)=a+3$$
$$\lim\limits_{x \to 1-} f(x)=\lim\limits_{x \to 1-}(x^2+b)=1+b$$
$$f(1)=a+3$$
이므로 $a+3=1+b$ $\therefore a=b-2$
또, $x=-1$에서 연속이려면 $\lim\limits_{x \to -1+} f(x)=\lim\limits_{x \to -1-} f(x)=f(-1)$이어야 한다. 이때
$$\lim\limits_{x \to -1+} f(x)=\lim\limits_{x \to -1+}(x^2+b)=1+b$$
$$\lim\limits_{x \to -1-} f(x)=\lim\limits_{x \to -1-}(2x+c)=-2+c$$
$$f(-1)=-2+c$$
이므로
$1+b=-2+c$ $\therefore c=b+3$
이때 $f(0)=3$이므로 $f(0)=b=3$
따라서 $a=b-2=3-2=1$, $c=b+3=3+3=6$이므로
$abc=1 \times 3 \times 6=18$

답 ④

05

함수 $f(x)$가 모든 실수 x에서 연속이려면 $x=1$에서 연속이어야 하므로 $\lim\limits_{x \to 1} f(x)=f(1)$이어야 한다.
$$\therefore \lim\limits_{x \to 1} \frac{x^2+ax-4}{x-1}=b \qquad \cdots\cdots ㉠$$
이때 $x \to 1$일 때 극한값이 존재하고 (분모) $\to 0$이므로 (분자) $\to 0$이어야 한다.
즉, $\lim\limits_{x \to 1}(x^2+ax-4)=0$이므로
$1+a-4=0$ $\therefore a=3$
$a=3$을 ㉠에 대입하면

$$b=\lim\limits_{x \to 1}\frac{x^2+3x-4}{x-1}=\lim\limits_{x \to 1}\frac{(x-1)(x+4)}{x-1}$$
$$=\lim\limits_{x \to 1}(x+4)=5$$
$\therefore a+b=3+5=8$

답 ⑤

참고
미정계수가 포함된 분수 꼴의 함수에서 $x \to a$일 때 극한값이 존재하고 (분모) $\to 0$이면 (분자) $\to 0$이다.

06

함수 $f(x)$가 $x=2$에서 연속이므로
$\lim\limits_{x \to 2+} f(x)=\lim\limits_{x \to 2-} f(x)=f(2)$이어야 한다. 이때
$$\lim\limits_{x \to 2+} f(x)=\lim\limits_{x \to 2+}(a[x]-[x])$$
$$=(a-1)\lim\limits_{x \to 2+}[x]$$
$$=(a-1) \times 2=2a-2$$
$$\lim\limits_{x \to 2-} f(x)=\lim\limits_{x \to 2-}(a[x]-[x])$$
$$=(a-1)\lim\limits_{x \to 2-}[x]$$
$$=(a-1) \times 1=a-1$$
$$f(2)=2a-2$$
이므로 $2a-2=a-1$
$\therefore a=1$

답 ④

참고
$[x]$가 x보다 크지 않은 최대의 정수일 때, 정수 n에 대하여
(1) $x \to n+$이면 $n \leq x < n+1$이므로 $\lim\limits_{x \to n+}[x]=n$
(2) $x \to n-$이면 $n-1 \leq x < n$이므로 $\lim\limits_{x \to n-}[x]=n-1$

07

$x \neq 1$일 때, $f(x)=\dfrac{6x^2+ax+2}{x-1}$
함수 $f(x)$가 모든 실수 x에서 연속이면 $x=1$에서도 연속이므로
$$f(1)=\lim\limits_{x \to 1} f(x)=\lim\limits_{x \to 1}\frac{6x^2+ax+2}{x-1} \qquad \cdots\cdots ㉠$$
이때 $x \to 1$일 때 극한값이 존재하고 (분모) $\to 0$이므로 (분자) $\to 0$이어야 한다.
즉, $\lim\limits_{x \to 1}(6x^2+ax+2)=0$이므로
$6+a+2=0$ $\therefore a=-8$
$a=-8$을 ㉠에 대입하면
$$f(1)=\lim\limits_{x \to 1}\frac{6x^2-8x+2}{x-1}=\lim\limits_{x \to 1}\frac{(6x-2)(x-1)}{x-1}$$
$$=\lim\limits_{x \to 1}(6x-2)=6-2=4$$

답 ⑤

08

$x \neq 2$일 때, $f(x)=\dfrac{ax^2+bx}{x-2}$
함수 $f(x)$가 모든 실수 x에서 연속이면 $x=2$에서도 연속이므로 $\lim\limits_{x \to 2} f(x)=f(2)$이어야 한다.
$$\therefore \lim\limits_{x \to 2}\frac{ax^2+bx}{x-2}=6 \qquad \cdots\cdots ㉠$$

이때 $x \to 2$일 때 극한값이 존재하고 (분모) $\to 0$이므로
(분자) $\to 0$이어야 한다.

즉, $\lim_{x \to 2}(ax^2+bx)=0$이므로

$4a+2b=0 \qquad \therefore b=-2a$

$b=-2a$를 ㉠에 대입하면

$$\lim_{x \to 2}\frac{ax^2-2ax}{x-2}=\lim_{x \to 2}\frac{ax(x-2)}{x-2}=\lim_{x \to 2}ax=2a=6$$

따라서 $a=3$, $b=-6$이므로

$ab=3\times(-6)=-18$

답   -18

09

ㄱ. $h(x)=f(x)+g(x)$라고 하면 $g(x)=h(x)-f(x)$

이때 $f(x)$, $h(x)$가 연속함수이므로 연속함수의 성질에 의하여 $g(x)$도 연속함수이다. (참)

ㄴ. [반례] $f(x)=0$, $g(x)=\begin{cases} 1 & (x \geq 0) \\ -1 & (x < 0) \end{cases}$ 이라고 하면 $f(x)$와 $f(x)g(x)$는 연속함수이지만 $g(x)$는 $x=0$에서 불연속이다. (거짓)

ㄷ. [반례] $f(x)=0$, $g(x)=\begin{cases} 1 & (x \geq 0) \\ -1 & (x < 0) \end{cases}$ 이라고 하면 $f(x)$와 $\dfrac{f(x)}{g(x)}$는 연속함수이지만 $g(x)$는 $x=0$에서 불연속이다. (거짓)

따라서 옳은 것은 ㄱ이다.

답   ①

10

$x \neq 2$일 때

$f(x)=x^2-4x+6=(x-2)^2+2$

이므로 구간 $[0, 3]$에서 함수 $y=f(x)$의 그래프는 오른쪽 그림과 같다.

따라서 함수 $f(x)$는 $x=2$에서 불연속이고

$x=0$일 때 최댓값 6, $x=2$일 때 최솟값 1을 갖는다.

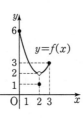

답   최댓값: 6, 최솟값: 1

11

→ 방정식 $f(x)=g(x)$는 방정식 $h(x)=0$이다.

$h(x)=f(x)-g(x)$로 놓으면 구간 $[1, 2]$에서 함수 $h(x)$가 연속이므로 사잇값의 정리에 의해 $h(1)h(2)<0$일 때 구간 $(1, 2)$에서 방정식 $h(x)=0$이 적어도 하나의 실근을 갖는다.

다항함수 $h(x)$는 모든 실수 x에서 연속이므로 구간 $(1, 2)$에서도 연속이다.

이때 $f(x)=x^4-3x^3+x^2+k$, $g(x)=x^3-4x^2+1$이므로

$h(1)=f(1)-g(1)=(k-1)-(-2)=k+1$

$h(2)=f(2)-g(2)=(k-4)-(-7)=k+3$

이므로

$(k+1)(k+3)<0$

$\therefore -3<k<-1$

따라서 정수 k는 -2의 1개이다.

답   ①

12

$\lim_{x \to 0}\dfrac{f(x)}{x}=12$에서 $f(0)=0$

$\lim_{x \to 4}\dfrac{f(x)}{x-4}=12$에서 $f(4)=0$ $x \to a$일 때 극한값이 존재하고 (분모) $\to 0$이면 (분자) $\to 0$이어야 한다.

즉, $f(x)$는 x, $x-4$를 인수로 가지므로 $f(x)=x(x-4)g(x)$ ($g(x)$는 다항함수)로 놓으면

$$\lim_{x \to 0}\frac{f(x)}{x}=\lim_{x \to 0}\frac{x(x-4)g(x)}{x}$$
$$=\lim_{x \to 0}(x-4)g(x)$$
$$=-4g(0)=12$$

$\therefore g(0)=-3$

$$\lim_{x \to 4}\frac{f(x)}{x-4}=\lim_{x \to 4}\frac{x(x-4)g(x)}{x-4}$$
$$=\lim_{x \to 4}xg(x)$$
$$=4g(4)=12$$

$\therefore g(4)=3$

$g(x)$는 다항함수이므로 모든 실수 x에서 연속이고, $g(0)g(4)<0$이므로 사잇값의 정리에 의하여 방정식 $g(x)=0$은 구간 $(0, 4)$에서 적어도 하나의 실근을 갖는다.

따라서 방정식 $f(x)=0$은 구간 $[0, 4]$에서 $x=0$, $x=4$, $g(x)=0$일 때의 적어도 3개의 실근을 갖는다.

답   ③

풍쌤 개념 CHECK

인수정리 _高 수학

다항식 $p(x)$에 대하여

(1) $p(a)=0$이면 $p(x)$는 일차식 $x-a$로 나누어떨어진다.

(2) $p(x)$가 일차식 $x-a$로 나누어떨어지면 $p(a)=0$이다.

03 미분계수와 도함수

본문 039쪽

기본을 다지는 유형

001

(1) $\dfrac{\Delta y}{\Delta x}=\dfrac{f(2)-f(0)}{2-0}=\dfrac{8-0}{2}=4$

(2) $\dfrac{\Delta y}{\Delta x}=\dfrac{f(1)-f(-1)}{1-(-1)}=\dfrac{3-(-1)}{2}=2$

(3) $\dfrac{\Delta y}{\Delta x}=\dfrac{f(-5)-f(-1)}{-5-(-1)}=\dfrac{15-(-1)}{-4}=-4$

답 (1) 4 (2) 2 (3) -4

002

(1) $\dfrac{\Delta y}{\Delta x}=\dfrac{f(3)-f(1)}{3-1}=\dfrac{-3-(-1)}{2}=-1$

(2) $\dfrac{\Delta y}{\Delta x}=\dfrac{f(3)-f(1)}{3-1}=\dfrac{7-3}{2}=2$

(3) $\dfrac{\Delta y}{\Delta x}=\dfrac{f(3)-f(1)}{3-1}=\dfrac{13-(-3)}{2}=8$

답 (1) -1 (2) 2 (3) 8

003

x의 값이 -2에서 1까지 변할 때의 함수 $f(x)$의 평균변화율은

$\dfrac{f(1)-f(-2)}{1-(-2)}=\dfrac{(-a+6)-(2a+9)}{3}=\dfrac{-3-3a}{3}=-1-a$

이때 $-1-a=8$이므로 $a=-9$

답 ①

004

x의 값이 -2에서 0까지 변할 때의 함수 $f(x)$의 평균변화율은

$\dfrac{f(0)-f(-2)}{0-(-2)}=\dfrac{0-(-8)}{2}=4$ ········· ㉠

x의 값이 0에서 a까지 변할 때의 함수 $f(x)$의 평균변화율은

$\dfrac{f(a)-f(0)}{a-0}=\dfrac{a(a+1)(a-2)-0}{a}=(a+1)(a-2)$ ········· ㉡

↖ $a>0$, 즉 $a\neq0$이므로 약분할 수 있다.

㉠, ㉡에서 $4=(a+1)(a-2)$

$a^2-a-6=0,\ (a+2)(a-3)=0$

$\therefore a=3\ (\because a>0)$

답 ③

005

직선 AB의 기울기가 2이므로

$\dfrac{f(5)-f(1)}{5-1}=\dfrac{f(5)-f(1)}{4}=2 \qquad \therefore f(5)-f(1)=8$

x의 값이 0에서 1까지 변할 때의 함수 $f(x)$의 평균변화율은

$\dfrac{f(1)-f(0)}{1-0}=f(1)-f(0)=\underline{f(1)-f(5)}=-8$

↖ $f(0)=f(5)$이므로

답 ①

006

(1) $f'(1)=\lim\limits_{\Delta x\to 0}\dfrac{f(1+\Delta x)-f(1)}{\Delta x}$

$=\lim\limits_{\Delta x\to 0}\dfrac{\{3\times(1+\Delta x)+4\}-(3\times1+4)}{\Delta x}$

$=\lim\limits_{\Delta x\to 0}\dfrac{3\Delta x}{\Delta x}=\lim\limits_{\Delta x\to 0}3=3$

(2) $f'(1)=\lim\limits_{\Delta x\to 0}\dfrac{f(1+\Delta x)-f(1)}{\Delta x}$

$=\lim\limits_{\Delta x\to 0}\dfrac{\{2\times(1+\Delta x)^2\}-(2\times1^2)}{\Delta x}$

$=\lim\limits_{\Delta x\to 0}\dfrac{4\Delta x+2(\Delta x)^2}{\Delta x}=\lim\limits_{\Delta x\to 0}(4+2\Delta x)=4$

답 (1) 3 (2) 4

|다른 풀이|

(1) $f'(1)=\lim\limits_{x\to 1}\dfrac{f(x)-f(1)}{x-1}=\lim\limits_{x\to 1}\dfrac{3x+4-(3\times1+4)}{x-1}$

$=\lim\limits_{x\to 1}\dfrac{3(x-1)}{x-1}=\lim\limits_{x\to 1}3=3$

(2) $f'(1)=\lim\limits_{x\to 1}\dfrac{f(x)-f(1)}{x-1}=\lim\limits_{x\to 1}\dfrac{2x^2-2\times1^2}{x-1}$

$=\lim\limits_{x\to 1}\dfrac{2(x+1)(x-1)}{x-1}=\lim\limits_{x\to 1}2(x+1)=4$

007

(1) $f'(a)=\lim\limits_{\Delta x\to 0}\dfrac{f(a+\Delta x)-f(a)}{\Delta x}$

$=\lim\limits_{\Delta x\to 0}\dfrac{\{(a+\Delta x)^2+1\}-(a^2+1)}{\Delta x}$

$=\lim\limits_{\Delta x\to 0}\dfrac{(\Delta x)^2+2a\Delta x}{\Delta x}$

$=\lim\limits_{\Delta x\to 0}(\Delta x+2a)=2a$

이때 $2a=12$이므로 $a=6$

(2) $f'(a)=\lim\limits_{\Delta x\to 0}\dfrac{f(a+\Delta x)-f(a)}{\Delta x}$

$=\lim\limits_{\Delta x\to 0}\dfrac{(a+\Delta x)^3-a^3}{\Delta x}$

$=\lim\limits_{\Delta x\to 0}\dfrac{(\Delta x)^3+3a(\Delta x)^2+3a^2\Delta x}{\Delta x}$

$=\lim\limits_{\Delta x\to 0}\{(\Delta x)^2+3a\Delta x+3a^2\}=3a^2$

이때 $3a^2=12$이므로 $a^2=4$

$\therefore a=2\ (\because a>0)$

답 (1) 6 (2) 2

|다른 풀이|

(1) $f'(a)=\lim\limits_{x\to a}\dfrac{f(x)-f(a)}{x-a}=\lim\limits_{x\to a}\dfrac{(x^2+1)-(a^2+1)}{x-a}$

$=\lim\limits_{x\to a}\dfrac{x^2-a^2}{x-a}=\lim\limits_{x\to a}\dfrac{(x+a)(x-a)}{x-a}$

$=\lim\limits_{x\to a}(x+a)=2a$

이때 $2a=12$이므로 $a=6$

(2) $f'(a)=\lim\limits_{x\to a}\dfrac{f(x)-f(a)}{x-a}=\lim\limits_{x\to a}\dfrac{x^3-a^3}{x-a}$

$=\lim\limits_{x\to a}\dfrac{(x-a)(x^2+ax+a^2)}{x-a}$

$=\lim\limits_{x\to a}(x^2+ax+a^2)=3a^2$

이때 $3a^2=12$이므로 $a^2=4$

$\therefore a=2 \ (\because a>0)$

008

x의 값이 -1에서 a까지 변할 때의 함수 $f(x)$의 평균변화율이 a이므로

$\dfrac{f(a)-f(-1)}{a-(-1)}=a$에서 $\dfrac{f(a)+1}{a+1}=a$

$f(a)+1=a^2+a$

$\therefore f(a)=a^2+a-1$

즉, $f(x)=x^2+x-1$이므로 함수 $f(x)$의 $x=-1$에서의 미분계수는

$f'(-1)=\displaystyle\lim_{\Delta x \to 0}\dfrac{f(-1+\Delta x)-f(-1)}{\Delta x}$

$=\displaystyle\lim_{\Delta x \to 0}\dfrac{\{(-1+\Delta x)^2+(-1+\Delta x)-1\}-(-1)}{\Delta x}$

$=\displaystyle\lim_{\Delta x \to 0}\dfrac{(\Delta x)^2-\Delta x}{\Delta x}$

$=\displaystyle\lim_{\Delta x \to 0}(\Delta x-1)=-1$

답 ①

| 다른 풀이 |

$f(x)=x^2+x-1$이므로 함수 $f(x)$의 $x=-1$에서의 미분계수는

$f'(-1)=\displaystyle\lim_{x \to -1}\dfrac{f(x)-f(-1)}{x-(-1)}=\displaystyle\lim_{x \to -1}\dfrac{(x^2+x-1)-(-1)}{x+1}$

$=\displaystyle\lim_{x \to -1}\dfrac{x(x+1)}{x+1}=\displaystyle\lim_{x \to -1}x=-1$

009

x의 값이 a에서 b까지 변할 때의 함수 $f(x)$의 평균변화율은

$\dfrac{f(b)-f(a)}{b-a}=\dfrac{(3b^2+2b-7)-(3a^2+2a-7)}{b-a}$

$=\dfrac{(b-a)(3a+3b+2)}{b-a}$

$=3a+3b+2$ ········· ㉠

❶

함수 $f(x)$의 $x=-1$에서의 미분계수는

$f'(-1)=\displaystyle\lim_{\Delta x \to 0}\dfrac{f(-1+\Delta x)-f(-1)}{\Delta x}$

$=\displaystyle\lim_{\Delta x \to 0}\dfrac{\{3(-1+\Delta x)^2+2(-1+\Delta x)-7\}-(-6)}{\Delta x}$

$=\displaystyle\lim_{\Delta x \to 0}\dfrac{3(\Delta x)^2-4\Delta x}{\Delta x}$

$=\displaystyle\lim_{\Delta x \to 0}(3\Delta x-4)=-4$ ········· ㉡

❷

㉠, ㉡에서 $3a+3b+2=-4$이므로 $3a+3b=-6$

$\therefore a+b=-2$ ········· ❸

답 -2

채점 기준	비율
❶ x의 값이 a에서 b까지 변할 때의 함수 $f(x)$의 평균변화율을 구할 수 있다.	40%
❷ 함수 $f(x)$의 $x=-1$에서의 미분계수를 구할 수 있다.	40%
❸ $a+b$의 값을 구할 수 있다.	20%

| 다른 풀이 |

함수 $f(x)$의 $x=-1$에서의 미분계수는

$f'(-1)=\displaystyle\lim_{x \to -1}\dfrac{f(x)-f(-1)}{x-(-1)}=\displaystyle\lim_{x \to -1}\dfrac{3x^2+2x-7-(-6)}{x+1}$

$=\displaystyle\lim_{x \to -1}\dfrac{(3x-1)(x+1)}{x+1}$

$=\displaystyle\lim_{x \to -1}(3x-1)=-4$

010

$f(x)=2x^2-x$라고 하면 곡선 $y=f(x)$ 위의 점 $(2, 6)$에서의 접선의 기울기는 함수 $f(x)$의 $x=2$에서의 미분계수 $f'(2)$와 같으므로

$f'(2)=\displaystyle\lim_{\Delta x \to 0}\dfrac{f(2+\Delta x)-f(2)}{\Delta x}$

$=\displaystyle\lim_{\Delta x \to 0}\dfrac{\{2(2+\Delta x)^2-(2+\Delta x)\}-(2 \times 2^2-2)}{\Delta x}$

$=\displaystyle\lim_{\Delta x \to 0}\dfrac{2(\Delta x)^2+7\Delta x}{\Delta x}$

$=\displaystyle\lim_{\Delta x \to 0}(2\Delta x+7)=7$

답 ⑤

011

$\displaystyle\lim_{\Delta x \to 0}\dfrac{f(1-3\Delta x)-f(1)}{\Delta x}=\displaystyle\lim_{\Delta x \to 0}\dfrac{f(1-3\Delta x)-f(1)}{-3\Delta x} \times (-3)$

$=-3f'(1)=-3 \times (-2)=6$

답 ⑤

참고

미분계수를 나타내는 식을 변형할 때는 다음과 같이 색칠한 부분을 같은 꼴로 만들어 준다.

$\displaystyle\lim_{\Delta x \to 0}\dfrac{f(a+p\Delta x)-f(a)}{\Delta x}=\displaystyle\lim_{\Delta x \to 0}\dfrac{f(a+p\Delta x)-f(a)}{p\Delta x} \times p$

$=pf'(a)$ (단, p는 실수이다.)

012

$\displaystyle\lim_{\Delta x \to 0}\dfrac{f(2-\Delta x)-f(2)}{-3\Delta x}=\displaystyle\lim_{\Delta x \to 0}\dfrac{f(2-\Delta x)-f(2)}{-\Delta x} \times \dfrac{1}{3}$

$=\dfrac{1}{3}f'(2)=\dfrac{1}{3} \times 3=1$

답 ④

013

$\displaystyle\lim_{\Delta x \to 0}\dfrac{f(-3-5\Delta x)-f(-3)}{4\Delta x}$

$=\displaystyle\lim_{\Delta x \to 0}\dfrac{f(-3-5\Delta x)-f(-3)}{-5\Delta x} \times \left(-\dfrac{5}{4}\right)$

$=-\dfrac{5}{4}f'(-3)=-\dfrac{5}{4} \times 4=-5$

답 ①

014

$\displaystyle\lim_{\Delta x \to 0}\dfrac{f(a+2\Delta x)-f(a)}{3\Delta x}=\displaystyle\lim_{\Delta x \to 0}\dfrac{f(a+2\Delta x)-f(a)}{2\Delta x} \times \dfrac{2}{3}$

$=\dfrac{2}{3}f'(a)$

답 ③

015

$$\lim_{\Delta x \to 0} \frac{f(3+\Delta x)-f(3-2\Delta x)}{\Delta x}$$

$$=\lim_{\Delta x \to 0} \frac{\{f(3+\Delta x)-f(3)\}-\{f(3-2\Delta x)-f(3)\}}{\Delta x}$$

$$=\lim_{\Delta x \to 0} \frac{f(3+\Delta x)-f(3)}{\Delta x}-\lim_{\Delta x \to 0} \frac{f(3-2\Delta x)-f(3)}{-2\Delta x}\times(-2)$$

$$=f'(3)+2f'(3)$$

$$=3f'(3)=3\times 2=6$$

답 ⑤

016

$$\lim_{\Delta x \to 0} \frac{f(-3+\Delta x)-5}{\Delta x}=\lim_{\Delta x \to 0} \frac{f(-3+\Delta x)-f(-3)}{\Delta x}$$

$$=f'(-3)=-4$$

답 ①

017

$$\lim_{\Delta x \to 0} \frac{f(1+\Delta x)-f(1)}{\Delta x}=2\text{이므로 } f'(1)=2 \qquad \cdots\cdots \text{㉠}$$

$$\therefore \lim_{\Delta x \to 0} \frac{f(1+\Delta x)-f(1-\Delta x)}{2\Delta x}$$

$$=\lim_{\Delta x \to 0} \frac{\{f(1+\Delta x)-f(1)\}-\{f(1-\Delta x)-f(1)\}}{2\Delta x}$$

$$=\lim_{\Delta x \to 0} \frac{f(1+\Delta x)-f(1)}{2\Delta x}-\lim_{\Delta x \to 0} \frac{f(1-\Delta x)-f(1)}{2\Delta x}$$

$$=\lim_{\Delta x \to 0} \frac{f(1+\Delta x)-f(1)}{\Delta x}\times\frac{1}{2}$$

$$\qquad\qquad -\lim_{\Delta x \to 0} \frac{f(1-\Delta x)-f(1)}{-\Delta x}\times\left(-\frac{1}{2}\right)$$

$$=\frac{1}{2}f'(1)+\frac{1}{2}f'(1)$$

$$=f'(1)=2\ (\because \text{㉠})$$

답 ⑤

018

$$\lim_{\Delta x \to 0} \frac{f(3\Delta x)-f(-\Delta x)}{3\Delta x}$$

$$=\lim_{\Delta x \to 0} \frac{\{f(0+3\Delta x)-f(0)\}-\{f(0-\Delta x)-f(0)\}}{3\Delta x}$$

$$=\lim_{\Delta x \to 0} \frac{f(0+3\Delta x)-f(0)}{3\Delta x}-\lim_{\Delta x \to 0} \frac{f(0-\Delta x)-f(0)}{-\Delta x}\times\left(-\frac{1}{3}\right)$$

$$=f'(0)+\frac{1}{3}f'(0)$$

$$=\frac{4}{3}f'(0) \qquad\qquad\qquad\qquad\qquad\qquad ❶$$

이때 $\dfrac{4}{3}f'(0)=8$이므로 $f'(0)=6$ $\qquad\qquad\qquad ❷$

답 6

채점 기준	비율
❶ $\lim\limits_{\Delta x \to 0} \dfrac{f(3\Delta x)-f(-\Delta x)}{3\Delta x}$ 를 $f'(0)$에 대한 식으로 정리할 수 있다.	80%
❷ $f'(0)$의 값을 구할 수 있다.	20%

019

$$\lim_{x \to -2} \frac{f(x)-f(-2)}{x+2}=\lim_{x \to -2} \frac{f(x)-f(-2)}{x-(-2)}=f'(-2)=5$$

답 ⑤

> **참고**
>
> 미분계수 $f'(a)=\lim\limits_{x \to a} \dfrac{f(x)-f(a)}{x-a}$ 를 이용하여 식을 변형할 때는 주어진
>
> 식을 $\underline{\lim\limits_{\bullet \to \blacktriangle} \dfrac{f(\bullet)-f(\blacktriangle)}{\bullet - \blacktriangle}}$ 의 꼴을 포함한 식으로 변형한다.
>
> └─ 같은 색끼리 같은 꼴이 되게 한다.

020

$$\lim_{x \to 1} \frac{f(x)-f(1)}{x^2-1}=\lim_{x \to 1} \left\{\frac{f(x)-f(1)}{x-1}\times\frac{1}{x+1}\right\}$$

$$=\frac{1}{2}f'(1)=\frac{1}{2}\times(-2)=-1$$

답 ②

021

$2x=t$로 놓으면 $x \to 3$일 때 $t \to 6$이므로 $\leftarrow$㉠

$$\lim_{x \to 3} \frac{f(2x)-f(6)}{x-3}=\lim_{x \to 3} \frac{f(2x)-f(6)}{2x-6}\times 2$$

$$=\lim_{t \to 6} \underbrace{\frac{f(t)-f(6)}{t-6}}_{㉠}\times 2$$

$$=2f'(6)=2\times(-2)=-4$$

답 ①

022

$$\lim_{x \to 1} \frac{xf(1)-f(x)}{x-1}=\lim_{x \to 1} \frac{\{xf(1)-f(1)\}-\{f(x)-f(1)\}}{x-1}$$

$$=\lim_{x \to 1} \frac{(x-1)f(1)}{x-1}-\lim_{x \to 1} \frac{f(x)-f(1)}{x-1}$$

$$=f(1)-f'(1)=2-3=-1$$

답 ③

023

$x^3=t$로 놓으면 $x \to a$일 때 $t \to a^3$이므로 $\leftarrow$㉠

$$\lim_{x \to a} \frac{f(x^3)-f(a^3)}{x-a}$$

$$=\lim_{x \to a} \left\{\frac{f(x^3)-f(a^3)}{(x-a)(x^2+ax+a^2)}\times(x^2+ax+a^2)\right\}$$

$$=\lim_{x \to a} \left\{\frac{f(x^3)-f(a^3)}{x^3-a^3}\times(x^2+ax+a^2)\right\}$$

$$=\lim_{t \to a^3} \underbrace{\frac{f(t)-f(a^3)}{t-a^3}}_{㉠}\times\lim_{x \to a}(x^2+ax+a^2)$$

$$=3a^2 f'(a^3)$$

답 ③

024

$$\lim_{x \to 2} \frac{f(x)}{x^2+x-6}=\lim_{x \to 2} \frac{f(x)-f(2)}{(x-2)(x+3)}\ (\because f(2)=0)$$

$$=\lim_{x \to 2} \left\{\frac{f(x)-f(2)}{x-2}\times\frac{1}{x+3}\right\}$$

$$=\frac{1}{5}f'(2)=\frac{1}{5}\times 5=1$$

답 ④

025

$$\lim_{x \to 1} \frac{f(x)-f(1)}{x^2-1} = \lim_{x \to 1} \frac{f(x)-f(1)}{(x-1)(x+1)}$$

$$= \lim_{x \to 1} \left\{ \frac{f(x)-f(1)}{x-1} \times \frac{1}{x+1} \right\}$$

$$= \frac{1}{2} f'(1)$$

이때 $\dfrac{1}{2}f'(1) = -1$이므로 $f'(1) = -2$

$$\therefore \lim_{\Delta x \to 0} \frac{f(1-2\Delta x)-f(1+3\Delta x)}{\Delta x}$$

$$= \lim_{\Delta x \to 0} \frac{\{f(1-2\Delta x)-f(1)\}-\{f(1+3\Delta x)-f(1)\}}{\Delta x}$$

$$= \lim_{\Delta x \to 0} \frac{f(1-2\Delta x)-f(1)}{-2\Delta x} \times (-2)$$

$$\qquad - \lim_{\Delta x \to 0} \frac{f(1+3\Delta x)-f(1)}{3\Delta x} \times 3$$

$$= -2f'(1)-3f'(1) = -5f'(1)$$

$$= -5 \times (-2) = 10$$

답 10

026

$$\lim_{\Delta x \to 0} \frac{f(1+\Delta x)-f(1-\Delta x)}{\Delta x}$$

$$= \lim_{\Delta x \to 0} \frac{\{f(1+\Delta x)-f(1)\}-\{f(1-\Delta x)-f(1)\}}{\Delta x}$$

$$= \lim_{\Delta x \to 0} \frac{f(1+\Delta x)-f(1)}{\Delta x} - \lim_{\Delta x \to 0} \frac{f(1-\Delta x)-f(1)}{-\Delta x} \times (-1)$$

$$= f'(1)+f'(1) = 2f'(1) \quad\text{❶}$$

이때 $2f'(1) = 12$이므로 $f'(1) = 6$ ────── ❷

$$\therefore \lim_{x \to 1} \frac{x^2-1}{f(x)-f(1)} = \lim_{x \to 1} \frac{(x-1)(x+1)}{f(x)-f(1)}$$

$$= \lim_{x \to 1} \frac{x+1}{\dfrac{f(x)-f(1)}{x-1}}$$

$$= \frac{2}{f'(1)} = \frac{2}{6} = \frac{1}{3} \quad\text{❸}$$

답 $\dfrac{1}{3}$

채점 기준	비율
❶ $\lim\limits_{\Delta x \to 0} \dfrac{f(1+\Delta x)-f(1-\Delta x)}{\Delta x} = 12$의 좌변을 간단히 할 수 있다.	40%
❷ $f'(1)$의 값을 구할 수 있다.	20%
❸ $\lim\limits_{x \to 1} \dfrac{x^2-1}{f(x)-f(1)}$의 값을 구할 수 있다.	40%

027

(1) (i) $\lim\limits_{x \to 0} f(x) = f(0) = 0$이므로 함수 $f(x)$는 $x=0$에서 연속이다.

(ii) $\lim\limits_{x \to 0} \dfrac{f(x)-f(0)}{x-0} = \lim\limits_{x \to 0} \dfrac{x}{x} = 1$

(i), (ii)에 의하여 함수 $f(x)$는 $x=0$에서 연속이고 미분가능하다.

(2) (i) $f(0)=0$이고, $\lim\limits_{x \to 0} f(x) = \lim\limits_{x \to 0} |x| = 0$이므로

$$\lim_{x \to 0} f(x) = f(0) = 0$$

즉, $f(x)$는 연속이다.

(ii) $\lim\limits_{x \to 0+} \dfrac{f(x)-f(0)}{x-0} = \lim\limits_{x \to 0+} \dfrac{|x|}{x} = \lim\limits_{x \to 0+} \dfrac{x}{x} = 1$

$$\lim_{x \to 0-} \frac{f(x)-f(0)}{x-0} = \lim_{x \to 0-} \frac{|x|}{x} = \lim_{x \to 0-} \frac{-x}{x} = -1$$

이므로 극한값 $\lim\limits_{x \to 0} \dfrac{f(x)-f(0)}{x-0}$, 즉 $f'(0)$의 값이 존재하지 않는다.

(i), (ii)에 의하여 함수 $f(x)$는 $x=0$에서 연속이지만 미분가능하지 않다.

(3) $f(0)$이 정의되지 않으므로 $f(x)$는 $x=0$에서 불연속이고 미분가능하지 않다.

답 (1) 연속이고, 미분가능하다.
(2) 연속이고, 미분가능하지 않다.
(3) 불연속이고, 미분가능하지 않다.

참고

함수 $f(x)$가 $x=a$에서 연속인지 알아보려면 다음을 모두 확인해야 한다.

(i) 함숫값 $f(a)$가 존재하는지 확인한다.

(ii) $\lim\limits_{x \to a} f(x)$의 값이 존재하는지 확인한다.

➡ $\lim\limits_{x \to a+} f(x)$와 $\lim\limits_{x \to a-} f(x)$의 값이 같은지 확인한다.

(iii) $\lim\limits_{x \to a} f(x) = f(a)$인지 확인한다.

028

ㄱ. (i) $\lim\limits_{x \to 1} f(x) = f(1) = 0$이므로 함수 $f(x)$는 $x=1$에서 연속이다.

(ii) $\lim\limits_{x \to 1} \dfrac{f(x)-f(1)}{x-1} = \lim\limits_{x \to 1} \dfrac{x-1}{x-1} = 1$

(i), (ii)에 의하여 함수 $f(x)$는 $x=1$에서 연속이고 미분가능하다.

ㄴ. (i) $\lim\limits_{x \to 1} f(x) = f(1) = 0$이므로 함수 $f(x)$는 $x=1$에서 연속이다.

(ii) $\lim\limits_{x \to 1} \dfrac{f(x)-f(1)}{x-1} = \lim\limits_{x \to 1} \dfrac{x-1}{x-1} = 1$

(i), (ii)에 의하여 함수 $f(x)$는 $x=1$에서 연속이고 미분가능하다.

ㄷ. (i) $\lim\limits_{x \to 1} f(x) = f(1) = 0$이므로 함수 $f(x)$는 $x=1$에서 연속이다.

(ii) $\lim\limits_{x \to 1+} \dfrac{f(x)-f(1)}{x-1} = \lim\limits_{x \to 1+} \dfrac{|x^2-1|-0}{x-1}$

$$= \lim_{x \to 1+} \frac{x^2-1}{x-1}$$

$$= \lim_{x \to 1+} \frac{(x+1)(x-1)}{x-1}$$

$$= \lim_{x \to 1+} (x+1) = 2$$

$$\lim_{x \to 1-} \frac{f(x)-f(1)}{x-1} = \lim_{x \to 1-} \frac{|x^2-1|-0}{x-1}$$

$$= \lim_{x \to 1-} \frac{-(x^2-1)}{x-1}$$

$$= \lim_{x \to 1-} \frac{-(x+1)(x-1)}{x-1}$$

$$= \lim_{x \to 1-} (-x-1) = -2$$

이므로 극한값 $\lim\limits_{x \to 1} \dfrac{f(x)-f(1)}{x-1}$, 즉 $f'(1)$의 값이 존재하

지 않는다.

(i), (ii)에 의하여 함수 $f(x)$는 $x=1$에서 연속이지만 미분가능하지 않다.

따라서 구하는 함수는 ㄷ이다.

답 ③

029

①, ②, ③의 그래프는 $x=a$에서 연속이지만 뾰족하므로 미분가능하지 않다.

④의 그래프는 $x=a$에서 끊어져 있어 불연속이므로 미분가능하지 않다.

답 ⑤

030

① 함수 $f(x)$는 $x=1$, $x=4$, $x=5$에서 불연속이므로 이때의 x의 값은 3개이다.

② 함수 $f(x)$는 $x=1$, $x=3$, $x=4$, $x=5$에서 미분가능하지 않으므로 이때의 x의 값은 4개이다.

③ 함수 $f(x)$는 $x=3$에서 연속이지만 미분가능하지 않으므로 이때의 x의 값은 1개이다.

④ 함수 $f(x)$는 $x=1$에서 그 값이 정의되지 않으므로 이때의 x의 값은 1개이다.

⑤ 함수 $f(x)$는 $x=4$에서 극한값이 존재하지 않으므로 이때의 x의 값은 1개이다.
$\leftarrow \lim\limits_{x\to 4-}f(x)=1, \lim\limits_{x\to 4+}f(x)=2$이므로 $\lim\limits_{x\to 4-}f(x)\neq\lim\limits_{x\to 4+}f(x)$

답 ④

031

(1) $f'(x)=\lim\limits_{h\to 0}\dfrac{f(x+h)-f(x)}{h}=\lim\limits_{h\to 0}\dfrac{(x+h)-x}{h}$

$=\lim\limits_{h\to 0}\dfrac{h}{h}=1$

이므로 $f'(1)=1$

(2) $f'(x)=\lim\limits_{h\to 0}\dfrac{f(x+h)-f(x)}{h}=\lim\limits_{h\to 0}\dfrac{(x+h)^2-x^2}{h}$

$=\lim\limits_{h\to 0}\dfrac{h^2+2xh}{h}=\lim\limits_{h\to 0}(h+2x)=2x$

이므로 $f'(1)=2\times 1=2$

(3) $f'(x)=\lim\limits_{h\to 0}\dfrac{f(x+h)-f(x)}{h}=\lim\limits_{h\to 0}\dfrac{3(x+h)-3x}{h}$

$=\lim\limits_{h\to 0}\dfrac{3h}{h}=3$

이므로 $f'(1)=3$

답 (1) $f'(x)=1, f'(1)=1$ (2) $f'(x)=2x, f'(1)=2$
(3) $f'(x)=3, f'(1)=3$

032

$f'(x)=\lim\limits_{h\to 0}\dfrac{f(x+h)-f(x)}{h}$

$=\lim\limits_{h\to 0}\dfrac{\{2(x+h)^2+3\}-(2x^2+3)}{h}$

$=\lim\limits_{h\to 0}(\boxed{^{(가)}4x+2h})=\boxed{^{(나)}4x}$

$\therefore$ (가): $4x+2h$, (나): $4x$

답 (가): $4x+2h$ (나): $4x$

033

$f'(x)$

$=\lim\limits_{h\to 0}\dfrac{f(x+h)-f(x)}{h}=\lim\limits_{h\to 0}\dfrac{(x+h)^n-x^n}{h}$

$=\lim\limits_{h\to 0}\dfrac{\{(\boxed{^{(가)}x+h})-x\}\{(x+h)^{n-1}+(x+h)^{n-2}x+\cdots+x^{n-1}\}}{h}$

$=\lim\limits_{h\to 0}\{(x+h)^{n-1}+(x+h)^{n-2}x+\cdots+x^{n-1}\}$

$=x^{n-1}x^0+x^{n-2}x+x^{n-3}x^2+\cdots+x^0x^{n-1}$ $\leftarrow$ x^0부터 x^{n-1}까지이므로 n개의 항이 있다.

$=\underbrace{x^{n-1}+x^{n-1}+\cdots+x^{n-1}}_{n개}$

$=\boxed{^{(나)}n}x^{n-1}$

$\therefore$ (가): $x+h$, (나): n

답 (가): $x+h$ (나): n

참고
$a^n-b^n=(a-b)(a^{n-1}b^0+a^{n-2}b^1+a^{n-2}b^2+\cdots+a^0b^{n-1})$
$\quad\quad\quad =(a-b)(a^{n-1}+a^{n-2}b+a^{n-2}b^2+\cdots+b^{n-1})$

034

$g'(x)=\lim\limits_{h\to 0}\dfrac{g(x+h)-g(x)}{h}$

$=\lim\limits_{h\to 0}\dfrac{2(x+h)f(x+h)-2xf(x)}{h}$

$=\lim\limits_{h\to 0}\dfrac{2x\{f(x+h)-f(x)\}+\boxed{^{A}2hf(x+h)}}{h}$

$=2x\lim\limits_{h\to 0}\dfrac{f(x+h)-f(x)}{h}+2\lim\limits_{h\to 0}f(x+h)$

$=2xf'(x)+\boxed{^{B}2f(x)}$

$\therefore$ $A=2hf(x+h)$, $B=2f(x)$

답 $A=2hf(x+h)$, $B=2f(x)$

035

(1) $y'=-2x$

(2) $y'=(4\times 2)x+3=8x+3$

(3) $y'=-(2\times 3)x^2+4=-6x^2+4$

(4) $y'=-(2\times 5)x^4=-10x^4$

답 (1) $y'=-2x$ (2) $y'=8x+3$
(3) $y'=-6x^2+4$ (4) $y'=-10x^4$

036

$f(x)=\dfrac{1}{3}x^3+\dfrac{1}{2}x^2+4x-2$라고 하면

$f'(x)=x^2+x+4$

$x=-3$에서의 미분계수는

$f'(-3)=(-3)^2+(-3)+4=10$

답 ④

참고
두 함수 $f(x)$, $g(x)$가 미분가능할 때
$y=af(x)\pm bg(x)$ (a, b는 상수) $\Rightarrow$ $y'=af'(x)\pm bg'(x)$ (복부호동순)

037

$f'(x)=-9x^2+4x+5$이므로 $f'(0)=5$

답 ⑤

038

$f(x)=x^2+3x$에서 $f'(x)=2x+3$이므로

$f(2)=2^2+3\times 2=10$

$f'(2)=2\times 2+3=7$

$\therefore f(2)+f'(2)=10+7=17$

답 17

039

$f'(x)=4x^3+2x$이므로 $f'(a)=4a^3+2a$

이때 $4a^3+2a=36$이므로 $4a^3+2a-36=0$

$2(a-2)(2a^2+4a+9)=0$ ← 조립제법을 이용해서 인수분해

$\therefore a=2 \ (\because 2a^2+4a+9>0)$ ← a는 실수이므로 $a=2$

답 ⑤

040

$f(x)=\displaystyle\sum_{n=1}^{11}x^{n-1}=x^{10}+x^9+x^8+\cdots+x+1$이므로

$f(1)=1^{10}+1^9+1^8+\cdots+1^1+1=11$ ─────── ❶

$f'(x)=10x^9+9x^8+8x^7+\cdots+2x+1$이므로

$f'(1)=10+9+8+\cdots+2+1=55$ ─────── ❷

$\therefore f(1)+f'(1)=11+55=66$ ─────── ❸

답 66

채점 기준	비율
❶ $f(1)$의 값을 구할 수 있다.	40%
❷ $f'(1)$의 값을 구할 수 있다.	40%
❸ $f(1)+f'(1)$의 값을 구할 수 있다.	20%

> **풍쌤 개념 CHECK** ●──────
>
> **합의 기호 $\sum$**_고 수학I
>
> 수열 $\{a_n\}$의 첫째항부터 제 n항까지의 합 $a_1+a_2+a_3+\cdots+a_n$을 합의 기호 $\sum$를 사용하여 다음과 같이 나타낸다.
>
> $\displaystyle\sum_{k=1}^{n}a_k=a_1+a_2+a_3+\cdots+a_n$

041

함수 $f(x)$의 양변에 $x=0$을 대입하면 $f(0)=b$

이때 $f(0)=-5$이므로 $b=-5$

$f'(x)=2x^2-ax+3$이고, $f'(-3)=9$이므로

$18+3a+3=9$, $3a=-12$

$\therefore a=-4$

따라서 $f(x)=\dfrac{2}{3}x^3+2x^2+3x-5$이므로

$f(3)=18+18+9-5=40$

답 ③

042

$f(3)=-4$이므로 $9+3a+b=-4$

$\therefore 3a+b=-13$ ┄┄┄┄┄ ㉠

$f'(x)=2x+a$이고, $f'(-1)=-5$이므로

$-2+a=-5$ $\therefore a=-3$

$a=-3$을 ㉠에 대입하면 $b=-4$

$\therefore a+b=-7$

답 ①

043

(1) $y'=(x+1)'(2x+3)+(x+1)(2x+3)'$

$=(2x+3)+2(x+1)$

$=2x+3+2x+2$

$=4x+5$

(2) $y'=(x^2-3)'(4x+1)+(x^2-3)(4x+1)'$

$=2x(4x+1)+4(x^2-3)$

$=8x^2+2x+4x^2-12$

$=12x^2+2x-12$

(3) $y'=x'(x+1)(x-2)+x(x+1)'(x-2)+x(x+1)(x-2)'$

$=(x+1)(x-2)+x(x-2)+x(x+1)$

$=x^2-x-2+x^2-2x+x^2+x$

$=3x^2-2x-2$

답 (1) $y'=4x+5$ (2) $y'=12x^2+2x-12$ (3) $y'=3x^2-2x-2$

044

(1) $y'=\{(2x-3)^3\}'$

$=3(2x-3)^{3-1}(2x-3)'$

$=6(2x-3)^2$

(2) $y'=\{(x^2+2x+3)^4\}'$

$=4(x^2+2x+3)^{4-1}(x^2+2x+3)'$

$=4(x^2+2x+3)^3(2x+2)$

$=8(x+1)(x^2+2x+3)^3$

(3) $y'=(x^3)'(x+2)^2+x^3\{(x+2)^2\}'$

$=3x^2(x+2)^2+2x^3(x+2)$

$=x^2(x+2)(3x+6+2x)$

$=x^2(x+2)(5x+6)$

답 (1) $y'=6(2x-3)^2$ (2) $y'=8(x+1)(x^2+2x+3)^3$ (3) $y'=x^2(x+2)(5x+6)$

045

$f'(x)=(x^2+x)'(x^5-x^4+x^3-x^2)+(x^2+x)(x^5-x^4+x^3-x^2)'$

$=(2x+1)(x^5-x^4+x^3-x^2)$
$\qquad\qquad\qquad +(x^2+x)(5x^4-4x^3+3x^2-2x)$

$\therefore f'(1)=(2+1)\times(1-1+1-1)+(1+1)\times(5-4+3-2)$

$=2\times 2=4$

답 ⑤

046

$f'(x)=x'(3x-1)(4x+2)+x(3x-1)'(4x+2)$
$\qquad\qquad\qquad +x(3x-1)(4x+2)'$

$=(3x-1)(4x+2)+3x(4x+2)+4x(3x-1)$

$=36x^2+4x-2$

이때 $f'(a)=-2$이므로 $36a^2+4a-2=-2$

$36a^2+4a=0$, $4a(9a+1)=0$

$\therefore a=0$ 또는 $a=-\dfrac{1}{9}$

답 $0, -\dfrac{1}{9}$

047

$$f'(x)=\{(x^2+1)^4\}'$$
$$=4(x^2+1)^3(x^2+1)'$$
$$=4(x^2+1)^3\times2x=8x(x^2+1)^3$$
$$\therefore f'(-1)=8\times(-1)\times2^3=-64$$

답 ①

048

$$f'(x)=(2x^3+1)'(x-1)^2+(2x^3+1)\{(x-1)^2\}'$$
$$=6x^2(x-1)^2+(2x^3+1)\times2(x-1)(x-1)'$$
$$=6x^2(x-1)^2+2(2x^3+1)(x-1)$$
$$\therefore f'(-1)=6\times(-1)^2\times(-2)^2+2\times(-1)\times(-2)$$
$$=24+4=28$$

답 28

049

$$f'(x)=\{(3x+a)^4\}'=4(3x+a)^3(3x+a)'$$
$$=12(3x+a)^3$$
이때 $f'(1)=12$이므로 $12(3+a)^3=12$
$(3+a)^3=1$, $a^3+9a^2+27a+26=0$
$(a+2)(a^2+7a+13)=0$
$$\therefore a=-2\ (\because a^2+7a+13>0)$$

답 ②

050

$f(x)=(x^2+3)^4$이라고 하면
$$f'(x)=\{(x^2+3)^4\}'=4(x^2+3)^3(x^2+3)'$$
$$=8x(x^2+3)^3 \quad\text{············} ❶$$
곡선 $y=f(x)$ 위의 $x=1$인 점에서의 접선의 기울기는 $f'(1)$이므로
$$f'(1)=8\times4^3=512 \quad\text{············} ❷$$

답 512

채점 기준	비율
❶ $f'(x)$를 구할 수 있다.	60%
❷ 접선의 기울기를 구할 수 있다.	40%

051

$$\lim_{h\to0}\frac{f(2+h)-f(2)}{h}=f'(2)$$
이때 $f'(x)=6x$이므로 $f'(2)=6\times2=12$

답 ④

052

$$\lim_{x\to1}\frac{f(x)-f(1)}{x^2-1}=\lim_{x\to1}\left\{\frac{f(x)-f(1)}{x-1}\times\frac{1}{x+1}\right\}=\frac12f'(1)$$
이때 $f'(x)=-12x^3+6x^2+4$이므로
$$f'(1)=-12+6+4=-2$$
따라서 구하는 값은
$$\frac12f'(1)=\frac12\times(-2)=-1$$

답 ①

053

$$\lim_{h\to0}\frac{f(1+h)-f(1-h)}{h}$$
$$=\lim_{h\to0}\frac{\{f(1+h)-f(1)\}-\{f(1-h)-f(1)\}}{h}$$
$$=\lim_{h\to0}\frac{f(1+h)-f(1)}{h}-\lim_{h\to0}\frac{f(1-h)-f(1)}{-h}\times(-1)$$
$$=f'(1)+f'(1)=2f'(1)$$
이때 $f'(x)=2x+3$이므로
$$f'(1)=2+3=5$$
따라서 구하는 값은
$$2f'(1)=2\times5=10$$

답 ③

054

$$\lim_{x\to1}\frac{f(x)-f(2x-1)}{x-1}$$
$$=\lim_{x\to1}\frac{\{f(x)-f(1)\}-\{f(2x-1)-f(1)\}}{x-1}$$
$$=\lim_{x\to1}\frac{f(x)-f(1)}{x-1}-\lim_{x\to1}\frac{f(2x-1)-f(1)}{(2x-1)-1}\times2$$
$$=f'(1)-2f'(1)=-f'(1)$$
이때 $f'(x)=6x+2$이므로
$$f'(1)=6+2=8$$
따라서 구하는 값은
$$-f'(1)=-8$$

답 ①

055

$$\lim_{h\to0}\frac{f(a-2h)-f(a)}{h}=\lim_{h\to0}\frac{f(a-2h)-f(a)}{-2h}\times(-2)$$
$$=-2f'(a)$$
이때 $-2f'(a)=-10$이므로 $f'(a)=5$ ··········· ㉠
한편, $f(x)=x^3-2x^2+x$에서 $f'(x)=3x^2-4x+1$이므로
$$f'(a)=3a^2-4a+1 \quad\text{·········· ㉡}$$
㉠, ㉡에서 $3a^2-4a+1=5$
$3a^2-4a-4=0$
$(3a+2)(a-2)=0$
따라서 구하는 정수 a의 값은 2이다.

답 ⑤

056

$f(x)=x^6-3x$라고 하면 $f(1)=-2$이므로
$$\lim_{x\to1}\frac{x^6-3x+2}{x-1}=\lim_{x\to1}\frac{f(x)-f(1)}{x-1}=f'(1)$$
이때 $f'(x)=6x^5-3$이므로 구하는 값은
$$f'(1)=6-3=3$$

답 ④

057

$f(x)=x^{10}-3x^3+x$라고 하면 $f(-1)=1+3-1=3$이므로
$$\lim_{x\to-1}\frac{x^{10}-3x^3+x-3}{x+1}=\lim_{x\to-1}\frac{f(x)-f(-1)}{x-(-1)}=f'(-1)$$

이때 $f'(x)=10x^9-9x^2+1$이므로 구하는 값은

$f'(-1)=-10-9+1=-18$

답 ①

058

$f(x)=x^n-5x^2-2x$라고 하면 $f(1)=1-5-2=-6$이므로

$\lim_{x\to 1}\dfrac{x^n-5x^2-2x+6}{x-1}=\lim_{x\to 1}\dfrac{f(x)-f(1)}{x-1}=f'(1)$ ──────── ❶

이때 $f'(x)=nx^{n-1}-10x-2$이므로 ──────── ❷

$f'(1)=n-10-2=n-12$

이때 $f'(1)=0$이므로 $n-12=0$

$\therefore n=12$ ──────── ❸

답 12

채점 기준	비율
❶ 미분계수를 이용하여 식을 간단히 할 수 있다.	40%
❷ $f'(x)$를 구할 수 있다.	40%
❸ n의 값을 구할 수 있다.	20%

059

$\lim_{h\to 0}\dfrac{f(2-h)-f(2)}{h}=3$에서

$\lim_{h\to 0}\dfrac{f(2-h)-f(2)}{-h}\times(-1)=3$

$-f'(2)=3$ $\therefore f'(2)=-3$ ──────── ㉠

$f(x)=x^2+ax+3$에서 $f'(x)=2x+a$

이때 ㉠에서 $f'(2)=-3$이므로

$4+a=-3$ $\therefore a=-7$

따라서 $f(x)=x^2-7x+3$이므로

$f(-2)=4+14+3=21$

답 21

060

$\lim_{h\to 0}\dfrac{f(1+h)-f(1)}{2h}=6$에서

$\lim_{h\to 0}\dfrac{f(1+h)-f(1)}{h}\times\dfrac{1}{2}=6$

$\dfrac{1}{2}f'(1)=6$ $\therefore f'(1)=12$ ──────── ㉠

$f(x)=x^2+ax$에서 $f'(x)=2x+a$

이때 ㉠에서 $f'(1)=12$이므로

$2+a=12$ $\therefore a=10$

답 ①

061

$\lim_{h\to 0}\dfrac{f(5+h)-f(5-h)}{h}=8$에서

$\lim_{h\to 0}\dfrac{\{f(5+h)-f(5)\}-\{f(5-h)-f(5)\}}{h}=8$

$\lim_{h\to 0}\dfrac{f(5+h)-f(5)}{h}-\lim_{h\to 0}\dfrac{f(5-h)-f(5)}{-h}\times(-1)=8$

$f'(5)+f'(5)=8,\ 2f'(5)=8$

$\therefore f'(5)=4$ ──────── ㉠

$f(x)=ax^2-6x$에서 $f'(x)=2ax-6$

이때 ㉠에서 $f'(5)=4$이므로

$10a-6=4$ $\therefore a=1$

따라서 $f(x)=x^2-6x$이므로

$f(2)=4-12=-8$

답 ①

062

$\lim_{x\to 1}\dfrac{f(x)}{x-1}=7$에서 $x\to 1$일 때 극한값이 존재하고 (분모) $\to 0$

이므로 (분자) $\to 0$이어야 한다.

즉, $\lim_{x\to 1}f(x)=0$이므로 $f(1)=0$

이때 $f(1)=1+a+b$이므로

$a+b=-1$ ──────── ㉠

$\lim_{x\to 1}\dfrac{f(x)}{x-1}=7$에서

$\lim_{x\to 1}\dfrac{f(x)-0}{x-1}=7,\ \lim_{x\to 1}\dfrac{f(x)-f(1)}{x-1}=7$

$\therefore f'(1)=7$ ──────── ㉡

$f(x)=x^2+ax+b$에서 $f'(x)=2x+a$

이때 ㉡에서 $f'(1)=7$이므로

$2+a=7$ $\therefore a=5$

$a=5$를 ㉠에 대입하면 $b=-6$

따라서 $f(x)=x^2+5x-6$이므로

$f'(x)=2x+5$

$\therefore f(2)+f'(2)=8+9=17$

답 ④

참고

다항함수 $f(x)$에 대하여 $\lim_{x\to a}\dfrac{f(x)-b}{x-a}=c$ (c는 실수)이면

➡ $f(a)=b,\ f'(a)=c$

063

$\lim_{x\to\infty}\dfrac{f(x)}{2x^2+3x-1}=1$에서 $f(x)$는 이차항의 계수가 2인 이차식이

므로 $f(x)=2x^2+ax+b$ (a, b는 상수)로 놓자. ──────── ㉠

$\lim_{x\to -1}\dfrac{f(x)-6}{x+1}=-4$에서 $x\to -1$일 때 극한값이 존재하고

(분모) $\to 0$이므로 (분자) $\to 0$이어야 한다.

즉, $\lim_{x\to -1}\{f(x)-6\}=0$이므로 $f(-1)=6$

이때 ㉠에 $x=-1$을 대입하면 $f(-1)=2-a+b$이므로

$2-a+b=6$

$\therefore -a+b=4$ ──────── ㉡

$\lim_{x\to -1}\dfrac{f(x)-6}{x+1}=-4$에서 $\lim_{x\to -1}\dfrac{f(x)-f(-1)}{x-(-1)}=-4$

$\therefore f'(-1)=-4$ ──────── ㉢

한편, $f'(x)=4x+a$이고, ㉢에서 $f'(-1)=-4$이므로

$-4+a=-4$ $\therefore a=0$

$a=0$을 ㉡에 대입하면 $b=4$

따라서 $f(x)=2x^2+4$이므로

$f(2)=8+4=12$

답 12

064

(1) $f(x)=x^2+ax$라고 하면

$\quad f'(x)=2x+a$

이때 곡선 $y=f(x)$ 위의 $x=1$인 점에서의 접선의 기울기가 4

이므로 $f'(1)=4$에서

$\quad 2+a=4 \quad \therefore a=2$

(2) $f(x)=ax^3+x+1$이라고 하면 $f'(x)=3ax^2+1$

이때 곡선 $y=f(x)$ 위의 $x=1$인 점에서의 접선의 기울기가 4

이므로 $f'(1)=4$에서

$\quad 3a+1=4,\ 3a=3 \quad \therefore a=1$

답 (1) 2 (2) 1

참고

함수 $y=f(x)$의 그래프 위의 점 $(a,\ b)$에서의 접선의 기울기가 m이면

➡ $f(a)=b,\ f'(a)=m$

065

점 $(-1,\ 7)$이 함수 $y=f(x)$의 그래프 위의 점이므로

$f(-1)=7$에서

$\quad 1-a+1=7,\ -a=5$

$\quad \therefore a=-5$

$f(x)=x^2-5x+1$이므로 $f'(x)=2x-5$

이때 함수 $y=f(x)$의 그래프 위의 점 $(-1,\ 7)$에서의 접선의 기울기가 m이므로

$\quad m=f'(-1)=-2-5=-7$

$\quad \therefore am=-5\times(-7)=35$

답 ④

066

$f(x)=(2x+1)^3(x^2+k)$라고 하면

$\quad f'(x)=\{(2x+1)^3\}'(x^2+k)+(2x+1)^3\{(x^2+k)\}'$

$\qquad\quad =6(2x+1)^2(x^2+k)+2x(2x+1)^3$

$\qquad\quad =2(2x+1)^2(5x^2+x+3k)$

이때 곡선 $y=f(x)$ 위의 점 $x=-1$인 점에서의 접선의 기울기가 -4이므로 $f'(-1)=-4$에서

$\quad 2\times(-1)^2\times(4+3k)=-4$

$\quad 8+6k=-4$

$\quad 6k=-12 \quad \therefore k=-2$

이때 $f(x)=(2x+1)^3(x^2-2)$이고, 곡선 $y=f(x)$가 점 $(1,\ a)$를 지나므로

$\quad a=f(1)=-27$

$\quad \therefore a+k=-27-2=-29$

답 ③

067

점 $(a,\ 11)$이 곡선 $y=f(x)$ 위의 점이므로 $f(a)=11$에서

$\quad 3a^2+ak+3=11$

$\quad \therefore 3a^2+ak=8$ ·········· ㉠

한편, $f'(x)=6x+k$이고, 점 $(a,\ 11)$에서의 접선의 기울기가 -10

이므로 $f'(a)=-10$에서

$\quad 6a+k=-10$

$\quad \therefore k=-6a-10$ ·········· ㉡

㉡을 ㉠에 대입하면 $3a^2+a(-6a-10)=8$

$\quad 3a^2+10a+8=0$

$\quad (3a+4)(a+2)=0$

이때 a는 정수이므로 $a=-2$

$a=-2$를 ㉡에 대입하면 $k=12-10=2$

따라서 $f'(x)=6x+2$이므로

$\quad a+f'(k)=-2+f'(2)=-2+14=12$

답 ③

068

점 $(2,\ -3)$이 함수 $y=f(x)$의 그래프 위의 점이므로

$f(2)=-3$에서

$\quad 4a+2b+c=-3$ ·········· ㉠

또한, 점 $(-1,\ -9)$도 함수 $y=f(x)$의 그래프 위의 점이므로

$f(-1)=-9$에서

$\quad a-b+c=-9$ ·········· ㉡ ❶

㉠-㉡을 하면 $3a+3b=6$

$\quad \therefore a+b=2$ ·········· ㉢

한편, $f'(x)=2ax+b$이고, 점 $(-1,\ -9)$에서의 접선의 기울기

가 8이므로 $f'(-1)=8$에서

$\quad -2a+b=8$ ·········· ㉣

㉢, ㉣을 연립하여 풀면 $a=-2,\ b=4$

$a=-2,\ b=4$를 ㉡에 대입하면

$\quad -2-4+c=-9 \quad \therefore c=-3$ ❷

따라서 $f(x)=-2x^2+4x-3$이므로

$\quad f(3)=-18+12-3=-9$ ❸

답 -9

채점 기준	비율
❶ 두 점이 함수의 그래프 위의 점임을 이용하여 식을 세울 수 있다.	40%
❷ $a,\ b,\ c$의 값을 구할 수 있다.	40%
❸ $f(3)$의 값을 구할 수 있다.	20%

069

$f(x)=\begin{cases} x^2+2ax & (x\geq 2) \\ bx^2+4 & (x<2) \end{cases}$에서 $f'(x)=\begin{cases} 2x+2a & (x>2) \\ 2bx & (x<2) \end{cases}$

함수 $f(x)$가 $\underline{x=2에서 연속}$이므로

$\qquad\qquad\qquad \overset{x=2에서 미분가능 \ ➡ \ x=2에서 연속}{}$

$\quad \lim\limits_{x\to 2+} f(x)=\lim\limits_{x\to 2-} f(x)=f(2)$

$\quad \lim\limits_{x\to 2+}(x^2+2ax)=\lim\limits_{x\to 2-}(bx^2+4)=4+4a$

$\quad 4+4a=4b+4 \quad \therefore a-b=0$ ·········· ㉠

$\underline{f'(2)의 값이 존재}$하므로

$\quad \overset{x=2에서 미분가능 \ ➡ \ f'(2)의 값 존재}{}$

$\quad \lim\limits_{x\to 2+} f'(x)=\lim\limits_{x\to 2-} f'(x)$

$\quad \lim\limits_{x\to 2+}(2x+2a)=\lim\limits_{x\to 2-} 2bx,\ 4+2a=4b$

$\quad \therefore a-2b=-2$ ·········· ㉡

㉠, ㉡을 연립하여 풀면 $a=2,\ b=2$

$\quad \therefore a+b=2+2=4$

답 4

070

$f(x)=\begin{cases} ax-1 & (x\geq0) \\ x^3+2x+b & (x<0) \end{cases}$에서 $f'(x)=\begin{cases} a & (x>0) \\ 3x^2+2 & (x<0) \end{cases}$

함수 $f(x)$가 모든 실수 x에서 미분가능하므로 $x=0$에서도 미분가능하다.

함수 $f(x)$가 $x=0$에서 연속이므로
$\rightarrow x=0$에서 미분가능 $\Rightarrow x=0$에서 연속

$\lim_{x\to0+} f(x)=\lim_{x\to0-} f(x)=f(0)$

$\lim_{x\to0+}(ax-1)=\lim_{x\to0-}(x^3+2x+b)=-1$

$\therefore b=-1$

$f'(0)$의 값이 존재하므로
$\rightarrow x=0$에서 미분가능 $\Rightarrow f'(0)$의 값 존재

$\lim_{x\to0+} f'(x)=\lim_{x\to0-} f'(x)$

$\lim_{x\to0+} a=\lim_{x\to0-}(3x^2+2)$

$\therefore a=2$

$\therefore ab=2\times(-1)=-2$

답 -2

071

$f(x)=\begin{cases} 6x+a & (x\geq-1) \\ bx^3 & (x<-1) \end{cases}$에서 $f'(x)=\begin{cases} 6 & (x>-1) \\ 3bx^2 & (x<-1) \end{cases}$

함수 $f(x)$가 모든 실수 x에서 미분가능하므로 $x=-1$에서도 미분가능하다.

함수 $f(x)$가 $x=-1$에서 연속이므로
$\rightarrow x=-1$에서 미분가능 $\Rightarrow x=-1$에서 연속

$\lim_{x\to-1+} f(x)=\lim_{x\to-1-} f(x)=f(-1)$

$\lim_{x\to-1+}(6x+a)=\lim_{x\to-1-} bx^3=-6+a$

$-6+a=-b$ $\therefore a=-b+6$ ·········· ㉠

$f'(-1)$의 값이 존재하므로
$\rightarrow x=-1$에서 미분가능 $\Rightarrow f'(-1)$의 값 존재

$\lim_{x\to-1+} f'(x)=\lim_{x\to-1-} f'(x)$

$\lim_{x\to-1+} 6=\lim_{x\to-1-} 3bx^2$

$6=3b$ $\therefore b=2$

$b=2$를 ㉠에 대입하면 $a=-2+6=4$

$\therefore ab=4\times2=8$

답 ④

072

$f(x)=\begin{cases} a(x+b) & (x\geq1) \\ x^2 & (x<1) \end{cases}$에서 $f'(x)=\begin{cases} a & (x>1) \\ 2x & (x<1) \end{cases}$

함수 $f(x)$가 $x=1$에서 연속이므로
$\rightarrow x=1$에서 미분가능 $\Rightarrow x=1$에서 연속

$\lim_{x\to1+} f(x)=\lim_{x\to1-} f(x)=f(1)$

$\lim_{x\to1+} a(x+b)=\lim_{x\to1-} x^2=a(1+b)$

$\therefore a+ab=1$ ·········· ㉠

$f'(1)$의 값이 존재하므로
$\rightarrow x=1$에서 미분가능 $\Rightarrow f'(1)$의 값 존재

$\lim_{x\to1+} f'(x)=\lim_{x\to1-} f'(x)$

$\lim_{x\to1+} a=\lim_{x\to1-} 2x$ $\therefore a=2$

$a=2$를 ㉠에 대입하면 $2+2b=1$

$2b=-1$ $\therefore b=-\dfrac{1}{2}$

따라서 $f(x)=\begin{cases} 2\left(x-\dfrac{1}{2}\right) & (x\geq1) \\ x^2 & (x<1) \end{cases}$ 이므로

$f(4)=2\left(4-\dfrac{1}{2}\right)=2\times\dfrac{7}{2}=7$

답 ①

073

$f(x)=\begin{cases} a(x-1)^2+b & (x\geq0) \\ -x+1 & (x<0) \end{cases}$에서 $f'(x)=\begin{cases} 2a(x-1) & (x>0) \\ -1 & (x<0) \end{cases}$

함수 $f(x)$가 미분가능한 함수이므로 $x=0$에서도 미분가능하다.

함수 $f(x)$가 $x=0$에서 연속이므로
$\rightarrow x=0$에서 미분가능 $\Rightarrow x=0$에서 연속

$\lim_{x\to0+} f(x)=\lim_{x\to0-} f(x)=f(0)$

$\lim_{x\to0+}\{a(x-1)^2+b\}=\lim_{x\to0-}(-x+1)$
$\qquad\qquad =a\times(-1)^2+b$

$\therefore a+b=1$ ·········· ㉠

$f'(0)$의 값이 존재하므로
$\rightarrow x=0$에서 미분가능 $\Rightarrow f'(0)$의 값 존재

$\lim_{x\to0+} f'(x)=\lim_{x\to0-} f'(x)$

$\lim_{x\to0+} 2a(x-1)=\lim_{x\to0-}(-1)$

$-2a=-1$ $\therefore a=\dfrac{1}{2}$

$a=\dfrac{1}{2}$을 ㉠에 대입하면

$\dfrac{1}{2}+b=1$ $\therefore b=\dfrac{1}{2}$

따라서 $f(x)=\begin{cases} \dfrac{1}{2}(x-1)^2+\dfrac{1}{2} & (x\geq0) \\ -x+1 & (x<0) \end{cases}$ 이므로

$f(1)=\dfrac{1}{2}(1-1)^2+\dfrac{1}{2}=\dfrac{1}{2}$

답 ②

074

다항식 x^3+ax+b를 $(x-1)^2$으로 나누었을 때의 몫을 $Q(x)$라고 하면

$x^3+ax+b=(x-1)^2Q(x)$ ·········· ㉠

㉠의 양변에 $x=1$을 대입하면

$1+a+b=0$ $\therefore a+b=-1$ ·········· ㉡

㉠의 양변을 x에 대하여 미분하면

$3x^2+a=2(x-1)Q(x)+(x-1)^2Q'(x)$

위 식의 양변에 $x=1$을 대입하면

$3+a=0$ $\therefore a=-3$

$a=-3$을 ㉡에 대입하면

$-3+b=-1$ $\therefore b=2$

$\therefore ab=-3\times2=-6$

답 ①

|다른 풀이|

$f(x)=x^3+ax+b$라고 하면 $f(x)$가 $(x-1)^2$으로 나누어떨어지므로

$f(1)=0, \ f'(1)=0$

$f(1)=0$에서 $1+a+b=0$

$\therefore a+b=-1$ ·········· ㉠

한편, $f(x)=x^3+ax+b$에서 $f'(x)=3x^2+a$이므로

$f'(1)=0$에서

$3+a=0$ $\therefore a=-3$

$a=-3$을 ㉠에 대입하면

$-3+b=-1$ $\therefore b=2$

$\therefore ab=-3\times2=-6$

참고

두 다항식 $f(x), g(x)$에 대하여 $f(x)=(x-a)^2g(x)$이면

➡ $f(x)$는 $(x-a)^2$으로 나누어떨어진다.

➡ $f'(x)$는 $x-a$로 나누어떨어진다.

➡ $f(a)=0, f'(a)=0$

075

다항식 $x^{10}+5x^2+1$을 $(x+1)^2$으로 나누었을 때의 몫을 $Q(x)$라 하고, 나머지 $R(x)$를 $R(x)=ax+b$ $(a, b$는 상수)라고 하면

$x^{10}+5x^2+1=(x+1)^2Q(x)+R(x)$에서

$x^{10}+5x^2+1=(x+1)^2Q(x)+ax+b$ ·········· ㉠

㉠의 양변에 $x=-1$을 대입하면

$7=-a+b$ ·········· ㉡

㉠의 양변을 x에 대하여 미분하면

$10x^9+10x=2(x+1)Q(x)+(x+1)^2Q'(x)+a$

위 식의 양변에 $x=-1$을 대입하면 $a=-20$

$a=-20$을 ㉡에 대입하면

$7=20+b$ $\therefore b=-13$

따라서 $R(x)=-20x-13$이므로

$R(2)=-40-13=-53$

답 -53

참고

다항식을 n차식으로 나누었을 때의 나머지는 $(n-1)$차 이하이다.

01

x의 값이 0에서 3까지 변할 때의 함수 $f(x)$의 평균변화율은

$$\frac{f(3)-f(0)}{3-0}=\frac{4-1}{3}=1$$

x의 값이 -4에서 a까지 변할 때의 함수 $f(x)$의 평균변화율은

$$\frac{f(a)-f(-4)}{a-(-4)}=\frac{(-a^2+4a+1)-(-31)}{a+4}$$
$$=\frac{-a^2+4a+32}{a+4}$$
$$=\frac{-(a+4)(a-8)}{a+4}$$
$$=-a+8$$

이때 $-a+8=1$이므로 $a=7$

답 ⑤

02

x의 값이 0에서 2까지 변할 때의 함수 $f(x)$의 평균변화율은

$$\frac{f(2)-f(0)}{2-0}=\frac{(8+2a)-0}{2}=4+a$$

이때 $4+a=7$이므로 $a=3$

따라서 $f(x)=x^3+3x$이므로

$f(1)=1+3=4$

답 ④

03

x의 값이 a부터 1까지 변할 때의 함수 $f(x)$의 평균변화율은

$$\frac{f(1)-f(a)}{1-a}=\frac{5-(-a^2+2a+4)}{1-a}$$
$$=\frac{(a-1)^2}{-(a-1)}=-a+1$$

함수 $f(x)$의 $x=2$에서의 미분계수는

$$f'(2)=\lim_{\Delta x\to0}\frac{f(2+\Delta x)-f(2)}{\Delta x}$$
$$=\lim_{\Delta x\to0}\frac{\{-(2+\Delta x)^2+2(2+\Delta x)+4\}-4}{\Delta x}$$
$$=\lim_{\Delta x\to0}\frac{-(\Delta x)^2-2\Delta x}{\Delta x}$$
$$=\lim_{\Delta x\to0}(-\Delta x-2)=-2$$

이때 $-a+1=-2$이므로 $a=3$

답 ②

|다른 풀이|

함수 $f(x)$의 $x=2$에서의 미분계수는

$$f'(2)=\lim_{x\to2}\frac{f(x)-f(2)}{x-2}$$
$$=\lim_{x\to2}\frac{(-x^2+2x+4)-4}{x-2}$$
$$=\lim_{x\to2}\frac{-x(x-2)}{x-2}=\lim_{x\to2}(-x)=-2$$

04

$f(x)=2x^2+x+3$이라고 하면 곡선 $y=f(x)$ 위의 점 $(0, 3)$에서의 접선의 기울기는 함수 $f(x)$의 미분계수 $f'(0)$과 같으므로

$$f'(0)=\lim_{\varDelta x \to 0}\frac{f(0+\varDelta x)-f(0)}{\varDelta x}$$
$$=\lim_{\varDelta x \to 0}\frac{\{2(\varDelta x)^2+\varDelta x+3\}-3}{\varDelta x}$$
$$=\lim_{\varDelta x \to 0}\frac{2(\varDelta x)^2+\varDelta x}{\varDelta x}=\lim_{\varDelta x \to 0}(2\varDelta x+1)=1$$

답 1

05

$$\lim_{\varDelta x \to 0}\frac{f(1+4\varDelta x)-f(1+2\varDelta x)}{3\varDelta x}$$
$$=\lim_{\varDelta x \to 0}\frac{\{f(1+4\varDelta x)-f(1)\}-\{f(1+2\varDelta x)-f(1)\}}{3\varDelta x}$$
$$=\lim_{\varDelta x \to 0}\frac{f(1+4\varDelta x)-f(1)}{4\varDelta x}\times\frac{4}{3}-\lim_{\varDelta x \to 0}\frac{f(1+2\varDelta x)-f(1)}{2\varDelta x}\times\frac{2}{3}$$
$$=\frac{4}{3}f'(1)-\frac{2}{3}f'(1)$$
$$=\frac{2}{3}f'(1)=\frac{2}{3}\times 6=4$$

답 4

06

$x^2=t$로 놓으면 $x \to -2$일 때 $t \to 4$이므로 ← ㉠
$$\lim_{x \to -2}\frac{f(x^2)-f(4)}{f(x)-f(-2)}$$
$$\qquad\qquad\qquad \overset{x^2-4=x^2-2^2=x^2-(-2)^2}{\nwarrow}$$
$$=\lim_{x \to -2}\left\{\frac{f(x^2)-f(4)}{x^2-4}\times\frac{x^2-4}{f(x)-f(-2)}\right\}$$
$$=\lim_{x \to -2}\left[\frac{f(x^2)-f(4)}{x^2-4}\times\frac{x-(-2)}{f(x)-f(-2)}\times\{x+(-2)\}\right]$$
$$=\lim_{x \to -2}\frac{f(x^2)-f(4)}{x^2-4}\times\lim_{x \to -2}\frac{x-(-2)}{f(x)-f(-2)}\times\lim_{x \to -2}\{x+(-2)\}$$
$$=\underset{㉠}{\lim_{t \to 4}\frac{f(t)-f(4)}{t-4}}\times\lim_{x \to -2}\frac{1}{\frac{f(x)-f(-2)}{x-(-2)}}\times\lim_{x \to -2}\{x+(-2)\}$$
$$=f'(4)\times\frac{1}{f'(-2)}\times(-4)=6\times\left(-\frac{1}{3}\right)\times(-4)$$
$$=8$$

답 ④

07

ㄱ. 함수 $f(x)$의 불연속인 점은 $x=-1$, $x=0$의 2개이다. (참)
ㄴ. 함수 $f(x)$는 $x=0$에서 불연속이므로 미분가능하지 않다.
(거짓)
ㄷ. $f'(x)=\begin{cases}3x^2-3 & (x<-1 \text{ 또는 } x>0) \\ 3x^2-3 & (-1<x<0)\end{cases}$
  이므로
$$\lim_{x \to 0}f'(x)=\lim_{x \to 0}(3x^2-3)$$
$$\qquad\qquad\qquad =-3 \text{ (참)}$$
따라서 옳은 것은 ㄱ, ㄷ이다.

답 ④

08

$f(2)=0$이므로 $4a+2b+c=0$ ········· ㉠
$f'(x)=2ax+b$이므로

$f'(-2)=9$에서 $-4a+b=9$ ········· ㉡
$f'(1)=3$에서 $2a+b=3$ ········· ㉢
㉡, ㉢을 연립하여 풀면 $a=-1$, $b=5$
$a=-1$, $b=5$를 ㉠에 대입하면
$-4+10+c=0$ ∴ $c=-6$
따라서 $f(x)=-x^2+5x-6$이므로
$f(1)=-1+5-6=-2$

답 ②

09

$f(x)=3x^2-xf'(1)$의 양변을 x에 대하여 미분하면
$f'(x)=6x-f'(1)$
위 식의 양변에 $x=1$을 대입하면
$f'(1)=6-f'(1)$
$2f'(1)=6$ ∴ $f'(1)=3$
따라서 $f(x)=3x^2-3x$이므로 $f(2)=12-6=6$
$f'(x)=6x-3$이므로 $f'(2)=12-3=9$
∴ $f(2)+f'(2)=6+9=15$

답 15

10

$$f'(x)=\{(x^2+2x)^5\}'=5(x^2+2x)^4(x^2+2x)'$$
$$=5(x^2+2x)^4(2x+2)$$
$$=10(x+1)(x^2+2x)^4$$
∴ $f'(1)=10\times 2\times 3^4=1620$

답 ③

11

$g(1)=5f(1)$에서 $-5=5f(1)$ ∴ $f(1)=-1$
$$g'(x)=(2x+3)'f(x)+(2x+3)f'(x)$$
$$=2f(x)+(2x+3)f'(x)$$
∴ $g'(1)=2f(1)+5f'(1)=2\times(-1)+5\times 7=33$

답 ②

12

$f'(x)$
$$=(x-1)'(x-2)(x-3)\cdots(x-10)$$
$$+(x-1)(x-2)'(x-3)\cdots(x-10)$$
$$+\cdots+(x-1)(x-2)(x-3)\cdots(x-10)'$$
$$=(x-2)(x-3)\cdots(x-10)+(x-1)(x-3)\cdots(x-10)$$
$$+\cdots+(x-1)(x-2)\cdots(x-9)$$
이므로
$f'(1)=(-1)\times(-2)\times\cdots\times(-9)$
$f'(2)=1\times(-1)\times(-2)\times\cdots\times(-8)$
∴ $\dfrac{f'(1)}{f'(2)}=\dfrac{(-1)\times(-2)\times\cdots\times(-9)}{1\times(-1)\times(-2)\times\cdots\times(-8)}=\dfrac{-9}{1}=-9$

답 ①

13

$\displaystyle\lim_{x \to 1}\frac{f(x)-3}{x-1}=8$에서 $x \to 1$일 때 극한값이 존재하고
(분모) $\to 0$이므로 (분자) $\to 0$이어야 한다.

즉, $\lim\limits_{x \to 1}\{f(x)-3\}=0$이므로

$f(1)-3=0$ ∴ $f(1)=3$

$\lim\limits_{x \to 1}\dfrac{f(x)-3}{x-1}=8$에서 $\lim\limits_{x \to 1}\dfrac{f(x)-f(1)}{x-1}=8$

∴ $f'(1)=8$

$g(x)=xf(x)$에서 $g'(x)=f(x)+xf'(x)$

∴ $g'(1)=f(1)+f'(1)=3+8=11$

답 ④

14

함수 $f(x)=x^4+4x^2+1$에서 $f'(x)=4x^3+8x$

$\begin{aligned}
∴ \lim\limits_{h \to 0}\dfrac{f(1+2h)-f(1)}{h} &= \lim\limits_{h \to 0}\dfrac{f(1+2h)-f(1)}{2h} \times 2 \\
&= 2f'(1) \\
&= 2 \times 12 = 24
\end{aligned}$

답 24

15

$f(x)=x^{10}-2x$라고 하면 $f(1)=-1$

$∴ \lim\limits_{x \to 1}\dfrac{x^{10}-2x+1}{x-1}=\lim\limits_{x \to 1}\dfrac{f(x)-f(1)}{x-1}=f'(1)$

이때 $f'(x)=10x^9-2$이므로

$f'(1)=10-2=8$

답 ⑤

16

$f(-1)=1$이므로 $-1-a+b=1$

$∴ -a+b=2$ ·········· ㉠

$\lim\limits_{x \to -1}\dfrac{f(x)-f(-1)}{x^2-1}=-\dfrac{7}{2}$에서

$\lim\limits_{x \to -1}\left\{\dfrac{f(x)-f(-1)}{x-(-1)} \times \dfrac{1}{x+(-1)}\right\}=-\dfrac{7}{2}$

$-\dfrac{1}{2}f'(-1)=-\dfrac{7}{2}$

$∴ f'(-1)=7$ ·········· ㉡

$f(x)=x^3+ax+b$에서 $f'(x)=3x^2+a$

이때 ㉡에서 $f'(-1)=7$이므로

$3+a=7$ ∴ $a=4$

$a=4$를 ㉠에 대입하면

$-4+b=2$ ∴ $b=6$

따라서 $f(x)=x^3+4x+6$이므로

$f(1)=1+4+6=11$

답 ④

17

문제 접근하기

곡선 $y=f(x)$ 위의 점 $(a, f(a))$에서의 접선의 기울기는 $f'(a)$이고, 곡선 $y=f(x)$가 위로 볼록할 때 $a<b$이면 $f'(a)>f'(b)$임을 이용한다.

$A(a, f(a))$, $B(b, f(b))$로 놓자.

① $f(a)<f(b)$

② (직선 OA의 기울기)
> (직선 OB의 기울기)
이므로
$\dfrac{f(a)}{a}>\dfrac{f(b)}{b}$

③ (직선 AB의 기울기)
< (직선 $y=x$의 기울기)
이므로
$\dfrac{f(b)-f(a)}{b-a}<1$
∴ $f(b)-f(a)<b-a$

④ (점 A에서의 접선의 기울기)<(직선 $y=x$의 기울기)이므로
$f'(a)<1$

⑤ (점 A에서의 접선의 기울기)>(점 B에서의 접선의 기울기)
이므로 $f'(a)>f'(b)$

답 ⑤

풍쌤 개념 CHECK

직선의 기울기 _중 수학 2_

직선이 y축에 가까울수록 직선의 기울기의 절댓값은 크다.

18

함수 $f(x)$에 대하여 x의 값이 -1에서 k까지 변할 때의 평균변화율은

$\begin{aligned}
\dfrac{f(k)-f(-1)}{k-(-1)} &= \dfrac{(k^2+ak)-(1-a)}{k+1} \\
&= \dfrac{k^2+ak+a-1}{k+1}
\end{aligned}$ ·········· ㉠

곡선 $y=f(x)$ 위의 $x=2$인 점에서의 접선의 기울기는
$f'(x)=2x+a$에서 $f'(2)=a+4$ ·········· ㉡

㉠, ㉡에서

$\dfrac{k^2+ak+a-1}{k+1}=a+4$

$\dfrac{(k^2-1)+a(k+1)}{k+1}=a+4$

$\dfrac{(k+1)(k-1)+a(k+1)}{k+1}=a+4$

이때 $k \neq -1$이므로 $k-1+a=a+4$

∴ $k=5$

답 5

19

$f(x)=\begin{cases} bx+4 & (x \geq 1) \\ x^3+ax+b & (x<1) \end{cases}$에서 $f'(x)=\begin{cases} b & (x>1) \\ 3x^2+a & (x<1) \end{cases}$

함수 $f(x)$가 실수 전체의 집합에서 미분가능하므로 $x=1$에서도 미분가능하다.

$x=1$에서 연속이므로
> $x=1$에서 미분가능 ➡ $x=1$에서 연속

$\lim\limits_{x \to 1+}f(x)=\lim\limits_{x \to 1-}f(x)=f(1)$에서

$\lim\limits_{x \to 1+}(bx+4)=\lim\limits_{x \to 1-}(x^3+ax+b)=b+4$

$b+4=1+a+b$ ∴ $a=3$

$f'(1)$의 값이 존재하므로

→ $x=1$에서 미분가능 ➡ $f'(1)$의 값 존재

$\lim\limits_{x \to 1+} f'(x) = \lim\limits_{x \to 1-} f'(x)$에서

$\lim\limits_{x \to 1+} b = \lim\limits_{x \to 1-} (3x^2 + 3)$

$\therefore b = 6$

$\therefore a + b = 3 + 6 = 9$

답 ④

20

$f(x) = |x-1|(x+a) = \begin{cases} (x-1)(x+a) & (x \geq 1) \\ -(x-1)(x+a) & (x < 1) \end{cases}$ 이므로

$f'(x) = \begin{cases} 2x+a-1 & (x>1) \\ -2x-a+1 & (x<1) \end{cases}$

$f'(1)$의 값이 존재하므로

→ $x=1$에서 미분가능 ➡ $f'(1)$의 값 존재

$\lim\limits_{x \to 1+} f'(x) = \lim\limits_{x \to 1-} f'(x)$에서

$\lim\limits_{x \to 1+} (2x+a-1) = \lim\limits_{x \to 1-} (-2x-a+1)$

$a+1 = -a-1, \ 2a = -2$

$\therefore a = -1$

답 ②

21

삼차함수 $f(x)$가 $f(a)=0$, $f'(a)=0$을 만족시키므로 함수 $f(x)$
는 $(x-a)^2$을 인수로 갖고, $f(b)=0$을 만족시키므로 $x-b$도 인수
로 갖는다.

즉, 삼차함수 $f(x)$를 $f(x) = k(x-a)^2(x-b) \ (k \neq 0)$라고 하면

$f'(x) = 2k(x-a)(x-b) + k(x-a)^2$

$\quad\quad = k(x-a)(3x-a-2b)$

이때 $f'(c) = 0$이므로

$k(c-a)(3c-a-2b) = 0$

$\therefore c-a=0$ 또는 $3c-a-2b=0$

이때 a, b, c는 서로 다른 실수이므로

$3c-a-2b=0$에서 $c = \dfrac{a+2b}{3}$

답 ④

22

$f(x) = x^6 + 6x + a$라고 하면 $f(x)$가 $(x+k)^2$으로 나누어떨어지
므로

$f(-k) = 0$, $f'(-k) = 0$

$f(-k) = 0$에서 $k^6 - 6k + a = 0$ ·········· ㉠

한편, $f(x) = x^6 + 6x + a$에서 $f'(x) = 6x^5 + 6$이므로

$f'(-k) = 0$에서 $-6k^5 + 6 = 0$

$-6k^5 = -6, \ k^5 = 1$

$\therefore k = 1 \ (\because k$는 정수$)$

$k=1$을 ㉠에 대입하면

$1 - 6 + a = 0 \quad \therefore a = 5$

$\therefore ak = 5$

답 ②

23

함수 $f(x)$를 $(x-4)^2$으로 나누었을 때의 몫을 $Q(x)$, 나머지 $R(x)$
를 $R(x) = ax+b \ (a, \ b$는 상수$)$라고 하자.

$f(x) = (x-4)^2 Q(x) + ax + b$ ·········· ㉠

다항함수 $y = f(x)$의 그래프가 점 $(4, -4)$를 지나므로

$f(4) = -4$에서

$4a + b = -4$ ·········· ㉡

㉠에서 $f'(x) = 2(x-4)Q(x) + (x-4)^2 Q'(x) + a$

점 $(4, -4)$에서의 접선의 기울기가 3이므로

$f'(4) = 3$에서 $a = 3$

$a = 3$을 ㉡에 대입하면 $b = -16$

따라서 $R(x) = 3x - 16$이므로

$R(5) = 15 - 16 = -1$

답 ②

04 도함수의 활용 (1)

본문 059쪽

기본을 다지는 유형

001

(1) $f(x)=-2x^2$이라고 하면 $f'(x)=-4x$
따라서 곡선 위의 $x=2$인 점에서의 접선의 기울기는
$f'(2)=-4\times2=-8$

(2) $f(x)=x^2+3x$라고 하면 $f'(x)=2x+3$
따라서 곡선 위의 $x=2$인 점에서의 접선의 기울기는
$f'(2)=2\times2+3=7$

(3) $f(x)=x^3+3x^2$이라고 하면 $f'(x)=3x^2+6x$
따라서 곡선 위의 $x=2$인 점에서의 접선의 기울기는
$f'(2)=3\times2^2+6\times2=24$

답 (1) -8 (2) 7 (3) 24

002

(1) $f(x)=3x^2+2x-4$라고 하면 $f'(x)=6x+2$
따라서 점 $(1, 1)$에서의 접선의 기울기는
$f'(1)=6\times1+2=8$

(2) $f(x)=\dfrac{1}{3}x^3-9x$라고 하면 $f'(x)=x^2-9$
따라서 점 $(-3, 18)$에서의 접선의 기울기는
$f'(-3)=(-3)^2-9=0$

답 (1) 8 (2) 0

참고

(2)에서 기울기가 0인 접선은 x축에 평행한 직선이다. 즉, 접선의 기울기가 0
일 수 있다.

003

$\displaystyle\lim_{h\to0}\dfrac{f(1-h)-f(1)}{2h}=\lim_{h\to0}\dfrac{f(1-h)-f(1)}{-h}\times\left(-\dfrac{1}{2}\right)$
$=-\dfrac{1}{2}f'(1)$

이때 곡선 $y=f(x)$ 위의 점 $(1, f(1))$에서의 접선의 기울기가 4이
므로
$f'(1)=4$
$\therefore -\dfrac{1}{2}f'(1)=-\dfrac{1}{2}\times4=-2$

답 ③

004

$f(x)=x^4-4x^3+6x^2+4$에서 $f'(x)=4x^3-12x^2+12x$
점 (a, b)가 함수 $y=f(x)$의 그래프 위의 점이므로
$f(a)=b$에서 $a^4-4a^3+6a^2+4=b$ ········· ㉠
점 (a, b)에서의 접선의 기울기가 4이므로
$f'(a)=4$에서 $4a^3-12a^2+12a=4$
$4a^3-12a^2+12a-4=0$, $4(a-1)^3=0$
$\therefore a=1$

$a=1$을 ㉠에 대입하면 $b=1-4+6+4=7$
$\therefore a^2+b^2=1^2+7^2=50$

답 50

005

$f(x)=ax^3+bx^2+cx$라고 하면 $f'(x)=3ax^2+2bx+c$
두 점 $(2, 12)$, $(4, 0)$이 곡선 $y=f(x)$ 위의 점이므로
$f(2)=12$, $f(4)=0$에서
$8a+4b+2c=12$, $64a+16b+4c=0$
$4a+2b+c=6$, $16a+4b+c=0$
위 두 식에서 c를 소거하여 정리하면
$6a+b=-3$ ········· ㉠
두 점 $(2, 12)$, $(4, 0)$에서의 접선이 서로 평행하므로 접선의 기울
기가 서로 같다.
즉, $f'(2)=f'(4)$에서
$12a+4b+c=48a+8b+c$
$36a+4b=0$
$\therefore 9a+b=0$ ········· ㉡
㉠, ㉡을 연립하여 풀면 $a=1$, $b=-9$
$16a+4b+c=0$에 $a=1$, $b=-9$를 대입하면
$c=20$
$\therefore ab+c=1\times(-9)+20=11$

답 ③

006

(1) $f(x)=-x^3+2x$라고 하면 $f'(x)=-3x^2+2$
점 $(1, 1)$에서의 접선의 기울기는
$f'(1)=-3+2=-1$

(2) 곡선 $y=f(x)$ 위의 점 $(1, 1)$에서의 접선의 기울기가 -1이므
로 접선의 방정식은
$y-1=-(x-1)$
$\therefore y=-x+2$

답 (1) -1 (2) $y=-x+2$

007

$f(x)=(x^2-1)(x+2)$라고 하면
$f'(x)=(x^2-1)'(x+2)+(x^2-1)(x+2)'$
$=2x(x+2)+x^2-1$
$=3x^2+4x-1$
점 $(0, -2)$에서의 접선의 기울기는
$f'(0)=-1$
이므로 접선의 방정식은
$y-(-2)=-x$
$\therefore y=-x-2$

답 ①

008

$f(x)=x^4+2x^3+x+2$라고 하면 $f'(x)=4x^3+6x^2+1$
$f(1)=1+2+1+2=6$
즉, 곡선 $y=f(x)$ 위의 점 $(1, 6)$에서의 접선의 기울기는
$f'(1)=4+6+1=11$

이므로 접선의 방정식은

$y-6=11(x-1)$

$\therefore y=11x-5$

이때 이 직선이 점 $(2,\ k)$를 지나므로

$k=22-5=17$

답 ⑤

009

$f(x)=x^3-4x^2+x+2$라고 하면 $f'(x)=3x^2-8x+1$

곡선 $y=f(x)$ 위의 점 $(1,\ 0)$에서의 접선 l의 기울기는

$f'(1)=3-8+1=-4$

이므로 접선 l의 방정식은

$y=-4(x-1)$

$\therefore y=-4x+4$ ·········· ㉠

또, 곡선 $y=f(x)$ 위의 점 $(-1,\ -4)$에서의 접선 m의 기울기는

$f'(-1)=3+8+1=12$

이므로 접선 m의 방정식은

$y-(-4)=12\{x-(-1)\}$

$\therefore y=12x+8$ ·········· ㉡

㉠, ㉡을 연립하여 풀면 $x=-\dfrac{1}{4},\ y=5$

따라서 두 직선 $l,\ m$의 교점의 좌표는 $\left(-\dfrac{1}{4},\ 5\right)$이다.

답 $\left(-\dfrac{1}{4},\ 5\right)$

010

$f(x)=x^3-3x^2+x+1$이라고 하면 $f'(x)=3x^2-6x+1$

이때 점 A의 x좌표가 3이므로 점 A에서의 접선의 기울기는

$f'(3)=27-18+1=10$

점 B의 x좌표를 a $(a\neq3)$라고 하면 두 점 A, B에서의 접선이 서로 평행하므로 점 B에서의 접선의 기울기는 10이다.

즉, $f'(a)=10$에서 $3a^2-6a+1=10$

$a^2-2a-3=0,\ (a+1)(a-3)=0$

$\therefore a=-1\ (\because a\neq3)$

↳ 두 점 A, B는 서로 다른 점이므로

이때 $f(-1)=-1-3-1+1=-4$이므로 점 B의 좌표는

$(-1,\ -4)$이고, 점 B를 지나고 기울기가 10인 접선의 방정식은

$y-(-4)=10\{x-(-1)\}$

$\therefore y=10x+6$

따라서 구하는 y절편은 6이다. ← y절편은 $x=0$일 때의 y의 값이다.

답 ②

풍쌤 개념 CHECK

두 직선의 평행 조건_高 수학

두 직선 $y=ax+b,\ y=cx+d$가 서로 평행하면 기울기는 서로 같고, y절편은 서로 다르다. 즉, $a=c$이고, $b\neq d$이다.

011

$f(x)=x^3+2$라고 하면 $f'(x)=3x^2$

점 P$(a,\ -6)$이 곡선 $y=f(x)$ 위의 점이므로

$f(a)=-6$에서 $a^3+2=-6,\ a^3=-8$

$\therefore a=-2$

점 P$(-2,\ -6)$에서의 접선의 기울기는

$f'(-2)=3\times4=12$

이므로 접선의 방정식은

$y-(-6)=12\{x-(-2)\}$

$\therefore y=12x+18$

따라서 $m=12,\ n=18$이므로 세 수 $a,\ m,\ n$의 합은

$a+m+n=-2+12+18=28$

답 28

012

$f(x)=x^3+ax+b$라고 하면 $f'(x)=3x^2+a$

점 $(-2,\ -2)$가 곡선 $y=f(x)$ 위의 점이므로

$f(-2)=-2$에서 $-8-2a+b=-2$

$\therefore -2a+b=6$ ·········· ㉠

점 $(-2,\ -2)$에서의 접선의 기울기가 7이므로

$f'(-2)=7$에서 $12+a=7$ $\therefore a=-5$

$a=-5$를 ㉠에 대입하면 $10+b=6$

$\therefore b=-4$

$\therefore a-b=-5-(-4)=-1$

답 ②

013

$f(x)=x^4+ax^3+bx^2$이라고 하면

$f'(x)=4x^3+3ax^2+2bx$

점 $(-1,\ 2)$가 곡선 $y=f(x)$ 위의 점이므로

$f(-1)=2$에서 $1-a+b=2$

$\therefore -a+b=1$ ·········· ㉠

❶

점 $(-1,\ 2)$에서의 접선 $y=2x+c$의 기울기가 2이므로

$f'(-1)=2$에서 $-4+3a-2b=2$

$\therefore 3a-2b=6$ ·········· ㉡

❷

㉠, ㉡을 연립하여 풀면 $a=8,\ b=9$

한편, 접선 $y=2x+c$가 점 $(-1,\ 2)$를 지나므로

$2=-2+c$ $\therefore c=4$

$\therefore a+b-c=8+9-4=13$ ──── ❸

답 13

채점 기준	비율
❶ 곡선이 점 $(-1,\ 2)$를 지남을 이용하여 a, b에 대한 식을 세울 수 있다.	40%
❷ 점 $(-1,\ 2)$에서의 접선의 기울기를 이용하여 a, b에 대한 식을 세울 수 있다.	40%
❸ $a+b-c$의 값을 구할 수 있다.	20%

014

(1) $f(x)=x^3+2x$라고 하면 $f'(x)=3x^2+2$

곡선 $y=f(x)$ 위의 점 $(-1,\ -3)$에서의 접선 l의 기울기는

$f'(-1)=3+2=5$

(2) 점 $(-1,\ -3)$에서의 접선 l에 수직인 직선 m의 기울기를 k라 하면

$$5k = -1 \qquad \therefore k = -\frac{1}{5}$$

따라서 직선 m의 기울기는 $-\dfrac{1}{5}$이다.

(3) 점 $(-1, 1)$을 지나고, 기울기가 $-\dfrac{1}{5}$인 직선의 방정식은

$$y - 1 = -\frac{1}{5}\{x - (-1)\}$$

$$\therefore y = -\frac{1}{5}x + \frac{4}{5}$$

답 (1) 5 (2) $-\dfrac{1}{5}$ (3) $y = -\dfrac{1}{5}x + \dfrac{4}{5}$

> **풍쌤 개념 CHECK**
>
> **두 직선의 수직 조건**_高 수학
> 두 직선 $y = ax + b$, $y = cx + d$가 서로 수직이면 두 직선의 기울기의
> 곱은 -1이다. 즉, $ac = -1$이다.

015

$f(x) = x^3 + ax^2 + b$라고 하면 $f'(x) = 3x^2 + 2ax$

점 $(-2, -6)$이 곡선 $y = f(x)$ 위의 점이므로

$f(-2) = -6$에서 $-8 + 4a + b = -6$

$\therefore 4a + b = 2$ ·········· ㉠

접선과 수직인 직선의 기울기가 $-\dfrac{1}{4}$이므로 접선의 기울기는 4이

다. <small>← 서로 수직인 두 직선의 기울기의 곱은 -1이므로</small>

즉, 점 $(-2, -6)$에서의 접선의 기울기가 4이므로

$f'(-2) = 4$에서

$12 - 4a = 4 \qquad \therefore a = 2$

$a = 2$를 ㉠에 대입하면

$8 + b = 2 \qquad \therefore b = -6$

$\therefore \dfrac{b}{a} = \dfrac{-6}{2} = -3$

답 ①

016

$f(x) = 2x^3 - 4x^2 + 3x$라고 하면 $f'(x) = 6x^2 - 8x + 3$

$x = 1$인 점 P에서의 접선 l의 기울기는

$f'(1) = 6 - 8 + 3 = 1$

이므로 접선 l에 수직인 직선 m의 기울기는 -1이다.

<small>← (l의 기울기) × (m의 기울기) $= -1$이어야 하므로</small>

이때 $f(1) = 2 - 4 + 3 = 1$이므로 점 P의 좌표는 $(1, 1)$이고, 점 P

를 지나고 기울기가 -1인 직선 m의 방정식은

$y - 1 = -(x - 1) \qquad \therefore y = -x + 2$

따라서 직선 m의 y절편은 2이다. <small>← y절편은 $x = 0$일 때의 y의 값이다.</small>

답 ④

017

$f(x) = ax^3 - 3ax$라고 하면 $f'(x) = 3ax^2 - 3a$

곡선 $y = f(x)$ 위의 $x = 0$인 점에서의 접선의 기울기는

$f'(0) = -3a$

곡선 $y = f(x)$ 위의 $x = 2$인 점에서의 접선의 기울기는

$f'(2) = 12a - 3a = 9a$

이때 두 접선이 서로 수직이므로

$f'(0)f'(2) = -1$에서 $-3a \times 9a = -1$

$-27a^2 = -1, \ a^2 = \dfrac{1}{27}$

$\therefore a = \dfrac{\sqrt{3}}{9} \ (\because a > 0)$

답 ①

018

$f(x) = x(x - 3)(x - a)$에서

$f'(x) = (x - 3)(x - a) + x(x - a) + x(x - 3)$

$\qquad = 3x^2 - 2(a + 3)x + 3a$

점 $(0, 0)$에서의 접선의 기울기는

$f'(0) = 3a$

점 $(3, 0)$에서의 접선의 기울기는

$f'(3) = -3a + 9$

두 접선이 서로 수직이므로

$f'(0)f'(3) = -1$

$3a(-3a + 9) = -1$

$\therefore 9a^2 - 27a - 1 = 0$

따라서 이차방정식의 근과 계수의 관계에 의하여 모든 실수 a의 값

의 합은 $-\dfrac{-27}{9} = 3$이다.

답 ④

> **참고**
> 이차방정식 $9a^2 - 27a - 1 = 0$의 판별식을 D라고 하면
> $D = (-27)^2 - 4 \times 9 \times (-1) = 765 > 0$
> 이므로 이차방정식 $9a^2 - 27a - 1 = 0$은 서로 다른 두 실근을 갖는다.

019

$f(x) = x^3 - 2x + 7$이라고 하면 $f'(x) = 3x^2 - 2$

곡선 $y = f(x)$ 위의 점 $P(1, 6)$에서의 접선의 기울기는

$f'(1) = 1$

이므로 접선의 방정식은

$y - 6 = x - 1 \qquad \therefore y = x + 5$

곡선 $y = x^3 - 2x + 7$과 직선 $y = x + 5$가 만나는 점의 x좌표는

$x^3 - 2x + 7 = x + 5$

$x^3 - 3x + 2 = 0, \ (x + 2)(x - 1)^2 = 0$

$\therefore x = -2 \ (\because x \neq 1)$ <small>← 점 P와 다른 점이므로</small>

이때 $f(-2) = -8 + 4 + 7 = 3$이므로 다시 만나는 점 Q의 좌표는

$(-2, 3)$이다.

$\therefore \overline{PQ} = \sqrt{(-2 - 1)^2 + (3 - 6)^2} = \sqrt{9 + 9} = 3\sqrt{2}$

답 $3\sqrt{2}$

> **풍쌤 개념 CHECK**
>
> **좌표평면 위의 두 점 사이의 거리**_高 수학
> 두 점 $P(x_1, y_1)$, $Q(x_2, y_2)$ 사이의 거리는
> $\overline{PQ} = \sqrt{(x_2 - x_1)^2 + (y_2 - y_1)^2}$

020

$f(x) = x^3 + ax^2 + bx + c$에서 $f'(x) = 3x^2 + 2ax + b$

두 점 $(-1, 1)$, $(2, 4)$가 곡선 $y = f(x)$ 위의 점이므로

$f(-1) = 1$에서 $-1 + a - b + c = 1$

$\therefore a - b + c = 2$ ·········· ㉠

$f(2)=4$에서 $8+4a+2b+c=4$

$\therefore 4a+2b+c=-4$ ················· ㉡

㉡$-$㉠을 하면

$3a+3b=-6$ $\quad\therefore a+b=-2$ ················· ㉢

──────────────────────────────── ❶

두 점 $(-1,\,1)$, $(2,\,4)$를 지나는 직선의 방정식은

$y-1=\dfrac{4-1}{2-(-1)}(x+1)$

$\therefore y=x+2$

즉, 점 $(-1,\,1)$에서의 접선의 기울기가 1이므로

$f'(-1)=1$에서 $3-2a+b=1$

$\therefore -2a+b=-2$ ················· ㉣

──────────────────────────────── ❷

㉢, ㉣을 연립하여 풀면 $a=0$, $b=-2$

$a=0$, $b=-2$를 ㉠에 대입하면 $c=0$

따라서 $f(x)=x^3-2x$이므로

$f(1)=1-2=-1$ ················· ❸

답 -1

채점 기준	비율
❶ 두 점이 곡선 위의 점임을 이용하여 a, b에 대한 식을 구할 수 있다.	40%
❷ 점 $(-1,\,1)$에서의 접선의 기울기를 이용하여 a, b에 대한 식을 구할 수 있다.	40%
❸ $f(1)$의 값을 구할 수 있다.	20%

> **풍쌤 개념 CHECK** ●
>
> **직선의 방정식**_고 수학
> 두 점 $(x_1,\,y_1)$, $(x_2,\,y_2)$를 지나는 직선의 방정식은
> $y-y_1=\dfrac{y_2-y_1}{x_2-x_1}(x-x_1)$

021

(1) $f(x)=x^3-3x^2+4x+2$라고 하면 $f'(x)=3x^2-6x+4$

접점의 좌표를 $(k,\,k^3-3k^2+4k+2)$라고 하면 직선 $y=x+5$에 평행한 접선의 기울기는 1이므로

$f'(k)=1$에서 $3k^2-6k+4=1$

$3k^2-6k+3=0$, $k^2-2k+1=0$

$(k-1)^2=0$ $\quad\therefore k=1$

따라서 접점의 좌표는 $(1,\,1-3+4+2)$, 즉 $(1,\,4)$이다.

(2) 점 $(1,\,4)$를 지나고 기울기가 1인 접선의 방정식은

$y-4=x-1$ $\quad\therefore y=x+3$

답 (1) $(1,\,4)$ (2) $y=x+3$

022

$f(x)=x^2+3x-2$라고 하면 $f'(x)=2x+3$

접점의 좌표를 $(k,\,k^2+3k-2)$라고 하면 <u>직선 $y=x+1$에 평행한</u> 접선의 기울기는 1이므로

> 직선 $y=x+1$을 평행이동하여도 기울기는 변하지 않는다.

$f'(k)=1$에서 $2k+3=1$, $2k=-2$

$\therefore k=-1$

따라서 접점의 좌표는 $(-1,\,-4)$이고, 이 점을 지나고 기울기가 1인 접선의 방정식은

$y-(-4)=x-(-1)$

$\therefore y=x-3$

답 $y=x-3$

023

$f(x)=x^3-3x+5$라고 하면 $f'(x)=3x^2-3$

접점의 좌표를 $(k,\,k^3-3k+5)$라고 하면 x축에 평행한 접선의 기울기는 0이므로

$f'(k)=0$에서 $3k^2-3=0$

$3k^2=3$, $k^2=1$

$\therefore k=-1$ 또는 $k=1$

$k=-1$일 때 접점의 좌표가 $(-1,\,7)$이므로 구하는 접선의 방정식은 $y=7$

$k=1$일 때 접점의 좌표는 $(1,\,3)$이므로 구하는 접선의 방정식은 $y=3$

따라서 두 접선이 직선 $x=3$과 만나는 두 점은 $(3,\,7)$, $(3,\,3)$이므로 구하는 y좌표는 3, 7이다.

답 3, 7

> **풍쌤 개념 CHECK** ●
>
> **x축에 평행한 직선의 방정식**_고 수학
> 점 $(a,\,b)$를 지나고, x축에 평행한 직선의 방정식은 $y=b$이다.

024

$f(x)=2x^3+3x^2+2x+1$이라고 하면

$f'(x)=6x^2+6x+2$

접점의 좌표를 $(k,\,2k^3+3k^2+2k+1)$이라고 하면 직선 $x+2y-4=0$, 즉 $y=-\dfrac{1}{2}x+2$에 수직인 접선의 기울기는 2이므로 ················· ❶

$f'(k)=2$에서 $6k^2+6k+2=2$

$6k^2+6k=0$, $6k(k+1)=0$

$\therefore k=-1$ 또는 $k=0$ ················· ❷

(i) $k=-1$일 때

접점의 좌표는 $(-1,\,0)$이므로 이 점을 지나고 기울기가 2인 접선의 방정식은

$y=2\{x-(-1)\}$

$\therefore y=2x+2$

(ii) $k=0$일 때

접점의 좌표는 $(0,\,1)$이므로 이 점을 지나고 기울기가 2인 접선의 방정식은

$y-1=2(x-0)$

$\therefore y=2x+1$

(i), (ii)에 의하여 구하는 접선의 방정식은

$y=2x+2$, $y=2x+1$ ················· ❸

답 $y=2x+2$, $y=2x+1$

채점 기준	비율
❶ 접선의 기울기를 구할 수 있다.	30%
❷ 접선의 x좌표를 구할 수 있다.	20%
❸ 접선의 방정식을 구할 수 있다.	50%

025

$f(x)=x^3-x^2+3$이라고 하면 $f'(x)=3x^2-2x$

이때 곡선과 접선은 $x=k$인 점에서 접하고, x축의 양의 방향과 이루는 각의 크기가 $45°$이므로 기울기가 $\tan 45°$, 즉 1이다.

즉, $f'(k)=1$에서 $3k^2-2k=1$

$3k^2-2k-1=0$, $(3k+1)(k-1)=0$

$\therefore k=1$ $(\because k$는 정수$)$

접점의 좌표는 $(1, 3)$이고, 이 점을 지나고 기울기가 1인 접선의 방정식은

$y-3=x-1$ $\therefore y=x+2$

따라서 접선의 y절편은 2이다. $\leftarrow$ y절편은 $x=0$일 때의 y의 값이다.

답 ④

026

(1) $f(x)=-x^3+x+3$이라고 하면 $f'(x)=-3x^2+1$

접점의 좌표를 $(k, -k^3+k+3)$이라고 하면 접선의 기울기는

$f'(k)=-3k^2+1$이므로 접선의 방정식은

$y-(-k^3+k+3)=(-3k^2+1)(x-k)$

$\therefore y=(-3k^2+1)x+2k^3+3$ ·········· ㉠

이 접선이 점 $(0, 5)$를 지나므로

$5=2k^3+3$, $2k^3=2$, $k^3=1$

$\therefore k=1$

따라서 접점의 좌표는 $(1, 3)$이다.

(2) $f'(1)=-3+1=-2$이므로 접선의 기울기는 -2이다.

(3) $k=1$을 (1)의 ㉠에 대입하면 접선의 방정식은

$y=(-3+1)x+2+3$

$\therefore y=-2x+5$

답 (1) $(1, 3)$ (2) -2 (3) $y=-2x+5$

027

$f(x)=x^3-6x+7$이라고 하면 $f'(x)=3x^2-6$

접점의 좌표는 (k, k^3-6k+7)이고 접선의 기울기는

$f'(k)=3k^2-6$

이므로 접선의 방정식은

$y-(k^3-6k+7)=(3k^2-6)(x-k)$

$\therefore y=(3k^2-6)x-2k^3+7$

이 접선이 점 $(2, -1)$을 지나므로

$-1=2(3k^2-6)-2k^3+7$

$2k^3-6k^2+4=0$, $2(k-1)(k^2-2k-2)=0$

$\therefore k=1$ $(\because k$는 정수$)$

답 ①

028

$f(x)=x^3-2$라고 하면 $f'(x)=3x^2$

접점의 좌표를 (k, k^3-2)라고 하면 접선의 기울기는

$f'(k)=3k^2$

이므로 접선의 방정식은

$y-(k^3-2)=3k^2(x-k)$

$\therefore y=3k^2x-2k^3-2$ ·········· ㉠

이 접선이 점 $(0, -4)$를 지나므로

$-4=-2k^3-2$, $2k^3=2$, $k^3=1$

$\therefore k=1$ $(\because k$는 실수$)$

$k=1$을 ㉠에 대입하면 접선의 방정식은

$y=3x-4$

이때 위 식에 $y=0$을 대입하면 $x=\dfrac{4}{3}$이므로 접선은 x축과

점 $\left(\dfrac{4}{3}, 0\right)$에서 만난다.

$\therefore a=\dfrac{4}{3}$

답 ②

029

$f(x)=x^3-12x+3$이라고 하면 $f'(x)=3x^2-12$

접점의 좌표는 $(k, k^3-12k+3)$이고 접선의 기울기는

$f'(k)=3k^2-12$

이므로 접선의 방정식은

$y-(k^3-12k+3)=(3k^2-12)(x-k)$

$\therefore y=(3k^2-12)x-2k^3+3$ ·········· ㉠

이 접선이 점 $(-1, 10)$을 지나므로

$10=-(3k^2-12)-2k^3+3$

$2k^3+3k^2-5=0$

$(k-1)(2k^2+5k+5)=0$

$\therefore k=1$ $(\because k$는 정수$)$

$k=1$을 ㉠에 대입하면 접선의 방정식은

$y=-9x+1$

이 직선이 x축과 점 $\left(\dfrac{1}{9}, 0\right)$에서 만나고, y축과 점 $(0, 1)$에서 만나므로 구하는 도형의 넓이는

$\dfrac{1}{2}\times\dfrac{1}{9}\times 1=\dfrac{1}{18}$

답 ①

030

점 $(0, 16)$을 지나고 기울기가 8인 접선의 방정식은

$y=8x+16$ ·········· ㉠

한편, $f(x)=x^3-ax$에서 $f'(x)=3x^2-a$

접점의 좌표를 (k, k^3-ak)라고 하면 접선의 기울기는 $3k^2-a$이므로 접선의 방정식은

$y-(k^3-ak)=(3k^2-a)(x-k)$

$\therefore y=(3k^2-a)x-2k^3$ ·········· ㉡

㉠, ㉡이 서로 같으므로

$-2k^3=16$에서 $k^3=-8$

$\therefore k=-2$ $(\because k$는 실수$)$

$3k^2-a=8$에서 $12-a=8$ $\therefore a=4$

따라서 $f(x)=x^3-4x$이므로

$f(a)=f(4)=4^3-4\times 4=48$

답 48

031

(1) $f(2)=g(2)$에서 $4+2a+b=4-3$이므로

$2a+b=-3$ ·········· ㉠

(2) $f'(x)=2x+a$, $g'(x)=2$이므로 $f'(2)=g'(2)$에서

$4+a=2$ $\therefore a=-2$

(3) $a=-2$를 (1)의 ㉠에 대입하면 $b=1$

$\therefore f(x)=x^2-2x+1$

답 (1) $2a+b=-3$ (2) $a=-2$ (3) $f(x)=x^2-2x+1$

참고

곡선 $y=f(x)$와 직선 $y=g(x)$가 $x=k$인 점에서 접한다.

➡ 직선은 곡선의 접선이다.

(1) $x=k$인 점에서 곡선과 직선이 만난다.

➡ $f(k)=g(k)$

(2) $x=k$인 점에서의 곡선 $y=f(x)$의 접선의 기울기는 직선 $y=g(x)$의 기울기와 같다.

➡ $f'(k)=g'(k)$

032

$f(x)=x^3+2ax$, $g(x)=x-2$라고 하면

$f'(x)=3x^2+2a$, $g'(x)=1$

곡선과 직선이 $x=k$에서 접한다고 하면

$f(k)=g(k)$이므로 $k^3+2ak=k-2$

$\therefore k^3+(2a-1)k+2=0$ ········ ㉠

$f'(k)=g'(k)$이므로 $3k^2+2a=1$

$\therefore 2a-1=-3k^2$ ········ ㉡

㉡을 ㉠에 대입하면 $k^3-3k^3+2=0$

$2k^3=2$, $k^3=1$ $\therefore k=1$ ($\because k$는 실수)

$k=1$을 ㉡에 대입하면 $2a-1=-3$

$2a=-2$ $\therefore a=-1$

답 ③

033

$f(x)=2x^3-x$, $g(x)=5x+a$라고 하면

$f'(x)=6x^2-1$, $g'(x)=5$

곡선과 직선이 $x=k$에서 접한다고 하면

$f(k)=g(k)$이므로 $2k^3-k=5k+a$

$\therefore a=2k^3-6k$ ········ ㉠

$f'(k)=g'(k)$이므로 $6k^2-1=5$

$6k^2=6$, $k^2=1$

$\therefore k=-1$ 또는 $k=1$

$k=-1$을 ㉠에 대입하면 $a=4$

$k=1$을 ㉠에 대입하면 $a=-4$

따라서 모든 실수 a의 값의 곱은

$4\times(-4)=-16$

답 ①

034

$f(x)=x^3-4x+3$, $g(x)=ax-13$이라고 하면

$f'(x)=3x^2-4$, $g'(x)=a$

곡선과 직선이 $x=k$에서 접한다고 하면

$f(k)=g(k)$이므로 $k^3-4k+3=ak-13$

$\therefore k^3-(a+4)k+16=0$ ········ ㉠

$f'(k)=g'(k)$이므로 $3k^2-4=a$ ········ ㉡

㉡을 ㉠에 대입하면 $k^3-3k^3+16=0$

$-2k^3+16=0$, $2k^3=16$, $k^3=8$

$\therefore k=2$ ($\because k$는 실수)

$k=2$를 ㉡에 대입하면 $a=12-4=8$

따라서 접선의 기울기가 8이므로 이 접선에 수직인 직선의 기울기는 $-\dfrac{1}{8}$이다.

답 ②

035

$f(x)=-x^3+x+2$, $g(x)=ax-2a$라고 하면

$f'(x)=-3x^2+1$, $g'(x)=a$

곡선과 직선이 $x=k$에서 접하므로

$f(k)=g(k)$에서 $-k^3+k+2=ak-2a$

$\therefore k^3+(a-1)k-2a-2=0$ ········ ㉠

$f'(k)=g'(k)$에서 $-3k^2+1=a$ ········ ㉡ ❶

㉡을 ㉠에 대입하면

$k^3+(-3k^2)k-2(-3k^2+1)-2=0$

$-2k^3+6k^2-4=0$

$-2(k-1)(k^2-2k-2)=0$

$\therefore k=1$ ($\because k$는 정수)

$k=1$을 ㉡에 대입하면 $a=-3+1=-2$ ❷

$\therefore a^2+k^2=(-2)^2+1^2=5$ ❸

답 5

채점 기준	비율
❶ 곡선과 직선이 접함을 이용하여 a, k에 대한 식을 세울 수 있다.	50%
❷ a, k의 값을 구할 수 있다.	40%
❸ a^2+k^2의 값을 구할 수 있다.	10%

036

(1) $f(2)=g(2)$에서 $16-18=8a+2b$이므로

$8a+2b=-2$ $\therefore 4a+b=-1$ ········ ㉠

(2) $f'(x)=8x-9$, $g'(x)=3ax^2+b$이므로 $f'(2)=g'(2)$에서

$16-9=12a+b$ $\therefore 12a+b=7$ ········ ㉡

(3) ㉠, ㉡을 연립하여 풀면 $a=1$, $b=-5$

$\therefore g(x)=x^3-5x$

답 (1) $4a+b=-1$ (2) $12a+b=7$ (3) $g(x)=x^3-5x$

참고

두 곡선 $y=f(x)$, $y=g(x)$가 $x=k$인 점에서 접한다.

➡ 두 곡선은 $x=k$인 점에서의 접선이 같다.

(1) $x=k$인 점에서 두 곡선이 만난다.

➡ $f(k)=g(k)$

(2) $x=k$인 점에서의 두 곡선 $y=f(x)$, $y=g(x)$의 기울기가 같다.

➡ $f'(k)=g'(k)$

037

$f(x)=x^3+ax+b$, $g(x)=x^2+4x$라고 하면

$f'(x)=3x^2+a$, $g'(x)=2x+4$

두 곡선이 $x=-1$인 점에서 접하면

$f(-1)=g(-1)$이므로 $-1-a+b=1-4$

$\therefore a-b=2$ ········ ㉠

$f'(-1)=g'(-1)$이므로 $3+a=2$

$\therefore a=-1$ ········ ㉡

ⓒ을 ㉠에 대입하면
$-1-b=2$ $\therefore b=-3$
$\therefore ab=-1\times(-3)=3$

답 ④

038

$f(x)=ax^3$, $g(x)=bx^2+c$라고 하면
$f'(x)=3ax^2$, $g'(x)=2bx$
두 곡선이 점 $(2, 8)$에서 접하면
$f(2)=g(2)=8$이므로
$f(2)=8$에서 $8a=8$ $\therefore a=1$
$g(2)=8$에서 $4b+c=8$ ……… ㉠
$f'(2)=g'(2)$이므로 $12a=4b$
$\therefore b=3a=3$ $(\because a=1)$ ……… ㉡
㉡을 ㉠에 대입하면
$12+c=8$ $\therefore c=-4$
$\therefore abc=1\times3\times(-4)=-12$

답 ①

039

$f(x)=x^3-x+3$, $g(x)=x^2+ax+2$라고 하면
$f'(x)=3x^2-1$, $g'(x)=2x+a$
두 곡선이 $x=k$에서 접한다고 하면
$f(k)=g(k)$이므로 $k^3-k+3=k^2+ak+2$
$\therefore k^3-k^2-(a+1)k+1=0$ ……… ㉠
$f'(k)=g'(k)$이므로 $3k^2-1=2k+a$
$\therefore a=3k^2-2k-1$ ……… ㉡
㉡을 ㉠에 대입하면
$k^3-k^2-(3k^2-2k)k+1=0$
$2k^3-k^2-1=0$, $(k-1)(2k^2+k+1)=0$
$\therefore k=1$ $(\because 2k^2+k+1>0)$
$k=1$을 ㉡에 대입하면 $a=3-2-1=0$

답 ③

040

$f(x)=kx^4-4x^2$에서 $f'(x)=4kx^3-8x$
이때 롤의 정리를 만족시키는 상수가 2이므로
$f'(2)=0$에서 $32k-16=0$, $32k=16$
$\therefore k=\dfrac{1}{2}$

답 $\dfrac{1}{2}$

참고

$f(x)=\dfrac{1}{2}x^4-4x^2$은 다항함수이므로 함수 $f(x)$는 닫힌구간 $[-3, 3]$에서
연속이면서 열린구간 $(-3, 3)$에서 미분가능하고 $f(-3)=f(3)=\dfrac{9}{2}$이다.
따라서 롤의 정리에 의하여 구간 $(-3, 3)$에서 $f'(c)=0$인 c가 적어도 하나 존재한다.
이때 $f'(x)=2x^3-8x$이므로 $f'(c)=0$에서
$2c^3-8c=0$, $2c(c+2)(x-2)=0$
$\therefore c=-2$ 또는 $c=0$ 또는 $c=2$

041

함수 $f(x)=x^3-3x^2+3$은 다항함수이므로 닫힌구간 $[0, 3]$에서

연속이면서 열린구간 $(0, 3)$에서 미분가능하고, $f(0)=f(3)=3$
이다.
따라서 롤의 정리에 의하여 $f'(c)=0$인 c가 구간 $(0, 3)$에서 적어
도 하나 존재한다.
이때 $f'(x)=3x^2-6x$이므로 $f'(c)=0$에서
$3c^2-6c=0$, $3c(c-2)=0$
$\therefore c=2$ $(\because 0<c<3)$
따라서 롤의 정리를 만족시키는 c의 값은 ㄷ이다.

답 ③

042

함수 $f(x)=x^4+x^2-2$는 다항함수이므로 닫힌구간 $[-2, 2]$에서
연속이면서 열린구간 $(-2, 2)$에서 미분가능하고,
$f(-2)=f(2)=18$이다.
따라서 롤의 정리에 의하여 구간 $(-2, 2)$에서 $f'(c)=0$인 c가 적
어도 하나 존재한다.
이때 $f'(x)=4x^3+2x$이므로 $f'(c)=0$에서
$4c^3+2c=0$, $2c(2c^2+1)=0$
$\therefore c=0$ $(\because 2c^2+1>0)$

답 ③

043

함수 $f(x)=x^2-ax$는 다항함수이므로 닫힌구간 $[0, 4]$에서 연속
이면서 열린구간 $(0, 4)$에서 미분가능하다.
이때 롤의 정리를 만족시키려면 $f(0)=f(4)$이어야 하므로
$0=16-4a$, $4a=16$ $\therefore a=4$
따라서 $f(x)=x^2-4x$에서 $f'(x)=2x-4$이다.
한편, 구간 $(0, 4)$에서 $f'(c)=0$인 c가 적어도 하나 존재하므로
$f'(c)=2c-4=0$
$2c=4$ $\therefore c=2$
$\therefore a-c=4-2=2$

답 ⑤

044

함수 $f(x)=x^2-6x$는 다항함수이므로 닫힌구간 $[a, 2a]$에서 연
속이면서 열린구간 $(a, 2a)$에서 미분가능하다.
이때 롤의 정리를 만족시키려면 $f(a)=f(2a)$이어야 하므로
$a^2-6a=4a^2-12a$, $3a^2-6a=0$
$3a(a-2)=0$ $\therefore a=2$ $(\because a\neq0)$
한편, 구간 $(2, 4)$에서 $f'(c)=0$인 c가 적어도 하나 존재하고,
$f'(x)=2x-6$이므로 $f'(c)=0$에서
$2c-6=0$ $\therefore c=3$
$\therefore ac=2\times3=6$

답 ④

045

함수 $f(x)=2x^2-x-1$은 다항함수이므로 닫힌구간 $[-1, 1]$에서
연속이고 열린구간 $(-1, 1)$에서 미분가능하다.
따라서 평균값 정리에 의하여 $\dfrac{f(1)-f(-1)}{1-(-1)}=f'(c)$인 c가 구간
$(-1, 1)$에 적어도 하나 존재한다.

이때 $f'(x)=4x-1$이므로 $f'(c)=4c-1$

즉, $\dfrac{0-2}{2}=4c-1$이므로 $4c-1=-1$

$4c=0$ ∴ $c=0$

답 0

046

함수 $f(x)=x(x-1)(x-2)$는 다항함수이므로 닫힌구간 $[-1,\ 2]$에서 연속이고 열린구간 $(-1,\ 2)$에서 미분가능하다.

따라서 평균값 정리에 의하여 $\dfrac{f(2)-f(-1)}{2-(-1)}=f'(c)$인 c가 구간

$(-1,\ 2)$에 적어도 하나 존재한다.

이때 $f(x)=x(x-1)(x-2)=x^3-3x^2+2x$에서

$f'(x)=3x^2-6x+2$이므로 $f'(c)=3c^2-6c+2$

즉, $\dfrac{0-(-6)}{3}=3c^2-6c+2$이므로 $3c^2-6c+2=2$

$3c^2-6c=0$, $3c(c-2)=0$

∴ $c=0$ ($\because -1<c<2$)

답 ②

047

함수 $f(x)=x^3$은 다항함수이므로 닫힌구간 $[0,\ a]$에서 연속이고 열린구간 $(0,\ a)$에서 미분가능하다.

이때 $f'(x)=3x^2$이고 닫힌구간 $[0,\ a]$에서 평균값 정리를 만족시키는 상수가 $\sqrt{3}$이므로

$\dfrac{f(a)-f(0)}{a-0}=f'(\sqrt{3})$

$\dfrac{a^3}{a}=9$, $a^2=9$

∴ $a=3$ ($\because a>\sqrt{3}$)

답 ④

048

함수 $f(x)=2x^2-5x$는 다항함수이므로 닫힌구간 $[-1,\ a]$에서 연속이고 열린구간 $(-1,\ a)$에서 미분가능하다.

이때 $f'(x)=4x-5$이고 닫힌구간 $[-1,\ a]$에서 평균값 정리를 만족시키는 상수가 1이므로

$\dfrac{f(a)-f(-1)}{a-(-1)}=f'(1)$

$\dfrac{(2a^2-5a)-7}{a+1}=-1$, $2a^2-5a-7=-a-1$

$2a^2-4a-6=0$, $2(a+1)(a-3)=0$

∴ $a=3$ ($\because a>1$)

답 ②

049

닫힌구간 $[0,\ 4]$에서 평균값 정리를 만족시키는 상수 c는 두 점 $(0,\ f(0))$, $(4,\ f(4))$를 잇는 직선과 평행한 접선을 갖는 점의 x좌표이고, 평행한 접선을 2개 그을 수 있으므로 상수 c의 개수는 2이다.

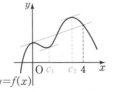

답 ③

01

$f(x)=x^3+3x^2+x+5$라고 하면

$f'(x)=3x^2+6x+1=3(x+1)^2-2$

이므로 $f'(x)$는 $x=-1$에서 최솟값 -2를 갖는다.

따라서 접선의 기울기 m의 최솟값은 -2이다.

답 ①

02

$f(x)=x^3+ax^2+bx+c$라고 하면

$f'(x)=3x^2+2ax+b$

두 점 $(2,\ 5)$, $(-2,\ 1)$은 곡선 $y=f(x)$ 위의 점이므로

$f(2)=5$에서 $8+4a+2b+c=5$

∴ $4a+2b+c=-3$ ┄┄┄┄ ㉠

$f(-2)=1$에서 $-8+4a-2b+c=1$

∴ $4a-2b+c=9$ ┄┄┄┄ ㉡

㉠$-$㉡을 하면 $4b=-12$ ∴ $b=-3$

$f'(x)=3x^2+2ax-3$이고, 두 점 $(2,\ 5)$, $(-2,\ 1)$에서의 두 접선이 서로 평행하므로 두 접선의 기울기는 서로 같다. 즉,

$f'(2)=f'(-2)$ ↘ $f'(2),\ f'(-2)$

$12+4a-3=12-4a-3$, $8a=0$

∴ $a=0$

$a=0$, $b=-3$을 ㉠에 대입하면

$-6+c=-3$ ∴ $c=3$

∴ $a-b+c=0-(-3)+3=6$

답 ④

03

$f(x)=\dfrac{2}{3}x^3-2x^2$이라고 하면 $f'(x)=2x^2-4x$

점 $(3,\ 0)$에서의 접선의 기울기는

$f'(3)=18-12=6$

이므로 점 $(3,\ 0)$에서의 접선의 방정식은

$y-0=6(x-3)$ ∴ $y=6x-18$

따라서 직선 $y=6x-18$을 지나는 점의 좌표는 ⑤ $(2,\ -6)$이다.

답 ⑤

> **참고**
> ⑤에서 $x=2$, $y=-6$을 $y=6x-18$에 대입하면 $-6=12-18$로 등식이 성립하므로 점 $(2,\ -6)$이 접선이 지나는 점의 좌표임을 알 수 있다.

04

$f(x)=x^3-x^2+x-2$라고 하면 $f'(x)=3x^2-2x+1$

점 $(1,\ -1)$에서의 접선의 기울기는

$f'(1)=3-2+1=2$

이므로 접선의 방정식은

$y-(-1)=2(x-1)$

∴ $y=2x-3$

따라서 삼각형 AOB의 넓이는

$\dfrac{1}{2}\times\dfrac{3}{2}\times3=\dfrac{9}{4}$

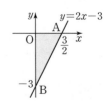

답 ②

05

$f(x)=-3x(x^2-1)=-3x^3+3x$라고 하면

$f'(x)=-9x^2+3$

점 P에서의 접선과 수직인 직선의 기울기가 $-\dfrac{1}{3}$이므로 접선의 기울기는 3이다. ← 서로 수직인 두 직선의 기울기의 곱은 -1임을 이용해서 구한다.

이때 $P(k,\ f(k))$라고 하면 $f'(k)=3$이므로

$-9k^2+3=3,\ -9k^2=0$

$\therefore k=0$

$\therefore f(k)=f(0)=0$

따라서 점 $P(0,\ 0)$을 지나고 기울기가 3인 접선의 방정식은

$y=3x$

즉, $m=3,\ n=0$이므로 $m+n=3$

답 ④

06

$f(x)=\dfrac{1}{3}x^3+x^2-6$이라고 하면 $f'(x)=x^2+2x$

구하는 접선이 직선 $x+3y+21=0$, 즉 $y=-\dfrac{1}{3}x-7$에 수직이므로 접선의 기울기는 3이다. ← 서로 수직인 두 직선의 기울기의 곱은 -1임을 이용해서 구한다.

이때 접선의 좌표를 $(k,\ f(k))$라고 하면

$f'(k)=3$에서 $k^2+2k=3$

$k^2+2k-3=0,\ (k+3)(k-1)=0$

$\therefore k=-3$ 또는 $k=1$

(i) $k=-3$일 때

$f(k)=f(-3)=\dfrac{1}{3}\times(-3)^3+(-3)^2-6=-6$

이므로 접점의 좌표는 $(-3,\ -6)$이고, 이 점을 지나고 기울기가 3인 접선의 방정식은

$y-(-6)=3\{x-(-3)\}$

$\therefore y=3x+3$

따라서 y절편은 3이다. ← y절편은 $x=0$일 때의 y의 값이다.

(ii) $k=1$일 때

$f(k)=f(1)=\dfrac{1}{3}\times1^3+1^2-6=-\dfrac{14}{3}$

이므로 접점의 좌표는 $\left(1,\ -\dfrac{14}{3}\right)$이고, 이 점을 지나고 기울기가 3인 접선의 방정식은

$y-\left(-\dfrac{14}{3}\right)=3(x-1)$

$\therefore y=3x-\dfrac{23}{3}$

따라서 y절편은 $-\dfrac{23}{3}$이다.

(i), (ii)에 의하여 구하는 접선의 y절편의 곱은

$3\times\left(-\dfrac{23}{3}\right)=-23$

답 ②

07

문제 접근하기

곡선 위의 한 점에서 직선 l에 내린 수선의 길이가 곡선 위의 한 점과 직선 l 사이의 거리의 최솟값이다. 즉, 곡선과 직선 l 사이의 최소 거리는 곡선 위의 한 점에서 그은 접선과 직선 l 사이의 거리와 같다.

$f(x)=x^3-2x\ (x<0)$라고 하면 $f'(x)=3x^2-2$

직선 $y=x+8$과 평행한 직선이면서 곡선 $y=f(x)$의 접선을 직선 l이라고 하면 직선 l의 기울기는 1이다.

이때 직선 l과 곡선 $y=f(x)$의 접점의 좌표를 $(k,\ k^3-2k)\ (k<0)$라고 하면

$f'(k)=1$

$3k^2-2=1,\ 3k^2=3,\ k^2=1$

$\therefore k=-1\ (\because k<0)$

즉, 접점의 좌표가 $(-1,\ 1)$이므로 이 점과 직선 $y=x+8$, 즉 $x-y+8=0$과의 거리는

$\dfrac{|-1-1+8|}{\sqrt{1^2+(-1)^2}}=\dfrac{|6|}{\sqrt{2}}=3\sqrt{2}$

따라서 구하는 거리의 최솟값은 $3\sqrt{2}$이다.

답 $3\sqrt{2}$

> **풍쌤 개념 CHECK** ●
>
> **점과 직선 사이의 거리** _高 수학
>
> 점 $(x_1,\ y_1)$과 직선 $ax+by+c=0$ 사이의 거리는
>
> $\dfrac{|ax_1+by_1+c|}{\sqrt{a^2+b^2}}$

08

문제 접근하기

곡선 $y=f(x)$ 위의 한 점 $(a,\ f(a))$에서의 접선의 방정식은 $y=f'(a)(x-a)+f(a)$이고, 곡선 $y=f(x)$와 접선 $y=f'(a)(x-a)+f(a)$이 $x=b\ (b\neq a)$에서 만나면 $f(b)=f'(a)(b-a)+f(a)$가 성립한다.

$f(x)=x^3+ax$에서 $f'(x)=3x^2+a$

점 $A(-1,\ -1-a)$에서의 접선의 기울기는

$f'(-1)=a+3$

이므로 접선의 방정식은

$y-(-1-a)=(a+3)\{x-(-1)\}$

$\therefore y=(a+3)x+2$

곡선 $y=f(x)$와 직선 $y=(a+3)x+2$가 만나는 점의 x좌표는

$x^3+ax=(a+3)x+2$

$x^3-3x-2=0$

$(x+1)^2(x-2)=0$

$\therefore x=-1$ 또는 $x=2$

$\therefore B(2,\ 2a+8)$

점 B에서의 접선의 기울기는

$f'(2)=a+12$

이므로 접선의 방정식은

$y-(2a+8)=(a+12)(x-2)$

$\therefore y=(a+12)x-16$

곡선 $y=f(x)$와 직선 $y=(a+12)x-16$이 만나는 점의 x좌표는

$x^3+ax=(a+12)x-16$

$x^3-12x+16=0$

$(x+4)(x-2)^2=0$

$\therefore x=-4$ 또는 $x=2$

$\therefore C(-4,\ -4a-64)$

따라서 $b=2,\ c=-4$이므로

$$f(b)+f(c)=f(2)+f(-4)$$
$$=(2a+8)+(-4a-64)$$
$$=-2a-56$$
이때 $-2a-56=-80$이므로
$$a=12$$

답 ③

09

$f(x)=x^3-4x+3$이라고 하면 $f'(x)=3x^2-4$
직선 $y=-x+1$이 곡선 $y=f(x)$에 접할 때 그 접점의 좌표를
(k, k^3-4k+3)이라고 하면 접선의 기울기는 -1이므로
$$f'(k)=-1$$
$$3k^2-4=-1, 3k^2=3, k^2=1$$
$$\therefore k=-1 \text{ 또는 } k=1$$
즉, 접선의 기울기가 -1일 때, 접점의 좌표는 $(-1, 6)$, $(1, 0)$이
고, 이 중에서 점 $(1, 0)$만 직선 $y=-x+1$ 위의 점이므로 구하는
접점의 좌표는 $(1, 0)$이다.
한편, 접선 $y=-x+1$에 수직인 직선의 기울기는 1이므로
점 $(1, 0)$을 지나고 기울기가 1인 직선의 방정식은
$$y=x-1$$
따라서 접선에 수직인 직선의 y절편은 -1이다.

답 ②

참고
오른쪽 그림과 같이
$y=x^3-4x+3$의 그래프에 접하고
기울기가 -1인 직선은
$y=-x+1$, $y=-x+5$로 2개가
있다.
접선이 $y=-x+1$일 때의 접점은
$(1, 0)$이고, 접선이 $y=-x+5$일
때의 접점은 $(-1, 6)$이므로 접점
을 구했을 때 그것이 문제의 조건
에 맞는지 확인해야 한다.

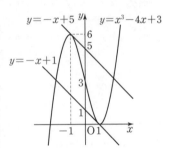

10

$f(x)=2x^2+5x+2$라고 하면 $f'(x)=4x+5$
접점의 좌표를 $(k, 2k^2+5k+2)$라고 하면 접선의 기울기는
$$f'(k)=4k+5$$
이므로 접선의 방정식은
$$y-(2k^2+5k+2)=(4k+5)(x-k)$$
$$\therefore y=(4k+5)x-2k^2+2$$
이 접선이 점 $(2, 12)$를 지나므로
$$12=2(4k+5)-2k^2+2$$
$$2k^2-8k=0, 2k(k-4)=0$$
$$\therefore k=0 \text{ 또는 } k=4$$
$k=0$일 때 접점의 좌표는 $(0, 2)$이다.
$k=4$일 때 접점의 좌표는 $(4, 54)$이다.
따라서 삼각형 OAB의 넓이는
$$\frac{1}{2}\times 2\times 4=4$$

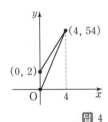

답 4

11

문제 접근하기
점 $(1, -1)$을 지나는 접선의 기울기를 먼저 구하고, 평행한 두 직선의
기울기가 같음을 이용해서 다른 곡선에서의 접선의 방정식을 구한다.

$f(x)=x^3-2x$라고 하면 $f'(x)=3x^2-2$
점 $(1, -1)$에서의 접선의 기울기는
$$f'(1)=3-2=1$$
$h(x)=x^2+3x$라고 하면 $h'(x)=2x+3$
곡선 $y=h(x)$와 접선의 접점의 좌표를 (k, k^2+3k)라고 하면 접
선의 기울기는
$$h'(k)=2k+3$$
평행한 두 직선의 기울기는 같으므로
$$f'(1)=h'(k)$$
$$1=2k+3, 2k=-2 \qquad \therefore k=-1$$
즉, 곡선 $y=h(x)$에서의 접점의 좌표는 $(-1, -2)$이다.
접선 $y=g(x)$는 점 $(-1, -2)$를 지나고 기울기가 1인 직선이므로
$$y-(-2)=x-(-1)$$
$$\therefore y=x-1$$
따라서 $g(x)=x-1$이므로
$$g(5)=5-1=4$$

답 ②

12

$f(x)=x^3$, $g(x)=ax^2+bx$라고 하면
$$f'(x)=3x^2, g'(x)=2ax+b$$
두 곡선 $y=f(x)$, $y=g(x)$가 모두 점 $(1, 1)$을 지나므로
$f(1)=g(1)$에서 $1=a+b$ ·········· ㉠
점 $(1, 1)$에서의 두 접선이 서로 수직이므로
$f'(1)g'(1)=-1$에서 $3(2a+b)=-1$
$6a+3b=-1$ ·········· ㉡
㉠, ㉡을 연립하여 풀면
$$a=-\frac{4}{3}, b=\frac{7}{3}$$
$$\therefore 9ab=9\times\left(-\frac{4}{3}\right)\times\frac{7}{3}=-28$$

답 -28

13

$f(x)=(x+1)(-x^2-x+a)$, $g(x)=-4x-7$이라고 하면
$$f'(x)=(-x^2-x+a)+(x+1)(-2x-1)$$
$$=-3x^2-4x+a-1$$
$$g'(x)=-4$$
곡선과 직선이 $x=k$에서 접한다고 하면
(i) $f(k)=g(k)$이므로
$$(k+1)(-k^2-k+a)=-4k-7$$
$$\therefore -k^3-2k^2+(a+3)k+a+7=0 \qquad \cdots\cdots ㉠$$
(ii) $f'(k)=g'(k)$이므로
$$-3k^2-4k+a-1=-4$$
$$\therefore a=3k^2+4k-3 \qquad \cdots\cdots ㉡$$
㉡을 ㉠에 대입하면
$$-k^3-2k^2+(3k^2+4k)k+3k^2+4k+4=0$$

$2k^3+5k^2+4k+4=0$

$(k+2)(2k^2+k+2)=0$

$\therefore k=-2 \ (\because 2k^2+k+2>0)$

$k=-2$를 ㉡에 대입하면

$a=12-8-3=1$

답 ④

14

$f(x)=x^3+ax$, $g(x)=x^2+a$라고 하면

$f'(x)=3x^2+a$, $g'(x)=2x$

두 곡선이 $x=k$에서 접한다고 하면

(ⅰ) $f(k)=g(k)$이므로 $k^3+ak=k^2+a$

$\quad \therefore k^3-k^2+ak-a=0$ ·········· ㉠

(ⅱ) $f'(k)=g'(k)$이므로 $3k^2+a=2k$

$\quad \therefore a=-3k^2+2k$ ·········· ㉡

㉡을 ㉠에 대입하면

$k^3-k^2+(-3k^2+2k)k-(-3k^2+2k)=0$

$-2k^3+4k^2-2k=0$

$-2k(k-1)^2=0$

$\therefore k=0$ 또는 $k=1$

$k=0$을 ㉡에 대입하면 $a=0$

$k=1$을 ㉡에 대입하면 $a=-1$

이때 $a\neq0$이므로 $a=-1$

답 -1

15

$f(x)=-2x^2+kx$에서 $f'(x)=-4x+k$

이때 롤의 정리를 만족시키는 상수가 5이므로

$f'(5)=0$에서

$-20+k=0 \quad \therefore k=20$

$\therefore f(x)=-2x^2+20x$

한편, 롤의 정리가 성립하려면 $f(2a)=f(3a)$이므로

$-8a^2+40a=-18a^2+60a$

$10a^2-20a=0$

$10a(a-2)=0$

$\therefore a=2 \ (\because a\neq0)$

답 $a=2$, $k=20$

16

$f(-2)=-4+1=-3$, $f(2)=4+1=5$

이므로 닫힌구간 $[-2, 2]$에서 상수 c가 평균값 정리를 만족시키면 $x=c$에서의 접선의 기울기는 두 점 $(-2, -3)$, $(2, 5)$를 잇는 직선의 기울기와 같다.

이때 오른쪽 그림과 같이 함수 $y=f(x)$의 그래프에서 두 점 $(-2, -3)$, $(2, 5)$를 잇는 직선과 평행한 접선은 2개 그을 수 있다.

따라서 상수 c의 개수는 2이다.

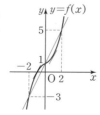

답 ②

17

열린구간 (a, c)에서 $f(a)=f(c)$이고, 롤의 정리를 만족시키는 실수 x는 두 점 $(a, f(a))$, $(c, f(c))$를 잇는 직선, 즉 x축과 평행한 접선을 갖는 점의 x좌표이고, x축에 평행한 접선을 다음 그림과 같이 4개 그을 수 있으므로 실수 x의 개수는 4이다.

$\therefore p=4$

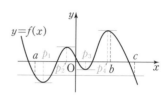

열린구간 (a, b)에서 평균값 정리를 만족시키는 실수 x는 두 점 $(a, f(a))$, $(b, f(b))$를 잇는 직선과 평행한 접선을 갖는 점의 x좌표이고, 평행한 접선을 다음 그림과 같이 4개 그을 수 있으므로 실수 x의 개수는 4이다.

$\therefore q=4$

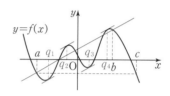

$\therefore p+q=4+4=8$

답 ①

05 도함수의 활용 (2)

🔧 기본을 다지는 유형

본문 073쪽

001

(1) $0<x_1<x_2$인 임의의 두 양수 x_1, x_2에 대하여
$$f(x_1)-f(x_2)=x_1{}^2-x_2{}^2=\underline{(x_1+x_2)(x_1-x_2)}<0$$
$\qquad\qquad\qquad\qquad\qquad\uparrow\ {}_{x_1+x_2>0,\ x_1-x_2<0}$
이므로 $f(x_1)<f(x_2)$
따라서 함수 $f(x)=x^2$은 구간 $(0,\ \infty)$에서 증가한다.

(2) $x_1<x_2<-1$인 임의의 두 음수 x_1, x_2에 대하여
$$f(x_1)-f(x_2)=(x_1{}^2+1)-(x_2{}^2+1)=x_1{}^2-x_2{}^2$$
$$=\underline{(x_1+x_2)(x_1-x_2)}>0$$
$\qquad\qquad\qquad\qquad\qquad\ \uparrow\ {}_{x_1+x_2<0,\ x_1-x_2<0}$
이므로 $f(x_1)>f(x_2)$
따라서 함수 $f(x)=x^2+1$은 구간 $(-\infty,\ -1)$에서 감소한다.

(3) $x_1<x_2$인 임의의 두 실수 x_1, x_2에 대하여
$$f(x_1)-f(x_2)=x_1{}^3-x_2{}^3=\underline{(x_1-x_2)(x_1{}^2+x_1x_2+x_2{}^2)}<0$$
$\qquad\qquad\qquad\qquad\qquad\ \uparrow\ {}_{x_1-x_2<0,\ x_1{}^2+x_1x_2+x_2{}^2>0}$
이므로 $f(x_1)<f(x_2)$
따라서 함수 $f(x)=x^3$은 구간 $(-\infty,\ \infty)$에서 증가한다.

답 (1) 증가 (2) 감소 (3) 증가

002

$f(x)=x^3-3x+1$에서 $f'(x)=3x^2-3=3(x+1)(x-1)$
함수 $f(x)$는 $f'(x)\geq0$인 구간에서 증가하므로
$3(x+1)(x-1)\geq0$
$\therefore x\leq-1$ 또는 $x\geq1$
따라서 함수 $f(x)$가 증가하는 구간이 아닌 것은 ③ $(-1,\ 1)$이다.

답 ③

003

$f(x)=-x^3-ax^2+bx+8$에서 $f'(x)=-3x^2-2ax+b$
함수 $f(x)$가 $x=-4$, $x=0$의 좌우에서 증가와 감소가 바뀌므로
$x=-4$, $x=0$의 좌우에서 $f'(x)$의 부호가 바뀐다.
즉, 이차방정식 $f'(x)=0$의 두 근은 -4, 0이므로 이차방정식의
근과 계수의 관계에 의하여
$$-4+0=-\frac{-2a}{-3},\ -4\times0=\frac{b}{-3a}$$
$$-4=-\frac{2}{3}a,\ 0=-\frac{b}{3a}$$
$\therefore a=6,\ b=0$
$\therefore a^2+b^2=6^2+0^2=36$

답 ④

004

$f(x)=x^3-4x^2+3$에서 $f'(x)=3x^2-8x=x(3x-8)$
함수 $f(x)$는 $f'(x)\leq0$인 구간에서 감소하므로
$x(3x-8)\leq0$
$\therefore 0\leq x\leq\frac{8}{3}$ ·········· ❶
따라서 함수 $f'(x)$가 감소하는 구간은 $\left[0,\ \dfrac{8}{3}\right]$이므로

$a=0,\ b=\dfrac{8}{3}$ ·········· ❷

$\therefore a+b=\dfrac{8}{3}$ ·········· ❸

답 $\dfrac{8}{3}$

채점 기준	비율
❶ 함수 $f(x)$가 감소하는 구간을 구할 수 있다.	40%
❷ a, b의 값을 구할 수 있다.	40%
❸ $a+b$의 값을 구할 수 있다.	20%

005

$f'(x)\geq0$인 구간에서 함수 $f(x)$는 증가한다.
$a\leq x\leq c$, $x\geq g$에서 $f'(x)\geq0$이므로 함수 $f(x)$가 증가하는 x의
값의 범위는 ② $b\leq x\leq c$이다.

답 ②

006

$f(x)=x^3+3x^2+ax+5$에서 $f'(x)=3x^2+6x+a$
함수 $f(x)$가 모든 실수 x에서 증가하려면 모든 실수 x에 대하여
$f'(x)\geq0$이어야 하므로 이차방정식 $f'(x)=0$의 판별식을 D라고
하면
$$\frac{D}{4}=9-3a\leq0,\ 3a\geq9\qquad\therefore a\geq3$$

답 ⑤

> **참고**
> 삼차함수 $f(x)$가 실수 전체의 집합에서
> (1) 증가하면 모든 실수 x에 대하여 $f'(x)\geq0$
> (2) 감소하면 모든 실수 x에 대하여 $f'(x)\leq0$

> **풍쌤 개념 CHECK**
> **이차부등식이 항상 성립할 조건**_高 수학
> 이차함수 $g(x)=ax^2+bx+c$에 대하여 이차방정식 $g(x)=0$의 판별
> 식을 D라고 할 때,
> (1) 모든 실수 x에 대하여 $g(x)\geq0$이려면
> $a>0$, $D\leq0$
> (2) 모든 실수 x에 대하여 $g(x)\leq0$이려면
> $a<0$, $D\leq0$

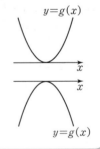

007

$f(x)=-x^3+2ax^2-ax+4$에서 $f'(x)=-3x^2+4ax-a$
함수 $f(x)$가 실수 전체의 집합에서 감소하려면 모든 실수 x에 대
하여 $f'(x)\leq0$이어야 하므로 이차방정식 $f'(x)=0$의 판별식을 D
라고 하면
$$\frac{D}{4}=4a^2-3a\leq0,\ a(4a-3)\leq0$$
$$\therefore 0\leq a\leq\frac{3}{4}$$
따라서 정수 a는 0의 1개 뿐이다.

답 ②

008

$f(x)=\dfrac{1}{3}x^3+ax^2+(a+2)x-4$에서

$f'(x)=x^2+2ax+a+2$

함수 $f(x)$가 실수 전체의 집합에서 증가하려면 모든 실수 x에 대하여 $f'(x)\geq0$이어야 하므로 이차방정식 $f'(x)=0$의 판별식을 D라고 하면

$\dfrac{D}{4}=a^2-(a+2)\leq0,\ a^2-a-2\leq0$

$(a-2)(a+1)\leq0$

$\therefore\ -1\leq a\leq2$

따라서 실수 a의 최댓값은 2이다.

답 ④

009

함수 $f(x)$가 일대일함수이려면 실수 전체의 집합에서 증가하거나 감소해야 한다. 이때 $f(x)$의 최고차항의 계수가 양수이므로 $f(x)$는 증가해야 한다.

$f(x)=x^3+3ax^2-2ax+1$에서 $f'(x)=3x^2+6ax-2a$

함수 $f(x)$가 증가하려면 모든 실수 x에 대하여 $f'(x)\geq0$이어야 하므로 이차방정식 $f'(x)=0$의 판별식을 D라고 하면

$\dfrac{D}{4}=9a^2+6a\leq0,\ 3a(3a+2)\leq0$

$\therefore\ -\dfrac{2}{3}\leq a\leq0$

따라서 상수 a의 값으로 가능한 것은 ③ $-\dfrac{1}{3}$이다.

답 ③

010

함수 $f(x)$의 역함수가 존재하려면 $f(x)$가 일대일대응이어야 하므로 실수 전체의 집합에서 $f(x)$는 증가하거나 감소해야 한다. 이때 $f(x)$의 최고차항의 계수가 음수이므로 $f(x)$는 감소해야 한다.

$f(x)=-\dfrac{1}{3}x^3+(a-2)x^2-ax+4$에서

$f'(x)=-x^2+2(a-2)x-a$

함수 $f(x)$가 감소하려면 모든 실수 x에 대하여 $f'(x)\leq0$이어야 하므로 이차방정식 $f'(x)=0$의 판별식을 D라고 하면

$\dfrac{D}{4}=(a-2)^2-a\leq0,\ a^2-5a+4\leq0$

$(a-1)(a-4)\leq0$

$\therefore\ 1\leq a\leq4$

따라서 정수 a는 1, 2, 3, 4이므로 그 합은 10이다.

답 ④

011

함수 $f(x)$가 주어진 조건을 만족시키므로 $f(x)$는 실수 전체의 집합에서 감소해야 한다.

$f(x)=-x^3+3ax^2-(a+4)x$에서

$f'(x)=-3x^2+6ax-a-4$

함수 $f(x)$가 감소하려면 모든 실수 x에 대하여 $f'(x)\leq0$이어야 하므로 이차방정식 $f'(x)=0$의 판별식을 D라고 하면

$\dfrac{D}{4}=9a^2-3(a+4)\leq0,\ 9a^2-3a-12\leq0$

$3(3a-4)(a+1)\leq0$

$\therefore\ -1\leq a\leq\dfrac{4}{3}$

따라서 실수 a의 최댓값은 $\dfrac{4}{3}$이다.

답 ④

012

함수 $f(x)$에 대하여 주어진 명제가 참이면 $f(x)$는 실수 전체의 집합에서 증가해야 한다.

$f(x)=x^3+(a+1)x^2+(a+1)x$에서

$f'(x)=3x^2+2(a+1)x+a+1$

함수 $f(x)$가 증가하려면 모든 실수 x에 대하여 $f'(x)\geq0$이어야 하므로 이차방정식 $f'(x)=0$의 판별식을 D라고 하면

$\dfrac{D}{4}=(a+1)^2-3(a+1)\leq0,\ a^2-a-2\leq0$

$(a+1)(a-2)\leq0\qquad\therefore\ -1\leq a\leq2$

따라서 실수 a의 최댓값은 2, 최솟값은 -1이므로 구하는 합은

$2+(-1)=1$

답 ③

013

함수 $f(x)$에 대하여 주어진 조건을 만족시키면 $f(x)$는 일대일함수이다. 이때 $f(x)$의 최고차항의 계수가 음수이므로 함수 $f(x)$는 감소해야 한다. ————————————❶

$f(x)=-x^3+ax^2+3ax+5$에서 $f'(x)=-3x^2+2ax+3a$

함수 $f(x)$가 감소하려면 모든 실수 x에 대하여 $f'(x)\leq0$이어야 하므로 이차방정식 $f'(x)=0$의 판별식을 D라고 하면

$\dfrac{D}{4}=a^2+9a\leq0,\ a(a+9)\leq0$

$\therefore\ -9\leq a\leq0$ ————————————❷

따라서 정수 a는 $-9,\ -8,\ \cdots,\ 0$의 10개이다. ————————❸

답 10

채점 기준	비율
❶ 함수 $f(x)$가 감소해야 함을 알 수 있다.	40%
❷ a의 값의 범위를 구할 수 있다.	40%
❸ 정수 a의 개수를 구할 수 있다.	20%

014

$f(x)=x^3+ax+2$에서 $f'(x)=3x^2+a$

함수 $f(x)$가 구간 $(0,\ 1)$에서 감소하려면 $0<x<1$에서 $f'(x)\leq0$이어야 하므로

$f'(0)=a\leq0$에서 $a\leq0$ ————————㉠

$f'(1)=3+a\leq0$에서 $a\leq-3$ ————————㉡

㉠, ㉡의 공통 범위는 $a\leq-3$

따라서 a의 최댓값은 -3이다.

답 ①

015

$f(x)=-2x^3+3x^2+ax$에서 $f'(x)=-6x^2+6x+a$

함수 $f(x)$가 $-1<x<2$에서 증가하려면 $-1<x<2$에서 $f'(x)\geq0$이어야 하므로

$f'(-1)=-6-6+a=a-12\geq0$에서 $a\geq12$ ········· ㉠

$f'(2)=-24+12+a=a-12\geq0$에서 $a\geq12$ ········· ㉡

㉠, ㉡의 공통 범위는 $a\geq12$

따라서 a의 최솟값은 12이다.

답 ③

016

$f(x)=-x^3+ax^2+4x+4$에서 $f'(x)=-3x^2+2ax+4$

함수 $f(x)$가 구간 $(-1,\ 1)$에서 증가하려면 $-1<x<1$에서 $f'(x)\geq0$이어야 하므로

$f'(-1)=-3-2a+4=-2a+1\geq0$에서

$a\leq\dfrac{1}{2}$ ········· ㉠

$f'(1)=-3+2a+4=2a+1\geq0$에서

$a\geq-\dfrac{1}{2}$ ········· ㉡

㉠, ㉡의 공통 범위는 $-\dfrac{1}{2}\leq a\leq\dfrac{1}{2}$

따라서 $a=-\dfrac{1}{2}$, $\beta=\dfrac{1}{2}$이므로

$|4a\beta|=\left|4\times\left(-\dfrac{1}{2}\right)\times\dfrac{1}{2}\right|=1$

답 ④

017

$f(x)=x^3+4x^2-(a+1)x+3$에서 $f'(x)=3x^2+8x-a-1$

함수 $f(x)$가 구간 $(-1,\ 3)$에서 감소하려면 $-1<x<3$에서 $f'(x)\leq0$이어야 하므로

$f'(-1)=3-8-a-1=-a-6\leq0$에서

$a\geq-6$ ········· ㉠

$f'(3)=27+24-a-1=-a+50\leq0$에서

$a\geq50$ ········· ㉡

㉠, ㉡의 공통 범위는 $a\geq50$

따라서 a의 최솟값은 50이다.

답 ②

018

$f(x)=-2x^3-(a+2)x^2+6x-3$에서

$f'(x)=-6x^2-2(a+2)x+6$

함수 $f(x)$가 구간 $(-3,\ 1)$에서 감소하려면 $-3<x<1$에서 $f'(x)\leq0$이어야 하므로 ········· ❶

$f'(-3)=-54+6a+12+6=6a-36\leq0$에서

$a\leq6$ ········· ㉠

$f'(1)=-6-2a-4+6=-2a-4\leq0$에서

$a\geq-2$ ········· ㉡

㉠, ㉡의 공통 범위는 $-2\leq a\leq6$ ········· ❷

따라서 정수 a는 $-2,\ -1,\ \cdots,\ 6$의 9개이다. ········· ❸

답 9

채점 기준	비율
❶ $f'(x)\leq0$이어야 함을 알 수 있다.	40%
❷ a의 값의 범위를 구할 수 있다.	40%
❸ 정수 a의 개수를 구할 수 있다.	20%

019

(1) $f(x)=x^3-12x+3$에서 $f'(x)=3x^2-12$

(2) $f'(x)=3x^2-12=3(x+2)(x-2)$

$f'(x)=0$에서 $x=-2$ 또는 $x=2$

(3)

x	$\cdots$	-2	$\cdots$	2	$\cdots$
$f'(x)$	$+$	0	$-$	0	$+$
$f(x)$	↗	19	↘	-13	↗

(4) 함수 $f(x)$는 $x=-2$에서 극댓값 19, $x=2$에서 극솟값 -13을 갖는다.

답 (1) $f'(x)=3x^2-12$ (2) $-2,\ 2$
(3) 풀이 참조   (4) 극댓값: 19, 극솟값: -13

020

함수 $f(x)$가 $x=-1$의 좌우에서 증가하다가 감소하므로 $f(x)$는 $x=-1$에서 극대이고, 극댓값은 $f(-1)=2$이다.

함수 $f(x)$가 $x=2$의 좌우에서 감소하다가 증가하므로 $f(x)$는 $x=2$에서 극소이며 극솟값은 $f(2)=-2$이다.

답 극댓값: 2, 극솟값: -2

021

$f(x)=x^3-3x^2+2$에서 $f'(x)=3x^2-6x=3x(x-2)$

$f'(x)=0$에서 $x=0$ 또는 $x=2$

함수 $f(x)$의 증가와 감소를 표로 나타내면 다음과 같다.

x	$\cdots$	0	$\cdots$	2	$\cdots$
$f'(x)$	$+$	0	$-$	0	$+$
$f(x)$	↗	2	↘	-2	↗

함수 $f(x)$는 $x=0$에서 극댓값 2, $x=2$에서 극솟값 -2를 가지므로 $M=2$, $m=-2$

$\therefore M-m=2-(-2)=4$

답 ⑤

022

$f(x)=\dfrac{3}{2}x^4-4x^3+3x^2+1$에서

$f'(x)=6x^3-12x^2+6x=6x(x-1)^2$

$f'(x)=0$에서 $x=0$ 또는 $x=1$

함수 $f(x)$의 증가와 감소를 표로 나타내면 다음과 같다.

x	$\cdots$	0	$\cdots$	1	$\cdots$
$f'(x)$	$-$	0	$+$	0	$+$
$f(x)$	↘	1	↗		↗

이때 함수 $f(x)$는 $x=0$에서 극솟값 1을 갖고, $x=1$의 좌우에서 $f'(x)$의 부호가 바뀌지 않으므로 $x=1$에서 극값을 갖지 않는다.

따라서 $a=0$, $b=1$이므로

$a-b=0-1=-1$

답 ③

023

$f(x)=\dfrac{1}{3}x^3-\dfrac{3}{2}x^2+2x-\dfrac{2}{3}$에서

$f'(x)=x^2-3x+2=(x-1)(x-2)$

$f'(x)=0$에서 $x=1$ 또는 $x=2$

함수 $f(x)$의 증가와 감소를 표로 나타내면 다음과 같다.

x	$\cdots$	1	$\cdots$	2	$\cdots$
$f'(x)$	+	0	-	0	+
$f(x)$	↗	$\dfrac{1}{6}$	↘	0	↗

➊

함수 $f(x)$는 $x=1$에서 극댓값 $\dfrac{1}{6}$,

$x=2$에서 극솟값 0을 가지므로

$\mathrm{P}\left(1,\ \dfrac{1}{6}\right)$, $\mathrm{Q}(2,\ 0)$이다. ➋

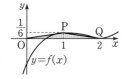

따라서 삼각형 OPQ의 넓이 S는

$S=\dfrac{1}{2}\times2\times\dfrac{1}{6}=\dfrac{1}{6}$

$\therefore\ 12S=12\times\dfrac{1}{6}=2$ ➌

답 2

채점 기준	비율
➊ 함수 $f(x)$의 증가와 감소 상태를 알 수 있다.	40%
➋ 두 점 P, Q의 좌표를 구할 수 있다.	30%
➌ $12S$의 값을 구할 수 있다.	30%

024

(1) $f(x)=2x^3-6x^2+a$에서 $f'(x)=6x^2-12x=6x(x-2)$

$f'(x)=0$에서 $x=0$ 또는 $x=2$

(2)

x	$\cdots$	0	$\cdots$	2	$\cdots$
$f'(x)$	+	0	-	0	+
$f(x)$	↗	a	↘	$a-8$	↗

(3) 함수 $f(x)$는 $x=2$에서 극솟값 $a-8$을 가지므로

$a-8=-5$ $\therefore\ a=3$

(4) 함수 $f(x)$는 $x=0$에서 극댓값 a를 가지므로 구하는 극댓값은 3이다.

답 (1) 0, 2 (2) **풀이 참조** (3) 3 (4) 3

참고

미분가능한 함수 $f(x)$가 $x=a$에서 극값 b를 갖는다.

➡ $f(a)=b$, $f'(a)=0$

025

$f(x)=2x^3-12x^2+ax-2$에서 $f'(x)=6x^2-24x+a$

함수 $f(x)$가 $x=3$에서 극솟값을 가지므로

$f'(3)=0$, $54-72+a=0$

$\therefore\ a=18$

$f(x)=2x^3-12x^2+18x-2$이므로

$f'(x)=6x^2-24x+18=6(x-1)(x-3)$

$f'(x)=0$에서 $x=1$ 또는 $x=3$

함수 $f(x)$의 증가와 감소를 표로 나타내면 다음과 같다.

x	$\cdots$	1	$\cdots$	3	$\cdots$
$f'(x)$	+	0	-	0	+
$f(x)$	↗	6	↘	-2	↗

함수 $f(x)$는 $x=3$에서 극솟값 -2를 가지므로

$m=-2$

$\therefore\ a+m=18+(-2)=16$

답 ④

026

$f(x)=-x^3+ax$에서 $f'(x)=-3x^2+a$

함수 $f(x)$가 $x=-2$에서 극값을 가지므로

$f'(-2)=0$, $-12+a=0$

$\therefore\ a=12$

$f(x)=-x^3+12x$이므로

$f'(x)=-3x^2+12=-3(x+2)(x-2)$

$f'(x)=0$에서 $x=-2$ 또는 $x=2$

함수 $f(x)$의 증가와 감소를 표로 나타내면 다음과 같다.

x	$\cdots$	-2	$\cdots$	2	$\cdots$
$f'(x)$	-	0	+	0	-
$f(x)$	↘	-16	↗	16	↘

함수 $f(x)$는 $x=2$에서 극댓값 16을 가지므로

$p=16$

$\therefore\ a+p=12+16=28$

답 ⑤

027

$f(x)=(x-1)^2(x-4)+a$에서

$f'(x)=2(x-1)(x-4)+(x-1)^2=3(x-1)(x-3)$

$f'(x)=0$에서 $x=1$ 또는 $x=3$

함수 $f(x)$의 증가와 감소를 표로 나타내면 다음과 같다.

x	$\cdots$	1	$\cdots$	3	$\cdots$
$f'(x)$	+	0	-	0	+
$f(x)$	↗	a	↘	$a-4$	↗

함수 $f(x)$의 극솟값이 10이므로 $a-4=10$

$\therefore\ a=14$

답 14

028

$f(x)=x^3-3x+a$에서 $f'(x)=3x^2-3=3(x+1)(x-1)$

$f'(x)=0$에서 $x=-1$ 또는 $x=1$

함수 $f(x)$의 증가와 감소를 표로 나타내면 다음과 같다.

x	$\cdots$	-1	$\cdots$	1	$\cdots$
$f'(x)$	+	0	-	0	+
$f(x)$	↗	$a+2$	↘	$a-2$	↗

함수 $f(x)$의 모든 극값의 곱이 5이므로

$(a+2)(a-2)=5$

$a^2-4=5$, $a^2-9=0$, $(a+3)(a-3)=0$

$\therefore\ a=3\ (\because\ a>0)$

답 ②

029

$f(x)=-2x^3+9x^2-12x+a$에서

$f'(x)=-6x^2+18x-12=-6(x-1)(x-2)$

$f'(x)=0$에서 $x=1$ 또는 $x=2$

함수 $f(x)$의 증가와 감소를 표로 나타내면 다음과 같다.

x	$\cdots$	1	$\cdots$	2	$\cdots$
$f'(x)$	$-$	0	$+$	0	$-$
$f(x)$	$\searrow$	$a-5$	$\nearrow$	$a-4$	$\searrow$

함수 $f(x)$는 $x=1$에서 극솟값 $a-5$, $x=2$에서 극댓값 $a-4$를 갖는다.

이때 극댓값과 극솟값의 절댓값이 같고 그 부호가 서로 다르므로
$$a-5=-(a-4)$$
$$a-5=-a+4,\ 2a=9$$
$$\therefore a=\frac{9}{2}$$

답 ③

030

$f(x)=x^3+ax^2+bx+c$에서 $f'(x)=3x^2+2ax+b$

함수 $f(x)$가 $x=-1$에서 극댓값 0을 가지므로
$$f(-1)=0,\ f'(-1)=0$$
$f(-1)=0$에서 $-1+a-b+c=0$
$$\therefore a-b+c=1 \quad\cdots\cdots\ \bigcirc$$
$f'(-1)=0$에서 $3-2a+b=0$
$$\therefore -2a+b=-3 \quad\cdots\cdots\ \bigcirc$$
❶

$x=1$에서 극솟값을 가지므로
$f'(1)=0$에서 $3+2a+b=0 \quad\cdots\cdots\ \bigcirc$
❷

$\bigcirc$, $\bigcirc$을 연립하여 풀면 $a=0$, $b=-3$
$a=0$, $b=-3$을 $\bigcirc$에 대입하면 $c=-2 \quad\cdots\cdots$ ❸
따라서 $f(x)=x^3-3x-2$이므로 극솟값은
$f(1)=1-3-2=-4 \quad\cdots\cdots$ ❹

답 -4

채점 기준	비율
❶ $x=-1$에서 극댓값 0을 가짐을 이용하여 식을 세울 수 있다.	30%
❷ $x=1$에서 극솟값을 가짐을 이용하여 식을 세울 수 있다.	30%
❸ a, b, c의 값을 구할 수 있다.	20%
❹ 극솟값을 구할 수 있다.	20%

031

$f(x)=x^3+6ax^2-8a$에서 $f'(x)=3x^2+12ax=3x(x+4a)$
$f'(x)=0$에서 $x=0$ 또는 $x=-4a$
즉, 함수 $f(x)$는 $x=0$, $x=-4a$에서 극값을 갖고, 함수 $y=f(x)$의 그래프가 x축에 접하므로
$$f(0)=0 \text{ 또는 } f(-4a)=0$$
이때 $f(0)=-8a$이고, $a\neq 0$이므로 $f(0)\neq 0$
따라서 $f(-4a)=0$이므로
$$-64a^3+96a^3-8a=0$$
$$32a^3-8a=0$$
$$8a(2a+1)(2a-1)=0$$
$$\therefore a=\frac{1}{2}\ (\because a>0)$$

답 ③

032

$f(x)=x^3+ax^2+ax$에서 $f'(x)=3x^2+2ax+a$
삼차함수 $f(x)$가 극댓값과 극솟값을 모두 가지려면 이차방정식 $f'(x)=0$이 서로 다른 두 실근을 가져야 한다.
이차방정식 $f'(x)=0$의 판별식을 D라고 하면
$$\frac{D}{4}=a^2-3a>0,\ a(a-3)>0$$
$$\therefore a<0 \text{ 또는 } a>3$$
따라서 $\alpha=0$, $\beta=3$이므로
$$\alpha+\beta=3$$

답 ①

참고

삼차함수 $f(x)$에 대하여
(1) $f(x)$가 극댓값, 극솟값을 모두 갖는다.
　➡ 이차방정식 $f'(x)=0$이 서로 다른 두 실근을 갖는다.
(2) $f(x)$가 극값을 갖지 않는다.
　➡ 이차방정식 $f'(x)=0$이 중근 또는 허근을 갖는다.

풍쌤 개념 CHECK

이차방정식의 근의 판별 高 수학

계수가 실수인 이차방정식 $ax^2+bx+c=0$의 판별식을 D라고 하면
(1) 서로 다른 두 실근을 갖는다. ➡ $D=b^2-4ac>0$
(2) 한 근(중근)을 갖는다. ➡ $D=b^2-4ac=0$
(3) 서로 다른 두 허근을 갖는다. ➡ $D=b^2-4ac<0$

033

$f(x)=-\frac{2}{3}ax^3+3x^2-2ax+4$에서 $f'(x)=-2ax^2+6x-2a$
삼차함수 $f(x)$가 극댓값과 극솟값을 모두 가지므로 방정식 $f'(x)=0$이 서로 다른 두 실근을 가져야 한다.
이차방정식 $f'(x)=0$의 판별식을 D라고 하면
$$\frac{D}{4}=9-4a^2>0,\ -(2a+3)(2a-3)>0$$
$$(2a+3)(2a-3)<0$$
$$\therefore -\frac{3}{2}<a<\frac{3}{2}$$
따라서 자연수 a의 최댓값은 1이다.

답 ①

034

$f(x)=3x^3+(a+1)x^2+(a-1)x-3$에서
$f'(x)=9x^2+2(a+1)x+a-1$
삼차함수 $f(x)$가 극값을 가지려면 방정식 $f'(x)=0$이 서로 다른 두 실근을 가져야 한다. ↳ 극댓값과 극솟값을 모두 갖는다.
이차방정식 $f'(x)=0$의 판별식을 D라고 하면
$$\frac{D}{4}=(a+1)^2-9(a-1)>0,\ a^2-7a+10>0$$
$$(a-2)(a-5)>0 \qquad \therefore a<2 \text{ 또는 } a>5$$
따라서 실수 a의 값으로 가능한 것은 ⑤ 6이다.

답 ⑤

참고

삼차함수 $f(x)$가 극값을 갖는다.
$\Longleftrightarrow$ 삼차함수 $f(x)$가 극댓값과 극솟값을 모두 갖는다.

035

$f(x)=x^3+x^2+ax+3$에서 $f'(x)=3x^2+2x+a$

삼차함수 $f(x)$가 극값을 갖지 않으려면 방정식 $f'(x)=0$이 중근 또는 허근을 가져야 한다.

이차방정식 $f'(x)=0$의 판별식을 D라고 하면

$\dfrac{D}{4}=1-3a\leq0$, $-3a\leq-1$

$\therefore a\geq\dfrac{1}{3}$

따라서 구하는 a의 최솟값은 $\dfrac{1}{3}$이다.

답 ④

036

$f(x)=x^3+(a+1)x^2+(a+1)x-3$에서

$f'(x)=3x^2+2(a+1)x+a+1$

삼차함수 $f(x)$가 극값을 갖지 않으려면 방정식 $f'(x)=0$이 중근 또는 허근을 가져야 한다.

이차방정식 $f'(x)=0$의 판별식을 D라고 하면

$\dfrac{D}{4}=(a+1)^2-3(a+1)\leq0$, $(a+1)(a-2)\leq0$

$\therefore -1\leq a\leq2$

답 ②

037

$f(x)=-x^3+ax^2-ax+4$에서 $f'(x)=-3x^2+2ax-a$

삼차함수 $f(x)$가 극값을 갖지 않으려면 방정식 $f'(x)=0$이 중근 또는 허근을 가져야 한다.

이차방정식 $f'(x)=0$의 판별식을 D라고 하면

$\dfrac{D}{4}=a^2-3a\leq0$, $a(a-3)\leq0$

$\therefore 0\leq a\leq3$

따라서 정수 a는 0, 1, 2, 3의 4개이다.

답 ③

038

$f(x)=\dfrac{1}{3}x^3-x^2+ax$에서 $f'(x)=x^2-2x+a$

삼차함수 $f(x)$가 구간 $(0, 2)$에서 극댓값과 극솟값을 모두 가지려면 방정식 $f'(x)=0$이 $0<x<2$에서 서로 다른 두 실근을 가져야 한다.

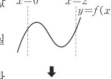

(i) 이차방정식 $f'(x)=0$의 판별식을 D라고 하면

$\dfrac{D}{4}=1-a>0$, $-a>-1$

$\therefore a<1$

(ii) $f'(0)>0$에서 $a>0$

$f'(2)>0$에서 $4-4+a>0$

$\therefore a>0$

(iii) $f'(x)=x^2-2x+a=(x-1)^2+a-1$이므로 이차함수 $y=f'(x)$의 그래프의 축의 방정식은 $x=1$이고 $0<1<2$이다.

(i)~(iii)에 의하여 실수 a의 값의 범위는 $0<a<1$이다.

답 ④

참고

삼차함수 $f(x)$가 $a<x<b$에서 극댓값과 극솟값을 모두 가지면 이차방정식 $f'(x)=0$은 $a<x<b$에서 서로 다른 두 실근을 갖는다. 이때 다음의 세 가지를 조사하여 문제를 해결한다.

(1) 이차방정식 $f'(x)=0$의 판별식 D의 값의 부호
(2) $f'(a)$, $f'(b)$의 값의 부호
(3) 이차함수 $y=f'(x)$의 그래프의 축의 위치

039

$f(x)=-x^3-x^2+ax-2$에서 $f'(x)=-3x^2-2x+a$

함수 $f(x)$가 구간 $(0, 1)$에서 극댓값을 갖고, 구간 $(-\infty, 0)$에서 극솟값을 가지려면 방정식 $f'(x)=0$의 두 실근을 α, β $(\alpha<\beta)$라고 할 때, $\alpha<0$, $0<\beta<1$이어야 한다. ──────── ❶

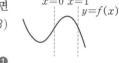

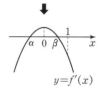

(i) $f'(0)>0$에서 $a>0$

(ii) $f'(1)<0$에서 $-3-2+a<0$

$\therefore a<5$

(i), (ii)에 의하여 $0<a<5$ ──────── ❷

따라서 구하는 모든 정수 a의 값의 합은

$1+2+3+4=10$ ─────────────────── ❸

답 10

채점 기준	비율
❶ $f'(x)=0$의 두 실근의 범위를 구할 수 있다.	40%
❷ a의 값의 범위를 구할 수 있다.	40%
❸ 모든 정수 a의 값의 합을 구할 수 있다.	20%

040

$f(x)=x^4-\dfrac{2}{3}(a+2)x^3+ax^2$에서

$f'(x)=4x^3-2(a+2)x^2+2ax=2x(x-1)(2x-a)$ ┄┄┄┄ ㉠

함수 $f(x)$가 극댓값을 가지려면 함수 $f(x)$는 극댓값과 극솟값을 모두 가져야 하므로 삼차방정식 $f'(x)=0$이 서로 다른 세 실근을 가져야 한다.

이때 ㉠에서 방정식 $f'(x)=0$의 세 실근은

$x=0$, $x=1$, $x=\dfrac{a}{2}$

$\dfrac{a}{2}\neq0$이므로 $a\neq0$, $\dfrac{a}{2}\neq1$이므로 $a\neq2$

따라서 실수 a의 값으로 가능하지 않은 것은 ② 2이다.

답 ②

참고

최고차항의 계수가 양수인 사차함수 $f(x)$는 항상 극솟값을 갖는다. 이때 사차함수 $f(x)$가

(1) 극댓값을 가지면 삼차방정식 $f'(x)=0$은 서로 다른 세 실근을 갖는다.
(2) 극댓값을 갖지 않으면 삼차방정식 $f'(x)=0$이 한 실근과 두 허근을 갖거나 한 실근과 중근을 갖거나 삼중근을 갖는다.

041

$f(x)=-x^4+4x^3-ax^2$에서

$f'(x)=-4x^3+12x^2-2ax=-2x(2x^2-6x+a)$

함수 $f(x)$가 극솟값을 가지려면 $f(x)$는 극댓값과 극솟값을 모두

가져야 하므로 삼차방정식 $f'(x)=0$이 서로 다른 세 실근을 가져야 한다.

이때 방정식 $f'(x)=0$의 한 실근이 $x=0$이므로 이차방정식 $2x^2-6x+a=0$이 0이 아닌 서로 다른 두 실근을 가져야 한다.

즉, a는 $a\neq0$인 실수이어야 한다. ········· ㉠

↳ $a=0$이면 $2x^2-6x=0$에서 한 근이 0이 된다.

이차방정식 $2x^2-6x+a=0$의 판별식을 D라고 하면

$\dfrac{D}{4}=9-2a>0$, $-2a>-9$

$\therefore a<\dfrac{9}{2}$ ········· ㉡

㉠, ㉡에서 $a<0$ 또는 $0<a<\dfrac{9}{2}$

따라서 모든 자연수 a의 값의 합은

$1+2+3+4=10$

답 ①

참고

최고차항의 계수가 음수인 사차함수 $f(x)$는 항상 극댓값을 갖는다. 이때 사차함수 $f(x)$가

(1) 극솟값을 가지면 삼차방정식 $f'(x)=0$은 서로 다른 세 실근을 갖는다.

(2) 극댓값을 갖지 않으면 삼차방정식 $f'(x)=0$이 한 실근과 두 허근을 갖거나 한 실근과 중근을 갖거나 삼중근을 갖는다.

042

$f(x)=-\dfrac{1}{4}x^4-\dfrac{1}{3}(a+1)x^3+ax+2$에서

$f'(x)=-x^3-(a+1)x^2+a=\underset{\text{조립제법을 이용해서 인수분해}}{\underline{-(x+1)(x^2+ax-a)}}$

$\therefore g(x)=x^2+ax-a$

함수 $f(x)$가 극댓값은 갖고, 극솟값은 갖지 않으려면 삼차방정식 $f'(x)=0$이 한 실근과 두 허근을 갖거나 한 실근과 중근을 갖거나 삼중근을 가져야 한다.

(i) $f'(x)=0$이 한 실근과 두 허근을 갖는 경우

$-(x+1)\underset{=g(x)}{(\underline{x^2+ax-a})}=0$의 한 근이 $x=-1$이므로 이차방정식 $\underset{=g(x)}{\underline{x^2+ax-a}}=0$이 허근을 가져야 한다.

이차방정식 $\underset{=g(x)}{\underline{x^2+ax-a}}=0$의 판별식을 D라고 하면

$D=a^2+4a<0$, $a(a+4)<0$

$\therefore \boxed{-4<a<0}$

(ii) $f'(x)=0$이 한 실근과 중근을 갖는 경우

$-(x+1)\underset{=g(x)}{(\underline{x^2+ax-a})}=0$의 한 근이 $x=-1$이므로 이차방정식 $\underset{=g(x)}{\underline{x^2+ax-a}}=0$이 $x=-1$을 한 근으로 갖거나 -1이 아닌 실수를 중근으로 가져야 한다.

$\underset{=g(x)}{\underline{x^2+ax-a}}=0$이 $x=-1$을 한 근으로 가지면

$1-a-a=0$, $1-2a=0$

$\therefore \boxed{a=\dfrac{1}{2}}$

$\underset{=g(x)}{\underline{x^2+ax-a}}=0$이 -1이 아닌 실수를 중근으로 가지면 판별식을 D라고 할 때

$D=a^2+4a=0$, $a(a+4)=0$

$\therefore \boxed{a=0 \text{ 또는 } a=-4}$

(iii) $f'(x)=0$이 삼중근을 갖는 경우

$-(x+1)(x^2-x+a)=0$에서 $x^2-x+a=0$이 $x=-1$을 중근으로 가질 수 없으므로 삼차방정식 $f'(x)=0$은 삼중근을 가질 수 없다.

(i)~(iii)에 의하여 $\boxed{-4\leq a\leq0}$ 또는 $\boxed{a=\dfrac{1}{2}}$

따라서 a의 최솟값은 -4이다.

답 ②

043

$f(x)=x^3+ax^2+bx-3$에서 $f'(x)=3x^2+2ax+b$

$f'(x)=0$의 두 실근이 α, β이고, $\alpha<\beta<0$이므로 이차방정식의 근과 계수의 관계에 의하여 $\alpha+\beta<0$, $\alpha\beta>0$에서

$-\dfrac{2a}{3}<0$, $\dfrac{b}{3}>0$ $\quad\therefore a>0$, $b>0$

답 $a>0$, $b>0$

044

함수 $f(x)=ax^3+bx^2+cx+2$의 그래프에서 $x\longrightarrow\infty$일 때 $f(x)\longrightarrow\infty$이므로 $a>0$

$f'(x)=3ax^2+2bx+c$에서 $f'(x)=0$의 두 실근이 α, β이고, $0<\alpha<\beta$이므로 이차방정식의 근과 계수의 관계에 의하여

$\alpha+\beta>0$, $\alpha\beta>0$에서 $-\dfrac{2b}{3a}>0$, $\dfrac{c}{3a}>0$

이때 $a>0$이므로 $b<0$, $c>0$

$\therefore ab<0$, $ac>0$, $a-b>0$, $a+c>0$, $a-bc>0$

답 ⑤

045

함수 $f(x)=-x^3+ax^2+bx+c$의 그래프가 y축과 y축의 양의 부분에서 만나므로 $c>0$

$f'(x)=-3x^2+2ax+b$에서 $f'(x)=0$의 두 실근이 α, β이고, $\alpha<\beta<0$이므로 이차방정식의 근과 계수의 관계에 의하여

$\alpha+\beta<0$, $\alpha\beta>0$에서 $-\dfrac{2a}{-3}<0$, $\dfrac{b}{-3}>0$

$\therefore a<0$, $b<0$

$\therefore a<0$, $a-c<0$, $c-b>0$, $ac<0$, $bc<0$

답 ③

046

함수 $f(x)=ax^3+bx^2-cx+d$의 그래프에서 $x\longrightarrow\infty$일 때 $f(x)\longrightarrow-\infty$이므로 $a<0$

또 함수의 그래프가 y축과 y축의 음의 부분에서 만나므로 $d<0$

$f'(x)=3ax^2+2bx-c$에서 $f'(x)=0$의 두 실근이 α, β이고, $0<\alpha<\beta$이므로 이차방정식의 근과 계수의 관계에 의하여

$\alpha+\beta>0$, $\alpha\beta>0$에서 $-\dfrac{2b}{3a}>0$, $\dfrac{-c}{3a}>0$

이때 $a<0$이므로 $b>0$, $c>0$

$\therefore ab<0$, $bc>0$, $a-b<0$, $cd<0$, $a+d<0$

답 ②

047

함수 $f(x)=ax^3-bx^2+cx-d$의 그래프에서 $x\longrightarrow\infty$일 때

$f(x) \longrightarrow -\infty$이므로 $a<0$

또 함수의 그래프가 y축과 y축의 음의 부분에서 만나므로 $-d<0$

$\therefore d>0$ ········ ❶

$f'(x)=3ax^2-2bx+c$에서 $f'(x)=0$의 두 실근이 α, β이고, $\alpha<0<\beta$, $0<|\alpha|<\beta$이므로 이차방정식의 근과 계수의 관계에 의하여 $\alpha+\beta>0$, $\alpha\beta<0$에서

$$-\frac{-2b}{3a}>0, \quad \frac{c}{3a}<0$$

이때 $a<0$이므로 $b<0$, $c>0$ ········ ❷

$$\therefore \frac{|a|}{a}+\frac{|b|}{b}+\frac{|c|}{c}+\frac{|d|}{d}=\frac{-a}{a}+\frac{-b}{b}+\frac{c}{c}+\frac{d}{d}$$
$$=-1-1+1+1=0 \quad ········ ❸$$

답 0

채점 기준	비율
❶ a, d의 값의 범위를 구할 수 있다.	30%
❷ b, c의 값의 범위를 구할 수 있다.	50%
❸ $\frac{|a|}{a}+\frac{|b|}{b}+\frac{|c|}{c}+\frac{|d|}{d}$의 값을 구할 수 있다.	20%

048

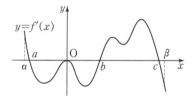

위의 그림과 같이 함수 $y=f'(x)$의 그래프가 x축과 만나는 점의 x좌표를 각각 a, b, c라고 하자.

(1) $x=a$, $x=c$의 좌우에서 $f'(x)$의 부호가 양에서 음으로 바뀌므로 함수 $f(x)$는 $x=a$, $x=c$에서 극댓값을 갖는다.
 따라서 극댓값을 갖는 x의 값의 개수는 2이다.

(2) $x=b$의 좌우에서 $f'(x)$의 부호가 음에서 양으로 바뀌므로 함수 $f(x)$는 $x=b$에서 극솟값을 갖는다.
 따라서 극솟값을 갖는 x의 값의 개수는 1이다.

답 (1) 2 (2) 1

참고

함수 $f(x)$가 극값을 가지면 도함수 $y=f'(x)$의 그래프가 x축과 만나고, 만나는 그 점의 좌우에서 $f'(x)$의 부호가 바뀐다. 그런데 문제에서 $y=f'(x)$의 그래프가 $x=0$에서 x축과 만나지만 $x=0$의 좌우에서는 $f'(x)$의 부호가 바뀌지 않으므로 $x=0$에서 극값을 갖지 않는다.

049

(1) $f(x)=x^3+ax^2+bx+c$에서 $f'(x)=3x^2+2ax+b$
 $y=f'(x)$의 그래프가 x축과 만나는 점의 x좌표가 -1, 2이므로
 $f'(x)=0$에서 $x=-1$ 또는 $x=2$
 함수 $f(x)$의 증가와 감소를 표로 나타내면 다음과 같다.

x	$\cdots$	-1	$\cdots$	2	$\cdots$
$f'(x)$	$+$	0	$-$	0	$+$
$f(x)$	↗	극대	↘	극소	↗

$f'(-1)=0$이므로 $3-2a+b=0$
$\therefore -2a+b=-3$ ········ ㉠
$f'(2)=0$이므로 $12+4a+b=0$

$\therefore 4a+b=-12$ ········ ㉡

㉠, ㉡을 연립하여 풀면 $a=-\frac{3}{2}$, $b=-6$

(2) $f(x)=x^3-\frac{3}{2}x^2-6x+c$이고, 함수 $f(x)$의 극솟값이 -5이므로 $f(2)=-5$
 $8-6-12+c=-5$
 $\therefore c=5$

(3) $f(x)=x^3-\frac{3}{2}x^2-6x+5$이므로 함수 $f(x)$의 극댓값은

$$f(-1)=-1-\frac{3}{2}+6+5=\frac{17}{2}$$

답 (1) $a=-\frac{3}{2}$, $b=-6$ (2) 5 (3) $\frac{17}{2}$

050

$f(x)=ax^3+bx^2+cx+d$에서 $f'(x)=3ax^2+2bx+c$
$y=f'(x)$의 그래프가 x축과 만나는 점의 x좌표가 0, 2이므로
$f'(x)=0$에서 $x=0$ 또는 $x=2$
함수 $f(x)$의 증가와 감소를 표로 나타내면 다음과 같다.

x	$\cdots$	0	$\cdots$	2	$\cdots$
$f'(x)$	$+$	0	$-$	0	$+$
$f(x)$	↗	극대	↘	극소	↗

$f'(0)=0$이므로 $c=0$
$f'(2)=0$이므로 $12a+4b=0$
$\therefore 3a+b=0$ ········ ㉠
함수 $f(x)=ax^3+bx^2+d$의 극댓값이 2이므로
$f(0)=2$ $\therefore d=2$
함수 $f(x)=ax^3+bx^2+2$의 극솟값이 -2이므로
$f(2)=-2$, $8a+4b+2=-2$
$\therefore 2a+b=-1$ ········ ㉡
㉠, ㉡을 연립하여 풀면 $a=1$, $b=-3$
따라서 $f(x)=x^3-3x^2+2$이므로
$f(1)=1-3+2=0$

답 0

051

$x=4$, $x=10$의 좌우에서 $f'(x)$의 부호가 양에서 음으로 바뀌므로 함수 $f(x)$는 $x=4$, $x=10$에서 극댓값을 갖는다.
따라서 구하는 모든 x의 값의 합은 $4+10=14$

답 ⑤

참고

$y=f'(x)$의 그래프를 이용한 $y=f(x)$의 해석

서로 다른 두 점에서 만난다.	한 점에서 접한다.	만나지 않는다.
$y=f'(x)$의 그래프 (α, β에서 교차), $y=f(x)$는 극대·극소를 가짐	$y=f'(x)$의 그래프 (α에서 접함), $y=f(x)$	$y=f'(x)$의 그래프 (α와 만나지 않음), $y=f(x)$
$x=\alpha$, $x=\beta$에서 $f(x)$의 극값이 존재한다.	$x=\alpha$에서 $f(x)$의 극값이 존재하지 않는다.	

052

$y=f'(x)$의 그래프가 x축과 만나는 점의 x좌표가 a, b이므로
$f'(x)=0$에서 $x=a$ 또는 $x=b$
함수 $f(x)$의 증가와 감소를 표로 나타내면 다음과 같다.

x	$\cdots$	a	$\cdots$ (0) $\cdots$	b	$\cdots$
$f'(x)$	$+$	0	$-$	0	$+$
$f(x)$	↗	극대	↘	극소	↗

① $f(x)$는 $x=b$에서 극솟값을 갖는다.
② $f(x)$는 $x=a$에서 극댓값을 갖는다.
③ 구간 $(0, b)$에서 $f'(x)<0$이므로 $f(x)$는 감소한다.
④ 구간 (a, b)에서 $f'(x)<0$이므로 $f(x)$는 감소한다.
⑤ 구간 $(-\infty, a)$에서 $f'(x)>0$이므로 $f(x)$는 증가한다.

답 ⑤

053

$y=f'(x)$의 그래프가 x축과 만나는 점의 x좌표가 -1, 1이므로
$f'(x)=0$에서 $x=-1$ 또는 $x=1$
함수 $f(x)$의 증가와 감소를 표로 나타내면 다음과 같다.

x	$\cdots$	-1	$\cdots$	1	$\cdots$
$f'(x)$	$-$	0	$+$	0	$-$
$f(x)$	↘	극소	↗	극대	↘

ㄱ. $f(x)$는 $x=1$에서 극댓값을 갖는다. (거짓)
ㄴ. 구간 $(0, 1)$에서 $f'(x)>0$이므로 $f(x)$는 증가한다. (거짓)
ㄷ. 구간 $(1, \infty)$에서 $f'(x)<0$이므로 $f(x)$는 감소한다. (참)
따라서 옳은 것은 ㄷ이다.

답 ③

054

$y=f'(x)$의 그래프가 x축과 만나는 점의 x좌표가 -1, 0, 1이므로 $f'(x)=0$에서 $x=-1$ 또는 $x=0$ 또는 $x=1$
함수 $f(x)$의 증가와 감소를 표로 나타내면 다음과 같다.

x	$\cdots$	-1	$\cdots$	0	$\cdots$	1	$\cdots$
$f'(x)$	$-$	0	$+$	0	$-$	0	$+$
$f(x)$	↘	극소	↗	극대	↘	극소	↗

ㄱ. $f(x)$는 $x=-1$, $x=1$에서 극솟값을 갖는다. (거짓)
ㄴ. $f(x)$는 $x=0$에서 극댓값을 갖는다. (참)
ㄷ. 구간 $(0, 1)$에서 $f(x)$는 감소하므로 $f(0)>f(1)$이다. (참)
따라서 옳은 것은 ㄴ, ㄷ이다.

답 ④

055

$y=f'(x)$의 그래프가 x축과 만나는 점의 x좌표가 -2, 0, 2이므로 $f'(x)=0$에서 $x=-2$ 또는 $x=0$ 또는 $x=2$
함수 $f(x)$의 증가와 감소를 표로 나타내면 다음과 같다.

x	$\cdots$	-2	$\cdots$	0	$\cdots$	2	$\cdots$
$f'(x)$	$+$	0	$-$	0	$+$	0	$-$
$f(x)$	↗	극대	↘	극소	↗	극대	↘

$x=-2$, $x=2$의 좌우에서 $f'(x)$의 부호가 양에서 음으로 바뀌므로 $f(x)$는 $x=-2$, $x=2$에서 극댓값을 갖는다.

$x=0$의 좌우에서 $f'(x)$의 부호가 음에서 양으로 바뀌므로 $f(x)$는 $x=0$에서 극솟값을 갖는다.
따라서 함수 $y=f(x)$의 그래프의 개형이 될 수 있는 것은 ⑤이다.

답 ⑤

056

(1) $f(x)=x^4-2x^2+3$에서
$f'(x)=4x^3-4x=4x(x+1)(x-1)$
$f'(x)=0$에서 $x=-1$ 또는 $x=0$ 또는 $x=1$
구간 $[-1, 2]$에서 함수 $f(x)$의 증가와 감소를 표로 나타내면 다음과 같다.

x	-1	$\cdots$	0	$\cdots$	1	$\cdots$	2
$f'(x)$	0	$+$	0	$-$	0	$+$	
$f(x)$	2	↗	3	↘	2	↗	11

(2) 함수 $f(x)$는 $x=-1$ 또는 $x=1$일 때 최솟값 2를 갖는다.
(3) 함수 $f(x)$는 $x=2$일 때 최댓값 11을 갖는다.

답 (1) 풀이 참조 (2) 2 (3) 11

057

$f(x)=-x^3+3x+2$에서
$f'(x)=-3x^2+3=-3(x+1)(x-1)$
$f'(x)=0$에서 $x=1$ $(\because 0\leq x\leq 2)$
구간 $[0, 2]$에서 함수 $f(x)$의 증가와 감소를 표로 나타내면 다음과 같다.

x	0	$\cdots$	1	$\cdots$	2
$f'(x)$		$+$	0	$-$	
$f(x)$	2	↗	4	↘	0

함수 $f(x)$는 $x=1$일 때 최댓값 4를 갖는다.
따라서 $a=1$, $b=4$이므로
$a+b=1+4=5$

답 5

058

$f(x)=x^3-6x^2+9x+6$에서
$f'(x)=3x^2-12x+9=3(x-1)(x-3)$
$f'(x)=0$에서 $x=1$ 또는 $x=3$
구간 $[-1, 3]$에서 함수 $f(x)$의 증가와 감소를 표로 나타내면 다음과 같다.

x	-1	$\cdots$	1	$\cdots$	3
$f'(x)$		$+$	0	$-$	0
$f(x)$	-10	↗	10	↘	6

함수 $f(x)$는 $x=1$일 때 최댓값 10을 갖는다.

답 ⑤

059

$f(x)=-x^4+8x^3-16x^2+6$에서
$f'(x)=-4x^3+24x^2-32x=-4x(x-2)(x-4)$
$f'(x)=0$에서 $x=0$ 또는 $x=2$ $(\because -1\leq x\leq 2)$
구간 $[-1, 2]$에서 함수 $f(x)$의 증가와 감소를 표로 나타내면 다음과 같다.

x	-1	$\cdots$	0	$\cdots$	2
$f'(x)$		$+$	0	$-$	0
$f(x)$	-19	↗	6	↘	-10

함수 $f(x)$는 $x=0$일 때 최댓값 6을 갖고, $x=-1$일 때 최솟값 -19를 갖는다.

따라서 $M=6$, $m=-19$이므로

$M+m=6+(-19)=-13$

답 ①

060

$x+1=t$라고 하면 $-4\le x\le 0$에서 $-3\le t\le 1$

$g(t)=t^3-3t+2$라고 하면

$g'(t)=3t^2-3=3(t+1)(t-1)$

$g'(t)=0$에서 $t=-1$ 또는 $t=1$ ──────── ❶

$-3\le t\le 1$에서 함수 $g(t)$의 증가와 감소를 표로 나타내면 다음과 같다.

t	-3	$\cdots$	-1	$\cdots$	1
$g'(t)$		$+$	0	$-$	0
$g(t)$	-16	↗	4	↘	0

❷

함수 $g(t)$는 $t=-1$일 때 최댓값 4를 갖고, $t=-3$일 때 최솟값 -16을 갖는다.

따라서 $f(x)$의 최댓값은 4, 최솟값은 -16이다. ──────── ❸

답 최댓값: 4, 최솟값: -16

채점 기준	비율
❶ $x+1=t$로 치환한 함수의 도함수가 0이 되게 하는 t의 값을 구할 수 있다.	40%
❷ $g(t)$의 증가와 감소 상태를 알 수 있다.	40%
❸ $f(x)$의 최댓값과 최솟값을 구할 수 있다.	20%

061

$f(x)=x^3-6x^2+12x+a$에서

$f'(x)=3x^2-12x+12=3(x-2)^2$

$f'(x)=0$에서 $x=2$

구간 $[0, 3]$에서 함수 $f(x)$의 증가와 감소를 표로 나타내면 다음과 같다.

x	0	$\cdots$	2	$\cdots$	3
$f'(x)$		$+$	0	$+$	
$f(x)$	a	↗	$a+8$	↗	$a+9$

함수 $f(x)$는 $x=3$일 때 최댓값 $a+9$를 갖고, 함수 $f(x)$의 최댓값이 10이므로

$a+9=10$ ∴ $a=1$

답 1

062

$f(x)=x^3-3x^2+a$에서

$f'(x)=3x^2-6x=3x(x-2)$

$f'(x)=0$에서 $x=2$ ($\because 1\le x\le 4$)

구간 $[1, 4]$에서 함수 $f(x)$의 증가와 감소를 표로 나타내면 다음과 같다.

x	1	$\cdots$	2	$\cdots$	4
$f'(x)$		$-$	0	$+$	
$f(x)$	$a-2$	↘	$a-4$	↗	$a+16$

함수 $f(x)$는 $x=4$일 때 최댓값 $a+16$, $x=2$일 때 최솟값 $a-4$를 가지므로

$M=a+16$, $m=a-4$

이때 $M+m=20$이므로

$(a+16)+(a-4)=20$

$2a+12=20$ ∴ $a=4$

답 ④

063

$f(x)=x^4-4x^3+a$에서 $f'(x)=4x^3-12x^2=4x^2(x-3)$

$f'(x)=0$에서 $x=0$ 또는 $x=3$

함수 $f(x)$의 증가와 감소를 표로 나타내면 다음과 같다.

x	$\cdots$	0	$\cdots$	3	$\cdots$
$f'(x)$	$-$	0	$-$	0	$+$
$f(x)$	↘	a	↘	$a-27$	↗

함수 $f(x)$는 $x=3$일 때 최솟값 $a-27$을 갖는다.

이때 함수 $f(x)$의 최솟값이 -4이므로

$a-27=-4$ ∴ $a=23$

답 ②

064

$f(x)=ax^3-3ax^2+b$에서 $f'(x)=3ax^2-6ax=3ax(x-2)$

$f'(x)=0$에서 $x=0$ ($\because -1\le x\le 1$)

이때 a, b가 양수이므로 구간 $[-1, 1]$에서 함수 $f(x)$의 증가와 감소를 표로 나타내면 다음과 같다.

x	-1	$\cdots$	0	$\cdots$	1
$f'(x)$		$+$	0	$-$	
$f(x)$	$b-4a$	↗	b	↘	$b-2a$

함수 $f(x)$는 $x=0$일 때 최댓값 b, $x=-1$일 때 최솟값 $b-4a$를 가지므로

⎣ a, b가 양수이므로 $b-4a < b-2a < b$

$b=4$, $b-4a=-4$ ∴ $a=2$, $b=4$

∴ $ab=8$

답 ④

065

$f(x)=ax^4-2ax^2+b$에서

$f'(x)=4ax^3-4ax=4ax(x+1)(x-1)$

$f'(x)=0$에서 $x=0$ 또는 $x=1$ ($\because 0\le x\le 2$)

이때 a, b가 양수이므로 구간 $[0, 2]$에서 함수 $f(x)$의 증가와 감소를 표로 나타내면 다음과 같다.

x	0	$\cdots$	1	$\cdots$	2
$f'(x)$	0	$-$	0	$+$	
$f(x)$	b	↘	$b-a$	↗	$8a+b$

❶

함수 $f(x)$는 $x=2$일 때 최댓값 $8a+b$, $x=1$일 때 최솟값 $b-a$를 가지므로 ──────── ❷

$8a+b=4$, $b-a=1$

위의 두 식을 연립하여 풀면 $a=\dfrac{1}{3}$, $b=\dfrac{4}{3}$

$\therefore 9ab=4$ ─────────── ❸

답 4

채점 기준	비율
❶ $f(x)$의 증가와 감소 상태를 알 수 있다.	40%
❷ $f(x)$가 최댓값과 최솟값을 가질 때를 알 수 있다.	30%
❸ $9ab$의 값을 알 수 있다.	30%

066

(1) 꼭짓점 C, D의 좌표가 각각 $(-a, -a^2+6)$, $(a, -a^2+6)$이 므로 직사각형 ABDC의 넓이를 $S(a)$라고 하면

$S(a)=2a(-a^2+6)=-2a^3+12a$

(2) $S'(a)=-6a^2+12=-6(a^2-2)$

$S'(a)=0$에서 $a^2-2=0$, $a^2=2$

$\therefore a=\sqrt{2}$ $(\because 0<a<\sqrt{6})$

$0<a<\sqrt{6}$에서 $S(a)$의 증가와 감소를 표로 나타내면 다음과 같다.

a	(0)	…	$\sqrt{2}$	…	$(\sqrt{6})$
$S'(a)$		+	0	−	
$S(a)$		↗	$8\sqrt{2}$	↘	

$S(a)$는 $a=\sqrt{2}$일 때 극대이면서 최대이다.

따라서 직사각형 ABDC의 넓이의 최댓값은 $S(\sqrt{2})=8\sqrt{2}$이다.

답 (1) $-2a^3+12a$ (2) $8\sqrt{2}$

067

곡선 $y=x^2$ 위를 움직이는 점의 좌표를 (t, t^2)이라고 하면

점 (t, t^2)과 점 $(0, 4)$ 사이의 거리 l에 대하여

$l^2=t^2+(t^2-4)^2=t^4-7t^2+16$

$f(t)=t^4-7t^2+16$이라고 하면

$f'(t)=4t^3-14t=2t(2t^2-7)$

$f'(t)=0$에서 $t=0$ 또는 $t=\pm\dfrac{\sqrt{14}}{2}$

$f(t)$의 증가와 감소를 표로 나타내면 다음과 같다.

t	…	$-\dfrac{\sqrt{14}}{2}$	…	0	…	$\dfrac{\sqrt{14}}{2}$	…
$f'(t)$	−	0	+	0	−	0	+
$f(t)$	↘	$\dfrac{15}{4}$	↗	16	↘	$\dfrac{15}{4}$	↗

$f(t)$는 $t=-\dfrac{\sqrt{14}}{2}$ 또는 $t=\dfrac{\sqrt{14}}{2}$일 때 최솟값 $\dfrac{15}{4}$를 가지므로

l^2의 최솟값은 $\dfrac{15}{4}$이다.

답 ②

풍쌤 개념 CHECK

좌표평면 위의 두 점 사이의 거리 _高 수학_

두 점 $P(x_1, y_1)$, $Q(x_2, y_2)$ 사이의 거리는

$\overline{PQ}=\sqrt{(x_2-x_1)^2+(y_2-y_1)^2}$

068

$f(x)=x^3-3x^2+2x$라고 하면 $A(t, f(t))$, $B(t+1, f(t+1))$이 므로

$\overline{AB}=\sqrt{\{(t+1)-t\}^2+\{f(t+1)-f(t)\}^2}$

$=\sqrt{1+(3t^2-3t)^2}$ ← $\{(t+1)^3-3(t+1)^2+2(t+1)\}$ $-(t^3-3t^2+2t)$

$=\sqrt{1+9t^2(t-1)^2}$ $=(t^3-t)-(t^3-3t^2+2t)$ $=3t^2-3t$

이때 $g(t)=9t^2(t-1)^2$이라고 하면

$\overline{AB}=\sqrt{1+g(t)}$ ─────── ㉠

$g'(t)=18t(t-1)^2+18t^2(t-1)$

$=18t(t-1)(2t-1)$

$g'(t)=0$에서 $t=\dfrac{1}{2}$ $(\because 0<t<1)$

$0<t<1$에서 $g(t)$의 증가와 감소를 표로 나타내면 다음과 같다.

t	(0)	…	$\dfrac{1}{2}$	…	(1)
$g'(t)$		+	0	−	
$g(t)$		↗	$\dfrac{9}{16}$	↘	

$g(t)$는 $t=\dfrac{1}{2}$일 때 극대이면서 최대이므로 $g(t)$의 최댓값은

$g\left(\dfrac{1}{2}\right)=\dfrac{9}{16}$이다.

이때 ㉠에서 $g(t)$가 최대일 때 $\overline{AB}$의 길이도 최대이므로 구하는 $\overline{AB}$의 길이의 최댓값은

$\sqrt{1+\dfrac{9}{16}}=\sqrt{\dfrac{25}{16}}=\dfrac{5}{4}$

답 ②

069

$x^2-4=0$에서 $(x+2)(x-2)=0$

$\therefore x=-2$ 또는 $x=2$

$\therefore A(-2, 0)$, $B(2, 0)$

$C(a, a^2-4)$ $(0<a<2)$라고 하면

$D(-a, a^2-4)$

사다리꼴 ABCD의 넓이를 $S(a)$라고

하면 $a^2-4<0$이므로

$S(a)=\dfrac{1}{2}\times(4+2a)\times|a^2-4|$

$=\dfrac{1}{2}\times(4+2a)\times(4-a^2)$

$=-a^3-2a^2+4a+8$

$\therefore S'(a)=-3a^2-4a+4$

$=-(3a-2)(a+2)$

$S'(a)=0$에서 $a=\dfrac{2}{3}$ $(\because 0<a<2)$

$0<a<2$에서 $S(a)$의 증가와 감소를 표로 나타내면 다음과 같다.

a	(0)	…	$\dfrac{2}{3}$	…	(2)
$S'(a)$		+	0	−	
$S(a)$		↗	$\dfrac{256}{27}$	↘	

$S(a)$는 $a=\dfrac{2}{3}$일 때 극대이면서 최대이므로 사다리꼴의 넓이의 최 댓값은 $\dfrac{256}{27}$이다.

따라서 $k=\dfrac{256}{27}$이므로 $27k=256$

답 256

070

잘라 내야 하는 정사각형의 한 변의 길이를 $x\,(0<x<5)$라 하고, 상자의 부피를 $V(x)$라고 하면

$\overbrace{}$ $x>0,\ 10-2x>0$에서 $0<x<5$

$$V(x)=x(16-2x)(10-2x)$$
$$=4x^3-52x^2+160x$$
$$\therefore V'(x)=12x^2-104x+160$$
$$=4(x-2)(3x-20)$$

$V'(x)=0$에서 $x=2\,(\because 0<x<5)$

$0<x<5$에서 $V(x)$의 증가와 감소를 표로 나타내면 다음과 같다.

x	(0)	$\cdots$	2	$\cdots$	(5)
$V'(x)$		$+$	0	$-$	
$V(x)$		↗	144	↘	

$V(x)$는 $x=2$일 때 극대이면서 최대이므로 상자의 부피의 최댓값은 $V(2)=144$이다.

따라서 $k=2$, $M=144$이므로

$$k+M=146$$

답 ⑤

071

원기둥의 밑면의 반지름의 길이를 $x\,(0<x<6)$, 높이를 $y\,(0<y<12)$라고 하면

$6:12=x:(12-y)$

$1:2=x:(12-y)$, $2x=12-y$

$\therefore y=-2x+12$ ──────── ❶

원기둥의 부피를 $V(x)$라고 하면

$$V(x)=\pi x^2 y=\pi x^2(-2x+12)$$
$$=-2\pi x^3+12\pi x^2$$ ──── ❷
$$\therefore V'(x)=-6\pi x^2+24\pi x=-6\pi x(x-4)$$

$V'(x)=0$에서 $x=4\,(\because 0<x<6)$

$0<x<6$에서 $V(x)$의 증가와 감소를 표로 나타내면 다음과 같다.

x	(0)	$\cdots$	4	$\cdots$	(6)
$V'(x)$		$+$	0	$-$	
$V(x)$		↗	64π	↘	

$V(x)$는 $x=4$일 때 극대이면서 최대이므로 원기둥의 부피의 최댓값은 $V(4)=64\pi$이다. ──────── ❸

답 64π

채점 기준	비율
❶ 원기둥의 밑면의 반지름의 길이와 높이에 대한 관계식을 구할 수 있다.	30%
❷ 원기둥의 부피를 하나의 문자에 대한 식으로 나타낼 수 있다.	20%
❸ 원기둥의 부피의 최댓값을 구할 수 있다.	50%

01

$f(x)=2x^3-ax^2+bx$에서 $f'(x)=6x^2-2ax+b$

함수 $f(x)$가 감소하는 구간이 $[-1,\,2]$이므로 이차방정식 $f'(x)=0$의 두 근은 -1, 2이다.

이차방정식의 근과 계수의 관계에 의하여

$$-1+2=-\frac{-2a}{6},\quad -1\times 2=\frac{b}{6}$$이므로

$a=3$, $b=-12$

$$\therefore \frac{b}{a}=\frac{-12}{3}=-4$$

답 ①

02

함수 $f(x)$의 역함수가 존재하려면 $f(x)$가 일대일대응이어야 하므로 실수 전체의 집합에서 $f(x)$는 증가하거나 감소해야 한다.

이때 $a<0$이므로 $f(x)$는 감소해야 한다.

$f(x)=ax^3+3x^2+(a+2)x+3$에서

$f'(x)=3ax^2+6x+a+2$

함수 $f(x)$가 감소하려면 모든 실수 x에 대하여 $f'(x)\leq 0$이어야 하므로 이차방정식 $f'(x)=0$의 판별식을 D라고 하면

$$\frac{D}{4}=9-3a(a+2)\leq 0$$
$$-3a^2-6a+9\leq 0$$
$$a^2+2a-3\geq 0$$
$$(a+3)(a-1)\geq 0$$

이때 a가 음수이면 $a-1<0$이므로 $a+3\leq 0$, 즉 $a\leq -3$이어야 한다.

따라서 음수 a의 최댓값은 -3이다.

답 ③

03

문제 접근하기

삼차함수 $f(x)$가 실수 전체의 집합에서 증가하면 함수 $f(x)$는 모든 실수 x에서 극댓값과 극솟값이 모두 존재하지 않는다. 즉, 모든 실수 x에 대하여 $f'(x)\geq 0$이다.

한편, 함수 $f(x)$의 식에 절댓값 기호가 포함되어 있으므로 절댓값 기호 안의 식의 값이 0이 되게 하는 x의 값을 기준으로 구간을 나누어 $f(x)$를 구한다.

함수 $f(x)$가 실수 전체의 집합에서 증가하려면 모든 실수 x에 대하여 $f'(x)\geq 0$이어야 한다.

(i) $x-2a\leq 0$, 즉 $x\leq 2a$이면

$f(x)=x^3+6x^2-15x+30a+3$이므로

$f'(x)=3x^2+12x-15=3(x+5)(x-1)$

이때 $f'(x)\geq 0$이어야 하므로

$3(x+5)(x-1)\geq 0$

$\therefore x\leq -5$ 또는 $x\geq 1$

이때 함수 $f(x)$가 $x\leq 2a$에서 증가하려면 $x\leq 2a$가 $x\leq -5$ 또는 $x\geq 1$에 포함되어야 하므로

$2a\leq -5$ $\therefore a\leq -\dfrac{5}{2}$

(ii) $x-2a>0$, 즉 $x>2a$이면

$f(x)=x^3+6x^2+15x-30a+3$이므로

$f'(x)=3x^2+12x+15=3(x+2)^2+3$

즉, $x>2a$이면 $f'(x)>0$이므로 함수 $f(x)$는 실수 전체의 집합에서 증가한다.

(i), (ii)에 의하여 $a\leq-\dfrac{5}{2}$이므로 실수 a의 최댓값은 $-\dfrac{5}{2}$이다.

답 ①

04

$f(x)=-x^3+ax^2+3$에서 $f'(x)=-3x^2+2ax$

함수 $f(x)$가 구간 $\left(\dfrac{1}{2},\ 1\right)$에서 증가하려면 $\dfrac{1}{2}<x<1$에서 $f'(x)\geq0$이어야 하므로

$f'\left(\dfrac{1}{2}\right)=-\dfrac{3}{4}+a\geq0$에서 $a\geq\dfrac{3}{4}$ ·········· ㉠

$f'(1)=-3+2a\geq0$에서 $a\geq\dfrac{3}{2}$ ·········· ㉡

함수 $f(x)$가 구간 $(2,\ \infty)$에서 감소하려면 $x>2$에서 $f'(x)\leq0$이어야 하므로

$f'(2)=-12+4a\leq0$에서 $a\leq3$ ·········· ㉢

㉠, ㉡, ㉢의 공통 범위는 $\dfrac{3}{2}\leq a\leq3$

따라서 $\alpha=\dfrac{3}{2}$, $\beta=3$이므로

$2\alpha\beta=2\times\dfrac{3}{2}\times3=9$

답 ⑤

05

$f(x)=2x^3-3x^2+2$에서 $f'(x)=6x^2-6x=6x(x-1)$

$f'(x)=0$에서 $x=0$ 또는 $x=1$

함수 $f(x)$의 증가와 감소를 표로 나타내면 다음과 같다.

x	$\cdots$	0	$\cdots$	1	$\cdots$
$f'(x)$	$+$	0	$-$	0	$+$
$f(x)$	↗	2	↘	1	↗

함수 $f(x)$는 $x=0$에서 극댓값 2, $x=1$에서 극솟값 1을 가지므로 $P(0,\ 2)$, $Q(1,\ 1)$이므로 두 점 P, Q 사이의 거리는

$\sqrt{(1-0)^2+(1-2)^2}=\sqrt{1+1}=\sqrt{2}$

답 ①

06

$f(x)=(x-1)^2(x+1)^2$에서

$f'(x)=2(x-1)(x+1)^2+2(x-1)^2(x+1)$
$\qquad=4x(x+1)(x-1)$

$f'(x)=0$에서 $x=-1$ 또는 $x=0$ 또는 $x=1$

함수 $f(x)$의 증가와 감소를 표로 나타내면 다음과 같다.

x	$\cdots$	-1	$\cdots$	0	$\cdots$	1	$\cdots$
$f'(x)$	$-$	0	$+$	0	$-$	0	$+$
$f(x)$	↘	0	↗	1	↘	0	↗

함수 $f(x)$는 $x=0$에서 극댓값 1을 갖고, $x=-1$, $x=1$에서 극솟값 0을 가지므로 세 점 A, B, C의 좌표는 각각 $(-1,\ 0)$, $(0,\ 1)$, $(1,\ 0)$이다.

따라서 삼각형 ABC의 넓이는

$\dfrac{1}{2}\times2\times1=1$

답 ③

07

$f(x)=\dfrac{1}{3}x^3-\dfrac{3}{2}x^2+ax+b$에서 $f'(x)=x^2-3x+a$

함수 $f(x)$가 $x=1$에서 극값을 가지므로

$f'(1)=0$

$1-3+a=0$ $\qquad\therefore a=2$

즉, $f'(x)=x^2-3x+2=(x-1)(x-2)$이므로

$f'(x)=0$에서 $x=1$ 또는 $x=2$

함수 $f(x)$의 증가와 감소를 표로 나타내면 다음과 같다.

x	$\cdots$	1	$\cdots$	2	$\cdots$
$f'(x)$	$+$	0	$-$	0	$+$
$f(x)$	↗	$b+\dfrac{5}{6}$	↘	$b+\dfrac{2}{3}$	↗

함수 $f(x)$는 $x=1$에서 극댓값 $b+\dfrac{5}{6}$를 갖고, $x=2$에서 극솟값 $b+\dfrac{2}{3}$를 갖고, 극댓값과 극솟값의 합이 $\dfrac{1}{2}$이므로

$\left(b+\dfrac{5}{6}\right)+\left(b+\dfrac{2}{3}\right)=\dfrac{1}{2}$

$2b+\dfrac{3}{2}=\dfrac{1}{2}$, $2b=-1$ $\qquad\therefore b=-\dfrac{1}{2}$

따라서 함수 $f(x)$의 극솟값은

$f(2)=-\dfrac{1}{2}+\dfrac{2}{3}=\dfrac{1}{6}$

답 ①

08

$f(x)=2x^3-3ax^2+a$에서

$f'(x)=6x^2-6ax=6x(x-a)$

$f'(x)=0$에서 $x=0$ 또는 $x=a$

즉, 함수 $f(x)$는 $x=0$, $x=a$에서 극댓값 또는 극솟값을 갖는다.

이때 함수 $y=f(x)$의 그래프가 x축에 접하므로

$f(0)=0$ 또는 $f(a)=0$

이때 $f(0)=a$이고, $a\neq0$이므로 $f(0)\neq0$

$\therefore f(a)=0$

$2a^3-3a^3+a=0$

$-a(a+1)(a-1)=0$

$\therefore a=-1$ 또는 $a=1$ ($\because a\neq0$)

따라서 모든 실수 a의 값의 곱은

$-1\times1=-1$

답 ②

09

$f(x)=x^3-3x^2+a$에서 $f'(x)=3x^2-6x=3x(x-2)$

$f'(x)=0$에서 $x=0$ 또는 $x=2$

함수 $f(x)$의 증가와 감소를 표로 나타내면 다음과 같다.

x	$\cdots$	0	$\cdots$	2	$\cdots$
$f'(x)$	$+$	0	$-$	0	$+$
$f(x)$	↗	a	↘	$a-4$	↗

함수 $f(x)$는 $x=0$에서 극댓값 a, $x=2$에서 극솟값 $a-4$를 가지므로 $\mathrm{A}(0,\,a)$, $\mathrm{B}(2,\,a-4)$이다.

이때 삼각형 AOB의 넓이가 8이므로

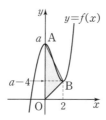

$$\frac{1}{2}\times a \times 2=8$$

$$\therefore a=8$$

답 ②

10

$f(x)=ax^3-5x^2+4ax+4$에서

$f'(x)=3ax^2-10x+4a$

삼차함수 $f(x)$가 극값을 가지려면 이차방정식 $f'(x)=0$이 서로 다른 두 실근을 가져야 한다.

이차방정식 $f'(x)=0$의 판별식을 D라고 하면

$$\frac{D}{4}=25-12a^2>0$$

$$12a^2-25<0$$

$$(2\sqrt{3}a+5)(2\sqrt{3}a-5)<0$$

$$\therefore -\frac{5\sqrt{3}}{6}<a<\frac{5\sqrt{3}}{6}$$

이때 $1<\dfrac{5\sqrt{3}}{6}<2$이므로 정수 a의 최댓값은 1이다.

답 ③

11

$f(x)=x^3+(a+1)x^2+(2a-1)x-1$에서

$f'(x)=3x^2+2(a+1)x+2a-1$

삼차함수 $f(x)$가 극값을 갖지 않으려면 방정식 $f'(x)=0$이 중근 또는 허근을 가져야 한다.

이차방정식 $f'(x)=0$의 판별식을 D라고 하면

$$\frac{D}{4}=(a+1)^2-3(2a-1)\leq0$$

$$(a-2)^2\leq0$$

$$\therefore a=2$$

즉, $f(x)=x^3+3x^2+3x-1$이므로 $f'(x)=3x^2+6x+3$

이때 곡선 $y=f(x)$ 위의 점 중에서 접선의 기울기가 3이면

$$f'(x)=3$$

$$3x^2+6x+3=3, \ 3x(x+2)=0$$

$$\therefore x=-2 \ \text{또는} \ x=0$$

따라서 구하는 x좌표의 합은

$$-2+0=-2$$

답 ②

12

$f(x)=-x^4+2ax^2+4(a-1)x+3$에서

조립제법을 이용해서 인수분해

$f'(x)=-4x^3+4ax+4(a-1)=-4(x+1)(x^2-x-a+1)$

사차함수 $f(x)$가 극솟값을 갖지 않으려면 삼차방정식 $f'(x)=0$이 한 실근과 두 허근을 갖거나 한 실근과 중근을 갖거나 삼중근을 가져야 한다.

(i) $f'(x)=0$이 한 실근과 두 허근을 갖는 경우

$-4(x+1)(x^2-x-a+1)=0$의 한 근이 $x=-1$이므로 이차 방정식 $x^2-x-a+1=0$이 허근을 가져야 한다.

이차방정식 $x^2-x-a+1=0$의 판별식을 D라고 하면

$$D=1-4(-a+1)<0, \ 4a-3<0$$

$$\therefore a<\frac{3}{4}$$

(ii) $f'(x)=0$이 한 실근과 중근을 갖는 경우

$-4(x+1)(x^2-x-a+1)=0$의 한 근이 $x=-1$이므로 이차 방정식 $x^2-x-a+1=0$이 $x=-1$을 한 근으로 갖거나 -1이 아닌 실수를 중근으로 가져야 한다.

$x^2-x-a+1=0$이 $x=-1$을 한 근으로 가지면

$$1+1-a+1=0 \qquad \therefore a=3 \qquad\qquad \cdots\cdots\cdots \ \text{㉠}$$

$x^2-x-a+1=0$이 -1이 아닌 실수를 중근으로 가지면 판별 식을 D라고 할 때

$$D=1-4(-a+1)=0$$

$$4a-3=0$$

$$\therefore a=\frac{3}{4} \qquad\qquad\qquad\qquad\qquad \cdots\cdots\cdots \ \text{㉡}$$

㉠, ㉡에서 $a=\dfrac{3}{4}$ 또는 $a=3$

(iii) $f'(x)=0$이 삼중근을 갖는 경우

$-4(x+1)(x^2-x-a+1)=0$에서 $x^2-x-a+1=0$이 $x=-1$을 중근으로 가질 수 없으므로 삼차방정식 $f'(x)=0$은 삼중근을 가질 수 없다.

(i)~(iii)에 의하여 $a\leq\dfrac{3}{4}$ 또는 $a=3$

답 $a\leq\dfrac{3}{4}$ 또는 $a=3$

참고

사차항의 계수가 음수인 사차함수 $f(x)$가 극솟값을 갖지 않으면 삼차방정식 $f'(x)=0$은

(1) 한 실근과 두 허근을 갖거나

(2) 한 실근과 중근을 갖거나

(3) 삼중근을 갖는다.

13

$f(x)=3x^4-4ax^3+6ax^2$에서

$f'(x)=12x^3-12ax^2+12ax=12x(x^2-ax+a)$

사차함수 $f(x)$가 극댓값을 갖지 않으려면 삼차방정식 $f'(x)=0$이 한 실근과 두 허근을 갖거나 한 실근과 중근을 갖거나 삼중근을 가 져야 한다.

(i) $f'(x)=0$이 한 실근과 두 허근을 갖는 경우

$12x(x^2-ax+a)=0$의 한 근이 $x=0$이므로 이차방정식 $x^2-ax+a=0$이 허근을 가져야 한다.

이차방정식 $x^2-ax+a=0$의 판별식을 D라고 하면

$$D=a^2-4a<0, \ a(a-4)<0$$

$$\therefore 0<a<4$$

(ii) $f'(x)=0$이 한 실근과 중근을 갖는 경우

$12x(x^2-ax+a)=0$의 한 근이 $x=0$이므로 이차방정식 $x^2-ax+a=0$이 $x=0$을 한 근으로 갖거나 0이 아닌 실수를 중 근으로 가져야 한다.

$x^2-ax+a=0$이 $x=0$을 한 근으로 가지면 $a=0$ $\qquad \cdots\cdots\cdots \ \text{㉠}$

$x^2-ax+a=0$이 0이 아닌 실수를 중근으로 가지면 판별식을 D라고 할 때

$$D=a^2-4a=0, \ a(a-4)=0$$

$$\therefore a=4 \ (\because a\neq0) \qquad\qquad\qquad \cdots\cdots\cdots \ \text{㉡}$$

㉠, ㉡에서 $a=0$ 또는 $a=4$

(iii) $f'(x)=0$이 삼중근을 갖는 경우

    $12x(x^2-ax+a)=0$의 삼중근이 $x=0$이어야 하므로

    $a=0$

(i)~(iii)에 의하여 $0\leq a\leq 4$

답 $0\leq a\leq 4$

14

함수 $f(x)=ax^3+bx^2+cx+d$의 그래프에서 $x\longrightarrow\infty$일 때

$f(x)\longrightarrow\infty$이므로 $a>0$

또 함수의 그래프가 y축과 y축의 음의 부분에서 만나므로 $d<0$

$f'(x)=3ax^2+2bx+c$에서 $f'(x)=0$의 두 실근이 $\alpha,\ \beta$이고,

$\alpha<0<\beta,\ |\alpha|>\beta$이므로 이차방정식의 근과 계수의 관계에 의하여 $\alpha+\beta<0,\ \alpha\beta<0$에서

$-\dfrac{2b}{3a}<0,\ \dfrac{c}{3a}<0$

이때 $a>0$이므로 $b>0,\ c<0$

함수 $g(x)=-ax^2+bx-d$의 그래프는 $-a<0$이므로 위로 볼록하고, $\dfrac{b}{2a}>0$이므로 축이 y축의 오른쪽에 있고, $-d>0$이므로 y축과 y축의 양의 부분에서 만난다.

따라서 그래프의 개형이 될 수 있는 것은 ④이다.

답 ④

| 다른 풀이 |

$g(x)=-ax^2+bx-d$의 그래프는 $-a<0$이므로 위로 볼록하다.

$-ab<0$, 즉 $-a$와 b의 부호가 다르므로 축은 y축의 오른쪽에 있다.

$-d>0$이므로 y축과 y축의 양의 부분에서 만난다.

이차함수 $y=ax^2+bx+c$의 그래프와 $a,\ b,\ c$의 부호 中 수학 3

(1) a의 부호 ← 그래프의 모양으로 결정
    ① 아래로 볼록 ➡ $a>0$ ② 위로 볼록 ➡ $a<0$

(2) b의 부호 ← 축의 위치로 결정
    ① 축이 y축의 왼쪽에 위치 ➡ $ab>0$
    └─ $a,\ b$는 같은 부호
    ② 축이 y축과 일치 ➡ $b=0$
    ③ 축이 y축의 오른쪽에 위치 ➡ $ab<0$
    └─ $a,\ b$는 다른 부호

(3) c의 부호 ← y축과의 교점의 위치로 결정
    ① y축과의 교점이 y축의 양의 부분에 위치 ➡ $c>0$
    ② y축과의 교점이 원점과 일치 ➡ $c=0$
    ③ y축과의 교점이 y축의 음의 부분에 위치 ➡ $c<0$

15

ㄱ. 구간 $(a,\ b)$에서 $y=f(x)$의 그래프가 감소하므로 $f'(x)<0$이다. (참)

ㄴ. 함수 $f(x)$는 $x=a,\ x=c$에서 극댓값을 가지므로
    $f'(a)=f'(c)=0$이다. (참)

ㄷ. 함수 $f(x)$가 $x=b,\ x=d$의 좌우에서 감소하다 증가하므로 극솟값을 가지며, 극솟값은 $f(b),\ f(d)$이다. (거짓)

따라서 옳은 것은 ㄱ, ㄴ이다.

답 ②

참고

함수 $f(x)$가 $x=a$에서 미분가능하지 않을 때에도 $x=a$에서 극값을 가질 수 있다. 이 문제에서도 $x=b$에서 함수 $f(x)$는 미분가능하지 않지만 $x=b$의 좌우에서 감소하다가 증가하므로 극솟값을 갖는다.

16

$f(x)=ax^3+bx^2+cx+d\ (a>0,\ a,\ b,\ c,\ d$는 상수$)$라고 하면

$f'(x)=3ax^2+2bx+c$ ← $y=f'(x)$의 그래프가 아래로 볼록하므로

$y=f'(x)$의 그래프가 y축과 점 $(0,\ -2)$에서 만나므로

$f'(0)=-2$에서 $c=-2$

$y=f'(x)$의 그래프가 x축과 만나는 점의 x좌표가 $-1,\ 2$이므로

$f'(x)=0$에서 $x=-1$ 또는 $x=2$

함수 $f(x)$의 증가와 감소를 표로 나타내면 다음과 같다.

x	$\cdots$	-1	$\cdots$	2	$\cdots$
$f'(x)$	$+$	0	$-$	0	$+$
$f(x)$	↗	극대	↘	극소	↗

$f'(-1)=0$이므로 $3a-2b-2=0$

$\therefore 3a-2b=2$ $\cdots\cdots$ ㉠

$f'(2)=0$이므로 $12a+4b-2=0$

$\therefore 6a+2b=1$ $\cdots\cdots$ ㉡

㉠, ㉡을 연립하여 풀면 $a=\dfrac{1}{3},\ b=-\dfrac{1}{2}$

$\therefore f(x)=\dfrac{1}{3}x^3-\dfrac{1}{2}x^2-2x+d$

이때 함수 $f(x)$의 극댓값은 $f(-1)$, 극솟값은 $f(2)$이므로

$p-q=f(-1)-f(2)$

$\quad=\left(-\dfrac{1}{3}-\dfrac{1}{2}+2+d\right)-\left(\dfrac{8}{3}-2-4+d\right)$

$\quad=\dfrac{9}{2}$

답 $\dfrac{9}{2}$

17

문제 접근하기

최고차항의 계수가 양수인 삼차함수 $y=f(x)$의 그래프가 x축과 접하면 다음 그림과 같이 삼차함수의 극댓값 또는 극솟값이 0이다.

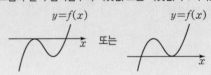

$f(x)=x^3+ax^2+bx+c\ (a,\ b,\ c$는 상수$)$라고 하면

$f'(x)=3x^2+2ax+b$

$y=f'(x)$의 그래프가 x축과 만나는 점의 x좌표가 $-1,\ 3$이므로

$f'(x)=0$에서 $x=-1$ 또는 $x=3$

함수 $f(x)$의 증가와 감소를 표로 나타내면 다음과 같다.

x	$\cdots$	-1	$\cdots$	3	$\cdots$
$f'(x)$	$+$	0	$-$	0	$+$
$f(x)$	↗	극대	↘	극소	↗

$f'(-1)=0$이므로 $3-2a+b=0$

$\therefore -2a+b=-3$ $\cdots\cdots$ ㉠

$f'(3)=0$이므로 $27+6a+b=0$

$\therefore 6a+b=-27$ $\cdots\cdots$ ㉡

㉠, ㉡을 연립하여 풀면 $a=-3$, $b=-9$

$\therefore f(x)=x^3-3x^2-9x+c$

이때 삼차함수 $y=f(x)$의 그래프가 x축에 접하려면 극댓값 또는 극솟값이 0이어야 한다.

(i) $f(-1)=0$일 때 ← 극대일 때 그래프가 x축에 접한다.

$-1-3+9+c=0$ $\therefore c=-5$

즉, $f(x)=x^3-3x^2-9x-5$이므로 $f(0)=-5$

(ii) $f(3)=0$일 때 ← 극소일 때 그래프가 x축에 접한다.

$27-27-27+c=0$ $\therefore c=27$

즉, $f(x)=x^3-3x^2-9x+27$이므로 $f(0)=27$

(i), (ii)에 의하여 모든 $f(0)$의 값의 합은

$-5+27=22$

답 22

18

$x^2-1=t$라고 하면 $-1\le x\le 2$에서 $-1\le t\le 3$

↑ $-1\le x\le 2$이면 $0\le x^2\le 4$이므로 $-1\le x^2-1\le 3$

$g(t)=2t^3-3t^2+2$라고 하면

$g'(t)=6t^2-6t=6t(t-1)$

$g'(t)=0$에서 $t=0$ 또는 $t=1$

$-1\le t\le 3$에서 함수 $g(t)$의 증가와 감소를 표로 나타내면 다음과 같다.

t	-1	$\cdots$	0	$\cdots$	1	$\cdots$	3
$g'(t)$		$+$	0	$-$	0	$+$	
$g(t)$	-3	↗	2	↘	1	↗	29

함수 $g(t)$는 $t=3$일 때 최댓값 29를 갖고, $t=-1$일 때 최솟값 -3을 갖는다.

따라서 $f(x)$의 최댓값은 29, 최솟값은 -3이므로

$M=29$, $m=-3$

$\therefore M-m=29-(-3)=32$

답 ④

19

$f(x)=x^3+ax^2-a^2x+2$에서

$f'(x)=3x^2+2ax-a^2=(x+a)(3x-a)$

$f'(x)=0$에서 $x=-a$ 또는 $x=\dfrac{a}{3}$

닫힌구간 $[-a, a]$에서 함수 $f(x)$의 증가와 감소를 표로 나타내면 다음과 같다.

x	$-a$	$\cdots$	$\dfrac{a}{3}$	$\cdots$	a
$f'(x)$	0	$-$	0	$+$	
$f(x)$	$f(-a)$	↘	$f\left(\dfrac{a}{3}\right)$	↗	$f(a)$

함수 $f(x)$는 $x=\dfrac{a}{3}$에서 극소이면서 최소이므로 최솟값 $f\left(\dfrac{a}{3}\right)$를 갖는다.

이때 $f\left(\dfrac{a}{3}\right)=\dfrac{14}{27}$이므로

$\dfrac{a^3}{27}+\dfrac{a^3}{9}-\dfrac{a^3}{3}+2=\dfrac{14}{27}$

$-5a^3=-40$, $a^3=8$

$\therefore a=2$ ($\because a>0$)

$\therefore f(x)=x^3+2x^2-4x+2$

$f(-2)=-8+8+8+2=10$, $f(2)=8+8-8+2=10$이므로 함수 $f(x)$의 최댓값은 10이다.

$\therefore M=10$

$\therefore a+M=2+10=12$

답 12

20

$f(x)=2x^3-9x^2+12x-2$에서

$f'(x)=6x^2-18x+12=6(x-1)(x-2)$

$f'(x)=0$에서 $x=1$ 또는 $x=2$

구간 $[0, a]$에서 함수 $f(x)$의 증가와 감소를 표로 나타내면 다음과 같다.

x	0	$\cdots$	1	$\cdots$	2	$\cdots$	a
$f'(x)$		$+$	0	$-$	0	$+$	
$f(x)$	-2	↗	3	↘	2	↗	$f(a)$

이때 함수 $f(x)$의 최댓값이 7이므로 $f(a)=7$이어야 한다.

$2a^3-9a^2+12a-2=7$

$2a^3-9a^2+12a-9=0$, $(a-3)(2a^2-3a+3)=0$

$\therefore a=3$ ($\because 2a^2-3a+3>0$)

답 ③

참고

구간 $[0, 2]$에서 함수 $f(x)$의 최댓값은 극댓값인 3이다. 그런데 문제에서 최댓값이 7이라고 했으므로 $a>2$이다.

21

$f(x)=\dfrac{1}{2}x^4-2x^3+8$이라고 하면 $f'(x)=2x^3-6x^2$

곡선 $y=f(x)$ 위의 임의의 점 $(t, f(t))$ $(t>0)$에서의 접선의 기울기는 $f'(t)=2t^3-6t^2$

이때 기울기가 최소인 접선의 기울기는 $f'(t)$의 최솟값이므로

$f'(t)=g(t)$라고 하면

$g(t)=2t^3-6t^2$에서 $g'(t)=6t^2-12t=6t(t-2)$

$g'(t)=0$에서 $t=2$ ($\because t>0$)

$t>0$에서 함수 $g(t)$의 증가와 감소를 표로 나타내면 다음과 같다.

t	(0)	$\cdots$	2	$\cdots$
$g'(t)$		$-$	0	$+$
$g(t)$		↘	극소	↗

$g(t)$, 즉 $f'(t)$는 $t=2$일 때 극소이면서 최소이므로 곡선 $y=f(x)$ 위의 점에서 그은 접선 중 기울기가 최소인 접선의 기울기는

$f'(2)=16-24=-8$

이때 $f(2)=8-16+8=0$이므로 구하는 접선은 기울기가 -8이고, 점 $(2, 0)$을 지나는 직선이다. 즉, 접선의 방정식은

$y=-8(x-2)$

$\therefore y=-8x+16$

따라서 구하는 넓이는

$\dfrac{1}{2}\times 2\times 16=16$

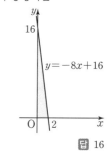

답 16

022

문제 접근하기

주어진 물통은 밑면의 모양이 등변사다리꼴인 사각기둥이다. 이때 등변사다리꼴의 한 변의 길이가 주어지지 않았으므로 등변사다리꼴의 성질을 이용하여 주어지지 않은 변의 길이를 미지수 x로 나타낸다.

주어진 물통을 밑변이 등변사다리꼴인 사각기둥으로 보면 높이는 8 m로 일정하므로 등변사다리꼴의 넓이가 최대일 때 물통의 부피는 최대가 된다.

↙ 피타고라스 정리 이용

오른쪽 그림과 같이 등변사다리꼴 모양의 철판의 긴 변의 길이를 $(1+2x)$ m $(x>0)$라고 하면 높이는 $\sqrt{1-x^2}$ m이다.

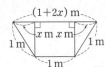

이 등변사다리꼴의 넓이를 $S(x)$ m²라고 하면

$$S(x)=\frac{1}{2}\times\{(1+2x)+1\}\times\sqrt{1-x^2}=(1+x)\sqrt{1-x^2}$$

이때 $f(x)=(1+x)^2(1-x^2)$이라고 하면 $S(x)=\sqrt{f(x)}$이고, $f(x)$가 최대일 때 $S(x)$도 최대가 된다.

$$f'(x)=2(1+x)(1-x^2)+(1+x)^2(-2x)$$
$$=-2(x+1)^2(2x-1)$$

$f'(x)=0$에서 $x=\frac{1}{2}$ ($\because x>0$)

$x>0$에서 함수 $f(x)$의 증가와 감소를 표로 나타내면 다음과 같다.

x	(0)	$\cdots$	$\frac{1}{2}$	$\cdots$
$f'(x)$		$+$	0	$-$
$f(x)$		↗	$\frac{27}{16}$	↘

$f(x)$는 $x=\frac{1}{2}$일 때 극대이면서 최대이므로 $f(x)$의 최댓값은 $f\left(\frac{1}{2}\right)=\frac{27}{16}$이다.

이때 등변사다리꼴의 넓이 $S(x)$의 최댓값은

$$S\left(\frac{1}{2}\right)=\sqrt{\frac{27}{16}}=\frac{3\sqrt{3}}{4}$$

따라서 구하는 물통의 부피의 최댓값은

$$8\times\frac{3\sqrt{3}}{4}=6\sqrt{3}\ (\text{m}^3)$$

답 ②

---

06 도함수의 활용 (3)

기본을 다지는 유형

본문 093쪽

001

(1) $f(x)=x^3-3x^2+2$라고 하면
$f'(x)=3x^2-6x=3x(x-2)$
$f'(x)=0$에서 $x=0$ 또는 $x=2$
함수 $f(x)$의 증가와 감소를 표로 나타내면 다음과 같다.

x	$\cdots$	0	$\cdots$	2	$\cdots$
$f'(x)$	$+$	0	$-$	0	$+$
$f(x)$	↗	2	↘	-2	↗

오른쪽 그림과 같이 함수 $y=f(x)$의 그래프가 x축과 세 점에서 만난다.
따라서 구하는 실근의 개수는 3이다.

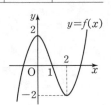

(2) $f(x)=x^3-3x^2$이라고 하면
$f'(x)=3x^2-6x=3x(x-2)$
$f'(x)=0$에서 $x=0$ 또는 $x=2$
함수 $f(x)$의 증가와 감소를 표로 나타내면 다음과 같다.

x	$\cdots$	0	$\cdots$	2	$\cdots$
$f'(x)$	$+$	0	$-$	0	$+$
$f(x)$	↗	0	↘	-4	↗

오른쪽 그림과 같이 함수 $y=f(x)$의 그래프가 x축과 한 점에서 만나고 다른 한 점에서 접한다.
따라서 구하는 실근의 개수는 2이다.

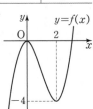

(3) $f(x)=x^3-3x^2-2$라고 하면
$f'(x)=3x^2-6x=3x(x-2)$
$f'(x)=0$에서 $x=0$ 또는 $x=2$
함수 $f(x)$의 증가와 감소를 표로 나타내면 다음과 같다.

x	$\cdots$	0	$\cdots$	2	$\cdots$
$f'(x)$	$+$	0	$-$	0	$+$
$f(x)$	↗	-2	↘	-6	↗

오른쪽 그림과 같이 함수 $y=f(x)$의 그래프가 x축과 한 점에서 만난다.
따라서 구하는 실근의 개수는 1이다.

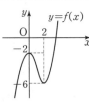

답 (1) 3 (2) 2 (3) 1

| 다른 풀이 |

(1) $f(x)=x^3-3x^2+2$라고 하면
$f'(x)=3x^2-6x=3x(x-2)$
$f'(x)=0$에서 $x=0$ 또는 $x=2$

$f(0)f(2)=2\times(-2)=-4<0$이므로 삼차방정식 $f(x)=0$은 서로 다른 세 실근을 갖는다.

따라서 구하는 실근의 개수는 3이다.

(2) $f(x)=x^3-3x^2$이라고 하면

$f'(x)=3x^2-6x=3x(x-2)$

$f'(x)=0$에서 $x=0$ 또는 $x=2$

$f(0)f(2)=0\times(-4)=0$이므로 삼차방정식 $f(x)=0$은 한 실근과 중근을 갖는다.

따라서 구하는 실근의 개수는 2이다.

(3) $f(x)=x^3-3x^2-2$라고 하면

$f'(x)=3x^2-6x=3x(x-2)$

$f'(x)=0$에서 $x=0$ 또는 $x=2$

$f(0)f(2)=-2\times(-6)=12>0$이므로 삼차방정식 $f(x)=0$은 한 실근과 두 허근을 갖는다.

따라서 구하는 실근의 개수는 1이다.

002

방정식 $2x^3+3x^2-12x-k=0$, 즉 $2x^3+3x^2-12x=k$의 실근의 개수는 곡선 $y=2x^3+3x^2-12x$와 직선 $y=k$의 교점의 개수와 같다.

$f(x)=2x^3+3x^2-12x$라고 하면

$f'(x)=6x^2+6x-12=6(x+2)(x-1)$

$f'(x)=0$에서 $x=-2$ 또는 $x=1$

함수 $f(x)$의 증가와 감소를 표로 나타내면 다음과 같다.

x	$\cdots$	-2	$\cdots$	1	$\cdots$
$f'(x)$	$+$	0	$-$	0	$+$
$f(x)$	↗	20	↘	-7	↗

주어진 방정식이 서로 다른 세 실근을 가지려면 오른쪽 그림과 같이 곡선 $y=f(x)$와 직선 $y=k$가 서로 다른 세 점에서 만나야 하므로

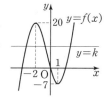

$-7<k<20$

따라서 구하는 정수 k는 -6, -5, $\cdots$, 19의 26개이다.

답 26

|다른 풀이|

$f(x)=2x^3+3x^2-12x-k$라고 하면

$f'(x)=6x^2+6x-12=6(x+2)(x-1)$

$f'(x)=0$에서 $x=-2$ 또는 $x=1$

삼차방정식 $f(x)=0$이 서로 다른 세 실근을 가지려면

$f(-2)f(1)<0$이어야 하므로

$(-k+20)(-k-7)<0$, $(k-20)(k+7)<0$

$\therefore -7<k<20$

따라서 구하는 정수 k는 -6, -5, $\cdots$, 19의 26개이다.

003

방정식 $x^3+3x^2-9x-k=0$, 즉 $x^3+3x^2-9x=k$의 실근의 개수는 곡선 $y=x^3+3x^2-9x$와 직선 $y=k$의 교점의 개수와 같다.

$f(x)=x^3+3x^2-9x$라고 하면

$f'(x)=3x^2+6x-9=3(x+3)(x-1)$

$f'(x)=0$에서 $x=-3$ 또는 $x=1$

함수 $f(x)$의 증가와 감소를 표로 나타내면 다음과 같다.

x	$\cdots$	-3	$\cdots$	1	$\cdots$
$f'(x)$	$+$	0	$-$	0	$+$
$f(x)$	↗	27	↘	-5	↗

주어진 방정식이 한 개의 실근과 중근을 가지려면 오른쪽 그림과 같이 곡선 $y=f(x)$와 직선 $y=k$가 한 점에서 만나고, 다른 한 점에서 접해야 한다.

따라서 양수 k의 값은 27이다.

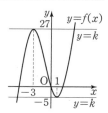

답 27

|다른 풀이|

$f(x)=x^3+3x^2-9x-k$라고 하면

$f'(x)=3x^2+6x-9=3(x+3)(x-1)$

$f'(x)=0$에서 $x=-3$ 또는 $x=1$

삼차방정식 $f(x)=0$이 한 개의 실근과 중근을 가지려면

$f(-3)f(1)=0$이어야 하므로

$(-k+27)(-k-5)=0$, $(k-27)(k+5)=0$

$\therefore k=-5$ 또는 $k=27$

따라서 양수 k의 값은 27이다.

004

방정식 $x^3-12x-k=0$, 즉 $x^3-12x=k$의 실근의 개수는 곡선 $y=x^3-12x$와 직선 $y=k$의 교점의 개수와 같다.

$f(x)=x^3-12x$라고 하면

$f'(x)=3x^2-12=3(x+2)(x-2)$

$f'(x)=0$에서 $x=-2$ 또는 $x=2$

함수 $f(x)$의 증가와 감소를 표로 나타내면 다음과 같다.

x	$\cdots$	-2	$\cdots$	2	$\cdots$
$f'(x)$	$+$	0	$-$	0	$+$
$f(x)$	↗	16	↘	-16	↗

주어진 방정식이 오직 하나의 실근을 가지려면 오른쪽 그림과 같이 곡선 $y=f(x)$와 직선 $y=k$가 한 점에서 만나야 하므로

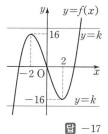

$k<-16$ 또는 $k>16$

따라서 음의 정수 k의 최댓값은 -17이다.

답 -17

|다른 풀이|

$f(x)=x^3-12x-k$라고 하면

$f'(x)=3x^2-12=3(x+2)(x-2)$

$f'(x)=0$에서 $x=-2$ 또는 $x=2$

삼차방정식 $f(x)=0$이 오직 하나의 실근을 가지려면

$f(-2)f(2)>0$이어야 하므로

$(-k+16)(-k-16)>0$, $(k-16)(k+16)>0$

$\therefore k<-16$ 또는 $k>16$

따라서 음의 정수 k의 최댓값은 -17이다.

005

함수 $y=x^3-6x^2+9x$의 그래프를 y축의 방향으로 k만큼 평행이동한 그래프의 함수가 $y=f(x)$이므로

$f(x)=x^3-6x^2+9x+k$

이때 방정식 $f(x)=0$에서 $x^3-6x^2+9x+k=0$,

즉 $x^3-6x^2+9x=-k$의 실근의 개수는 곡선 $y=x^3-6x^2+9x$와

직선 $y=-k$의 교점의 개수와 같다.

$g(x)=x^3-6x^2+9x$라고 하면

$g'(x)=3x^2-12x+9=3(x-1)(x-3)$

$g'(x)=0$에서 $x=1$ 또는 $x=3$

함수 $g(x)$의 증가와 감소를 표로 나타내면 다음과 같다.

x	$\cdots$	1	$\cdots$	3	$\cdots$
$g'(x)$	$+$	0	$-$	0	$+$
$g(x)$	$\nearrow$	4	$\searrow$	0	$\nearrow$

방정식 $f(x)=0$이 서로 다른 세 실근을 가지려면 오른쪽 그림과 같이 곡선 $y=g(x)$와 직선 $y=-k$가 세 점에서 만나야 하므로

$0<-k<4$ $\quad\therefore$ $-4<k<0$

따라서 구하는 정수 k의 최솟값은 -3이다.

답 -3

| 다른 풀이 |

함수 $y=x^3-6x^2+9x$의 그래프를 y축의 방향으로 k만큼 평행이동한 그래프의 함수가 $y=f(x)$이므로

$f(x)=x^3-6x^2+9x+k$

$\therefore f'(x)=3x^2-12x+9=3(x-1)(x-3)$

$f'(x)=0$에서 $x=1$ 또는 $x=3$

삼차방정식 $f(x)=0$이 서로 다른 세 실근을 가지려면

$f(1)f(3)<0$이어야 하므로

$(k+4)k<0$ $\quad\therefore$ $-4<k<0$

따라서 구하는 정수 k의 최솟값은 -3이다.

006

방정식 $x^4-4x^3+4x^2-k=0$, 즉 $x^4-4x^3+4x^2=k$의 실근의 개수는 곡선 $y=x^4-4x^3+4x^2$과 직선 $y=k$의 교점의 개수와 같다.

$f(x)=x^4-4x^3+4x^2$이라고 하면

$f'(x)=4x^3-12x^2+8x=4x(x-1)(x-2)$

$f'(x)=0$에서 $x=0$ 또는 $x=1$ 또는 $x=2$

함수 $f(x)$의 증가와 감소를 표로 나타내면 다음과 같다.

x	$\cdots$	0	$\cdots$	1	$\cdots$	2	$\cdots$
$f'(x)$	$-$	0	$+$	0	$-$	0	$+$
$f(x)$	$\searrow$	0	$\nearrow$	1	$\searrow$	0	$\nearrow$

주어진 방정식이 서로 다른 네 실근을 가지려면 오른쪽 그림과 같이 곡선 $y=f(x)$와 직선 $y=k$가 서로 다른 네 점에서 만나야 하므로 실수 k의 값의 범위는

$0<k<1$

답 $0<k<1$

007

방정식 $3x^4-8x^3+8-k=0$, 즉 $3x^4-8x^3+8=k$의 실근의 개수는 곡선 $y=3x^4-8x^3+8$과 직선 $y=k$의 교점의 개수와 같다.

$f(x)=3x^4-8x^3+8$이라고 하면

$f'(x)=12x^3-24x^2=12x^2(x-2)$

$f'(x)=0$에서 $x=0$ 또는 $x=2$

함수 $f(x)$의 증가와 감소를 표로 나타내면 다음과 같다.

x	$\cdots$	0	$\cdots$	2	$\cdots$
$f'(x)$	$-$	0	$-$	0	$+$
$f(x)$	$\searrow$	8	$\searrow$	-8	$\nearrow$

주어진 방정식이 오직 하나의 실근만을 가지려면 오른쪽 그림과 같이 곡선 $y=f(x)$와 직선 $y=k$가 한 점에서 만나야 하므로

$k=-8$

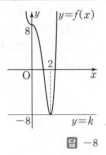

답 -8

008

방정식 $x^4-2x^2-k=0$, 즉 $x^4-2x^2=k$의 실근의 개수는 곡선 $y=x^4-2x^2$과 직선 $y=k$의 교점의 개수와 같다.

$f(x)=x^4-2x^2$이라고 하면

$f'(x)=4x^3-4x=4x(x+1)(x-1)$

$f'(x)=0$에서 $x=-1$ 또는 $x=0$ 또는 $x=1$ ············· ❶

함수 $f(x)$의 증가와 감소를 표로 나타내면 다음과 같다.

x	$\cdots$	-1	$\cdots$	0	$\cdots$	1	$\cdots$
$f'(x)$	$-$	0	$+$	0	$-$	0	$+$
$f(x)$	$\searrow$	-1	$\nearrow$	0	$\searrow$	-1	$\nearrow$

주어진 방정식이 서로 다른 세 실근을 가지려면 오른쪽 그림과 같이 곡선 $y=f(x)$와 직선 $y=k$가 서로 다른 두 점에서 만나야 하므로

$k=-1$ 또는 $k>0$

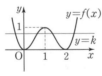

············· ❷

따라서 구하는 자연수 k의 최솟값은 1이다. ············· ❸

답 1

채점 기준	비율
❶ $f(x)=x^4-2x^2$으로 놓고 $f'(x)=0$인 x의 값을 구할 수 있다.	40%
❷ k의 값의 범위를 구할 수 있다.	40%
❸ 자연수 k의 최솟값을 구할 수 있다.	20%

009

방정식 $x^4+\dfrac{4}{3}x^3-4x^2-k=0$, 즉 $x^4+\dfrac{4}{3}x^3-4x^2=k$의 실근의 개수는 곡선 $y=x^4+\dfrac{4}{3}x^3-4x^2$과 직선 $y=k$의 교점의 개수와 같다.

$f(x)=x^4+\dfrac{4}{3}x^3-4x^2$이라고 하면

$f'(x)=4x^3+4x^2-8x=4x(x+2)(x-1)$

$f'(x)=0$에서 $x=-2$ 또는 $x=0$ 또는 $x=1$

함수 $f(x)$의 증가와 감소를 표로 나타내면 다음과 같다.

x	$\cdots$	-2	$\cdots$	0	$\cdots$	1	$\cdots$
$f'(x)$	$-$	0	$+$	0	$-$	0	$+$
$f(x)$	$\searrow$	$-\dfrac{32}{3}$	$\nearrow$	0	$\searrow$	$-\dfrac{5}{3}$	$\nearrow$

주어진 방정식이 서로 다른 두 실근을 가지려면 오른쪽 그림과 같이 곡선 $y=f(x)$와 직선 $y=k$가 서로 다른 두 점에서 만나야 하므로

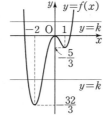

$$-\frac{32}{3}<k<-\frac{5}{3} \text{ 또는 } k>0$$

따라서 상수 k의 값이 될 수 없는 것은 ③ -1이다.

답 ③

010

방정식 $3x^4-4x^3-12x^2+3-k=0$, 즉 $3x^4-4x^3-12x^2+3=k$의 실근의 개수는 곡선 $y=3x^4-4x^3-12x^2+3$과 직선 $y=k$의 교점의 개수와 같다.

$f(x)=3x^4-4x^3-12x^2+3$이라고 하면
$f'(x)=12x^3-12x^2-24x=12x(x+1)(x-2)$
$f'(x)=0$에서 $x=-1$ 또는 $x=0$ 또는 $x=2$

함수 $f(x)$의 증가와 감소를 표로 나타내면 다음과 같다.

x	$\cdots$	-1	$\cdots$	0	$\cdots$	2	$\cdots$
$f'(x)$	$-$	0	$+$	0	$-$	0	$+$
$f(x)$	$\searrow$	-2	$\nearrow$	3	$\searrow$	-29	$\nearrow$

주어진 방정식이 한 개의 음근과 서로 다른 두 개의 양근을 가지려면 오른쪽 그림과 같이 곡선 $y=f(x)$와 직선 $y=k$의 교점의 x좌표가 한 개는 음수이고, 다른 두 개는 양수이어야 하므로

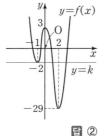

$k=-2$

답 ②

011

두 곡선 $y=x^3+4x^2-3x$, $y=x^2+6x+k$가 오직 한 점에서 만나려면 방정식 $x^3+4x^2-3x=x^2+6x+k$, 즉 $x^3+3x^2-9x-k=0$이 오직 한 개의 실근만을 가져야 한다.

방정식 $x^3+3x^2-9x-k=0$, 즉 $x^3+3x^2-9x=k$의 실근의 개수는 곡선 $y=x^3+3x^2-9x$와 직선 $y=k$의 교점의 개수와 같다.

$f(x)=x^3+3x^2-9x$라고 하면
$f'(x)=3x^2+6x-9=3(x+3)(x-1)$
$f'(x)=0$에서 $x=-3$ 또는 $x=1$

함수 $f(x)$의 증가와 감소를 표로 나타내면 다음과 같다.

x	$\cdots$	-3	$\cdots$	1	$\cdots$
$f'(x)$	$+$	0	$-$	0	$+$
$f(x)$	$\nearrow$	27	$\searrow$	-5	$\nearrow$

방정식 $x^3+3x^2-9x-k=0$이 오직 한 개의 실근을 가지려면 오른쪽 그림과 같이 곡선 $y=f(x)$와 직선 $y=k$가 한 점에서 만나야 하므로
$k<-5$ 또는 $k>27$
따라서 $\alpha=-5$, $\beta=27$이므로
$\alpha+\beta=22$

답 22

|다른 풀이|

두 곡선 $y=x^3+4x^2-3x$, $y=x^2+6x+k$가 한 점에서 만나려면 방정식 $x^3+4x^2-3x=x^2+6x+k$, 즉 $x^3+3x^2-9x-k=0$이 오직 한 개의 실근을 가져야 한다.

$f(x)=x^3+3x^2-9x-k$라고 하면
$f'(x)=3x^2+6x-9=3(x+3)(x-1)$
$f'(x)=0$에서 $x=-3$ 또는 $x=1$
삼차방정식 $f(x)=0$이 오직 한 개의 실근만을 가지려면
$f(-3)f(1)>0$이어야 하므로
$(-k+27)(-k-5)>0$, $(k-27)(k+5)>0$
$\therefore k<-5$ 또는 $k>27$
따라서 $\alpha=-5$, $\beta=27$이므로
$\alpha+\beta=22$

012

곡선 $y=2x^3+3x^2-5x$와 직선 $y=7x+k$가 한 점에서 만나고 다른 한 점에서는 접하려면 방정식 $2x^3+3x^2-5x=7x+k$, 즉 $2x^3+3x^2-12x-k=0$이 한 실근과 중근을 가져야 한다.

방정식 $2x^3+3x^2-12x-k=0$, 즉 $2x^3+3x^2-12x=k$의 실근의 개수는 곡선 $y=2x^3+3x^2-12x$와 직선 $y=k$의 개수와 같다.

$f(x)=2x^3+3x^2-12x$라고 하면
$f'(x)=6x^2+6x-12=6(x+2)(x-1)$
$f'(x)=0$에서 $x=-2$ 또는 $x=1$

함수 $f(x)$의 증가와 감소를 표로 나타내면 다음과 같다.

x	$\cdots$	-2	$\cdots$	1	$\cdots$
$f'(x)$	$+$	0	$-$	0	$+$
$f(x)$	$\nearrow$	20	$\searrow$	-7	$\nearrow$

방정식 $2x^3+3x^2-12x-k=0$이 한 실근과 중근을 가지려면 오른쪽 그림과 같이 곡선 $y=f(x)$와 직선 $y=k$가 한 점에서 만나고, 다른 한 점에서 접해야 하므로

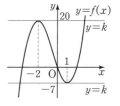

$k=-7$ 또는 $k=20$
따라서 모든 실수 k의 값의 합은
$-7+20=13$

답 ②

|다른 풀이|

곡선 $y=2x^3+3x^2-5x$와 직선 $y=7x+k$가 한 점에서 만나고 다른 한 점에서 접하려면 방정식 $2x^3+3x^2-5x=7x+k$, 즉 $2x^3+3x^2-12x-k=0$이 한 실근과 중근을 가져야 한다.

$f(x)=2x^3+3x^2-12x-k$라고 하면
$f'(x)=6x^2+6x-12=6(x+2)(x-1)$
$f'(x)=0$에서 $x=-2$ 또는 $x=1$
삼차방정식 $f(x)=0$이 한 실근과 중근을 가지려면
$f(-2)f(1)=0$이어야 하므로
$(-k+20)(-k-7)=0$, $(k-20)(k+7)=0$
$\therefore k=-7$ 또는 $k=20$
따라서 실수 k의 값의 합은
$-7+20=13$

013

두 함수 $f(x)=x^4-4x+k$, $g(x)=-x^2+2x-k$의 그래프가 오

직 한 점에서 만나려면 방정식 $x^4-4x+k=-x^2+2x-k$, 즉 $x^4+x^2-6x+2k=0$이 오직 한 개의 실근만을 가져야 한다.

방정식 $x^4+x^2-6x+2k=0$, 즉 $x^4+x^2-6x=-2k$의 실근의 개수는 곡선 $y=x^4+x^2-6x$와 직선 $y=-2k$의 개수와 같다.

$f(x)=x^4+x^2-6x$라고 하면
$f'(x)=4x^3+2x-6=2(x-1)(2x^2+2x+3)$
$f'(x)=0$에서 $x=1$ $(\because 2x^2+2x+3>0)$

함수 $f(x)$의 증가와 감소를 표로 나타내면 다음과 같다.

x	$\cdots$	1	$\cdots$
$f'(x)$	$-$	0	$+$
$f(x)$	$\searrow$	-4	$\nearrow$

방정식 $x^4+x^2-6x+2k=0$이 오직 한 개의 실근을 가지려면 오른쪽 그림과 같이 곡선 $y=f(x)$와 직선 $y=-2k$가 한 점에서 만나야 하므로
$-2k=-4$ ∴ $k=2$

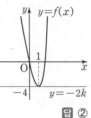

답 ②

|다른 풀이|
주어진 두 곡선이 오직 한 점에서 만나려면 방정식 $x^4-4x+k=-x^2+2x-k$, 즉 $x^4+x^2-6x+2k=0$이 오직 한 개의 실근을 가져야 한다.

$f(x)=x^4+x^2-6x+2k$라고 하면
$f'(x)=4x^3+2x-6=2(x-1)(2x^2+2x+3)$
$f'(x)=0$에서 $x=1$ $(\because 2x^2+2x+3>0)$

삼차방정식 $f(x)=0$이 한 개의 실근을 가지려면 $f(1)=0$이어야 하므로
$1+1-6+2k=0$, $2k=4$
∴ $k=2$

014

$f(x)=x^4+4x+k$라고 하면
$f'(x)=4x^3+4=4(x+1)(x^2-x+1)$
$f'(x)=0$에서 $x=-1$ $(\because x^2-x+1>0)$
함수 $f(x)$의 증가와 감소를 표로 나타내면 다음과 같다.

x	$\cdots$	-1	$\cdots$
$f'(x)$	$-$	0	$+$
$f(x)$	$\searrow$	$k-3$	$\nearrow$

모든 실수 x에 대하여 함수 $f(x)$는 $x=-1$에서 극소이면서 최소이다.
즉, 모든 실수 x에 대하여 $f(x)\geq0$이려면 $f(-1)\geq0$이어야 하므로
$k-3\geq0$ ∴ $k\geq3$
따라서 구하는 정수 k의 최솟값은 3이다.

답 ⑤

015

$6x^4-4x^3+x^2-k\geq3x^4+x^2$에서 $3x^4-4x^3-k\geq0$
$f(x)=3x^4-4x^3-k$라고 하면
$f'(x)=12x^3-12x^2=12x^2(x-1)$
$f'(x)=0$에서 $x=0$ 또는 $x=1$
함수 $f(x)$의 증가와 감소를 표로 나타내면 다음과 같다.

x	$\cdots$	0	$\cdots$	1	$\cdots$
$f'(x)$	$-$	0	$-$	0	$+$
$f(x)$	$\searrow$	$-k$	$\searrow$	$-k-1$	$\nearrow$

모든 실수 x에 대하여 함수 $f(x)$는 $x=1$에서 극소이면서 최소이다.
즉, 모든 실수 x에 대하여 $f(x)\geq0$이려면 $f(1)\geq0$이어야 하므로
$-k-1\geq0$ ∴ $k\leq-1$
따라서 구하는 정수 k의 최댓값은 -1이다.

답 ③

016

$-4x^4-x+k\leq-3x^4-5x+6$에서 $x^4-4x-k+6\geq0$
$f(x)=x^4-4x-k+6$이라고 하면
$f'(x)=4x^3-4=4(x-1)(x^2+x+1)$
$f'(x)=0$에서 $x=1$ $(\because x^2+x+1>0)$
함수 $f(x)$의 증가와 감소를 표로 나타내면 다음과 같다.

x	$\cdots$	1	$\cdots$
$f'(x)$	$-$	0	$+$
$f(x)$	$\searrow$	$-k+3$	$\nearrow$

모든 실수 x에 대하여 함수 $f(x)$는 $x=1$에서 극소이면서 최소이다.
즉, 모든 실수 x에 대하여 $f(x)\geq0$이려면 $f(1)\geq0$이어야 하므로
$-k+3\geq0$, $-k\geq-3$
∴ $k\leq3$
따라서 구하는 모든 자연수 k의 값의 합은
$1+2+3=6$

답 ④

017

$f(x)\geq g(x)$에서 $x^4-2x\geq2x^2-2x+k$
∴ $x^4-2x^2-k\geq0$ ·········· ❶
$h(x)=x^4-2x^2-k$라고 하면
$h'(x)=4x^3-4x=4x(x+1)(x-1)$
$h'(x)=0$에서 $x=-1$ 또는 $x=0$ 또는 $x=1$
함수 $h(x)$의 증가와 감소를 표로 나타내면 다음과 같다.

x	$\cdots$	-1	$\cdots$	0	$\cdots$	1	$\cdots$
$h'(x)$	$-$	0	$+$	0	$-$	0	$+$
$h(x)$	$\searrow$	$-k-1$	$\nearrow$	$-k$	$\searrow$	$-k-1$	$\nearrow$

모든 실수 x에 대하여 함수 $h(x)$는 $x=-1$, $x=1$에서 극소이면서 최소이다.
즉, 모든 실수 x에 대하여 $h(x)\geq0$이려면 $h(-1)\geq0$, $h(1)\geq0$이어야 하므로
$-k-1\geq0$, $-k\geq1$
∴ $k\leq-1$ ·········· ❷
따라서 정수 k의 최댓값은 -1이다. ·········· ❸

답 -1

채점 기준	비율
❶ 부등식을 간단히 할 수 있다.	20%
❷ 정수 k의 값의 범위를 구할 수 있다.	60%
❸ 정수 k의 최댓값을 구할 수 있다.	20%

018

$f(x) = x^4 - 4x - a^2 + a + 9$라고 하면
$f'(x) = 4x^3 - 4 = 4(x-1)(x^2 + x + 1)$
$f'(x) = 0$에서 $x = 1$ $(\because x^2 + x + 1 > 0)$
함수 $f(x)$의 증가와 감소를 표로 나타내면 다음과 같다.

x	$\cdots$	1	$\cdots$
$f'(x)$	$-$	0	$+$
$f(x)$	$\searrow$	$-a^2 + a + 6$	$\nearrow$

모든 실수 x에 대하여 함수 $f(x)$는 $x = 1$에서 극소이면서 최소이다.
즉, 모든 실수 x에 대하여 $f(x) \geq 0$이려면 $f(1) \geq 0$이어야 하므로
$-a^2 + a + 6 \geq 0$, $a^2 - a - 6 \leq 0$
$(a+2)(a-3) \leq 0$ $\quad \therefore -2 \leq a \leq 3$
따라서 구하는 정수 a는 $-2, -1, \cdots, 3$의 6개이다.

답 ①

019

$f(x) = 2x^3 - 3x^2 + k$라고 하면
$f'(x) = 6x^2 - 6x = 6x(x-1)$
$f'(x) = 0$에서 $x = 0$ 또는 $x = 1$
$x \geq 0$에서 함수 $f(x)$의 증가와 감소를 표로 나타내면 다음과 같다.

x	0	$\cdots$	1	$\cdots$
$f'(x)$	0	$-$	0	$+$
$f(x)$	k	$\searrow$	$k-1$	$\nearrow$

$x \geq 0$일 때 함수 $f(x)$는 $x = 1$에서 극소이면서 최소이다.
즉, $x \geq 0$일 때 $f(x) \geq 0$이려면 $f(1) \geq 0$이어야 하므로
$k - 1 \geq 0$ $\quad \therefore k \geq 1$
따라서 상수 k의 최솟값은 1이다.

답 ②

020

$4x^3 - 3x^2 - 6x \leq k$에서 $4x^3 - 3x^2 - 6x - k \leq 0$
$f(x) = 4x^3 - 3x^2 - 6x - k$라고 하면
$f'(x) = 12x^2 - 6x - 6 = 6(2x+1)(x-1)$
$f'(x) = 0$에서 $x = -\dfrac{1}{2}$ $(\because x < 0)$
$x < 0$에서 함수 $f(x)$의 증가와 감소를 표로 나타내면 다음과 같다.

x	$\cdots$	$-\dfrac{1}{2}$	$\cdots$	(0)
$f'(x)$	$+$	0	$-$	
$f(x)$	$\nearrow$	$-k + \dfrac{7}{4}$	$\searrow$	

$x < 0$일 때 함수 $f(x)$는 $x = -\dfrac{1}{2}$에서 극대이면서 최대이다.
즉, $x < 0$일 때 $f(x) \leq 0$이려면 $f\left(-\dfrac{1}{2}\right) \leq 0$이어야 하므로
$-k + \dfrac{7}{4} \leq 0$, $-k \leq -\dfrac{7}{4}$ $\quad \therefore k \geq \dfrac{7}{4}$
따라서 정수 k의 최솟값은 2이다.

답 ②

021

$x^3 - 2x + 1 \geq x + k$에서 $x^3 - 3x - k + 1 \geq 0$
$f(x) = x^3 - 3x - k + 1$이라고 하면
$f'(x) = 3x^2 - 3 = 3(x+1)(x-1)$
$f'(x) = 0$에서 $x = 1$ $(\because x > -1)$
$x > -1$에서 함수 $f(x)$의 증가와 감소를 표로 나타내면 다음과 같다.

x	(-1)	$\cdots$	1	$\cdots$
$f'(x)$		$-$	0	$+$
$f(x)$		$\searrow$	$-k-1$	$\nearrow$

$x > -1$일 때 함수 $f(x)$는 $x = 1$에서 극소이면서 최소이다.
즉, $x > -1$일 때 $f(x) \geq 0$이려면 $f(1) \geq 0$이어야 하므로
$-k - 1 \geq 0$, $-k \geq 1$
$\therefore k \leq -1$
따라서 정수 k의 최댓값은 -1이다.

답 ①

022

$-x^3 - 6x + 6 > -2x^3 + 6x - k$에서 $x^3 - 12x + k + 6 > 0$
$f(x) = x^3 - 12x + k + 6$이라고 하면
$f'(x) = 3x^2 - 12 = 3(x+2)(x-2)$
이때 $x > 2$이므로 $f'(x) = 0$을 만족시키는 x의 값은 없다.
$x > 2$에서 함수 $f(x)$의 증가와 감소를 표로 나타내면 다음과 같다.

x	(2)	$\cdots$
$f'(x)$		$+$
$f(x)$		$\nearrow$

$x > 2$일 때 $f(x) > 0$이려면 $f(2) > 0$이어야 하므로
$k - 10 > 0$ $\quad \therefore k > 10$
따라서 자연수 k의 최솟값은 11이다.

답 ③

023

$f(x) \geq g(x)$에서 $5x^3 - 10x^2 + k \geq 5x^2 + 2$
$\therefore 5x^3 - 15x^2 + k - 2 \geq 0$
$h(x) = 5x^3 - 15x^2 + k - 2$라고 하면
$h'(x) = 15x^2 - 30x = 15x(x-2)$
$h'(x) = 0$에서 $x = 2$ $(\because 0 < x < 3)$
$0 < x < 3$에서 함수 $h(x)$의 증가와 감소를 표로 나타내면 다음과 같다.

x	(0)	$\cdots$	2	$\cdots$	(3)
$f'(x)$		$-$	0	$+$	
$f(x)$		$\searrow$	$k-22$	$\nearrow$	

$0 < x < 3$일 때, 함수 $h(x)$는 $x = 2$에서 극소이면서 최소이다.
즉, $0 < x < 3$일 때 $h(x) \geq 0$이려면 $h(2) \geq 0$이어야 하므로
$k - 22 \geq 0$ $\quad \therefore k \geq 22$
따라서 상수 k의 최솟값은 22이다.

답 22

024

(1) 시각 t에서의 점 P의 속도를 v라고 하면

$$v=\frac{dx}{dt}=6t^2-8t$$

따라서 $t=2$일 때 점 P의 속도는

$$6\times2^2-8\times2=8$$

(2) 시각 t에서의 점 P의 가속도를 a라고 하면

$$a=\frac{dv}{dt}=12t-8$$

따라서 $t=2$일 때 점 P의 가속도는

$$12\times2-8=16$$

답 (1) 8 (2) 16

025

시각 t에서의 점 P의 가속도를 a라고 하면

$$a=\frac{dv}{dt}=-2t+10$$

이때 $t=k$에서의 점 P의 가속도가 0이므로

$a=0$에서 $-2k+10=0$, $-2k=-10$

$\therefore k=5$

답 ②

026

시각 t에서의 점 P의 속도를 v라고 하면

$$v=\frac{dx}{dt}=6t^2-18t$$

이때 $t=k$에서의 점 P의 속도가 24이므로

$v=24$에서 $6k^2-18k=24$, $6(k+1)(k-4)=0$

$\therefore k=4 \ (\because k>0)$ ← 점 P가 원점을 출발하였으므로 $t>0$ ➡ $k>0$

답 ④

027

점 P가 원점을 지나는 순간의 위치는 0이므로

$x=0$에서 $t^3-6t^2=0$, $t^2(t-6)=0$

$\therefore t=6 \ (\because t>0)$ ← 점 P가 출발 후 다시 원점을 지나므로 $t>0$

시각 t에서의 점 P의 속도를 v, 가속도를 a라고 하면

$$v=\frac{dx}{dt}=3t^2-12t, \ a=\frac{dv}{dx}=6t-12$$

따라서 $t=6$에서의 점 P의 가속도는

$$6\times6-12=24$$

답 ③

028

시각 t에서의 점 P의 속도를 v, 가속도를 a라고 하면

$$v=\frac{dx}{dt}=3t^2-2pt+q, \ a=\frac{dv}{dt}=6t-2p$$

이때 $t=4$에서의 점 P의 가속도가 12이므로

$a=12$에서 $6\times4-2p=12$, $-2p=-12$

$\therefore p=6$ ─────────── ❶

또한, $t=4$에서의 점 P의 속도가 9이므로

$v=9$에서 $3\times4^2-2\times6\times4+q=9$ $\underset{p=6 \text{ 대입!}}{}$

$\therefore q=9$ ─────────── ❷

따라서 $x=t^3-6t^2+9t$이므로 $t=2$에서의 점 P의 위치는

$$2^3-6\times2^2+9\times2=2$$ ─────────── ❸

답 2

채점 기준	비율
❶ p의 값을 구할 수 있다.	30%
❷ q의 값을 구할 수 있다.	30%
❸ $t=2$에서의 점 P의 위치를 구할 수 있다.	40%

029

(1) 시각 t에서 점 P의 속도를 v라고 하면

$$v=\frac{dx}{dt}=-t^2+1$$

운동 방향을 바꾸는 순간의 속도는 0이므로

$v=0$에서 $-t^2+1=0$, $-(t+1)(t-1)=0$

$\therefore t=1 \ (\because t>0)$

따라서 점 P가 운동 방향을 바꾸는 시각은 1이다.

(2) 시각 t에서의 점 P의 가속도를 a라고 하면

$$a=\frac{dv}{dt}=-2t$$

따라서 $t=1$에서의 점 P의 가속도는

$$\underset{\text{점 P가 운동 방향을 바꾸는 순간의 시각}}{-2\times1=-2}$$

답 (1) 1 (2) -2

030

시각 t에서의 점 P의 속도를 v라고 하면

$$v=\frac{dx}{dt}=3t^2-4t-4$$

운동 방향을 바꾸는 순간의 속도는 0이므로

$v=0$에서 $3t^2-4t-4=0$, $(3t+2)(t-2)=0$

$\therefore t=2 \ (\because t>0)$ ← 점 P가 출발 후 운동 방향을 바꾸므로 $t>0$

답 ②

031

시각 t에서의 점 P의 속도를 v라고 하면

$$v=\frac{dx}{dt}=t^2-8t+15$$

운동 방향을 바꾸는 순간의 속도는 0이므로

$v=0$에서 $t^2-8t+15=0$, $(t-3)(t-5)=0$

$\therefore t=3$ 또는 $t=5$ ← $t=3$은 점 P가 처음으로 운동 방향을 바꾸는 순간이다.

즉, 점 P가 두 번째로 운동 방향을 바꾸는 순간은 $t=5$일 때이다.

이때 $t=5$에서의 점 P의 위치는

$$x=\frac{1}{3}\times5^3-4\times5^2+15\times5=\frac{50}{3}$$

답 $\frac{50}{3}$

032

시각 t에서의 점 P의 속도를 v라고 하면

$$v=\frac{dx}{dt}=2t^2-10t+12$$ ─────────── ❶

운동 방향을 바꾸는 순간의 속도는 0이므로

$v=0$에서 $2t^2-10t+12=0$, $2(t-2)(t-3)=0$

$\therefore t=2$ 또는 $t=3$

즉, 두 번째로 운동 방향을 바꾸는 순간은 $t=3$일 때이다. ·········· ❷

이때 시각 t에서의 점 P의 가속도를 a라고 하면

$a=\dfrac{dv}{dt}=4t-10$

따라서 $t=3$에서의 점 P의 가속도는

$4\times3-10=2$ ·· ❸

답 2

채점 기준	비율
❶ 점 P의 속도를 t에 대한 식으로 나타낼 수 있다.	30%
❷ 두 번째로 운동 방향을 바꾸는 순간의 시각을 구할 수 있다.	30%
❸ 두 번째로 운동 방향을 바꾸는 순간의 가속도를 구할 수 있다.	40%

033

시각 t에서의 두 점 P, Q의 속도를 각각 v_P, v_Q라고 하면

$v_P=\dfrac{df(t)}{dt}=4t-2$, $v_Q=\dfrac{dg(t)}{dt}=2t-8$

두 점 P, Q가 서로 반대 방향으로 움직이면 $v_P v_Q<0$이므로

$(4t-2)(2t-8)<0$ → 서로 반대 방향으로 움직이면 속도의 부호가 서로 반대이다.

$4(2t-1)(t-4)<0$

$\therefore \dfrac{1}{2}<t<4$

답 ①

034

(1) 자동차가 브레이크를 밟고 t초 후의 속도를 v m/s라고 하면

$v=\dfrac{dx}{dt}=40-20t$

자동차가 정지할 때의 속도는 0이므로

$v=0$에서 $40-20t=0$

$\therefore t=2$

따라서 구하는 시간은 2초이다.

(2) 자동차가 브레이크를 밟고 멈출 때까지 2초 동안 움직인 거리는

$40\times2-10\times2^2=40$

즉, 40 m이다.

답 (1) 2초 (2) 40 m

035

자동차에 제동을 걸고 t초 후의 속도를 v m/s라고 하면

$v=\dfrac{dx}{dt}=60-2kt$

자동차가 정지할 때의 속도는 0이고, 정지할 때까지 걸린 시간은 3초이므로

$v=0$에서 $60-2k\times3=0$, $6k=60$

$\therefore k=10$

따라서 이 자동차가 3초 동안 움직인 거리는

$60\times3-10\times3^2=90$ (m)

답 90 m

036

(1) 로켓의 t초 후의 속도를 v m/s라고 하면

$v=\dfrac{dh}{dt}=30-10t$

(2) 물체가 최고 높이에 도달하는 순간의 속도는 0이므로

$v=0$에서 $30-10t=0$, $-10t=-30$

$\therefore t=3$

따라서 물체가 최고 높이에 도달할 때까지 걸린 시간은 3초이다.

답 (1) $(30-10t)$ m/s (2) 3초

037

공이 지표면에 닿는 순간의 높이는 0이므로 ← 지표면의 높이는 0

$h=0$에서 $10t-4t^2=0$, $-2t(2t-5)=0$

$\therefore t=\dfrac{5}{2}$ ($\because t>0$) → 던져 올린 공이 떨어져 지표면에 닿는 순간의 시각 ···· ❶

물체의 t초 후의 속도를 v m/s라고 하면

$v=\dfrac{dh}{dt}=10-8t$ ·································· ❷

따라서 $t=\dfrac{5}{2}$일 때의 물체의 속도는

$10-8\times\dfrac{5}{2}=-10$ (m/s) ····················· ❸

답 -10 m/s

채점 기준	비율
❶ 공이 지표면에 닿는 순간의 시각을 구할 수 있다.	40%
❷ t초 후의 물체의 속도를 구할 수 있다.	20%
❸ 공이 지표면에 닿는 순간의 속도를 구할 수 있다.	40%

038

$x(t)$가 점 P의 시각 t에서의 위치이므로 점 P가 원점을 지나는 순간은 $t=b$, $t=d$의 2번이다. → ≠ 움직인 거리

답 ②

039

$|x(t)|$의 값이 가장 큰 $t=1$일 때 점 P가 원점에서 가장 멀리 떨어져 있다.

답 ①

040

시각 t에서의 점 P의 속도는 시각 t에 대하여 $x(t)$를 미분한 것이다.

이때 점 P가 원점을 지나는 순간은 $t=d$이고, 이때의 속도는 $x'(d)$이다.

답 ⑤

041

$t=d$의 좌우에서 $v(t)$의 부호가 바뀌므로 점 P의 운동 방향이 바뀌는 순간은 $t=d$일 때이다.

답 ④

042

$x(t)$의 그래프가 $t=0$, $t=2$, $t=3$에서 x축과 만나므로

$x(t)=at(t-2)(t-3)=at^3-5at^2+6at$

$\therefore b=-5a,\ c=6a,\ d=0$

또한, $x(t)$의 그래프에서 $a>0$

ㄱ. $bc=-5a\times 6a=-30a^2<0$ (참)

ㄴ. 점 P의 시각 t에서의 속도를 $v(t)$라고 하면

$$v(t)=\frac{dx(t)}{dt}=3at^2-10at+6a$$

이때 $v(2)=12a-20a+6a=-2a\neq 0\ (\because a>0)$이므로 $t=2$
일 때의 점 P의 속도는 0이 아니다. (거짓)

ㄷ. 점 P의 시각 t에서의 가속도를 $f(t)$라고 하면

$$f(t)=\frac{dv(t)}{dt}=6at-10a$$

이때 $f\left(\frac{5}{3}\right)=6a\times\frac{5}{3}-10a=0$이므로 $t=\frac{5}{3}$일 때의 점 P의 가
속도는 0이다. (참)

따라서 옳은 것은 ㄱ, ㄷ이다.

답 ㄱ, ㄷ

043

$\frac{dl}{dt}=2t+2$이므로 ③이다.

답 ③

044

$\frac{dl}{dt}=t-1$이므로 $t=3$에서의 길이의 변화율은

$3-1=2$

답 ④

045

$\frac{dl}{dt}=3t^2-4t$이므로 $t=2$에서의 고무줄 길이의 변화율은

$3\times 2^2-4\times 2=4$

답 ④

046

t초 후 정사각형의 한 변의 길이는 $(12+2t)\text{ cm}$

시각 t에서의 정사각형의 한 대각선의 길이를 $l\text{ cm}$라고 하면

$l=(12+2t)\sqrt{2}=2\sqrt{2}t+12\sqrt{2}$

시각 t에서의 한 대각선의 길이의 변화율은 $\frac{dl}{dt}=2\sqrt{2}$

따라서 정사각형의 한 대각선의 길이의 변화율은 $2\sqrt{2}\text{ cm/s}$이므로

$p=2\sqrt{2}$

$\therefore p^2=8$

답 ⑤

047

t초 동안 현민이가 움직인 거리를 $y\text{ m}$라고
하면 오른쪽 그림에서 $\triangle ABC\backsim\triangle DEC$이
므로 (AA 닮음)

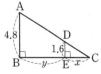

$4.8:1.6=(x+y):x$

$1.6(x+y)=4.8x$ $\quad\therefore y=2x$

이때 $y=1.6t$이므로 $2x=1.6t$ $\quad\therefore x=0.8t$

따라서 시각 t에서의 현민이의 그림자 길이의 변화율은

$\frac{dx}{dt}=0.8\,(\text{m/s})$

답 ①

048

$\frac{dS}{dt}=4t+4$이므로 ③이다.

답 ③

049

$\frac{dS}{dt}=3t^2-3$이므로 $t=2$에서의 넓이의 변화율은

$3\times 2^2-3=9$

답 ④

050

반지름의 길이가 r인 구의 겉넓이는 $4\pi r^2$이다.

시각 t에서의 구의 겉넓이를 S라고 하면

$$S=4\pi\times\left(\frac{1}{2}t\right)^2=4\pi\times\frac{1}{4}t^2=\pi t^2$$

시각 t에서의 구의 겉넓이의 변화율은 $\frac{dS}{dt}=2\pi t$

따라서 $t=4$에서의 구하는 구의 겉넓이의 변화율은

$2\pi\times 4=8\pi$

답 ④

051

t초 후 정사각형의 대각선의 길이는
$(4\sqrt{2}+\sqrt{2}t)\text{ cm}$

시각 t에서의 정사각형의 넓이를 $S\text{ cm}^2$라고 하면

$S=\frac{1}{2}(4\sqrt{2}+\sqrt{2}t)^2=(4+t)^2$

한 대각선의 길이가 l인
정사각형의 넓이는 $\frac{1}{2}l^2$이다.

시각 t에서의 정사각형의 넓이의 변화율은

$\frac{dS}{dt}=2(4+t)=8+2t$ ·········· ㉠

정사각형의 넓이가 25 cm^2가 되는 순간은

$S=25$에서 $(4+t)^2=25$

$t^2+8t-9=0,\ (t+9)(t-1)=0$

$\therefore t=1\ (\because t>0)$

따라서 $t=1$에서의 구하는 정사각형의 넓이의 변화율은 ㉠에서

$8+2\times 1=10\,(\text{cm}^2/\text{s})$

답 ⑤

052

추를 던진 지 t초 후의 가장 바깥쪽 원의 반지름의 길이는 $10t\text{ cm}$
이다.

시각 t에서의 바깥쪽 원의 넓이를 $S\text{ cm}^2$라고 하면

$S=(10t)^2\pi=100\pi t^2$

시각 t에서의 바깥쪽 원의 넓이의 변화율은

$\frac{dS}{dt}=200\pi t$

따라서 $t=2$에서의 구하는 원의 넓이의 변화율은

$200\pi\times 2=400\pi\,(\text{cm}^2/\text{s})$ $\quad\therefore p=400$

답 ②

053

$$\frac{dV}{dt}=2t^2-3t+1$$

답 $2t^2-3t+1$

054

$\dfrac{dV}{dt}=\dfrac{2}{3}t^2+\dfrac{2}{3}t$이므로 $t=3$에서의 부피의 변화율은

$$\frac{2}{3}\times 3^2+\frac{2}{3}\times 3=6+2=8$$

답 ①

055

ㄴ 반지름의 길이가 r인 구의 부피는 $\dfrac{4}{3}\pi r^3$이다.

시각 t에서의 구의 부피를 V라 하면

$$V=\frac{4}{3}\pi\times\left(\frac{3}{2}t\right)^3=\frac{4}{3}\pi\times\frac{27}{8}t^3=\frac{9}{2}\pi t^3$$

시각 t에서의 부피의 변화율은

$$\frac{dV}{dt}=\frac{27}{2}\pi t^2$$

따라서 $t=2$에서의 구하는 구의 부피의 변화율은

$$\frac{27}{2}\pi\times 2^2=54\pi$$

답 ④

056

t초 후 정육면체의 한 모서리의 길이는

$(2+2t)\ \text{cm}$

시각 t에서의 정육면체의 부피를 $V\ \text{cm}^3$라고 하면

$V=(2+2t)^3$

시각 t에서의 정육면체의 부피의 변화율은

$$\frac{dV}{dt}=3(2+2t)^2\times 2=6(2+2t)^2$$

따라서 $t=3$에서의 구하는 정육면체의 부피의 변화율은

$6(2+2\times 3)^2=6\times 64=384\ (\text{cm}^3/\text{s})$

답 ⑤

057

t초 후 원기둥의 반지름의 길이는

$(5+t)\ \text{cm}$

원기둥의 반지름의 길이가 $8\ \text{cm}$가 되는 순간은

$5+t=8$

$\therefore\ t=3$

시각 t에서의 원기둥의 부피를 $V\ \text{cm}^3$라고 하면

$V=(5+t)^2\pi\times 10=10\pi(5+t)^2$

시각 t에서의 원기둥의 부피의 변화율은

$$\frac{dV}{dt}=10\pi\times 2(5+t)=20\pi(t+5)$$

따라서 $t=3$에서의 구하는 원기둥의 부피의 변화율은

$20\pi\times(3+5)=160\pi\ (\text{cm}^3/\text{s})$

답 ④

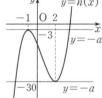

01

함수 $y=g(x)$의 그래프는 $y=f(x)$의 그래프를 y축의 방향으로 a만큼 평행이동한 것이므로

$g(x)=2x^3-3x^2-12x-10+a$

이때 방정식 $g(x)=0$에서 $2x^3-3x^2-12x-10+a=0$,

즉 $2x^3-3x^2-12x-10=-a$의 실근의 개수는 곡선

$y=2x^3-3x^2-12x-10$과 직선 $y=-a$의 교점의 개수와 같다.

$h(x)=2x^3-3x^2-12x-10$이라고 하면

$h'(x)=6x^2-6x-12=6(x+1)(x-2)$

$h'(x)=0$에서 $x=-1$ 또는 $x=2$

함수 $h(x)$의 증가와 감소를 표로 나타내면 다음과 같다.

x	$\cdots$	-1	$\cdots$	2	$\cdots$
$h'(x)$	$+$	0	$-$	0	$+$
$h(x)$	↗	-3	↘	-30	↗

방정식 $h(x)=-a$가 서로 다른 두 실근만을 가지려면 오른쪽 그림과 같이 곡선 $y=h(x)$와 직선 $y=-a$가 서로 다른 두 점에서 만나야 하므로

$-a=-3$ 또는 $-a=-30$

$\therefore\ a=3$ 또는 $a=30$

따라서 모든 a의 값의 합은

$3+30=33$

답 33

|다른 풀이|

함수 $y=f(x)$의 그래프를 y축의 방향으로 a만큼 평행이동하면 $y=g(x)$의 그래프가 되므로

$g(x)=2x^3-3x^2-12x-10+a$

$\therefore\ g'(x)=6x^2-6x-12=6(x+1)(x-2)$

$g'(x)=0$에서 $x=-1$ 또는 $x=2$

삼차방정식 $g(x)=0$이 서로 다른 두 실근을 가지려면

$g(-1)g(2)=0$이어야 하므로

ㄴ 삼차방정식의 서로 다른 두 실근
➡ 한 실근과 중근

$(a-3)(a-30)=0$

$\therefore\ a=3$ 또는 $a=30$

따라서 모든 a의 값의 합은 $3+30=33$

02

$f'(x)=0$에서 $x=-1$ 또는 $x=1$

함수 $f(x)$의 증가와 감소를 표로 나타내면 다음과 같다.

x	$\cdots$	-1	$\cdots$	1	$\cdots$
$f'(x)$	$+$	0	$-$	0	$+$
$f(x)$	↗	4	↘	-2	↗

방정식 $f(x)-k=0$이 서로 다른 두 실근을 가지려면 오른쪽 그림과 같이 곡선 $y=f(x)$와 직선 $y=k$가 서로 다른 두 점에서 만나야 하므로

$k=4$ 또는 $k=-2$

따라서 모든 정수 k의 값의 곱은

$4\times(-2)=-8$

답 -8

$y=f'(x)$의 그래프가 아래로 볼록하므로 함수 $y=f(x)$의 최고차항의 계수
는 양수이다.

03

$f'(\alpha)=f'(\beta)=f'(\gamma)=0$을 만족시키고, $x=\alpha$, $x=\beta$, $x=\gamma$의 좌우
에서 $f'(x)$의 값의 부호가 바뀌므로 $f(x)$는 $x=\alpha$, $x=\beta$, $x=\gamma$에서
극값을 갖는다.

함수 $y=f'(x)$의 그래프가 x축과 만나는 점의 x좌표가 α, β, γ이
고 $\alpha<\beta<\gamma$이므로 함수 $y=f(x)$의 증가와 감소를 표로 나타내면
다음과 같다.

x	$\cdots$	α	$\cdots$	β	$\cdots$	γ	$\cdots$
$f'(x)$	$-$	0	$+$	0	$-$	0	$+$
$f(x)$	↘	극소	↗	극대	↘	극소	↗

①~⑤의 함수 $y=f(x)$의 그래프의 개형은 다음 그림과 같다.

①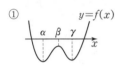

②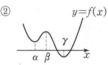

③

④

서로 다른 세 실근을 갖는다.

⑤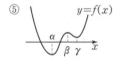

따라서 방정식 $f(x)=0$이 서로 다른 두 실근을 갖기 위한 조건이
아닌 것은 ④이다.

04

삼차함수 $y=x^3+2$의 그래프에 접하는 직선이 $y=x^3+2$의 그래프
와 만나는 접점의 좌표를 (t, t^3+2)라고 하면 $y'=3x^2$이므로 접선
의 방정식은
$y-(t^3+2)=3t^2(x-t)$, 즉 $y=3t^2x-2t^3+2$
이때 이 접선이 원점을 지나므로
$-2t^3+2=0$, $t^3=1$
$\therefore t=1$ ($\because$ t는 실수)
즉, 접선의 방정식은 $y=3x$이다.
따라서 함수 $y=x^3+2$의 그래프와 직선
$y=kx$가 만나는 교점의 개수 $f(k)$는
$k<3$일 때 $f(k)=1$
$k=3$일 때 $f(k)=2$
$k>3$일 때 $f(k)=3$
이므로
$f(1)+f(3)+f(5)=1+2+3=6$

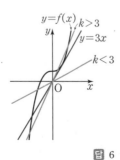

05

방정식 $x^3-12x+22-4k=0$, 즉 $x^3-12x+22=4k$의 실근의 개
수는 곡선 $y=x^3-12x+22$와 직선 $y=4k$가 만나는 교점의 개수
와 같다.
$g(x)=x^3-12x+22$라고 하면
$g'(x)=3x^2-12=3(x+2)(x-2)$
$g'(x)=0$에서 $x=-2$ 또는 $x=2$
함수 $g(x)$의 증가와 감소를 표로 나타내면 다음과 같다.

x	$\cdots$	-2	$\cdots$	2	$\cdots$
$g'(x)$	$+$	0	$-$	0	$+$
$g(x)$	↗	38	↘	6	↗

$x>0$에서 곡선 $y=g(x)$와 직선 $y=4k$
가 만나는 교점의 개수는 오른쪽 그림과
같다.
$\therefore f(1)+f(3)+f(5)+f(7)+f(9)$
$=0+2+2+1+1$
$=6$

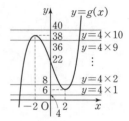

삼차방정식의 양의 실근의 개수를 구하는 문제이므로 $x>0$에서 곡선
$y=g(x)$와 직선 $y=4k$가 만나는 교점의 개수를 구한다.

06

$f(x)\geq g(x)$에서
$2x^4-x^3+x^2-k\geq-x^4+3x^3+x^2+k$
$\therefore 3x^4-4x^3-2k\geq0$
$h(x)=3x^4-4x^3-2k$라고 하면
$h'(x)=12x^3-12x^2=12x^2(x-1)$
$h'(x)=0$에서 $x=0$ 또는 $x=1$
함수 $h(x)$의 증가와 감소를 표로 나타내면 다음과 같다.

x	$\cdots$	0	$\cdots$	1	$\cdots$
$h'(x)$	$-$	0	$-$	0	$+$
$h(x)$	↘	$-2k$	↘	$-2k-1$	↗

함수 $h(x)$는 $x=1$에서 극소이면서 최소이다.
즉, 모든 실수 x에 대하여 $h(x)\geq0$이려면 $h(1)\geq0$이어야 하므로
$-2k-1\geq0$, $-2k\geq1$
$\therefore k\leq-\dfrac{1}{2}$
따라서 정수 a의 최댓값은 -1이다.

07

$5x^3-3x^2-7x\geq x^3-x+k$에서 $4x^3-3x^2-6x-k\geq0$
$f(x)=4x^3-3x^2-6x-k$라고 하면
$f'(x)=12x^2-6x-6=6(2x+1)(x-1)$
$f'(x)=0$에서 $x=1$ ($\because$ $x\geq0$)
$x\geq0$에서 함수 $f(x)$의 증가와 감소를 표로 나타내면 다음과 같다.

x	0	$\cdots$	1	$\cdots$
$f'(x)$		$-$	0	$+$
$f(x)$	$-k$	↘	$-k-5$	↗

$x \geq 0$일 때, 함수 $f(x)$는 $x=1$에서 극소이면서 최소이다.

즉, $x \geq 0$일 때 $f(x) \geq 0$이려면 $f(1) \geq 0$이어야 하므로

$-k-5 \geq 0$, $-k \geq 5$

$\therefore k \leq -5$

따라서 실수 k의 최댓값은 -5이다.

답 ②

08

곡선 $y=x^3-12x^2+37x-20$이 직선 $y=x+k$보다 항상 아래에 있으려면

$x^3-12x^2+37x-20 < x+k$, 즉 $x^3-12x^2+36x-k-20 < 0$

이어야 한다.

$f(x)=x^3-12x^2+36x-k-20$이라고 하면

$f'(x)=3x^2-24x+36=3(x-2)(x-6)$

$f'(x)=0$에서 $x=2$ ($\because 0<x<5$)

$0<x<5$에서 함수 $f(x)$의 증가와 감소를 표로 나타내면 다음과 같다.

x	(0)	$\cdots$	2	$\cdots$	(5)
$f'(x)$		+	0	−	
$f(x)$		↗	$-k+12$	↘	

$0<x<5$일 때, 함수 $f(x)$는 $x=2$에서 극대이면서 최대이다.

즉, $0<x<5$일 때 $f(x)<0$이려면 $f(2)<0$이어야 하므로

$-k+12<0$, $-k<-12$

$\therefore k>12$

따라서 정수 k의 최솟값은 13이다.

답 ④

09

시각 t에서의 두 점 P, Q의 속도를 각각 v_P, v_Q라고 하면

$v_P=\dfrac{dx_P}{dt}=t^2-3$, $v_Q=\dfrac{dx_Q}{dt}=2t$

$v_P=v_Q$에서 $t^2-3=2t$ ← 두 점 P, Q의 속도가 같아지는 순간

$t^2-2t-3=0$, $(t+1)(t-3)=0$

$\therefore t=3$ ($\because t>0$)

$t=3$에서의 점 P의 위치는

$\dfrac{1}{3} \times 3^3 - 3 \times 3 + 10 = 10$

$t=3$에서의 점 Q의 위치는

$3^2-5=4$

따라서 구하는 두 점 P, Q 사이의 거리는

$|10-4|=6$

답 ①

10

문제 접근하기

수직선 위를 움직이는 점 P가 움직이는 방향을 바꿀 때의 속도는 0이다. 이때 점 P의 시각 t에서의 위치 x가 $x=f(t)$이면 시각 t에서의 점 P의 속도는 $v=\dfrac{dx}{dt}=f'(t)$이다.

두 점 P, Q의 중점 M의 t분 후의 좌표를 x_3이라고 하면

$x_3=\dfrac{x_1+x_2}{2}=\dfrac{(2t^3-9t^2)+(t^2+8t)}{2}=t^3-4t^2+4t$

시각 t에서의 세 점 P, Q, M의 속도를 각각 v_1, v_2, v_3이라고 하면

$v_1=\dfrac{dx_1}{dt}=6t^2-18t=6t(t-3)$

$v_2=\dfrac{dx_2}{dt}=2t+8=2(t+4)$

$v_3=\dfrac{dx_3}{dt}=3t^2-8t+4=(3t-2)(t-2)$

움직이는 방향을 바꿀 때의 속도는 0이고, 이 점의 좌우에서 속도의 부호가 바뀌어야 한다.

$v_1=0$에서 $t=3$이고, $t=3$의 좌우에서 v_1의 부호가 바뀌므로

$a=1$

$v_2=0$을 만족시키는 t는 존재하지 않으므로

$b=0$

$v_3=0$에서 $t=\dfrac{2}{3}$ 또는 $t=2$이고, $t=\dfrac{2}{3}$와 $t=2$의 좌우에서 모두 v_3의 부호가 바뀌므로

$c=2$

$\therefore a+b+c=1+0+2=3$

답 ③

11

기차에 제동을 걸고 t초 후의 속도를 v m/s, 가속도를 a m/s²이라고 하면

$v=\dfrac{dx}{dt}=72-2t^2$, $a=\dfrac{dv}{dt}=-4t$

$t=2$일 때의 기차의 가속도는

$-4 \times 2 = -8$ (m/s²)

이므로 $p=-8$

기차가 정지할 때의 속도는 0이므로

$v=0$에서 $72-2t^2=0$

$-2t^2=-72$, $t^2=36$

$\therefore t=6$ ($\because t>0$)

따라서 정지할 때까지 걸린 시간은 6초이므로

$q=6$

$\therefore p+q=-2$

답 ②

12

비행기의 바퀴가 지면에 닿고 t초 후의 속도를 v m/s라고 하면

$v=\dfrac{dx}{dt}=90-3t$

비행기가 정지할 때의 속도는 0이므로

$v=0$에서 $90-3t=0$, $-3t=-90$

$\therefore t=30$

따라서 비행기가 정지할 때까지 걸린 시간은 30초이므로

$p=30$

30초 동안 비행기가 움직인 거리는

$x=90 \times 30 - \dfrac{3}{2} \times 30^2 = 1350$ (m)

이므로 $q=1350$

$\therefore \dfrac{q}{p}=\dfrac{1350}{30}=45$

답 ③

13

자동차의 브레이크를 밟고 t초 후의 속도를 v m/s라고 하면

$$v = \frac{dx}{dt} = 40 - 2kt$$

자동차가 멈출 때의 속도는 0이므로

$v = 0$에서 $40 - 2kt = 0$, $-2kt = -40$

$$\therefore t = \frac{20}{k}$$

자동차가 멈출 때까지 걸린 시간은 $\frac{20}{k}$초이고, 자동차가 멈출 때까지 달린 거리는 100 m이내이므로

$$40 \times \frac{20}{k} - k \times \left(\frac{20}{k}\right)^2 = \frac{400}{k} \leq 100$$

$$\therefore k \geq 4$$

따라서 양수 k의 최솟값은 4이다.

답 ②

14

시각 t에서의 물체의 속도를 v m/s, 가속도를 a m/s²이라고 하면

$$v = \frac{dh}{dt} = 20 - 10t, \quad a = \frac{dv}{dt} = -10$$

① $t = 1$일 때 $v = 20 - 10 = 10$ (m/s)이므로 쏘아 올린 지 1초 후 물체의 속도는 10 m/s이다.

② $a = -10$이므로 물체의 가속도는 -10 m/s²으로 일정하다.

③ $v = 0$일 때 $20 - 10t = 0$에서 $t = 2$이므로 물체가 최고 높이에 도달하는 데 걸리는 시간은 2초이다. ← 최고 높이에 도달했을 때 속도는 0이다.

④ $t = 2$일 때 $h = 25 + 20 \times 2 - 5 \times 2^2 = 45$ (m)이므로 물체가 최고 높이에 도달했을 때, 지면으로부터의 높이는 45 m이다.

⑤ 물체가 지면에 닿는 순간의 높이는 0이므로

$h = 0$에서 $25 + 20t - 5t^2 = 0$, $-5(t+1)(t-5) = 0$

$$\therefore t = 5 \ (\because t > 0)$$

물체가 지면에 도착할 때까지 걸린 시간은 5초이다.

따라서 옳지 않은 것은 ④이다.

답 ④

15

지상 1000 m 상공에서 낙하산의 조절 장치를 누르므로

$h = 1000$에서 $3000 - 5t^2 = 1000$

$-5t^2 = -2000$, $t^2 = 400$

$$\therefore t = 20 \ (\because t > 0)$$

시각 t에서의 스카이다이버의 속도는

$$\frac{dh}{dt} = -10t$$

따라서 $t = 20$에서의 스카이다이버의 속도는

$-10 \times 20 = -200$ (m/s)

답 -200 m/s

16

문제 접근하기

시각 t에서의 위치를 미분한 것이 그 점에서의 속도이다. 즉, 위치 그래프의 한 점에서의 접선의 기울기가 속도이므로 위치 그래프에서 극대 또는 극소일 때의 속도는 0이다.

ㄱ. 두 점 P, Q는 $t = b$, $t = d$일 때, 즉 두 번 만난다. (참)

ㄴ. $t = b$에서 두 점 P, Q의 속도 $f'(b)$, $g'(b)$는 각각 $t = b$에서의 $y = f(t)$의 그래프와 $y = g(t)$의 그래프의 접선의 기울기이므로

$$f'(b) < 0 < g'(b)$$

또 $t = d$에서 두 점 P, Q의 속도 $f'(d)$, $g'(d)$는 각각 $t = d$에서의 $y = f(t)$의 그래프와 $y = g(t)$의 그래프의 접선의 기울기이므로

$$f'(d) > g'(d) > 0$$

즉, $t = b$, $t = d$에서 두 점 P, Q의 속도는 다르다. (거짓)

ㄷ. $t = a$에서 두 점 P, Q의 속도 $f'(a)$, $g'(a)$는 각각 $t = a$에서의 $y = f(t)$의 그래프와 $y = g(t)$의 그래프의 접선의 기울기이므로 $f'(a) = 0$, $g'(a) > 0$, 즉 $f'(a) < g'(a)$이므로 $t = a$에서의 속도는 점 P가 점 Q보다 더 작다. (거짓)

따라서 옳은 것은 ㄱ이다.

답 ①

참고

ㄴ. $t = b$, $t = d$에서 두 점 P, Q의 속도가 같으려면 $f'(b) = g'(b)$, $f'(d) = g'(d)$이어야 한다.

ㄷ. $y = f(x)$는 $x = a$에서 극대이므로 $f'(a) = 0$이다.

17

출발한 지 t초 후의 조명 바로 밑에서부터 무대장치의 그림자 끝까지의 길이를 x라고 하자.

무대장치가 2 m/s의 속도로 움직이고 있으므로 무대장치가 출발한 후 t초 동안 움직인 거리는 $2t$ m이다.

즉, 출발한 지 t초 후의 무대장치의 그림자의 길이는 $(x - 2t)$ m이고, 오른쪽 그림에서

$\triangle ABC \backsim \triangle ADE$이므로

$8 : x = 2 : (x - 2t)$

$2x = 8x - 16t$

$$\therefore x = \frac{8}{3}t$$

따라서 시각 t에서의 구하는 길이 x의 변화율은

$$\frac{dx}{dt} = \frac{8}{3} \text{ (m/s)}$$

답 ①

18

t초일 때 $\overline{AP} = 2t$, $\overline{BQ} = t$이므로

$\overline{PB} = 10 - 2t \ (0 \leq t \leq 5)$

시각 t에서의 $\triangle PBD$와 $\triangle QDB$의 넓이를 각각 S_P, S_Q라고 하면

$$S_P = \frac{1}{2} \times \overline{AD} \times \overline{PB} = \frac{1}{2} \times 10 \times (10 - 2t) = 50 - 10t$$

$$S_Q = \frac{1}{2} \times \overline{DC} \times \overline{BQ} = \frac{1}{2} \times 10 \times t = 5t$$

시각 t에서의 사각형 DPBQ의 넓이는

$$S_P + S_Q = (50 - 10t) + 5t = 50 - 5t$$

이때 (사각형 DPBQ의 넓이) $= \frac{2}{5} \times$ (사각형 ABCD의 넓이)이면

$$50 - 5t = \frac{2}{5} \times 10 \times 10$$

$50 - 5t = 40$, $-5t = -10$

$$\therefore t = 2$$

시각 t에서의 삼각형 PBQ의 넓이를 S라고 하면
$$S = \frac{1}{2} \times (10-2t) \times t = 5t - t^2$$
시각 t에서의 삼각형 PBQ의 넓이의 변화율은
$$\frac{dS}{dt} = -2t + 5$$
따라서 $t=2$에서의 구하는 삼각형 PBQ의 넓이의 변화율은
$$-2 \times 2 + 5 = 1$$

답 ②

19

t초 후 가로의 길이는 $(9+0.2t)$ cm, 세로의 길이는 $(4+0.3t)$ cm 이고, 직사각형이 정사각형이 되는 순간 가로와 세로의 길이가 서로 같아지므로
$$9 + 0.2t = 4 + 0.3t, \ 0.1t = 5$$
$$\therefore t = 50$$
시각 t에서의 직사각형의 넓이를 S cm²라고 하면
$$S = (9+0.2t)(4+0.3t)$$
$$= 0.06t^2 + 3.5t + 36$$
시각 t에서의 구하는 직사각형의 넓이의 변화율은
$$\frac{dS}{dt} = 0.12t + 3.5$$

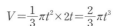 직사각형이 정사각형이 되는 순간의 넓이의 변화율

따라서 $t=50$에서의 넓이의 변화율은
$$0.12 \times 50 + 3.5 = 9.5 \ (\text{cm}^2/\text{s})$$

답 ①

20

t초 후 구의 반지름의 길이는
$$(8+t) \ \text{cm}$$
시각 t에서의 구의 부피를 V cm³라고 하면
$$V = \frac{4}{3}\pi(8+t)^3$$
시각 t에서의 부피의 변화율은
$$\frac{dV}{dt} = \frac{4}{3}\pi \times 3 \times (8+t)^2$$
$$= 4\pi(8+t)^2$$
따라서 $t=2$에서의 구하는 구의 부피의 변화율은
$$4\pi \times (8+2)^2 = 400\pi \ (\text{cm}^3/\text{s})$$

답 400π cm³/s

21

t초 후 밑면의 가로와 세로의 길이는 $(2+2t)$ cm, 높이는 $(20-t)$ cm이다.
시각 t에서의 정사각기둥의 부피를 V cm³라고 하면
$$V = (2+2t)^2(20-t)$$
시각 t에서의 정사각기둥의 부피의 변화율은
$$\frac{dV}{dt} = 2(2+2t)(20-t) \times 2 - (2+2t)^2$$
$$= 12(t+1)(-t+13)$$
따라서 $t=4$에서의 구하는 정사각기둥의 부피의 변화율은
$$12 \times (4+1) \times (-4+13) = 540 \ (\text{cm}^3/\text{s})$$

답 ③

22

문제 접근하기

그릇이 원뿔 모양이므로 물의 높이가 증가할수록 담긴 물의 밑면의 반지름의 길이, 즉 수면의 반지름의 길이도 증가하므로 비례식을 이용해서 시각 t에서의 길이를 구한다.

t초 후 수면의 높이는 $2t$ cm이므로 t초 후 수면의 반지름의 길이를 r cm라고 하면
$$r : 10 = 2t : 20, \ 20r = 10 \times 2t$$
$$\therefore r = t$$

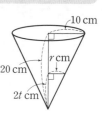

t초 후 그릇에 담긴 물의 부피를 V cm³라고 하면
$$V = \frac{1}{3}\pi t^2 \times 2t = \frac{2}{3}\pi t^3$$
시각 t에서의 물의 부피의 변화율은
$$\frac{dV}{dt} = \frac{2}{3}\pi \times 3t^2 = 2\pi t^2$$
따라서 $t=2$에서의 구하는 부피의 변화율은
$$2\pi \times 2^2 = 8\pi \ (\text{cm}^3/\text{s})$$

답 ⑤

07 부정적분

본문 111쪽

기본을 다지는 유형

001

(1) $f(x)=(2x+C)'=2$

(2) $f(x)=(x^2+C)'=2x$

(3) $f(x)=(x^2+2x+C)'=2x+2$

답 (1) 2 (2) $2x$ (3) $2x+2$

002

(1) $(5x)'=5$이므로 $\int 5\,dx=5x+C$

(2) $(-x^2)'=-2x$이므로 $\int(-2x)\,dx=-x^2+C$

(3) $(x^4)'=4x^3$이므로 $\int 4x^3\,dx=x^4+C$

답 (1) $5x+C$ (2) $-x^2+C$ (3) x^4+C

003

$(x^3)'=3x^2$이므로 $f(x)=\int 3x^2\,dx=x^3+C$

이때 $f(0)=1$이므로 $0+C=1$ $\therefore C=1$

따라서 $f(x)=x^3+1$이므로

$f(3)=27+1=28$

답 ⑤

004

$\int F(x)\,dx=f(x)g(x)$에서

$F(x)=f'(x)g(x)+f(x)g'(x)$

$\quad=2x(3x-2)+3(x^2+1)$

$\quad=6x^2-4x+3x^2+3$

$\quad=9x^2-4x+3$

따라서 $F(x)$의 일차항의 계수는 -4이다.

답 ②

005

$xf(x)=(x^3+3x^2+5)'=3x^2+6x=x(3x+6)$이므로

$f(x)=3x+6$

$\therefore f(-1)=-3+6=3$

답 ①

006

(1) $\dfrac{d}{dx}\left\{\int f(x)\,dx\right\}=f(x)$이므로

$\dfrac{d}{dx}\left\{\int(x^2+3x)\,dx\right\}=x^2+3x$

(2) $\int\left\{\dfrac{d}{dx}f(x)\right\}dx=f(x)+C$이므로

$\int\left\{\dfrac{d}{dx}(x^2+3x)\right\}dx=x^2+3x+C$

답 (1) x^2+3x (2) x^2+3x+C

007

$f(x)=4x^2+x+3$이므로 $f(2)=16+2+3=21$

답 ②

008

$\dfrac{d}{dx}\left\{\int(x^2+ax-3)\,dx\right\}=x^2+ax-3$이므로

$x^2+ax-3=bx^2+2x+c$

위 식은 x에 대한 항등식이므로

$a=2$, $b=1$, $c=-3$

$\therefore abc=2\times1\times(-3)=-6$

답 ①

009

$f(x)=\int\left\{\dfrac{d}{dx}(x^2+2x)\right\}dx=x^2+2x+C$

방정식 $f(x)=0$의 모든 근의 곱이 -2이므로 $x^2+2x+C=0$에서 이차방정식의 근과 계수의 관계에 의하여

$C=-2$

따라서 $f(x)=x^2+2x-2$이므로

$f(2)=4+4-2=6$

답 ①

010

$\dfrac{d}{dx}\left[\int\{f(x)+x\}\,dx\right]=f(x)+x$이므로

$f(x)+x=3x^2+2ax+b$

$f(x)=3x^2+(2a-1)x+b$

$f(0)=3$이므로 $b=3$ ────── ❶

이때 $f'(x)=6x+2a-1$이고, $f'(1)=3$이므로

$6+2a-1=3$

$2a=-2$

$\therefore a=-1$ ────── ❷

따라서 $f(x)=3x^2-3x+3$이므로

$f(-1)=3+3+3=9$ ────── ❸

답 9

채점 기준	비율
❶ b의 값을 구할 수 있다.	40%
❷ a의 값을 구할 수 있다.	40%
❸ $f(-1)$의 값을 구할 수 있다.	20%

011

(1) $\int(-2x+3)\,dx=-x^2+3x+C$

(2) $\int(12x^3+6x)\,dx=3x^4+3x^2+C$

(3) $\int x(x+1)(x-2)dx = \int (x^3 - x^2 - 2x)dx$

$\qquad = \dfrac{1}{4}x^4 - \dfrac{1}{3}x^3 - x^2 + C$

답 (1) $-x^2+3x+C$ (2) $3x^4+3x^2+C$ (3) $\dfrac{1}{4}x^4 - \dfrac{1}{3}x^3 - x^2 + C$

012

$f(x) = \int (3x^2+2)dx = x^3 + 2x + C$ 이고,

$f(0)=1$ 이므로 $C=1$

따라서 $f(x) = x^3 + 2x + 1$ 이므로

$f(2) = 8 + 4 + 1 = 13$

답 13

013

$f(x) = \int (x^2 + 2x - 3)dx - \int (x^2 - 4)dx$

$\qquad = \int \{(x^2 + 2x - 3) - (x^2 - 4)\}dx$

$\qquad = \int (2x+1)dx = x^2 + x + C$

이때 $f(1) = -3$ 이므로 $1 + 1 + C = -3$

$\therefore C = -5$

따라서 $f(x) = x^2 + x - 5$ 이므로

$f(-2) = 4 - 2 - 5 = -3$

답 ①

014

$f(x) = \int \dfrac{x^2}{x+1}dx - \int \dfrac{1}{x+1}dx$

$\qquad = \int \dfrac{x^2 - 1}{x+1}dx = \int \dfrac{(x+1)(x-1)}{x+1}dx$

$\qquad = \int (x-1)dx$

$\qquad = \dfrac{1}{2}x^2 - x + C$

이때 $f(2) = 8$ 이므로 $2 - 2 + C = 8$

$\therefore C = 8$

따라서 $f(x) = \dfrac{1}{2}x^2 - x + 8$ 이므로

$f(-2) = 2 + 2 + 8 = 12$

답 ④

015

$f(x) = \int (x+\sqrt{3})^2 dx - \int (x-\sqrt{3})^2 dx$

$\qquad = \int \{(x+\sqrt{3})^2 - (x-\sqrt{3})^2\}dx$

$\qquad = \int \{(x+\sqrt{3}) + (x-\sqrt{3})\}\{(x+\sqrt{3}) - (x-\sqrt{3})\}dx$

$\qquad = \int (2x \times 2\sqrt{3})dx = 2\sqrt{3}x^2 + C$

이때 $f(0) = 0$ 이므로 $C = 0$

따라서 $f(x) = 2\sqrt{3}x^2$ 이므로 $f(1) = 2\sqrt{3}$

즉, $k = 2\sqrt{3}$ 이므로 $k^2 = (2\sqrt{3})^2 = 12$

답 ⑤

016

$f(x) = \int f'(x)dx = \int (3x^2 + 2x + 1)dx$

$\qquad = x^3 + x^2 + x + C$

이때 $f(0) = -2$ 이므로 $C = -2$

따라서 $f(x) = x^3 + x^2 + x - 2$ 이므로

$f(1) = 1 + 1 + 1 - 2 = 1$

답 ①

참고

함수 $f(x)$와 도함수 $f'(x)$에 대하여 $f(x) = \int f'(x)dx$가 성립함을 이용한다.

017

$f(x) = \int f'(x)dx = \int (3x^2 - 4x + k)dx$

$\qquad = x^3 - 2x^2 + kx + C$

이때 $f(0) = 3$ 이므로 $C = 3$

$f(x) = x^3 - 2x^2 + kx + 3$ 이고, $f(1) = 5$ 이므로

$1 - 2 + k + 3 = 5 \qquad \therefore k = 3$

따라서 $f(x) = x^3 - 2x^2 + 3x + 3$ 이므로

$f(2) = 8 - 8 + 6 + 3 = 9$

답 ②

018

$f'(x) = -3x^2 + 4$ 이므로

$f(x) = \int (-3x^2 + 4)dx = -x^3 + 4x + C$

이때 $f(-1) = -2$ 이므로

$1 - 4 + C = -2 \qquad \therefore C = 1$

$\therefore f(x) = -x^3 + 4x + 1$

따라서 방정식 $f(x) = 0$, 즉 $-x^3 + 4x + 1 = 0$의 모든 근의 곱은 삼차방정식의 근과 계수의 관계에 의하여

$-\dfrac{1}{-1} = 1$

답 ④

019

$f(x) = \int f'(x)dx = \int (6x^2 + 4)dx$

$\qquad = 2x^3 + 4x + C$

$y = f(x)$의 그래프가 점 $(0, 6)$을 지나므로 $f(0) = 6$

$\therefore C = 6$

따라서 $f(x) = 2x^3 + 4x + 6$ 이므로

$f(1) = 2 + 4 + 6 = 12$

답 12

020

$f(x) = \int f'(x)dx = \int \dfrac{2x^3 + 2}{x^2 - x + 1}dx$

$\qquad = \int \dfrac{2(x+1)(x^2 - x + 1)}{x^2 - x + 1}dx$

$\qquad = \int (2x+2)dx = x^2 + 2x + C$ ╌╌╌╌╌╌ ❶

이때 $f(-2)=6$이므로

$4-4+C=6$ $\therefore C=6$ ──────────── ❷

따라서 $f(x)=x^2+2x+6$이므로 방정식 $f(x)=0$, 즉

$x^2+2x+6=0$의 모든 근의 합은 이차방정식의 근과 계수의 관계에 의하여

$-\dfrac{2}{1}=-2$ ────────────────────── ❸

답 -2

채점 기준	비율
❶ $f'(x)$를 적분할 수 있다.	40%
❷ 적분상수를 구할 수 있다.	20%
❸ 방정식 $f(x)=0$의 모든 근의 합을 구할 수 있다.	40%

021

$\displaystyle\int g(x)dx=x^2f(x)+C$의 양변을 x에 대하여 미분하면

$g(x)=2xf(x)+x^2f'(x)$

$\therefore g(2)=4f(2)+4f'(2)$

$\qquad =4\times1+4\times(-4)$

$\qquad =4-16=-12$

답 -12

022

$\displaystyle\int f(x)dx=xf(x)-x^3+x^2+C$의 양변을 x에 대하여 미분하면

$f(x)=f(x)+xf'(x)-3x^2+2x$

$xf'(x)=3x^2-2x$

$\therefore f'(x)=3x-2$

$\therefore f(x)=\displaystyle\int f'(x)dx$

$\qquad =\displaystyle\int(3x-2)dx$

$\qquad =\dfrac{3}{2}x^2-2x+C_1$

이때 $f(2)=5$이므로

$6-4+C_1=5$ $\therefore C_1=3$

따라서 $f(x)=\dfrac{3}{2}x^2-2x+3$이므로

$f(-2)=6+4+3=13$

답 ④

023

$F(x)+F'(x)=xf(x)-3x^2+6x$에서

$F(x)+f(x)=xf(x)-3x^2+6x$이므로 양변을 x에 대하여 미분하면

$F'(x)+f'(x)=f(x)+xf'(x)-6x+6$

$f(x)+f'(x)=f(x)+xf'(x)-6x+6$

$-(x-1)f'(x)=-6(x-1)$

$\therefore f'(x)=6$

$\therefore f(x)=\displaystyle\int f'(x)dx=\displaystyle\int 6dx=6x+C$

이때 $f(2)=3$이므로

$12+C=3$ $\therefore C=-9$

따라서 $f(x)=6x-9$이므로 $f(k)=-3$이면

$6k-9=-3,\ 6k=6$

$\therefore k=1$

답 ⑤

024

$(x-1)f(x)-F(x)=2x^3-2x^2-2x$의 양변을 x에 대하여 미분하면

$f(x)+(x-1)f'(x)-F'(x)=6x^2-4x-2$

$f(x)+(x-1)f'(x)-f(x)=2(3x+1)(x-1)$

$(x-1)f'(x)=2(3x+1)(x-1)$

$\therefore f'(x)=6x+2$

$\therefore f(x)=\displaystyle\int f'(x)dx=\displaystyle\int(6x+2)dx$

$\qquad =3x^2+2x+C$

이때 $f(2)=8$이므로

$12+4+C=8$ $\therefore C=-8$

따라서

$f(x)=3x^2+2x-8=3\left(x+\dfrac{1}{3}\right)^2-\dfrac{25}{3}$

이므로 $x=-\dfrac{1}{3}$일 때 최솟값 $-\dfrac{25}{3}$를 갖는다.

답 ①

025

$f(x)+\displaystyle\int(x-1)f'(x)dx=2x^4-2x^3+4x^2$의 양변을 x에 대하여 미분하면

$f'(x)+(x-1)f'(x)=8x^3-6x^2+8x$

$xf'(x)=8x^3-6x^2+8x$

$\therefore f'(x)=8x^2-6x+8$ ──────────── ❶

$\therefore f(x)=\displaystyle\int f'(x)dx$

$\qquad =\displaystyle\int(8x^2-6x+8)dx$

$\qquad =\dfrac{8}{3}x^3-3x^2+8x+C$

이때 $f(0)=3$이므로 $C=3$ ──────────── ❷

$\therefore f(x)=\dfrac{8}{3}x^3-3x^2+8x+3$ ──────────── ❸

답 $f(x)=\dfrac{8}{3}x^3-3x^2+8x+3$

채점 기준	비율
❶ $f'(x)$를 구할 수 있다.	40%
❷ 적분상수를 구할 수 있다.	40%
❸ $f(x)$를 구할 수 있다.	20%

026

$f'(x)=\begin{cases}-3 & (x>-1)\\2x-1 & (x<-1)\end{cases}$

함수 $f(x)$가 $x=-1$에서 연속이므로

$f(x)=\begin{cases}-3x+C_1 & (x\geq-1)\\x^2-x+C_2 & (x<-1)\end{cases}$ ──────── ㉠

이고, $f(-1)=\displaystyle\lim_{x\to-1+}f(x)=\displaystyle\lim_{x\to-1-}f(x)$이다.

이때 $f(-1)=\lim\limits_{x \to -1-}f(x)$이므로 ㉠에서

$3+C_1=1+1+C_2$ $\therefore C_1-C_2=-1$

$\therefore f(0)-f(-2)=(0+C_1)-(4+2+C_2)$

$=-6+C_1-C_2$

$=-6-1=-7$

답 -7

참고

함수 $f(x)$의 도함수 $f'(x)$가 $f'(x)=\begin{cases} g(x) & (x>a) \\ h(x) & (x<a) \end{cases}$이고,

$f(x)$가 $x=a$에서 연속이면

$f(x)=\begin{cases} \int g(x)dx & (x \geq a) \\ \int h(x)dx & (x<a) \end{cases}$ 이고, $f(a)=\lim\limits_{x \to a+}f(x)=\lim\limits_{x \to a-}f(x)$임을 이용한다.

027

$f'(x)=\begin{cases} 2x & (x>0) \\ -4x & (x<0) \end{cases}$

함수 $f(x)$가 $x=0$에서 연속이므로

$f(x)=\begin{cases} x^2+C_1 & (x \geq 0) \\ -2x^2+C_2 & (x<0) \end{cases}$ .... ㉠

이고, $f(0)=\lim\limits_{x \to 0+}f(x)=\lim\limits_{x \to 0-}f(x)$이다.

이때 $f(-2)=6$이므로 ㉠에서

$-8+C_2=6$ $\therefore C_2=14$

또한, $f(0)=\lim\limits_{x \to 0-}f(x)$이므로 ㉠에서

$C_1=14$

따라서 $f(x)=\begin{cases} x^2+14 & (x \geq 0) \\ -2x^2+14 & (x<0) \end{cases}$ 이므로

$f(1)=1+14=15$

답 15

028

$f'(x)=\begin{cases} 2x+1 & (x>1) \\ k & (x<1) \end{cases}$

함수 $f(x)$가 $x=1$에서 연속이므로

$f(x)=\begin{cases} x^2+x+C_1 & (x \geq 1) \\ kx+C_2 & (x<1) \end{cases}$ .... ㉠

이고, $f(1)=\lim\limits_{x \to 1+}f(x)=\lim\limits_{x \to 1-}f(x)$이다.

이때 $f(2)=2$이므로 ㉠에서

$4+2+C_1=2$ $\therefore C_1=-4$

$f(-1)=4$이므로 ㉠에서

$-k+C_2=4$ .... ㉡

또한, $f(1)=\lim\limits_{x \to 1-}f(x)$이므로 ㉠에서

$1+1-4=k+C_2$

$\therefore k+C_2=-2$ .... ㉢

㉡, ㉢을 연립하여 풀면

$C_2=1$, $k=-3$

따라서 $f(x)=\begin{cases} x^2+x-4 & (x \geq 1) \\ -3x+1 & (x<1) \end{cases}$ 이므로

$f(-3)=9+1=10$

답 ⑤

029

$f'(x)=4|x-1|+3$

$=\begin{cases} 4(x-1)+3 & (x>1) \\ -4(x-1)+3 & (x<1) \end{cases}$

$=\begin{cases} 4x-1 & (x>1) \\ -4x+7 & (x<1) \end{cases}$

함수 $f(x)$가 $x=1$에서 연속이므로

$f(x)=\begin{cases} 2x^2-x+C_1 & (x \geq 1) \\ -2x^2+7x+C_2 & (x<1) \end{cases}$ .... ㉠

이고, $f(1)=\lim\limits_{x \to 1+}f(x)=\lim\limits_{x \to 1-}f(x)$이다.

이때 $f(0)=-6$이므로 ㉠에서

$C_2=-6$ ────────── ❶

또한, $f(1)=\lim\limits_{x \to 1-}f(x)$이므로 ㉠에서

$2-1+C_1=-2+7-6$

$\therefore C_1=-2$ ────────── ❷

따라서 $f(x)=\begin{cases} 2x^2-x-2 & (x \geq 1) \\ -2x^2+7x-6 & (x<1) \end{cases}$ 이므로

$f(3)=18-3-2=13$ ────────── ❸

답 13

채점 기준	비율
❶ $x<1$일 때의 적분상수를 구할 수 있다.	40%
❷ $x \geq 1$일 때의 적분상수를 구할 수 있다.	40%
❸ $f(3)$의 값을 구할 수 있다.	20%

참고

함수 $f(x)$가 $x=k$에서 연속이면 다음을 모두 이용할 수 있다.

$f(k)=\lim\limits_{x \to k}f(x)$ 또는 $f(k)=\lim\limits_{x \to k+}f(x)$ 또는 $f(k)=\lim\limits_{x \to k-}f(x)$

또는 $\lim\limits_{x \to k+}f(x)=\lim\limits_{x \to k-}f(x)$

030

$f'(x)=\begin{cases} 2 & (x>2) \\ x & (x<2) \end{cases}$

함수 $f(x)$가 $x=2$에서 연속이므로

$f(x)=\begin{cases} 2x+C_1 & (x \geq 2) \\ \frac{1}{2}x^2+C_2 & (x<2) \end{cases}$ .... ㉠

이고, $f(2)=\lim\limits_{x \to 2+}f(x)=\lim\limits_{x \to 2-}f(x)$이다.

함수 $y=f(x)$의 그래프가 점 $(0, 2)$를 지나므로 ㉠에서

$f(0)=2$ $\therefore C_2=2$

또한, $f(2)=\lim\limits_{x \to 2-}f(x)$이므로 ㉠에서

$4+C_1=2+2$ $\therefore C_1=0$

따라서 $f(x)=\begin{cases} 2x & (x \geq 2) \\ \frac{1}{2}x^2+2 & (x<2) \end{cases}$ 이므로

$f(3)=2 \times 3=6$

답 ④

031

$f'(x)=-2x-1$이므로

$f(x)=\int f'(x)dx=\int(-2x-1)dx=-x^2-x+C$

함수 $y=f(x)$의 그래프가 점 $(1, 0)$을 지나므로

$f(1)=0$, $-1-1+C=0$ ∴ $C=2$

따라서 $f(x)=-x^2-x+2$이므로

$f(-1)=-1+1+2=2$

답 ②

참고

곡선 $y=f(x)$ 위의 임의의 점 $(x, f(x))$에서의 접선의 기울기는 $f'(x)$이

므로 $f(x)=\int f'(x)dx$이다.

032

$f'(x)=2x+3$이므로

$f(x)=\int f'(x)dx=\int (2x+3)dx$

$\qquad =x^2+3x+C$

곡선 $y=f(x)$가 점 $(0, -3)$을 지나므로

$f(0)=-3$ ∴ $C=-3$

따라서 $f(x)=x^2+3x-3$이므로

$f(2)=4+6-3=7$

답 ③

033

$f'(x)=6x^2-2x+1$이므로

$f(x)=\int f'(x)dx=\int (6x^2-2x+1)dx$

$\qquad =2x^3-x^2+x+C$

곡선 $y=f(x)$가 원점, 즉 점 $(0, 0)$을 지나므로

$f(0)=0$ ∴ $C=0$

따라서 $f(x)=2x^3-x^2+x$이므로 방정식 $f(x)=0$, 즉

$2x^3-x^2+x=0$의 모든 근의 합은 삼차방정식의 근과 계수의 관계

에 의하여

$-\dfrac{-1}{2}=\dfrac{1}{2}$

답 ④

034

$f'(x)=-3x^2$이므로

$f(x)=\int f'(x)dx=\int (-3x^2)dx$

$\qquad =-x^3+C$

곡선 $y=f(x)$가 점 $(1, 7)$을 지나므로

$f(1)=7$, $-1+C=7$ ∴ $C=8$

∴ $f(x)=-x^3+8$

곡선 $y=f(x)$가 x축과 만날 때 y좌표가 0이므로

$-x^3+8=0$, $x^3=8$

∴ $x=2$ (∵ x는 실수)

따라서 곡선 $y=f(x)$가 x축과 만나는 점의 좌표는 $(2, 0)$이다.

답 ⑤

035

$f(x)=\int (3x^2+4x+k)dx=x^3+2x^2+kx+C$

점 $(-1, 6)$이 곡선 $y=f(x)$ 위의 점이므로

$f(-1)=6$, $-1+2-k+C=6$

∴ $-k+C=5$ ········· ㉠

$f'(x)=3x^2+4x+k$이고, 점 $(-1, 6)$에서의 접선의 기울기가

-5이므로

$f'(-1)=-5$, $3-4+k=-5$

∴ $k=-4$ ─────────── ❶

$k=-4$를 ㉠에 대입하면

$4+C=5$ ∴ $C=1$

즉, $f(x)=x^3+2x^2-4x+1$이므로 ─────── ❷

$a=f(2)=8+8-8+1=9$ ─────────── ❸

답 9

채점 기준	비율
❶ k의 값을 구할 수 있다.	50%
❷ $f(x)$를 구할 수 있다.	30%
❸ a의 값을 구할 수 있다.	20%

036

$\lim\limits_{x\to 1}\dfrac{F(x)-F(1)}{3x-3}=\lim\limits_{x\to 1}\dfrac{F(x)-F(1)}{x-1}\times\dfrac{1}{3}$

$\qquad\qquad =\dfrac{1}{3}F'(1)=\dfrac{1}{3}f(1)$

따라서 구하는 값은

$\dfrac{1}{3}f(1)=\dfrac{1}{3}(6-4-3)=\dfrac{1}{3}\times(-1)=-\dfrac{1}{3}$

답 ②

037

$\lim\limits_{h\to 0}\dfrac{f(2+h)-f(2-h)}{h}$

$=\lim\limits_{h\to 0}\dfrac{\{f(2+h)-f(2)\}-\{f(2-h)-f(2)\}}{h}$

$=\lim\limits_{h\to 0}\dfrac{f(2+h)-f(2)}{h}+\lim\limits_{h\to 0}\dfrac{f(2-h)-f(2)}{-h}$

$=f'(2)+f'(2)$

$=2f'(2)$

$f(x)=\int (x^2+2x)dx$의 양변을 x에 대하여 미분하면

$f'(x)=x^2+2x$

따라서 구하는 값은

$2f'(2)=2(4+4)=2\times 8=16$

답 ②

038

$\lim\limits_{h\to 0}\dfrac{f(3+h)-f(3-h)}{2h}$

$=\lim\limits_{h\to 0}\dfrac{\{f(3+h)-f(3)\}-\{f(3-h)-f(3)\}}{2h}$

$=\dfrac{1}{2}\lim\limits_{h\to 0}\dfrac{f(3+h)-f(3)}{h}+\dfrac{1}{2}\lim\limits_{h\to 0}\dfrac{f(3-h)-f(3)}{-h}$

$=\dfrac{1}{2}f'(3)+\dfrac{1}{2}f'(3)=f'(3)$

$f(x)=\dfrac{d}{dx}\left\{\int 3x(x-2)dx\right\}=\dfrac{d}{dx}\left\{\int (3x^2-6x)dx\right\}$

$\qquad =3x^2-6x$

이므로 $f'(x)=6x-6$

따라서 구하는 값은
$f'(3)=18-6=12$

답 ③

039

$$\lim_{x \to -2} \frac{f(x)-f(-2)}{2x+4}=\lim_{x \to -2} \frac{f(x)-f(-2)}{x-(-2)} \times \frac{1}{2}$$
$$=\frac{1}{2}f'(-2)$$

$\int f(x)dx=-x^3-2x^2+3$의 양변을 x에 대하여 미분하면
$f(x)=-3x^2-4x$
$\therefore f'(x)=-6x-4$
따라서 구하는 값은
$\frac{1}{2}f'(-2)=\frac{1}{2} \times (12-4)=\frac{1}{2} \times 8=4$

답 ①

040

$$\lim_{h \to 0} \frac{f(x-h)-f(x+h)}{h}$$
$$=\lim_{h \to 0} \frac{\{f(x-h)-f(x)\}-\{f(x+h)-f(x)\}}{h}$$
$$=-\lim_{h \to 0} \frac{f(x-h)-f(x)}{-h}-\lim_{h \to 0} \frac{f(x+h)-f(x)}{h}$$
$$=-f'(x)-f'(x)=-2f'(x) \quad\text{❶}$$

이고, $-2f'(x)=-6x^2+8x-4$이므로
$f'(x)=3x^2-4x+2 \quad\text{❷}$
$\therefore f(x)=\int f'(x)dx=\int(3x^2-4x+2)dx$
$\qquad =x^3-2x^2+2x+C$
이때 $f(1)=3$이므로
$1-2+2+C=3 \qquad \therefore C=2$
따라서 $f(x)=x^3-2x^2+2x+2$이므로
$f(2)=8-8+4+2=6 \quad\text{❸}$

답 6

채점 기준	비율
❶ 주어진 식의 좌변을 정리할 수 있다.	40%
❷ $f'(x)$를 구할 수 있다.	20%
❸ $f(2)$의 값을 구할 수 있다.	40%

041

$f(x)=-\int(x^2-6x+5)dx$의 양변을 x에 대하여 미분하면
$f'(x)=-(x^2-6x+5)=-(x-1)(x-5)$
$f'(x)=0$에서 $x=1$ 또는 $x=5$
함수 $f(x)$의 증가와 감소를 표로 나타내면 다음과 같다.

x	$\cdots$	1	$\cdots$	5	$\cdots$
$f'(x)$	$-$	0	$+$	0	$-$
$f(x)$	↘	극소	↗	극대	↘

함수 $f(x)$는 $x=5$에서 극댓값을 가지므로
$k=5$

답 ⑤

042

$f'(x)=3x^2-6x=3x(x-2)$
$f'(x)=0$에서 $x=0$ 또는 $x=2$
함수 $f(x)$의 증가와 감소를 표로 나타내면 다음과 같다.

x	$\cdots$	0	$\cdots$	2	$\cdots$
$f'(x)$	$+$	0	$-$	0	$+$
$f(x)$	↗	극대	↘	극소	↗

함수 $f(x)$는 $x=0$에서 극댓값 4를 갖고, $x=2$에서 극솟값을 가지므로
$f(0)=4$
이때
$$f(x)=\int f'(x)dx=\int(3x^2-6x)dx$$
$$=x^3-3x^2+C$$
이므로 $f(0)=C=4$
따라서 $f(x)=x^3-3x^2+4$이므로 극솟값은
$f(2)=8-12+4=0$

답 ③

043

함수 $f(x)$의 최고차항이 $-x^3$이므로 $f'(x)$의 최고차항은 $-3x^2$
이고, 함수 $y=f'(x)$의 그래프에서 $f'(0)=f'(2)=0$이므로
$f'(x)=-3x(x-2)$
$f'(x)=0$에서 $x=0$ 또는 $x=2$
함수 $f(x)$의 증가와 감소를 표로 나타내면 다음과 같다.

x	$\cdots$	0	$\cdots$	2	$\cdots$
$f'(x)$	$-$	0	$+$	0	$-$
$f(x)$	↘	극소	↗	극대	↘

함수 $f(x)$는 $x=2$에서 극댓값을 갖고, $x=0$에서 극솟값 5를 갖는다.
이때
$$f(x)=\int f'(x)dx=\int\{-3x(x-2)\}dx$$
$$=\int(-3x^2+6x)dx$$
$$=-x^3+3x^2+C$$
이므로 $f(0)=5$에서 $C=5$
즉, $f(x)=-x^3+3x^2+5$이므로 극댓값은
$f(2)=-8+12+5=9$

답 9

044

$f(x)$가 삼차함수이므로 $f'(x)$는 이차함수이고,
함수 $y=f'(x)$의 그래프에서 $f'(-1)=f'(1)=0$이므로
$f'(x)=a(x+1)(x-1)$ $(a>0)$로 놓을 수 있다.
↳ $y=f'(x)$의 그래프가 아래로 볼록하므로 $a>0$
함수 $f(x)$의 증가와 감소를 표로 나타내면 다음과 같다.

x	$\cdots$	-1	$\cdots$	1	$\cdots$
$f'(x)$	$+$	0	$-$	0	$+$
$f(x)$	↗	극대	↘	극소	↗

함수 $f(x)$는 $x=-1$에서 극댓값 4를 갖고, $x=1$에서 극솟값 0을 갖는다.

이때

$$f(x)=\int f'(x)dx=\int a(x+1)(x-1)dx$$

$$=\int a(x^2-1)dx$$

$$=a\left(\frac{1}{3}x^3-x\right)+C$$

$f(-1)=4$에서 $\frac{2}{3}a+C=4$ ········· ㉠

$f(1)=0$에서 $-\frac{2}{3}a+C=0$ ········· ㉡

㉠, ㉡을 연립하여 풀면 $a=3$, $C=2$

따라서 $f(x)=x^3-3x+2$이므로

$f(3)=27-9+2=20$

답 ④

045

$f(x)$의 최고차항이 x^3이므로 $f'(x)$의 최고차항은 $3x^2$이고,

$f'(-1)=f'(2)=0$이므로

$f'(x)=3(x+1)(x-2)$

$f'(x)=0$에서 $x=-1$ 또는 $x=2$

함수 $f(x)$의 증가와 감소를 표로 나타내면 다음과 같다.

x	$\cdots$	-1	$\cdots$	2	$\cdots$
$f'(x)$	$+$	0	$-$	0	$+$
$f(x)$	↗	극대	↘	극소	↗

함수 $f(x)$는 $x=-1$에서 극댓값 p를 갖고, $x=2$에서 극솟값 -9를 갖는다. ········· ❶

이때

$$f(x)=\int f'(x)dx=\int 3(x+1)(x-2)dx$$

$$=\int (3x^2-3x-6)dx$$

$$=x^3-\frac{3}{2}x^2-6x+C$$

이므로 $f(2)=-9$에서

$8-6-12+C=-9$ ∴ $C=1$

∴ $f(x)=x^3-\frac{3}{2}x^2-6x+1$ ········· ❷

따라서 함수 $f(x)$의 극댓값은

$f(-1)=-1-\frac{3}{2}+6+1=\frac{9}{2}$

이므로

$p=\frac{9}{2}$ ∴ $2p=9$ ········· ❸

답 9

채점 기준	비율
❶ 극대, 극소일 때의 x의 값을 알 수 있다.	40%
❷ $f(x)$를 구할 수 있다.	40%
❸ $2p$의 값을 구할 수 있다.	20%

046

$f(x)$의 한 부정적분이 $F(x)$이므로

$F'(x)=f(x)=3x^2-12x+9=3(x-1)(x-3)$

$F'(x)=0$에서

$x=1$ 또는 $x=3$

함수 $F(x)$의 증가와 감소를 표로 나타내면 다음과 같다.

x	$\cdots$	1	$\cdots$	3	$\cdots$
$F'(x)$	$+$	0	$-$	0	$+$
$F(x)$	↗	극대	↘	극소	↗

함수 $F(x)$는 $x=1$에서 극댓값 6을 갖고, $x=3$에서 극솟값을 갖는다.

이때

$$F(x)=\int F'(x)dx$$

$$=\int (3x^2-12x+9)dx$$

$$=x^3-6x^2+9x+C$$

이므로 $F(1)=6$에서

$1-6+9+C=6$

∴ $C=2$

따라서 $F(x)=x^3-6x^2+9x+2$이므로 극솟값은

$F(3)=27-54+27+2=2$

답 ④

047

$f(x)$의 한 부정적분이 $F(x)$이므로

$F'(x)=f(x)$

함수 $F(x)$가 $x=4$에서 극솟값, $x=-2$에서 극댓값을 가지므로

$F'(4)=F'(-2)=0$

즉, $f(4)=f(-2)=0$이고, $f(x)$의 최고차항이 x^2이므로

$f(x)=(x+2)(x-4)=x^2-2x-8$

$$\therefore F(x)=\int f(x)dx$$

$$=\int (x^2-2x-8)dx$$

$$=\frac{1}{3}x^3-x^2-8x+C$$

$F(4)=-20$이므로

$\frac{64}{3}-16-32+C=-20$

∴ $C=\frac{20}{3}$

따라서

$F(x)=\frac{1}{3}x^3-x^2-8x+\frac{20}{3}$

이므로 극댓값 p는

$p=F(-2)=-\frac{8}{3}-4+16+\frac{20}{3}=16$

답 ①

048

$f(x+y)=f(x)+f(y)-3$의 양변에 $x=0$, $y=0$을 대입하면

$f(0)=f(0)+f(0)-3$

∴ $f(0)=3$ ········· ㉠

한편, $f'(0)=1$이므로

$$f'(x) = \lim_{h \to 0} \frac{f(x+h) - f(x)}{h}$$

$$= \lim_{h \to 0} \frac{f(x) + f(h) - 3 - f(x)}{h}$$

$$= \lim_{h \to 0} \frac{f(h) - 3}{h}$$

$$= \lim_{h \to 0} \frac{f(0+h) - f(0)}{h} \ (\because \ \text{㉠})$$

$$= f'(0) = 1$$

$$\therefore f(x) = \int f'(x)dx = \int dx = x + C \qquad \rightarrow = \int 1\,dx$$

㉠에서 $f(0) = 3$이므로 $C = 3$

따라서 $f(x) = x + 3$이므로

$$f(-2) = 1$$

답 1

049

$f(x+y) = f(x) + xy + y^2$에서 $f(x+y) - f(x) = xy + y^2$이므로

$$f'(x) = \lim_{h \to 0} \frac{f(x+h) - f(x)}{h}$$

$$= \lim_{h \to 0} \frac{xh + h^2}{h}$$

$$= \lim_{h \to 0} (x + h) = x$$

$$\therefore f(x) = \int f'(x)dx = \int x\,dx = \frac{1}{2}x^2 + C$$

이때 $f(2) = 5$이므로

$$2 + C = 5 \qquad \therefore C = 3$$

따라서 $f(x) = \frac{1}{2}x^2 + 3$이므로 함수 $f(x)$의 최솟값은 $x = 0$일 때 3
이다.

답 3

01

$f(x)$의 한 부정적분이 $F(x)$이므로

$$f(x) = F'(x) = 3x^2 + 2ax + b$$

$f(0) = 1$이므로 $b = 1$

$F(1) = 2$이므로 $1 + a + 1 + 2 = 2$

$$\therefore a = -2$$

$$\therefore ab = -2 \times 1 = -2$$

답 ①

02

$$f(x) = \int \left\{ \frac{d}{dx}(-2x^2 + 4x - k) \right\} dx$$

$$= -2x^2 + 4x - k + C$$

방정식 $f(x) = 0$, 즉 $-2x^2 + 4x - k + C = 0$의 모든 근의 곱이 -3
이므로 이차방정식의 근과 계수의 관계에 의하여

$$\frac{-k+C}{-2} = -3 \text{에서 } -k + C = 6$$

따라서 $f(x) = -2x^2 + 4x + 6$이므로

$$f(1) = -2 + 4 + 6 = 8$$

답 ③

03

함수 $f(x)$의 상수항이 0이므로

$$G(x) = \int \left[\frac{d}{dx} \int \left\{ \frac{d}{dx} f(x) \right\} dx \right] dx$$

$$= \int \left[\frac{d}{dx} \{ f(x) + C_1 \} \right] dx$$

$$= \int f'(x)dx = f(x) + C$$

이므로

$$G(x) = \frac{1}{100}x^{100} + \frac{1}{99}x^{99} + \frac{1}{98}x^{98} + \cdots + \frac{1}{2}x^2 + x + C \ {\scriptstyle = f(x) + C}$$

따라서 $G'(x) = x^{99} + x^{98} + x^{97} + \cdots + x + 1$이므로

$$G'(-1) = (-1)^{99} + (-1)^{98} + (-1)^{97} + \cdots + (-1) + 1$$

$$= (-1) + 1 + (-1) + 1 + \cdots + (-1) + 1$$

$$= \{(-1) + 1\} \times 50 = 0$$

답 ③

04

$$f(x) = \int dx + 2\int x\,dx + 3\int x^2\,dx + 4\int x^3\,dx + 5\int x^4\,dx$$

$$= x + x^2 + x^3 + x^4 + x^5 + C$$

이때 $f(1) = 5$이므로

$$1 + 1 + 1 + 1 + 1 + C = 5 \qquad \therefore C = 0$$

따라서 $f(x) = x + x^2 + x^3 + x^4 + x^5$이므로

$$f(-1) = -1 + 1 - 1 + 1 - 1 = -1$$

답 ①

05

$f'(1) = 4$이므로 $12 + 6a + 2b = 4$에서

$$3a + b = -4 \qquad\qquad\qquad\qquad \text{-------- ㉠}$$

$$f(x) = \int f'(x)dx$$
$$= \int (12x^2 + 6ax + 2b)dx$$
$$= 4x^3 + 3ax^2 + 2bx + C_1$$

$f(0) = 3$이므로 $C_1 = 3$

$f(1) = 2$이므로 $4 + 3a + 2b + 3 = 2$에서

$3a + 2b = -5$ ·········· ⓛ

㉠, ⓛ을 연립하여 풀면 $a = -1$, $b = -1$

$\therefore f(x) = 4x^3 - 3x^2 - 2x + 3$

함수 $f(x)$의 한 부정적분이 $F(x)$이므로

$$F(x) = \int f(x)dx$$
$$= \int (4x^3 - 3x^2 - 2x + 3)dx$$
$$= x^4 - x^3 - x^2 + 3x + C_2$$

$\therefore F(2) - F(1) = (16 - 8 - 4 + 6 + C_2) - (1 - 1 - 1 + 3 + C_2)$
$$= (10 + C_2) - (2 + C_2) = 8$$

답 ①

06

$f(x) = ax^2 + bx + c$ $(a \neq 0$이고, a, b, c는 상수)라고 하면

$f(0) = 0$이므로 $c = 0$

$\therefore f(x) = ax^2 + bx$

$$g(x) = \int \{x^2 + f(x)\}dx$$
$$= \int (x^2 + ax^2 + bx)dx$$
$$= \int \{(a+1)x^2 + bx\}dx$$
$$= \frac{1}{3}(a+1)x^3 + \frac{b}{2}x^2 + C$$

이때 $g(0) = 0$이므로 $C = 0$

$\therefore g(x) = \frac{1}{3}(a+1)x^3 + \frac{b}{2}x^2$

$f(1) = 6$이므로 $a + b = 6$ ·········· ㉠

$g(-1) = 1$이므로 $-\frac{1}{3}(a+1) + \frac{b}{2} = 1$

$\therefore -2a + 3b = 8$ ·········· ⓛ

㉠, ⓛ을 연립하여 풀면 $a = 2$, $b = 4$

따라서 $g(x) = x^3 + 2x^2$이므로

$g(2) = 8 + 8 = 16$

답 ②

07

문제 접근하기

$g(x)$가 이차함수이므로 $xg(x)$는 삼차함수이고, $\int xg(x)dx$, 즉 다항함수 $f(x)$는 사차함수이다.

조건 ㈏에서 $f(x) = \int xg(x)dx$의 양변을 x에 대하여 미분하면

$f'(x) = xg(x)$ ·········· ㉠

조건 ㈐에서 $\frac{d}{dx}\{f(x) - g(x)\} = 8x^3 - 2x$이므로

$f'(x) - g'(x) = 8x^3 - 2x$

$xg(x) - g'(x) = 8x^3 - 2x$ (∵ ㉠) ·········· ⓛ

이때 조건 ㈎에서 $g(x)$는 이차함수이므로

$g(x) = ax^2 + bx + c$ $(a$, b, c는 상수)라고 하면 ⓛ에서

$x(ax^2 + bx + c) - (2ax + b) = 8x^3 - 2x$

$ax^3 + bx^2 + (c - 2a)x - b = 8x^3 - 2x$

이 식이 x에 대한 항등식이므로

$a = 8$, $b = 0$, $c - 2a = -2$

$\therefore a = 8$, $b = 0$, $c = 14$

즉, $g(x) = 8x^2 + 14$이므로

$$f(x) = \int xg(x)dx$$
$$= \int x(8x^2 + 14)dx$$
$$= \int (8x^3 + 14x)dx$$
$$= 2x^4 + 7x^2 + C$$

이고, $f(0) = -5$이므로 $C = -5$

따라서 $f(x) = 2x^4 + 7x^2 - 5$이므로

$f(1) = 2 + 7 - 5 = 4$

답 ④

08

$f'(x) = 3x^2 + |2x| = \begin{cases} 3x^2 + 2x & (x > 0) \\ 3x^2 - 2x & (x < 0) \end{cases}$

$\underline{f(x)$가 모든 실수 x에서 연속이므로}

$f(x) = \begin{cases} x^3 + x^2 + C_1 & (x \geq 0) \\ x^3 - x^2 + C_2 & (x < 0) \end{cases}$ ← $x = 0$에서 연속 ·········· ㉠

이고, $f(0) = \lim\limits_{x \to 0+} f(x) = \lim\limits_{x \to 0-} f(x)$이다.

이때 $f(1) = 4$이므로 ㉠에서

$1 + 1 + C_1 = 4$ $\therefore C_1 = 2$

또한, $f(0) = \lim\limits_{x \to 0-} f(x)$이므로 ㉠에서

$C_2 = 2$

따라서 $f(x) = \begin{cases} x^3 + x^2 + 2 & (x \geq 0) \\ x^3 - x^2 + 2 & (x < 0) \end{cases}$이므로

$f(2) + f(-1) = (8 + 4 + 2) + (-1 - 1 + 2) = 14$

답 ②

09

$f'(x) = \begin{cases} 2x + 1 & (|x| > 1) \\ -2x + 4 & (|x| < 1) \end{cases}$

함수 $f(x)$가 모든 실수에서 연속이므로

$f(x) = \begin{cases} x^2 + x + C_1 & (x \geq 1) \\ -x^2 + 4x + C_2 & (-1 \leq x < 1) \\ x^2 + x + C_3 & (x < -1) \end{cases}$ ·········· ㉠

이때 $f(3) = 7$이므로 ㉠에서

$9 + 3 + C_1 = 7$ $\therefore C_1 = -5$

함수 $f(x)$가 $x = 1$에서 연속이므로 ㉠에서

$f(1) = \lim\limits_{x \to 1+} f(x) = \lim\limits_{x \to 1-} f(x)$

$1 + 1 - 5 = -1 + 4 + C_2$ $\therefore C_2 = -6$

함수 $f(x)$가 $x = -1$에서 연속이므로 ㉠에서

$f(-1) = \lim\limits_{x \to -1+} f(x) = \lim\limits_{x \to -1-} f(x)$

$-1 - 4 - 6 = 1 - 1 + C_3$ $\therefore C_3 = -11$

따라서 $f(x)=\begin{cases} x^2+x-5 & (x\geq 1) \\ -x^2+4x-6 & (-1\leq x<1) \\ x^2+x-11 & (x<-1) \end{cases}$ 이므로

$f(-4)=16-4-11=1$

답 ③

10

$f_n(x)=\int \dfrac{x^n}{n}dx=\dfrac{x^{n+1}}{n(n+1)}+C$

$f_n(0)=0$이므로 $C=0$

$\therefore f_n(x)=\dfrac{x^{n+1}}{n(n+1)}$

$\therefore \sum\limits_{n=1}^{100} f_n(1)=\sum\limits_{n=1}^{100}\dfrac{1}{n(n+1)}$

$\qquad =\sum\limits_{n=1}^{100}\left(\dfrac{1}{n}-\dfrac{1}{n+1}\right)$

$\qquad =\left(1-\dfrac{1}{2}\right)+\left(\dfrac{1}{2}-\dfrac{1}{3}\right)+\cdots$

$\qquad\qquad +\left(\dfrac{1}{99}-\dfrac{1}{100}\right)+\left(\dfrac{1}{100}-\dfrac{1}{101}\right)$

$\qquad =1-\dfrac{1}{101}=\dfrac{100}{101}$

따라서 $p=101$, $q=100$이므로

$p-q=1$

답 1

11

$f(x)=\int f'(x)dx$

$\qquad =\int (8x+a-1)dx$

$\qquad =4x^2+(a-1)x+C$

이차함수 $f(x)=4x^2+(a-1)x+C$의 그래프가 직선

$y=4x-2$와 서로 다른 두 점에서 만나므로 이차방정식

$4x^2+(a-1)x+C=4x-2$, 즉 $4x^2+(a-5)x+(C+2)=0$이

서로 다른 두 실근을 갖는다.

위 이차방정식의 두 근의 합이 -2이므로 이차방정식의 근과 계수

의 관계에 의하여

$-\dfrac{a-5}{4}=-2$, $a-5=8$

$\therefore a=13$

답 ④

12

$f(x)$의 한 부정적분이 $F(x)$이므로

$F(x)=\int f(x)dx=\int 2x\,dx=x^2+C$

이때 $y=F_k(x)$의 그래프가 $y=F(x)$의 그래프 중 하나이므로

$F_k(x)=x^2+C_k$라고 하면 $F_k'(x)=2x$

$y=F_k(x)$의 그래프와 직선 $y=4x+5$가 접하므로 접점의 x좌표

를 t라고 하면

$F_k'(t)=4$, $2t=4$

$\therefore t=2 \quad\underset{\longrightarrow\ 접선의\ 기울기}{}$

즉, 접점의 x좌표는 2이고, $y=8+5=13$이므로 접점의 좌표는

$(2, 13)$이다.

또한, 함수 $y=F_k(x)$의 그래프도 점 $(2, 13)$을 지나므로

$F_k(2)=13$, $4+C_k=13$

$\therefore C_k=9$

따라서 $F_k(x)=x^2+9$이므로

$F_k(-3)=9+9=18$

답 ③

13

$\lim\limits_{h\to 0}\dfrac{f(1+h)-f(1+2h)}{h}$

$=\lim\limits_{h\to 0}\dfrac{\{f(1+h)-f(1)\}-\{f(1+2h)-f(1)\}}{h}$

$=\lim\limits_{h\to 0}\dfrac{f(1+h)-f(1)}{h}-\lim\limits_{h\to 0}\dfrac{f(1+2h)-f(1)}{2h}\times 2$

$=f'(1)-2f'(1)$

$=-f'(1)$

$\int (x-1)f(x)dx=3x^4-2x^3-12x^2+18x+6$의 양변을 x에 대하

여 미분하면

$(x-1)f(x)=12x^3-6x^2-24x+18$

$\qquad\qquad =6(x-1)(2x^2+x-3)$

$\therefore f(x)=12x^2+6x-18$

$\therefore f'(x)=24x+6$

따라서 구하는 값은

$-f'(1)=-(24+6)=-30$

답 -30

14

$\lim\limits_{x\to 1}\dfrac{xf(x)-f(1)}{x^2-1}$

$=\lim\limits_{x\to 1}\left\{\dfrac{xf(x)-xf(1)+xf(1)-f(1)}{x-1}\times\dfrac{1}{x+1}\right\}$

$=\lim\limits_{x\to 1}\left[\dfrac{x\{f(x)-f(1)\}+(x-1)f(1)}{x-1}\times\dfrac{1}{x+1}\right]$

$=\lim\limits_{x\to 1}\left\{x\times\dfrac{f(x)-f(1)}{x-1}+f(1)\right\}\times\lim\limits_{x\to 1}\dfrac{1}{x+1}$

$=\dfrac{1}{2}\{f'(1)+f(1)\}$

$f(x)=\int (x-2)(x+2)(x^2+4)dx$

$\qquad =\int (x^4-16)dx$

$\qquad =\dfrac{1}{5}x^5-16x+C$

이때 $f(0)=-\dfrac{1}{5}$이므로 $C=-\dfrac{1}{5}$

$\therefore f(x)=\dfrac{1}{5}x^5-16x-\dfrac{1}{5}$, $f'(x)=x^4-16$

따라서

$p=\dfrac{1}{2}\{f'(1)+f(1)\}=\dfrac{1}{2}\left\{(1-16)+\left(\dfrac{1}{5}-16-\dfrac{1}{5}\right)\right\}$

$\qquad =\dfrac{1}{2}(-15-16)=-\dfrac{31}{2}$

이므로 $2p=-31$

답 ①

15

곡선 $y=f(x)$ 위의 점 $P(x, y)$에서의 접선의 기울기가 $3x^2-12$이므로

$f'(x)=3x^2-12=3(x+2)(x-2)$

$f'(x)=0$에서 $x=-2$ 또는 $x=2$

함수 $f(x)$의 증가와 감소를 표로 나타내면 다음과 같다.

x	$\cdots$	-2	$\cdots$	2	$\cdots$
$f'(x)$	$+$	0	$-$	0	$+$
$f(x)$	$\nearrow$	극대	$\searrow$	극소	$\nearrow$

함수 $f(x)$는 $x=-2$에서 극댓값을 갖고, $x=2$에서 극솟값 3을 갖는다.

이때

$f(x)=\int f'(x)dx=\int (3x^2-12)dx$

$\qquad =x^3-12x+C$

이므로 $f(2)=3$에서

$8-24+C=3$ $\qquad \therefore C=19$

따라서 $f(x)=x^3-12x+19$이므로 극댓값은

$f(-2)=-8+24+19=35$

답 35

16

삼차함수 $y=f(x)$의 그래프가 원점에 대하여 대칭이고, $x=1$에서 극값을 가지므로 $x=-1$에서도 극값을 갖는다.

즉, $f'(x)=a(x+1)(x-1)=a(x^2-1)$ $(a \neq 0)$이라고 하면

$f(x)=\int f'(x)dx=\int a(x^2-1)dx$

$\qquad =a\left(\frac{1}{3}x^3-x\right)+C$

이때 $f(x)$가 원점에 대하여 대칭이므로 $f(0)=0$

$\therefore C=0$

$\therefore f(x)=a\left(\frac{1}{3}x^3-x\right)$

$y=f(x)$의 그래프와 x축과의 교점의 x좌표는 방정식 $f(x)=0$의 실근이므로

$a\left(\frac{1}{3}x^3-x\right)=0$

$\frac{1}{3}ax(x^2-3)=0$

$\frac{1}{3}ax(x+\sqrt{3})(x-\sqrt{3})=0$

$\therefore x=\sqrt{3}$ $(\because x>0)$

답 ②

17

$f(x)$가 $x=1$에서 극댓값, $x=-1$에서 극솟값을 가지므로

$f'(x)=a(x+1)(x-1)=ax^2-a$ $(a<0)$라고 하면

$f'(x)=0$에서 $x=-1$ 또는 $x=1$

함수 $f(x)$의 증가와 감소를 표로 나타내면 다음과 같다.

x	$\cdots$	-1	$\cdots$	1	$\cdots$
$f'(x)$	$-$	0	$+$	0	$-$
$f(x)$	$\searrow$	극소	$\nearrow$	극대	$\searrow$

함수 $f(x)$가 $x=1$에서 극댓값 1을 갖고, $x=-1$에서 극솟값 -3을 갖는다.

이때

$f(x)=\int f'(x)dx=\int (ax^2-a)dx=\frac{1}{3}ax^3-ax+C$

이므로 $f(1)=1$에서 $\frac{1}{3}a-a+C=1$

$\therefore -2a+3C=3$ $\qquad \cdots\cdots$ ㉠

$f(-1)=-3$에서 $-\frac{1}{3}a+a+C=-3$

$\therefore 2a+3C=-9$ $\qquad \cdots\cdots$ ㉡

㉠, ㉡을 연립하여 풀면

$a=-3$, $C=-1$

$\therefore f(x)=-x^3+3x-1$

곡선 $f(x)=-x^3+3x-1$과 직선 $y=mx-1$이 서로 다른 세 점에서 만나므로 방정식 $-x^3+3x-1=mx-1$, 즉

$x\{x^2+(m-3)\}=0$이 서로 다른 세 실근을 가져야 한다.

이때 곡선과 직선이 서로 다른 세 점에서 만나려면 방정식 $\underline{x^2+(m-3)=0}$이 $x=0$ 이외의 서로 다른 두 실근을 가져야 하므로
_{(판별식)>0}

$-(m-3)>0$

$m-3<0$ $\qquad \therefore m<3$

답 $m<3$

18

$f(x+y)=f(x)+f(y)+2xy$의 양변에 $x=0$, $y=0$을 대입하면

$f(0)=f(0)+f(0)+0$ $\qquad \therefore f(0)=0$ $\qquad \cdots\cdots$ ㉠

$f'(x)=\lim_{h\to 0}\frac{f(x+h)-f(x)}{h}$

$\qquad =\lim_{h\to 0}\frac{f(x)+f(h)+2xh-f(x)}{h}$

$\qquad =\lim_{h\to 0}\left\{\frac{f(h)}{h}+2x\right\}$

$\qquad =\lim_{h\to 0}\frac{f(0+h)-f(0)}{h}+\lim_{h\to 0}2x$ $(\because$ ㉠$)$

$\qquad =f'(0)+2x$

$f'(0)=a$ (a는 상수)라고 하면 $f'(x)=2x+a$

$\therefore f(x)=\int f'(x)dx=\int (2x+a)dx=x^2+ax+C$

㉠에서 $f(0)=0$이므로 $C=0$

$\therefore f(x)=x^2+ax$

$f(-2)=2$이므로

$4-2a=2$ $\qquad \therefore a=1$

따라서 $f(x)=x^2+x=\left(x+\frac{1}{2}\right)^2-\frac{1}{4}$이므로 함수 $f(x)$는

$x=-\frac{1}{2}$일 때 최솟값 $-\frac{1}{4}$을 갖는다.

답 $-\frac{1}{4}$

08 정적분

기본을 다지는 유형

본문 125쪽

001

(1) $\int_0^1 2x\,dx = \left[x^2\right]_0^1 = 1-0 = 1$

(2) $\int_{-2}^0 (3x^2+1)\,dx = \left[x^3+x\right]_{-2}^0 = 0-(-8-2) = 10$

(3) $\int_{-1}^3 (4x+2)\,dx = \left[2x^2+2x\right]_{-1}^3 = (18+6)-(2-2) = 24$

답 (1) 1 (2) 10 (3) 24

002

(1) $\int_1^1 f(x)\,dx = \int_1^1 (3x^2-4x+3)\,dx = \left[x^3-2x^2+3x\right]_1^1$
$= (1-2+3)-(1-2+3) = 2-2 = 0$

(2) $\int_{-1}^1 f(x)\,dx = \int_{-1}^1 (3x^2-4x+3)\,dx = \left[x^3-2x^2+3x\right]_{-1}^1$
$= (1-2+3)-(-1-2-3) = 2+6 = 8$

(3) $\int_1^{-1} f(x)\,dx = \int_1^{-1} (3x^2-4x+3)\,dx = \left[x^3-2x^2+3x\right]_1^{-1}$
$= (-1-2-3)-(1-2+3) = -6-2 = -8$

답 (1) 0 (2) 8 (3) -8

003

$\int_0^1 (x-1)(x+3)\,dx + \int_0^2 (t+1)(-t+1)\,dt$

$= \int_0^1 (x^2+2x-3)\,dx + \int_0^2 (-t^2+1)\,dt$

$= \left[\frac{1}{3}x^3+x^2-3x\right]_0^1 + \left[-\frac{1}{3}t^3+t\right]_0^2$

$= \left(\frac{1}{3}+1-3\right) + \left(-\frac{8}{3}+2\right)$

$= -\frac{5}{3}-\frac{2}{3} = -\frac{7}{3}$

답 ①

004

$\int_0^2 \frac{4x^2-1}{2x-1}\,dx = \int_0^2 \frac{(2x+1)(2x-1)}{2x-1}\,dx = \int_0^2 (2x+1)\,dx$

$= \left[x^2+x\right]_0^2 = 4+2 = 6$

답 ③

005

$f(x) = ax+b \; (a \neq 0,\ a,\ b \text{는 상수})$라고 하면

$\int_0^1 f(x)\,dx = \int_0^1 (ax+b)\,dx = \left[\frac{1}{2}ax^2+bx\right]_0^1 = \frac{1}{2}a+b$

이므로

$\frac{1}{2}a+b = \frac{1}{2}$ ∴ $a+2b = 1$ ········· ㉠

$\int_{-2}^0 xf(x)\,dx = \int_{-2}^0 x(ax+b)\,dx = \int_{-2}^0 (ax^2+bx)\,dx$

$= \left[\frac{1}{3}ax^3+\frac{1}{2}bx^2\right]_{-2}^0 = 0-\left(-\frac{8}{3}a+2b\right)$

$= \frac{8}{3}a-2b$

이므로

$\frac{8}{3}a-2b = 10$ ∴ $4a-3b = 15$ ········· ㉡

㉠, ㉡을 연립하여 풀면 $a=3$, $b=-1$

따라서 $f(x) = 3x-1$이므로

$f(2) = 6-1 = 5$

답 ④

006

$\int_0^k (3x^2+8x-5)\,dx = \left[x^3+4x^2-5x\right]_0^k = k^3+4k^2-5k$

이때 $k^3+4k^2-5k=0$이므로

$k(k+5)(k-1) = 0$ ∴ $k=1 \; (\because k>0)$

답 ⑤

007

$\int_0^2 x(3x+k)\,dx = \int_0^2 (3x^2+kx)\,dx = \left[x^3+\frac{1}{2}kx^2\right]_0^2 = 8+2k$

이때 $8+2k > 4$이므로

$2k > -4$ ∴ $k > -2$

따라서 정수 k의 최솟값은 -1이다.

답 ③

008

$f(x) = 4x^3+x+k$이므로

$\int_0^2 f(x)\,dx = \int_0^2 (4x^3+x+k)\,dx = \left[x^4+\frac{1}{2}x^2+kx\right]_0^2$

$= 16+2+2k = 18+2k$

이때 $18+2k=0$이므로

$2k = -18$ ∴ $k = -9$

답 -9

009

$\int_0^a (2x+4)\,dx = \left[x^2+4x\right]_0^a = a^2+4a = (a+2)^2-4$

즉, $\int_0^a (2x+4)\,dx$는 $a=-2$일 때 최솟값 -4를 가지므로

$m = -2$, $n = -4$

∴ $mn = (-2) \times (-4) = 8$

답 ④

010

$f'(x) = -2x+1$이므로

$f(x) = \int f'(x)\,dx = \int (-2x+1)\,dx$

$= -x^2+x+C$ ········· ❶

$\int_{-2}^2 f(x)\,dx = \int_{-2}^2 (-x^2+x+C)\,dx = \left[-\frac{1}{3}x^3+\frac{1}{2}x^2+Cx\right]_{-2}^2$

$= \left(-\frac{8}{3}+2+2C\right)-\left(\frac{8}{3}+2-2C\right) = -\frac{16}{3}+4C$

이때 $-\dfrac{16}{3}+4C=0$이므로

$4C=\dfrac{16}{3}$ $\qquad \therefore C=\dfrac{4}{3}$ ─────────────── ❷

따라서 $f(x)=-x^2+x+\dfrac{4}{3}$이므로

$3f(-1)=3\left(-1-1+\dfrac{4}{3}\right)=-2$ ────── ❸

답 -2

채점 기준	비율
❶ 정적분을 이용하여 $f(x)$의 식을 세울 수 있다.	40%
❷ 적분상수를 구할 수 있다.	40%
❸ $3f(-1)$의 값을 구할 수 있다.	20%

011

(1) $\displaystyle\int_0^1 (x^2+x)dx+\int_0^1 (3x+1)dx$

$=\displaystyle\int_0^1 (x^2+x+3x+1)dx=\int_0^1 (x^2+4x+1)dx$

$=\left[\dfrac{1}{3}x^3+2x^2+x\right]_0^1$

$=\dfrac{1}{3}+2+1=\dfrac{10}{3}$

(2) $\displaystyle\int_0^1 (x^2+x)dx+\int_1^0 (3x+1)dx$

$=\displaystyle\int_0^1 (x^2+x)dx-\int_0^1 (3x+1)dx$

$=\displaystyle\int_0^1 (x^2+x-3x-1)dx=\int_0^1 (x^2-2x-1)dx$

$=\left[\dfrac{1}{3}x^3-x^2-x\right]_0^1$

$=\dfrac{1}{3}-1-1=-\dfrac{5}{3}$

답 (1) $\dfrac{10}{3}$ (2) $-\dfrac{5}{3}$

012

$\displaystyle\int_0^{-3}(x^2+1)dx+2\int_{-3}^0 (x^2-2)dx$

$=-\displaystyle\int_{-3}^0 (x^2+1)dx+2\int_{-3}^0 (x^2-2)dx$

$=\displaystyle\int_{-3}^0 (-x^2-1+2x^2-4)dx$

$=\displaystyle\int_{-3}^0 (x^2-5)dx=\left[\dfrac{1}{3}x^3-5x\right]_{-3}^0$

$=-(-9+15)=-6$

답 ②

013

$\displaystyle\int_0^{10}(x+1)^2 dx-\int_0^{10}(x-1)^2 dx$

$=\displaystyle\int_0^{10}(x^2+2x+1)dx-\int_0^{10}(x^2-2x+1)dx$

$=\displaystyle\int_0^{10}(x^2+2x+1-x^2+2x-1)dx$

$=\displaystyle\int_0^{10} 4x\, dx=\left[2x^2\right]_0^{10}=200$

답 200

014

$\displaystyle\int_1^2 \dfrac{2x^3}{x+1}dx-\int_2^1 \dfrac{2}{x+1}dx$

$=\displaystyle\int_1^2 \dfrac{2x^3}{x+1}dx+\int_1^2 \dfrac{2}{x+1}dx$

$=\displaystyle\int_1^2 \left(\dfrac{2x^3}{x+1}+\dfrac{2}{x+1}\right)dx$

$=\displaystyle\int_1^2 \dfrac{2x^3+2}{x+1}dx=\int_1^2 \dfrac{2(x+1)(x^2-x+1)}{x+1}dx$

$=\displaystyle\int_1^2 2(x^2-x+1)dx=2\left[\dfrac{1}{3}x^3-\dfrac{1}{2}x^2+x\right]_1^2$

$=2\left(\dfrac{8}{3}-2+2\right)-2\left(\dfrac{1}{3}-\dfrac{1}{2}+1\right)=\dfrac{16}{3}-\dfrac{5}{3}=\dfrac{11}{3}$

따라서 $p=\dfrac{11}{3}$이므로 $3p=11$

답 ⑤

015

$-\displaystyle\int_0^3 (x+k)^2 dx+2\int_3^0 (x^2+kx-1)dx$

$=-\displaystyle\int_0^3 (x^2+2kx+k^2)dx-\int_0^3 (2x^2+2kx-2)dx$

$=-\displaystyle\int_0^3 (x^2+2kx+k^2+2x^2+2kx-2)dx$

$=-\displaystyle\int_0^3 (3x^2+4kx+k^2-2)dx$

$=-\left[x^3+2kx^2+k^2 x-2x\right]_0^3=-(27+18k+3k^2-6)$

$=-3k^2-18k-21$

이때 $-3k^2-18k-21=6$이므로

$3k^2+18k+27=0$, $3(k+3)^2=0$

$\therefore k=-3$

답 ①

016

(1) $\displaystyle\int_0^2 (2x+1)dx+\int_2^5 (2x+1)dx$

$=\displaystyle\int_0^5 (2x+1)dx=\left[x^2+x\right]_0^5$

$=25+5=30$

(2) $\displaystyle\int_{-2}^{-1}(3x^2-1)dx+\int_{-1}^2 (3x^2-1)dx$

$=\displaystyle\int_{-2}^2 (3x^2-1)dx=\left[x^3-x\right]_{-2}^2$

$=(8-2)-(-8+2)$

$=6+6=12$

답 (1) 30 (2) 12

017

$\displaystyle\int_{-3}^1 f(x)dx+\int_1^3 f(x)dx=\int_{-3}^3 f(x)dx=\int_{-3}^3 (x^2+3x)dx$

$=\left[\dfrac{1}{3}x^3+\dfrac{3}{2}x^2\right]_{-3}^3$

$=\left(9+\dfrac{27}{2}\right)-\left(-9+\dfrac{27}{2}\right)=18$

답 ⑤

018

$$\int_0^4 (x-1)(x+3)dx + \int_4^2 (x^2+2x-3)dx$$

$$=\int_0^4 (x^2+2x-3)dx - \int_2^4 (x^2+2x-3)dx$$

$$=\int_0^2 (x^2+2x-3)dx = \left[\frac{1}{3}x^3+x^2-3x\right]_0^2$$

$$=\frac{8}{3}+4-6=\frac{2}{3}$$

답 ②

019

$$\int_0^4 f(x)dx = \int_0^1 f(x)dx + \int_1^2 f(x)dx + \int_2^4 f(x)dx$$

$$6=3+\int_1^2 f(x)dx+5$$

$$\therefore \int_1^2 f(x)dx=-2$$

답 ②

020

$$\int_0^2 (-3x^2+5)dx - \int_a^2 (-3x^2+5)dx$$

$$=\int_0^2 (-3x^2+5)dx + \int_2^a (-3x^2+5)dx$$

$$=\int_0^a (-3x^2+5)dx = \left[-x^3+5x\right]_0^a (\because a>2)$$

$$=-a^3+5a \quad\text{------------------------} \mathbf{①}$$

이때 $-a^3+5a=-100$이므로

$$a^3-5a-100=0, \ (a-5)(a^2+5a+20)=0$$

$$\therefore a=5 \ (\because a^2+5a+20>0) \quad\text{---------} \mathbf{②}$$

답 5

채점 기준	비율
❶ 주어진 등식의 좌변을 간단히 할 수 있다.	50%
❷ a의 값을 구할 수 있다.	50%

021

$$\int_{-1}^2 f(x)dx = \int_{-1}^0 f(x)dx + \int_0^2 f(x)dx$$

$$=\int_{-1}^0 6x^2 dx + \int_0^2 (-3x^2)dx$$

$$=\left[2x^3\right]_{-1}^0 + \left[-x^3\right]_0^2$$

$$=-(-2)+(-8)=-6$$

답 ①

022

$$f(x)=\begin{cases} -x+2 & (x\geq 0) \\ x+2 & (x<0) \end{cases} \text{이므로}$$

$$\int_{-2}^0 f(x)dx - \int_0^1 f(x)dx = \int_{-2}^0 (x+2)dx - \int_0^1 (-x+2)dx$$

$$=\left[\frac{1}{2}x^2+2x\right]_{-2}^0 - \left[-\frac{1}{2}x^2+2x\right]_0^1$$

$$=-(2-4)-\left(-\frac{1}{2}+2\right)=\frac{1}{2}$$

답 $\frac{1}{2}$

023

함수 $f(x)$가 모든 실수 x에서 연속이므로 $x=1$에서도 연속이다.
즉,

$$f(1)=\lim_{x\to 1+}f(x)=\lim_{x\to 1-}f(x)$$

$$5=-1+k \qquad \therefore k=6$$

이때

$$\int_0^2 f(x)dx = \int_0^1 f(x)dx + \int_1^2 f(x)dx$$

$$=\int_0^1 (-x^2+6)dx + \int_1^2 (x+4)dx$$

$$=\left[-\frac{1}{3}x^3+6x\right]_0^1 + \left[\frac{1}{2}x^2+4x\right]_1^2$$

$$=\left(-\frac{1}{3}+6\right)+(2+8)-\left(\frac{1}{2}+4\right)$$

$$=\frac{67}{6}$$

이므로

$$6\int_0^2 f(x)dx = 6\times\frac{67}{6}=67$$

답 67

024

$$\int_0^{-1} f(x)dx - \int_0^1 f(x)dx$$

$$=-\int_{-1}^0 f(x)dx - \int_0^1 f(x)dx$$

$$=-\int_{-1}^0 (x^2+4x-2)dx - \int_0^1 (3x^2-2ax+a)dx$$

$$=-\left[\frac{1}{3}x^3+2x^2-2x\right]_{-1}^0 - \left[x^3-ax^2+ax\right]_0^1$$

$$=\left(-\frac{1}{3}+2+2\right)-(1-a+a)$$

$$=\frac{8}{3}$$

답 ④

025

$$\int_{-3}^3 f'(x)dx = \int_{-3}^0 f'(x)dx + \int_0^3 f'(x)dx$$

$$=\left[f(x)\right]_{-3}^0 + \left[f(x)\right]_0^3$$

$$=f(0)-f(-3)+f(3)-f(0)$$

$$=f(3)-f(-3)$$

$$=(27+9)-(-27+27)=36$$

답 ②

026

$$|x-1|=\begin{cases} x-1 & (x\geq 1) \\ -x+1 & (x<1) \end{cases} \text{이므로}$$

$$\int_0^2 |x-1|dx = \int_0^1 (-x+1)dx + \int_1^2 (x-1)dx$$

$$=\left[-\frac{1}{2}x^2+x\right]_0^1 + \left[\frac{1}{2}x^2-x\right]_1^2$$

$$=\left(-\frac{1}{2}+1\right)+(2-2)-\left(\frac{1}{2}-1\right)=1$$

답 ④

027

$|x|=\begin{cases} x & (x\geq0) \\ -x & (x<0) \end{cases}$ 이므로

$\int_{-1}^{2}(2|x|+3)dx=\int_{-1}^{0}(-2x+3)dx+\int_{0}^{2}(2x+3)dx$

$\qquad=\left[-x^2+3x\right]_{-1}^{0}+\left[x^2+3x\right]_{0}^{2}$

$\qquad=-(-1-3)+(4+6)=14$

답 ③

028

$|x^2-1|=\begin{cases} x^2-1 & (x\leq-1 \text{ 또는 } x\geq1) \\ -x^2+1 & (-1<x<1) \end{cases}$ 이므로

$\int_{-2}^{0}\dfrac{|x^2-1|}{x+1}dx$

$=\int_{-2}^{-1}\dfrac{x^2-1}{x+1}dx+\int_{-1}^{0}\dfrac{-x^2+1}{x+1}dx$

$=\int_{-2}^{-1}\dfrac{(x+1)(x-1)}{x+1}dx+\int_{-1}^{0}\dfrac{-(x+1)(x-1)}{x+1}dx$

$=\int_{-2}^{-1}(x-1)dx-\int_{-1}^{0}(x-1)dx$

$=\left[\dfrac{1}{2}x^2-x\right]_{-2}^{-1}-\left[\dfrac{1}{2}x^2-x\right]_{-1}^{0}$

$=\left(\dfrac{1}{2}+1\right)-(2+2)-\left\{-\left(\dfrac{1}{2}+1\right)\right\}=-1$

답 ①

029

$|x^2(x-1)|=\begin{cases} x^2(x-1) & (x\geq1) \\ -x^2(x-1) & (x<1) \end{cases}$ 이므로

$\int_{0}^{2}|x^2(x-1)|dx=\int_{0}^{1}\{-x^2(x-1)\}dx+\int_{1}^{2}x^2(x-1)dx$

$\qquad=\int_{0}^{1}(-x^3+x^2)dx+\int_{1}^{2}(x^3-x^2)dx$

$\qquad=\left[-\dfrac{1}{4}x^4+\dfrac{1}{3}x^3\right]_{0}^{1}+\left[\dfrac{1}{4}x^4-\dfrac{1}{3}x^3\right]_{1}^{2}$

$\qquad=\left(-\dfrac{1}{4}+\dfrac{1}{3}\right)+\left(4-\dfrac{8}{3}\right)-\left(\dfrac{1}{4}-\dfrac{1}{3}\right)$

$\qquad=\dfrac{3}{2}$

답 ①

030

$|2x-6|=\begin{cases} 2x-6 & (x\geq3) \\ -2x+6 & (x<3) \end{cases}$ 이므로 ──────── ❶

$\int_{0}^{a}|2x-6|dx=\int_{0}^{3}(-2x+6)dx+\int_{3}^{a}(2x-6)dx$

$\qquad=\left[-x^2+6x\right]_{0}^{3}+\left[x^2-6x\right]_{3}^{a}$

$\qquad=(-9+18)+(a^2-6a)-(9-18)$

$\qquad=a^2-6a+18$ ──────── ❷

이때 $a^2-6a+18=10$이므로

$a^2-6a+8=0$, $(a-2)(a-4)=0$

$\therefore a=4\ (\because a>3)$ ──────── ❸

답 4

채점 기준	비율
❶ 절댓값 기호를 포함한 식을 구간에 따라 정의할 수 있다.	20%
❷ 주어진 등식의 좌변을 간단히 할 수 있다.	60%
❸ a의 값을 구할 수 있다.	20%

031

(1) $\int_{-2}^{2}(2x+3)dx=2\int_{0}^{2}3\,dx=2\left[3x\right]_{0}^{2}=2\times6=12$

(2) $\int_{-3}^{3}(x^2-3x)dx=2\int_{0}^{3}x^2dx=2\left[\dfrac{1}{3}x^3\right]_{0}^{3}=2\times9=18$

답 (1) 12 (2) 18

032

$\int_{-a}^{a}(x^2-3x)dx=2\int_{0}^{a}x^2dx=2\left[\dfrac{1}{3}x^3\right]_{0}^{a}=\dfrac{2}{3}a^3$

이때 $\dfrac{2}{3}a^3=144$이므로 $a^3=216$

$\therefore a=6$

답 ④

033

$f(x)=f(-x)$에서 $f(x)$는 우함수이므로

$\int_{-3}^{3}f(x)dx=2\int_{0}^{3}f(x)dx=14$

$\therefore \int_{0}^{3}f(x)dx=7$

$\therefore \int_{2}^{3}f(x)dx=\int_{0}^{3}f(x)dx-\int_{0}^{2}f(x)dx$

$\qquad=7-(-3)=10$

답 ④

034

$f(x)=f(-x)$에서 $f(x)$는 우함수이고, $g(x)=-g(-x)$에서 $g(x)$는 기함수이다.

$g(x)$가 기함수이므로 0이다.

$\therefore \int_{-3}^{3}\{f(x)-g(x)\}dx=\int_{-3}^{3}f(x)dx-\underline{\int_{-3}^{3}g(x)dx}$

$\qquad=2\int_{0}^{3}f(x)dx$

$\qquad=2\times3=6$

답 ②

035

$f(x)=x+x^2+x^3+\cdots+x^{10}$에서

$f'(x)=1+2x+3x^2+\cdots+10x^9$이므로

$\int_{-1}^{1}f'(x)dx=\int_{-1}^{1}(1+2x+3x^2+\cdots+10x^9)dx$

$\qquad=2\int_{0}^{1}(1+3x^2+5x^4+7x^6+9x^8)$

$\qquad=2\left[x+x^3+x^5+x^7+x^9\right]_{0}^{1}$

$\qquad=2(1+1+1+1+1)$

$\qquad=2\times5=10$

답 ④

036

$\int_0^2 f(t)dt = k \ (k$는 상수$)$라고 하면 ········ ㉠

$f(x) = 4x + k$

위 식을 ㉠에 대입하면

$\int_0^2 (4t + k)dt = k$

$\left[2t^2 + kt \right]_0^2 = k, \ 8 + 2k = k$

$\therefore k = -8$

따라서 $f(x) = 4x - 8$이므로

$f(1) = 4 - 8 = -4$

답 ①

037

$\int_0^3 tf'(t)dt = k \ (k$는 상수$)$라고 하면 ········ ㉠

$f(x) = x^2 - 2x + k$

$\therefore f'(x) = 2x - 2$

위 식을 ㉠에 대입하면

$\int_0^3 t(2t - 2)dt = k$

$\int_0^3 (2t^2 - 2t)dt = k$

$\left[\frac{2}{3}t^3 - t^2 \right]_0^3 = k$

$\therefore k = 9$

따라서 $f(x) = x^2 - 2x + 9$이므로

$f(2) = 4 - 4 + 9 = 9$

답 ⑤

038

$\int_0^1 tf(t)dt = k \ (k$는 상수$)$라고 하면 ········ ㉠

$f(x) = 4x^2 + 6x + k$

위 식을 ㉠에 대입하면

$\int_0^1 t(4t^2 + 6t + k)dt = k$

$\int_0^1 (4t^3 + 6t^2 + kt)dt = k$

$\left[t^4 + 2t^3 + \frac{1}{2}kt^2 \right]_0^1 = k$

$3 + \frac{1}{2}k = k, \ \frac{1}{2}k = 3 \qquad \therefore k = 6$

따라서 $f(x) = 4x^2 + 6x + 6$이므로

$f(2) = 16 + 12 + 6 = 34$

답 ⑤

039

$f(x) = -3x^2 + \int_0^2 (x + 1)f(t)dt$에서

$f(x) = -3x^2 + (x + 1)\int_0^2 f(t)dt$

$\int_0^2 f(t)dt = k \ (k$는 상수$)$라고 하면 ········ ㉠

$f(x) = -3x^2 + (x + 1)k = -3x^2 + kx + k$

위 식을 ㉠에 대입하면

$\int_0^2 (-3t^2 + kt + k)dt = k$

$\left[-t^3 + \frac{1}{2}kt^2 + kt \right]_0^2 = k$

$4k - 8 = k, \ 3k = 8$

$\therefore k = \frac{8}{3}$

따라서 $f(x) = -3x^2 + \frac{8}{3}x + \frac{8}{3}$이므로

$f(2) = -12 + \frac{16}{3} + \frac{8}{3} = -4$

답 ②

040

$\int_0^3 f(t)dt = k \ (k$는 상수$)$라고 하면 ········ ㉠

$f(x) = \frac{16}{9}x^2 + 2xk + \frac{1}{3}k^2$ ━━━━━━ ❶

위 식을 ㉠에 대입하면

$\int_0^3 \left(\frac{16}{9}t^2 + 2kt + \frac{1}{3}k^2 \right)dt = k$

$\left[\frac{16}{27}t^3 + kt^2 + \frac{1}{3}k^2 t \right]_0^3 = k$

$16 + 9k + k^2 = k$

$k^2 + 8k + 16 = 0$

$(k + 4)^2 = 0$

$\therefore k = -4$ ━━━━━━ ❷

따라서 $f(x) = \frac{16}{9}x^2 - 8x + \frac{16}{3}$이므로

$\int_{-1}^1 f(x)dx = \int_{-1}^1 \left(\frac{16}{9}x^2 - 8x + \frac{16}{3} \right)dx$

$\qquad = 2\int_0^1 \left(\frac{16}{9}x^2 + \frac{16}{3} \right)dx$ ← 우함수와 기함수 이용!

$\qquad \qquad \qquad \qquad \qquad \int_{-3}^3 (-8x)dx = 0$이다.

$\qquad = 2\left[\frac{16}{27}x^3 + \frac{16}{3}x \right]_0^1$

$\qquad = \frac{320}{27}$ ━━━━━━ ❸

답 $\frac{320}{27}$

채점 기준	비율
❶ $\int_0^3 f(t)dt = k$로 놓고 $f(x)$를 k에 대한 식으로 나타낼 수 있다.	20%
❷ k의 값을 구할 수 있다.	40%
❸ $\int_{-1}^1 f(x)dx$의 값을 구할 수 있다.	40%

041

$\int_a^x f(t)dt = 3x^2 - 12$의 양변에 $x = a$를 대입하면

$0 = 3a^2 - 12$ ← $\int_a^a f(t)dt = 0$이다.

$3(a + 2)(a - 2) = 0$

$\therefore a = 2 \ (\because a > 0)$

답 ②

참고

$\int_a^x f(t)dt=g(x)$ (a는 상수)가 주어질 때

① 양변에 $x=a$를 대입한다. ➡ $\int_a^a f(t)dt=g(a)$ ➡ $g(a)=0$

② 양변을 x에 대하여 미분한다. ➡ $f(x)=g'(x)$

042

$f(x)=\int_1^x (t^2-2t-1)dt$의 양변에 $x=1$을 대입하면

$f(1)=0$ ← $\int_1^1 f(t)dt=0$이다.

$f(x)=\int_1^x (t^2-2t-1)dt$의 양변을 x에 대하여 미분하면

$f'(x)=x^2-2x-1$ ← $\dfrac{d}{dx}\int_1^x f(t)dt=f(x)$이다.

$\therefore f'(1)=1-2-1=-2$

$\therefore f(1)+f'(1)=0+(-2)=-2$

답 ①

043

$f(x)=\int_0^x (at+3)dt$의 양변을 x에 대하여 미분하면

$f'(x)=ax+3$

이때 $f'(3)=12$이므로 $3a+3=12$

$3a=9$ $\therefore a=3$

답 ③

044

$f(x)=\int_0^x (6t^2+1)dt$의 양변을 x에 대하여 미분하면

$f'(x)=6x^2+1$

$\therefore \lim\limits_{x\to2}\dfrac{f(x)-f(2)}{x-2}=f'(2)=6\times2^2+1=25$

답 25

045

$f(x)=\int_0^x (t^2+3t-4)dt$의 양변을 x에 대하여 미분하면

$f'(x)=x^2+3x-4=(x+4)(x-1)$

$f'(x)=0$에서 $x=-4$ 또는 $x=1$ ⋯⋯ ❶

함수 $f(x)$의 증가와 감소를 표로 나타내면 다음과 같다.

x	$\cdots$	-4	$\cdots$	1	$\cdots$
$f'(x)$	$+$	0	$-$	0	$+$
$f(x)$	↗	극대	↘	극소	↗

함수 $f(x)$는 $x=-4$에서 극댓값 a, $x=1$에서 극솟값 b를 가지므로

$a=f(-4)$

$\quad=\int_0^{-4}(t^2+3t-4)dt$

$\quad=\left[\dfrac{1}{3}t^3+\dfrac{3}{2}t^2-4t\right]_0^{-4}$

$\quad=-\dfrac{64}{3}+24+16$

$\quad=\dfrac{56}{3}$

$b=f(1)$

$\quad=\int_0^1(t^2+3t-4)dt$

$\quad=\left[\dfrac{1}{3}t^3+\dfrac{3}{2}t^2-4t\right]_0^1$

$\quad=\dfrac{1}{3}+\dfrac{3}{2}-4$

$\quad=-\dfrac{13}{6}$ ⋯⋯ ❷

$\therefore a+b=\dfrac{56}{3}+\left(-\dfrac{13}{6}\right)=\dfrac{33}{2}$ ⋯⋯ ❸

답 $\dfrac{33}{2}$

채점 기준	비율
❶ $f'(x)=0$인 x의 값을 구할 수 있다.	20%
❷ a, b의 값을 구할 수 있다.	60%
❸ $a+b$의 값을 구할 수 있다.	20%

046

$f'(x)=x^2-2x+3$이라고 하면

$\lim\limits_{h\to0}\dfrac{1}{h}\int_0^h (x^2-2x+3)dx=\lim\limits_{h\to0}\dfrac{1}{h}\int_0^h f'(x)dx$

$\qquad=\lim\limits_{h\to0}\dfrac{1}{h}\left[f(x)\right]_0^h$

$\qquad=\lim\limits_{h\to0}\dfrac{f(h)-f(0)}{h}$

$\qquad=f'(0)=3$

답 ④

047

$F'(x)=f(x)$라고 하면

$\lim\limits_{h\to0}\dfrac{1}{h}\int_1^{1+2h}f(x)dx=\lim\limits_{h\to0}\dfrac{1}{h}\left[F(x)\right]_1^{1+2h}$

$\qquad=\lim\limits_{h\to0}\dfrac{F(1+2h)-F(1)}{h}$

$\qquad=\lim\limits_{h\to0}\dfrac{F(1+2h)-F(1)}{2h}\times2$

$\qquad=2F'(1)=2f(1)$

$\qquad=2\times(2-1+3)=8$

답 ⑤

048

$F'(x)=f(x)$라고 하면

$\lim\limits_{x\to2}\dfrac{1}{x-2}\int_2^x f(t)dt=\lim\limits_{x\to2}\dfrac{1}{x-2}\left[F(t)\right]_2^x$

$\qquad=\lim\limits_{x\to2}\dfrac{F(x)-F(2)}{x-2}$

$\qquad=F'(2)=f(2)$

$\qquad=-16+12+1=-3$

답 ①

049

$f'(x)=3x+k$라고 하면

$$\lim_{h \to 0} \frac{1}{h} \int_{1-h}^{1+h} (3x+k)dx$$

$$=\lim_{h \to 0} \frac{1}{h} \int_{1-h}^{1+h} f'(x)dx$$

$$=\lim_{h \to 0} \frac{1}{h} \left[f(x) \right]_{1-h}^{1+h}$$

$$=\lim_{h \to 0} \frac{f(1+h)-f(1-h)}{h}$$

$$=\lim_{h \to 0} \frac{\{f(1+h)-f(1)\}-\{f(1-h)-f(1)\}}{h}$$

$$=\lim_{h \to 0} \frac{f(1+h)-f(1)}{h} + \lim_{h \to 0} \frac{f(1-h)-f(1)}{-h}$$

$$=f'(1)+f'(1)=2f'(1)$$

이때 $2f'(1)=4$이므로 $f'(1)=2$

$3+k=2$ $\therefore k=-1$

답 ③

050

$f'(x)=x^2-2x$라고 하면

$$\lim_{x \to 1} \frac{1}{x^2-1} \int_1^x (t^2-2t)dt$$

$$=\lim_{x \to 1} \frac{1}{x^2-1} \int_1^x f'(t)dt$$

$$=\lim_{x \to 1} \frac{1}{x^2-1} \left[f(t) \right]_1^x$$

$$=\lim_{x \to 1} \frac{f(x)-f(1)}{x^2-1}=\lim_{x \to 1} \frac{f(x)-f(1)}{(x+1)(x-1)}$$

$$=\lim_{x \to 1} \left\{ \frac{f(x)-f(1)}{x-1} \times \frac{1}{x+1} \right\}$$

$$=\frac{1}{2}f'(1)=\frac{1}{2} \times (1-2)=-\frac{1}{2}$$

답 ②

실력을 높이는 연습 문제

01

$$\int_{-1}^{2} \{2f'(x)-2x+4\}dx = \left[2f(x)-x^2+4x \right]_{-1}^{2}$$

$$=2f(2)-4+8-\{2f(-1)-1-4\}$$

$$=2f(2)-2f(-1)+9$$

$$=2f(2)-6+9 \; (\because f(-1)=3)$$

$$=2f(2)+3$$

이때 $2f(2)+3=7$이므로

$2f(2)=4$ $\therefore f(2)=2$

답 2

02

$$\int_0^1 xf(x)dx = \int_0^1 x(2x^2-ax+3)dx$$

$$=\int_0^1 (2x^3-ax^2+3x)dx$$

$$=\left[\frac{1}{2}x^4-\frac{a}{3}x^3+\frac{3}{2}x^2 \right]_0^1$$

$$=\frac{1}{2}-\frac{a}{3}+\frac{3}{2}=-\frac{a}{3}+2$$

이때 $-\frac{a}{3}+2=\frac{2}{3}$이므로 $-\frac{a}{3}=-\frac{4}{3}$

$\therefore a=4$

답 4

03

$f(x)=ax^2+bx+c \; (a \neq 0, a, b, c$는 상수$)$라고 하면

$$\int_{-1}^{0} f(x)dx = \int_{-1}^{0} (ax^2+bx+c)dx$$

$$=\left[\frac{1}{3}ax^3+\frac{1}{2}bx^2+cx \right]_{-1}^{0}$$

$$=-\left(-\frac{1}{3}a+\frac{1}{2}b-c \right)$$

$$=\frac{1}{3}a-\frac{1}{2}b+c$$

이때 $\frac{1}{3}a-\frac{1}{2}b+c=0$이므로

$2a-3b+6c=0$ ……… ㉠

함수 $y=f(x)$의 그래프가 두 점 $(0, 4)$, $(1, 7)$을 지나므로

$f(0)=4$에서 $c=4$

$f(1)=7$에서 $a+b+c=7$ $\therefore a+b=3$ ……… ㉡

$c=4$를 ㉠에 대입하면

$2a-3b+24=0$ $\therefore 2a-3b=-24$ ……… ㉢

㉡, ㉢을 연립하여 풀면 $a=-3, b=6$

따라서 $f(x)=-3x^2+6x+4$이므로

$f(2)=-12+12+4=4$

답 4

04

$$f(x)=\frac{d}{dx} \int_0^x (t^3-1)dt=x^3-1$$

$$g(x)=\frac{d}{dx} \int_{-1}^x (t-1)dt=x-1$$

$$\therefore \int_{-1}^{2} \frac{f(x)}{g(x)}dx = \int_{-1}^{2} \frac{x^3-1}{x-1}dx$$

$$= \int_{-1}^{2} \frac{(x-1)(x^2+x+1)}{x-1}dx$$

$$= \int_{-1}^{2} (x^2+x+1)dx$$

$$= \left[\frac{1}{3}x^3+\frac{1}{2}x^2+x\right]_{-1}^{2}$$

$$= \left(\frac{8}{3}+2+2\right)-\left(-\frac{1}{3}+\frac{1}{2}-1\right)=\frac{15}{2}$$

답 ④

05

$$2\int_{0}^{1}(x+k)^2dx-\int_{1}^{0}(2x+k)^2dx$$

$$=2\int_{0}^{1}(x^2+2kx+k^2)dx+\int_{0}^{1}(4x^2+4kx+k^2)dx$$

$$=\int_{0}^{1}(2x^2+4kx+2k^2+4x^2+4kx+k^2)dx$$

$$=\int_{0}^{1}(6x^2+8kx+3k^2)dx=\left[2x^3+4kx^2+3k^2x\right]_{0}^{1}$$

$$=2+4k+3k^2=3\left(k+\frac{2}{3}\right)^2+\frac{2}{3}$$

따라서 구하는 정적분은 최솟값 $\frac{2}{3}$ 를 갖는다.

답 $\frac{2}{3}$

06

$f(x)=2x(2x+1)(x-1)=4x^3-2x^2-2x$ 이므로

$$\int_{-1}^{-3}\frac{f(x)}{2x^2-3}dx+\int_{0}^{-1}\frac{f(y)}{2y^2-3}dy-\int_{-3}^{0}\frac{-4x+3}{2x^2-3}dx$$

$$=-\int_{-3}^{-1}\frac{f(x)}{2x^2-3}dx-\int_{-1}^{0}\frac{f(x)}{2x^2-3}dx-\int_{-3}^{0}\frac{-4x+3}{2x^2-3}dx$$

$$=-\int_{-3}^{0}\frac{f(x)}{2x^2-3}dx-\int_{-3}^{0}\frac{-4x+3}{2x^2-3}dx$$

$$=-\int_{-3}^{0}\frac{f(x)-4x+3}{2x^2-3}dx$$

$$=-\int_{-3}^{0}\frac{4x^3-2x^2-2x-4x+3}{2x^2-3}dx$$

$$=-\int_{-3}^{0}\frac{4x^3-2x^2-6x+3}{2x^2-3}dx$$

$$=-\int_{-3}^{0}\frac{(2x-1)(2x^2-3)}{2x^2-3}dx$$

$$=-\int_{-3}^{0}(2x-1)dx=-\left[x^2-x\right]_{-3}^{0}=9+3=12$$

답 ⑤

07

$$\int_{-a}^{a}f(x)dx=\int_{-a}^{0}f(x)dx+\int_{0}^{a}f(x)dx$$

$$=\int_{-a}^{0}(2x+2)dx+\int_{0}^{a}(-x^2+2x+2)dx$$

$$=\left[x^2+2x\right]_{-a}^{0}+\left[-\frac{1}{3}x^3+x^2+2x\right]_{0}^{a}$$

$$=-(a^2-2a)+\left(-\frac{1}{3}a^3+a^2+2a\right)$$

$$=-\frac{1}{3}a^3+4a$$

$g(a)=-\frac{1}{3}a^3+4a$ 라고 하면

$$g'(a)=-a^2+4=-(a+2)(a-2)$$

$g'(a)=0$에서 $a=2$ ($\because a>0$)

$a>0$에서 함수 $g(a)$의 증가와 감소를 표로 나타내면 다음과 같다.

a	(0)	$\cdots$	2	$\cdots$
$g'(a)$		$+$	0	$-$
$g(a)$		↗	극대	↘

$a>0$에서 함수 $g(a)$는 $a=2$에서 극대이면서 최대이다.

따라서 구하는 최댓값은

$$g(2)=-\frac{8}{3}+8=\frac{16}{3}$$

답 ②

08

(i) $a\leq-1$일 때

$$\int_{-2}^{a}f(x)dx=\int_{-2}^{a}(4x-1)dx=\left[2x^2-x\right]_{-2}^{a}$$

$$=(2a^2-a)-(8+2)$$

$$=2a^2-a-10$$

이때 $2a^2-a-10=-3$이므로

$$2a^2-a-7=0$$

a는 정수이므로 조건을 만족시키는 a는 존재하지 않는다.

(ii) $a\geq-1$일 때

$$\int_{-2}^{a}f(x)dx=\int_{-2}^{-1}f(x)dx+\int_{-1}^{a}f(x)dx$$

$$=\int_{-2}^{-1}(4x-1)dx+\int_{-1}^{a}(-2x-7)dx$$

$$=\left[2x^2-x\right]_{-2}^{-1}+\left[-x^2-7x\right]_{-1}^{a}$$

$$=(2+1)-(8+2)+(-a^2-7a)-(-1+7)$$

$$=-a^2-7a-13$$

이때 $-a^2-7a-13=-3$이므로

$$a^2+7a+10=0$$

$$(a-2)(a-5)=0$$

$$\therefore a=2 \text{ 또는 } a=5$$

(i), (ii)에 의하여 $a=2$ 또는 $a=5$

답 2, 5

09

$$f(g(x))=x^2-x+|x^2-x|$$

$$=\begin{cases}2x^2-2x & (x\leq0 \text{ 또는 } x\geq1)\\ 0 & (0<x<1)\end{cases}$$

$$\therefore \int_{-2}^{2}f(g(x))dx$$

$$=\int_{-2}^{0}f(g(x))dx+\int_{0}^{1}f(g(x))dx+\int_{1}^{2}f(g(x))dx$$

$$=\int_{-2}^{0}(2x^2-2x)dx+\int_{0}^{1}0dx+\int_{1}^{2}(2x^2-2x)dx$$

$$=\left[\frac{2}{3}x^3-x^2\right]_{-2}^{0}+\left[\frac{2}{3}x^3-x^2\right]_{1}^{2}$$

$$=-\left(-\frac{16}{3}-4\right)+\left(\frac{16}{3}-4\right)-\left(\frac{2}{3}-1\right)$$

$$=11$$

답 ④

10

$|x-1| = \begin{cases} x-1 & (x \geq 1) \\ -x+1 & (x < 1) \end{cases}$, $|x-2| = \begin{cases} x-2 & (x \geq 2) \\ -x+2 & (x < 2) \end{cases}$ 이므로

$\int_0^3 (2|x-1| + 4|x-2|) dx$

$= \int_0^1 \{2(-x+1) + 4(-x+2)\} dx$

$\qquad\qquad + \int_1^2 \{2(x-1) + 4(-x+2)\} dx$

$\qquad\qquad\qquad + \int_2^3 \{2(x-1) + 4(x-2)\} dx$

$= \int_0^1 (-6x+10) dx + \int_1^2 (-2x+6) dx + \int_2^3 (6x-10) dx$

$= \left[-3x^2 + 10x \right]_0^1 + \left[-x^2 + 6x \right]_1^2 + \left[3x^2 - 10x \right]_2^3$

$= (-3+10) + (-4+12) - (-1+6) + (27-30) - (12-20)$

$= 15$

답 ③

11

문제 접근하기

$f(x)$가 우함수이면 $\int_{-a}^a f(x) dx = 2 \int_0^a f(x) dx$이고, $f(x)$가 기함수이면 $\int_{-a}^a f(x) dx = 0$임을 이용하여 $\int_{-1}^1 f(x) dx$의 값을 구한다.

$\int_{-1}^1 f(x) dx = \int_{-1}^1 (1 + 2x + 3x^2 + \cdots + nx^{n-1}) dx$ ······· ㉠

(i) n이 짝수이면

$\quad (㉠) = 2 \int_0^1 \{1 + 3x^2 + \cdots + (n-1)x^{n-2}\}$

$\qquad\quad = 2 \left[x + x^3 + \cdots + x^{n-1} \right]_0^1$

$\qquad\quad = 2(1 + 1 + \cdots + 1)$

$\qquad\quad = 2 \times \dfrac{(n-1)+1}{2} = n$

$\quad \therefore n = 20$ → $n = 2k$라고 하면 $n-1 = 2k-1$

$\qquad\qquad\qquad\qquad\qquad \therefore k = \dfrac{(n-1)+1}{2}$

(ii) n이 홀수이면

$\quad (㉠) = 2 \int_0^1 \{1 + 3x^2 + \cdots + nx^{n-1}\}$

$\qquad\quad = 2 \left[x + x^3 + \cdots + x^n \right]_0^1$

$\qquad\quad = 2(1 + 1 + \cdots + 1)$

$\qquad\quad = 2 \times \dfrac{n+1}{2} = n+1$

$\quad$ 이때 $n+1 = 20$이므로 $n = 19$ → $n = 2k-1$이라고 하면 $k = \dfrac{n+1}{2}$

(i), (ii)에 의하여 n의 최댓값은 20이다.

답 20

12

$f(x) = f(-x)$이므로 $f(x)$는 우함수이고, $-xf(-x) = -xf(x)$이므로 $xf(x)$는 기함수이다.

$\therefore \int_{-1}^1 (x+1)f(x) dx = \int_{-1}^1 xf(x) dx + \int_{-1}^1 f(x) dx$

$\qquad\qquad\qquad\qquad = 0 + 2 \int_0^1 f(x) dx = 2 \times 3 = 6$

답 6

참고

(1) (우함수) × (우함수) ➡ (우함수)

(2) (우함수) × (기함수) ➡ (기함수)

(3) (기함수) × (기함수) ➡ (우함수)

13

문제 접근하기

$f(x) = f(x+4)$에서 함수 $f(x)$는 주기가 4인 함수이므로

$\int_6^9 f(x) dx = \int_2^5 f(x) dx = \int_2^4 f(x) dx + \int_4^5 f(x) dx$

$\qquad\qquad\quad = \int_2^4 f(x) dx + \int_0^1 f(x) dx$

이다.

$f(x) = f(x+4)$이므로 $f(0) = f(4)$

이때 $f(0) = 9$, $f(4) = a + 12$이므로

$9 = a + 12$ $\therefore a = -3$

$\therefore \int_6^9 f(x) dx = \int_2^5 f(x) dx$

$\qquad\qquad\quad = \int_2^4 f(x) dx + \int_4^5 f(x) dx$

$\qquad\qquad\quad = \int_2^4 f(x) dx + \int_0^1 f(x) dx$

$\qquad\qquad\quad = \int_2^4 (x^2 - x - 3) dx + \int_0^1 (-5x + 9) dx$

$\qquad\qquad\quad = \left[\dfrac{1}{3}x^3 - \dfrac{1}{2}x^2 - 3x \right]_2^4 + \left[-\dfrac{5}{2}x^2 + 9x \right]_0^1$

$\qquad\qquad\quad = \left(\dfrac{64}{3} - 8 - 12 \right) - \left(\dfrac{8}{3} - 2 - 6 \right) + \left(-\dfrac{5}{2} + 9 \right)$

$\qquad\qquad\quad = \dfrac{79}{6}$

$\therefore 6 \int_6^9 f(x) dx = 6 \times \dfrac{79}{6} = 79$

답 79

| 다른 풀이 |

함수 $f(x)$가 연속함수이므로 $x = 2$에서도 연속이다.

즉, $f(2) = \lim_{x \to 2+} f(x) = \lim_{x \to 2-} f(x)$이므로

$4 - 2 + a = -10 + 9$

$\therefore a = -3$

14

$\int_0^x (x-t)f(t) dt = -x^4 + 2x^3 + 3x^2$에서

$x \int_0^x f(t) dt - \int_0^x tf(t) dt = -x^4 + 2x^3 + 3x^2$

위 등식의 양변을 x에 대하여 미분하면

$\int_0^x f(t) dt + xf(x) - xf(x) = -4x^3 + 6x^2 + 6x$

$\therefore \int_0^x f(t) dt = -4x^3 + 6x^2 + 6x$

위 등식의 양변을 다시 x에 대하여 미분하면

$f(x) = -12x^2 + 12x + 6 = -12 \left(x - \dfrac{1}{2} \right)^2 + 9$

따라서 함수 $f(x)$는 $x = \dfrac{1}{2}$일 때 최댓값 9를 갖는다.

답 ④

15

$$f(x)=6x-\int_0^2 f(t)dt+\int_0^4 f(t)dt$$
$$\qquad =6x+\int_2^4 f(t)dt$$

$\int_2^4 f(t)dt=k\ (k는\ 상수)$라고 하면 ·········· ㉠

$$f(x)=6x+k$$

위 식을 ㉠에 대입하면

$$\int_2^4 (6t+k)dt=k$$

$$\Big[3t^2+kt\Big]_2^4=k,\ (48+4k)-(12+2k)=k$$

$$2k+36=k\qquad \therefore k=-36$$

따라서 $f(x)=6x-36$이므로

$$f(6)=36-36=0$$

답 ③

16

$\int_1^x f(t)dt=xf(x)+2x^3-3x^2$의 양변을 x에 대하여 미분하면

$$f(x)=f(x)+xf'(x)+6x^2-6x$$
$$xf'(x)=-6x^2+6x$$

이때 함수 $f(x)$가 다항함수이므로

$$f'(x)=-6x+6$$

$$\therefore f(x)=\int f'(x)dx$$
$$\qquad =\int(-6x+6)dx$$
$$\qquad =-3x^2+6x+C \qquad ·········· ㉠$$

$\int_1^x f(t)dt=xf(x)+2x^3-3x^2$의 양변에 $x=1$을 대입하면

$$0=f(1)+2-3 \qquad \therefore f(1)=1$$

㉠에 $x=1$을 대입하면

$$1=-3+6+C \qquad \therefore C=-2$$

따라서 $f(x)=-3x^2+6x-2$이므로

$$f(2)=-12+12-2=-2$$

답 ③

17

$\int_0^1 f(t)dt=k\ (k는\ 상수)$라고 하면

$$\int_0^x f(t)dt=x^3-2x^2-2kx$$

위 식의 양변에 $x=1$을 대입하면

$$k=1-2-2k,\ 3k=-1$$

$$\therefore k=\int_0^1 f(t)dt=-\frac{1}{3}$$

$\int_0^x f(t)dt=x^3-2x^2+\frac{2}{3}x$의 양변을 x에 대하여 미분하면

$$f(x)=3x^2-4x+\frac{2}{3}$$

따라서 $f(0)=\frac{2}{3}$이므로 $a=\frac{2}{3}$

$$\therefore 60a=60\times\frac{2}{3}=40$$

답 40

18

$f(x)=\int_0^x (3t^2+at+b)dt$의 양변을 x에 대하여 미분하면

$$f'(x)=3x^2+ax+b$$

함수 $f(x)$가 $x=-2$에서 극댓값 28을 가지므로

$$f(-2)=28,\ f'(-2)=0$$

$f(-2)=28$에서 $\int_0^{-2}(3t^2+at+b)dt=28$

$$-\int_{-2}^0 (3t^2+at+b)dt=28$$

$$-\Big[t^3+\frac{1}{2}at^2+bt\Big]_{-2}^0=28$$

$$-8+2a-2b=28$$

$$\therefore a-b=18 \qquad ·········· ㉠$$

$f'(-2)=0$에서 $12-2a+b=0$

$$\therefore 2a-b=12 \qquad ·········· ㉡$$

㉠, ㉡을 연립하여 풀면 $a=-6,\ b=-24$

따라서 $f(x)=\int_0^x (3t^2-6t-24)dt$이므로

$$f(2)=\int_0^2 (3t^2-6t-24)dt$$
$$\qquad =\Big[t^3-3t^2-24t\Big]_0^2$$
$$\qquad =8-12-48=-52$$

답 -52

19

문제 접근하기

함수 $f(x)$의 한 부정적분을 $F(x)$라고 하면
$$\lim_{x\to a}\frac{1}{x-a}\int_a^x f(x)dx=\lim_{x\to a}\frac{F(x)-F(a)}{x-a}=F'(a)=f(a)$$
임을 이용한다.

$\lim\limits_{x\to 1}\dfrac{\int_1^x f(t)dt-f(x)}{x-1}=3$에서 $x\to 1$일 때 극한값이 존재하고
(분모) $\to 0$이므로 (분자) $\to 0$이다.

즉, $\lim\limits_{x\to 1}\Big\{\int_1^x f(t)dt-f(x)\Big\}=0$이므로

$$\int_1^1 f(t)dt-f(1)=0$$

$$\therefore f(1)=0$$

$F'(x)=f(x)$라고 하면

$$\lim_{x\to 1}\frac{\int_1^x f(t)dt-f(x)}{x-1}=\lim_{x\to 1}\frac{\Big[F(t)\Big]_1^x-f(x)}{x-1}$$
$$=\lim_{x\to 1}\Big\{\frac{F(x)-F(1)}{x-1}-\frac{f(x)-\overbrace{f(1)}}{x-1}\Big\}$$
$$=F'(1)-f'(1)=\underset{=0}{f(1)}-f'(1)$$
$$=-f'(1)$$

이때 $-f'(1)=3$이므로 $f'(1)=-3$

답 ②

III. 적분

09 정적분의 활용

기본을 다지는 유형

본문 **139**쪽

001

$$\int_0^2 \{-x^2(x-2)\}dx = \int_0^2 (-x^3+2x^2)dx$$
$$= \left[-\frac{1}{4}x^4 + \frac{2}{3}x^3 \right]_0^2 = \frac{4}{3}$$

답 $\dfrac{4}{3}$

002

곡선 $y=x^2-4$와 x축의 교점의 x좌표는
$x^2-4=0$, $(x+2)(x-2)=0$
$\therefore x=-2$ 또는 $x=2$
따라서 구하는 넓이는

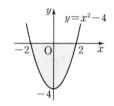

$$\int_{-2}^2 |x^2-4|dx = \int_{-2}^2 (-x^2+4)dx$$
$$= 2\int_0^2 (-x^2+4)dx$$
$$= 2\left[-\frac{1}{3}x^3+4x \right]_0^2$$
$$= 2 \times \frac{16}{3} = \frac{32}{3}$$

답 $\dfrac{32}{3}$

|다른 풀이 ❶|
함수 $f(x)=x^2-4$의 그래프가 y축에 대하여 대칭이므로
$$\int_{-2}^0 |x^2-4|dx = \int_0^2 |x^2-4|dx$$
$$\therefore \int_{-2}^2 |x^2-4|dx = 2\int_0^2 (-x^2+4)dx = 2\left[-\frac{1}{3}x^3+4x \right]_0^2$$
$$= 2 \times \frac{16}{3} = \frac{32}{3}$$

|다른 풀이 ❷|
함수 $f(x)=x^2-4$의 그래프와 x축의 교점의 x좌표가 -2, 2이므로 구하는 넓이는
$$\frac{\{2-(-2)\}^3}{6} = \frac{64}{6} = \frac{32}{3}$$

참고
포물선 $y=ax^2+bx+c$와 x축의 교점의 x좌표가 α, β $(\alpha<\beta)$일 때, 이 포물선과 x축으로 둘러싸인 도형의 넓이는
$$\frac{|a|}{6}(\beta-\alpha)^3$$

003

곡선 $y=4x^3-36x$와 x축의 교점의 x좌표는

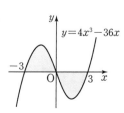

$4x^3-36x=0$, $4x(x+3)(x-3)=0$
$\therefore x=-3$ 또는 $x=0$ 또는 $x=3$
따라서 구하는 넓이는

$$\int_{-3}^3 |4x^3-36x|dx$$
$$= \int_{-3}^0 (4x^3-36x)dx + \int_0^3 (-4x^3+36x)dx$$
$$= \left[x^4-18x^2 \right]_{-3}^0 + \left[-x^4+18x^2 \right]_0^3$$
$$= 81+81 = 162$$

답 162

|다른 풀이|
함수 $y=4x^3-36x$의 그래프가 원점에 대하여 대칭이므로
$$\int_{-3}^0 |4x^3-36x|dx = \int_0^3 |4x^3-36x|dx$$
$$\therefore \int_{-3}^3 |4x^3-36x|dx = 2\int_0^3 (-4x^3+36x)dx$$
$$= 2\left[-x^4+18x^2 \right]_0^3$$
$$= 2 \times 81 = 162$$

004

곡선 $y=x^2-ax$와 x축의 교점의 x좌표는

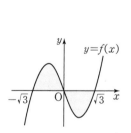

$x^2-ax=0$, $x(x-a)=0$
$\therefore x=0$ 또는 $x=a$ $(\because a>0)$
따라서 곡선 $y=x^2-ax$와 x축으로 둘러싸인 도형의 넓이는

$$\int_0^a |x^2-ax|dx = \int_0^a (-x^2+ax)dx$$
$$= \left[-\frac{1}{3}x^3+\frac{a}{2}x^2 \right]_0^a$$
$$= \frac{a^3}{6}$$

이때 $\dfrac{a^3}{6}=\dfrac{4}{3}$이므로 $a^3=8$
$\therefore a=2$ $(\because a>0)$

답 ②

005

$$f(x)=\int f'(x)dx = \int (x^2-1)dx = \frac{1}{3}x^3-x+C$$

이때 $f(0)=0$이므로 $C=0$
$\therefore f(x)=\dfrac{1}{3}x^3-x$

함수 $y=f(x)$의 그래프와 x축의 교점의 x좌표는

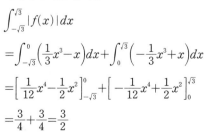

$\dfrac{1}{3}x^3-x=0$, $\dfrac{1}{3}x(x+\sqrt{3})(x-\sqrt{3})=0$
$\therefore x=-\sqrt{3}$ 또는 $x=0$ 또는 $x=\sqrt{3}$
따라서 구하는 넓이는

$$\int_{-\sqrt{3}}^{\sqrt{3}} |f(x)|dx$$
$$= \int_{-\sqrt{3}}^0 \left(\frac{1}{3}x^3-x \right)dx + \int_0^{\sqrt{3}} \left(-\frac{1}{3}x^3+x \right)dx$$
$$= \left[\frac{1}{12}x^4-\frac{1}{2}x^2 \right]_{-\sqrt{3}}^0 + \left[-\frac{1}{12}x^4+\frac{1}{2}x^2 \right]_0^{\sqrt{3}}$$
$$= \frac{3}{4}+\frac{3}{4} = \frac{3}{2}$$

답 ④

| 다른 풀이 |

함수 $f(x)=\dfrac{1}{3}x^3-x$의 그래프가 원점에 대하여 대칭이므로

$$\int_{-\sqrt{3}}^{0}|f(x)|dx=\int_{0}^{\sqrt{3}}|f(x)|dx$$

$$\therefore \int_{-\sqrt{3}}^{\sqrt{3}}|f(x)|dx=2\int_{0}^{\sqrt{3}}\left(-\dfrac{1}{3}x^3+x\right)dx$$

$$=2\left[-\dfrac{1}{12}x^4+\dfrac{1}{2}x^2\right]_{0}^{\sqrt{3}}$$

$$=2\times\dfrac{3}{4}=\dfrac{3}{2}$$

006

곡선 $y=9-x^2$과 x축의 교점의 x좌표는

$9-x^2=0$, $-(x+3)(x-3)=0$

$\therefore x=-3$ 또는 $x=3$

따라서 구하는 넓이는

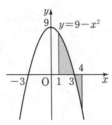

$$\int_{1}^{4}|9-x^2|dx$$

$$=\int_{1}^{3}(9-x^2)dx+\int_{3}^{4}(-9+x^2)dx$$

$$=\left[9x-\dfrac{1}{3}x^3\right]_{1}^{3}+\left[-9x+\dfrac{1}{3}x^3\right]_{3}^{4}$$

$$=\dfrac{28}{3}+\dfrac{10}{3}=\dfrac{38}{3}$$

답 ③

007

곡선 $y=x^2-2x$와 x축의 교점의 x좌표는

$x^2-2x=0$, $x(x-2)=0$

$\therefore x=0$ 또는 $x=2$

따라서 구하는 넓이는

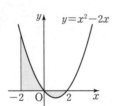

$$\int_{-2}^{2}|x^2-2x|dx$$

$$=\int_{-2}^{0}(x^2-2x)dx+\int_{0}^{2}(-x^2+2x)dx$$

$$=\left[\dfrac{1}{3}x^3-x^2\right]_{-2}^{0}+\left[-\dfrac{1}{3}x^3+x^2\right]_{0}^{2}$$

$$=\dfrac{20}{3}+\dfrac{4}{3}=8$$

답 ③

008

구하는 넓이는

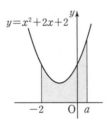

$$\int_{-2}^{a}|x^2+2x+2|dx$$

$$=\int_{-2}^{a}(x^2+2x+2)dx$$

$$=\left[\dfrac{1}{3}x^3+x^2+2x\right]_{-2}^{a}$$

$$=\dfrac{1}{3}a^3+a^2+2a+\dfrac{8}{3}$$

이때 $\dfrac{1}{3}a^3+a^2+2a+\dfrac{8}{3}=6$이므로

$a^3+3a^2+6a-10=0$, $(a-1)(a^2+4a+10)=0$

$\therefore a=1$ ($\because a^2+4a+10>0$)

답 ①

009

곡선 $y=-x^2+2x+3$과 직선 $y=3$의 교점의 x좌표는

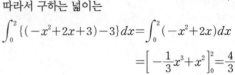

$-x^2+2x+3=3$, $-x^2+2x=0$

$-x(x-2)=0$

$\therefore x=0$ 또는 $x=2$

따라서 구하는 넓이는

$$\int_{0}^{2}\{(-x^2+2x+3)-3\}dx=\int_{0}^{2}(-x^2+2x)dx$$

$$=\left[-\dfrac{1}{3}x^3+x^2\right]_{0}^{2}=\dfrac{4}{3}$$

답 ②

| 다른 풀이 |

곡선 $y=-x^2+2x+3$과 직선 $y=3$의 교점의 x좌표가 0, 2이므로

구하는 넓이는

$$\dfrac{|-1|}{6}(2-0)^3=\dfrac{4}{3}$$

참고

포물선 $y=ax^2+bx+c$와 직선 $y=mx+n$의 교점의 x좌표가 α, β $(\alpha<\beta)$

일 때, 이 포물선과 직선으로 둘러싸인 도형의 넓이는

$$\dfrac{|a|}{6}(\beta-\alpha)^3$$

010

곡선 $y=-x^2+6x$와 직선 $y=2x$의 교점의 x좌표는

$-x^2+6x=2x$, $x^2-4x=0$

$x(x-4)=0$

$\therefore x=0$ 또는 $x=4$

따라서 구하는 넓이는

$$\int_{0}^{4}\{(-x^2+6x)-2x\}dx=\int_{0}^{4}(-x^2+4x)dx$$

$$=\left[-\dfrac{1}{3}x^3+2x^2\right]_{0}^{4}=\dfrac{32}{3}$$

답 ①

011

곡선 $y=x^2-5x+3$과 직선 $y=x-2$의 교점의 x좌표는

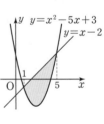

$x^2-5x+3=x-2$, $x^2-6x+5=0$

$(x-1)(x-5)=0$

$\therefore x=1$ 또는 $x=5$

따라서 주어진 곡선과 직선으로 둘러싸인 도형의 넓이 S는

$$S=\int_{1}^{5}\{(x-2)-(x^2-5x+3)\}dx$$

$$=\int_{1}^{5}(-x^2+6x-5)dx$$

$$=\left[-\dfrac{1}{3}x^3+3x^2-5x\right]_{1}^{5}=\dfrac{32}{3}$$

이므로

$$3S=3\times\dfrac{32}{3}=32$$

답 32

012

곡선 $y=x^3$과 직선 $y=8$의 교점의 x좌표는

$x^3=8$ ∴ $x=2$ (∵ x는 실수)

따라서 구하는 넓이는

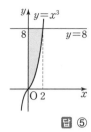

$$\int_0^2 (8-x^3)dx=\left[-\frac{1}{4}x^4+8x\right]_0^2$$
$$=12$$

답 ⑤

013

곡선 $y=-2x^2+3x$와 직선 $y=x$의 교점의 x좌표는

$-2x^2+3x=x$, $2x^2-2x=0$

$2x(x-1)=0$

∴ $x=0$ 또는 $x=1$

따라서 주어진 곡선과 직선으로 둘러싸인 도형의 넓이는

$$\int_0^1 \{(-2x^2+3x)-x\}dx=\int_0^1 (-2x^2+2x)dx$$
$$=\left[-\frac{2}{3}x^3+x^2\right]_0^1$$
$$=\frac{1}{3}$$

이때 $\frac{1}{3}=\frac{q}{p}$이므로 $p=3$, $q=1$

∴ $p+q=3+1=4$

답 4

014

곡선 $y=x^2$과 직선 $y=ax$의 교점의 x좌표는

$x^2=ax$, $x^2-ax=0$, $x(x-a)=0$

∴ $x=0$ 또는 $x=a$

이때 a가 양수이므로 $y=x^2$의 그래프와 직선 $y=ax$는 오른쪽 그림과 같다.

따라서 색칠한 부분의 넓이는

$$\int_0^a (ax-x^2)dx=\left[-\frac{1}{3}x^3+\frac{1}{2}ax^2\right]_0^a$$
$$=\frac{1}{6}a^3$$

이때 $\frac{1}{6}a^3=\frac{9}{2}$이므로 $a^3=27$

∴ $a=3$ (∵ $a>0$)

답 ③

015

곡선 $y=|x^2-1|$과 x축의 교점의 x좌표는

$|x^2-1|=0$, $|(x+1)(x-1)|=0$

∴ $x=-1$ 또는 $x=1$

$y=|x^2-1|$

$$=\begin{cases} x^2-1 & (x\le-1 \text{ 또는 } x\ge1) \\ -x^2+1 & (-1<x<1) \end{cases}$$

이고, 곡선 $y=|x^2-1|$과 직선 $y=3$의 교점의 x좌표는

$x^2-1=3$, $x^2-4=0$

$(x+2)(x-2)=0$

∴ $x=-2$ 또는 $x=2$

따라서 구하는 넓이는

$$\int_{-2}^{-1}\{3-(x^2-1)\}dx+\int_{-1}^{1}\{3-(-x^2+1)\}dx$$
$$+\int_{1}^{2}\{3-(x^2-1)\}dx$$
$$=\int_{-2}^{-1}(-x^2+4)dx+\int_{-1}^{1}(x^2+2)dx+\int_{1}^{2}(-x^2+4)dx$$

↖ y축에 대하여 대칭이므로 서로 같다.

$$=2\int_{0}^{1}(x^2+2)dx+2\int_{1}^{2}(-x^2+4)dx$$
$$=2\left[\frac{1}{3}x^3+2x\right]_0^1+2\left[-\frac{1}{3}x^3+4x\right]_1^2$$
$$=2\times\frac{7}{3}+2\times\frac{5}{3}=8$$

답 ②

016

곡선 $y=x^2+x$와 직선 $y=x+n^2$의 교점의 x좌표는

$x^2+x=x+n^2$

$x^2-n^2=0$

$(x+n)(x-n)=0$

∴ $x=-n$ 또는 $x=n$ ·········· ❶

따라서 도형의 넓이 S_n은

$$S_n=\int_{-n}^{n}\{(x+n^2)-(x^2+x)\}dx$$
$$=2\int_0^n (n^2-x^2)dx$$
$$=2\left[-\frac{1}{3}x^3+n^2x\right]_0^n$$
$$=2\times\frac{2}{3}n^3=\frac{4}{3}n^3$$ ·········· ❷

$$\therefore \sum_{n=1}^{5}S_n=\sum_{n=1}^{5}\frac{4}{3}n^3=\frac{4}{3}\left(\frac{5\times6}{2}\right)^2=300$$ ·········· ❸

답 300

채점 기준	비율
❶ 곡선과 직선의 교점의 x좌표를 구할 수 있다.	20%
❷ S_n을 n에 대한 식으로 정리할 수 있다.	40%
❸ $\sum_{n=1}^{5}S_n$의 값을 구할 수 있다.	40%

풍쌤 개념 CHECK ●

수열의 합_고 수학Ⅰ

$$1^3+2^3+3^3+\cdots+n^3=\sum_{k=1}^{n}k^3=\left\{\frac{n(n+1)}{2}\right\}^2$$

017

두 곡선 $y=x^2-1$과 $y=-x^2+1$의 교점의 x좌표는

$x^2-1=-x^2+1$

$2x^2-2=0$

$2(x+1)(x-1)=0$

∴ $x=-1$ 또는 $x=1$

따라서 구하는 넓이는

$$\int_{-1}^{1}\{(-x^2+1)-(x^2-1)\}dx=\int_{-1}^{1}(-2x^2+2)dx$$
$$=2\int_{0}^{1}(-2x^2+2)dx$$
$$=2\left[-\frac{2}{3}x^3+2x\right]_{0}^{1}$$
$$=2\times\frac{4}{3}=\frac{8}{3}$$

답 $\dfrac{8}{3}$

| 다른 풀이 |

두 곡선 $y=x^2-1$과 $y=-x^2+1$의 교점의 x좌표가 -1, 1이므로 구하는 넓이는

$$\frac{|1-(-1)|}{6}\{1-(-1)\}^3=\frac{2}{6}\times 8=\frac{8}{3}$$

참고

두 포물선 $y=ax^2+bx+c$와 $y=a'x^2+b'x+c'$의 교점의 x좌표가 α, β $(\alpha<\beta)$일 때, 두 포물선으로 둘러싸인 도형의 넓이는

$$\frac{|a-a'|}{6}(\beta-\alpha)^3$$

018

두 곡선 $y=x^3-2x+1$과 $y=-x^2+1$의 교점의 x좌표가
$x=-2$ 또는 $x=0$ 또는 $x=1$
이므로 두 도형 S_1, S_2의 넓이는

$$S_1=\int_{-2}^{0}\{(x^3-2x+1)-(-x^2+1)\}dx$$
$$=\int_{-2}^{0}(x^3+x^2-2x)dx$$
$$=\left[\frac{1}{4}x^4+\frac{1}{3}x^3-x^2\right]_{-2}^{0}=\frac{8}{3}$$

$$S_2=\int_{0}^{1}\{(-x^2+1)-(x^3-2x+1)\}dx$$
$$=\int_{0}^{1}(-x^3-x^2+2x)dx$$
$$=\left[-\frac{1}{4}x^4-\frac{1}{3}x^3+x^2\right]_{0}^{1}=\frac{5}{12}$$

$$\therefore S_1-S_2=\frac{8}{3}-\frac{5}{12}=\frac{9}{4}$$

답 $\dfrac{9}{4}$

019

두 곡선 $y=x^2-4x$와 $y=-x^3+x^2$의 교점의 x좌표는
$-x^3+x^2=x^2-4x$, $x^3-4x=0$
$x(x+2)(x-2)=0$
$\therefore x=-2$ 또는 $x=0$ 또는 $x=2$
따라서 구하는 넓이는

$$\int_{-2}^{2}|(x^2-4x)-(-x^3+x^2)|dx$$
$$=\int_{-2}^{0}\{(x^2-4x)-(-x^3+x^2)\}dx$$
$$\qquad\qquad +\int_{0}^{2}\{(-x^3+x^2)-(x^2-4x)\}dx$$
$$=\int_{-2}^{0}(x^3-4x)dx+\int_{0}^{2}(-x^3+4x)dx$$
$$=\left[\frac{1}{4}x^4-2x^2\right]_{-2}^{0}+\left[-\frac{1}{4}x^4+2x^2\right]_{0}^{2}=4+4=8$$

답 ⑤

020

두 곡선 $y=-x^2+ax+6$과 $y=x^2+bx$가 모두 점 $(-3,\,0)$을 지나므로
$-9-3a+6=0$에서 $3a=-3$ $\quad\therefore a=-1$
$9-3b=0$에서 $3b=9$ $\quad\therefore b=3$
두 곡선 $y=-x^2-x+6$과
$y=x^2+3x$의 교점의 x좌표는
$-x^2-x+6=x^2+3x$
$2x^2+4x-6=0$
$2(x+3)(x-1)=0$
$\therefore x=-3$ 또는 $x=1$
따라서 구하는 넓이는

$$\int_{-3}^{1}\{(-x^2-x+6)-(x^2+3x)\}dx=\int_{-3}^{1}(-2x^2-4x+6)dx$$
$$=\left[-\frac{2}{3}x^3-2x^2+6x\right]_{-3}^{1}$$
$$=\frac{64}{3}$$

답 ②

021

두 곡선 $y=x^2$과 $y=-x^2+2a^2$의 교점의 x좌표는
$x^2=-x^2+2a^2$, $2x^2-2a^2=0$
$2(x+a)(x-a)=0$
$\therefore x=-a$ 또는 $x=a$
주어진 두 곡선으로 둘러싸인 도형의 넓이가 9이므로

$$\int_{-a}^{a}\{(-x^2+2a^2)-x^2\}dx=9$$
$$\int_{-a}^{a}(-2x^2+2a^2)dx=9,\ 2\int_{0}^{a}(-2x^2+2a^2)dx=9$$
$$2\left[-\frac{2}{3}x^3+2a^2x\right]_{0}^{a}=9,\ \frac{8}{3}a^3=9$$
$$a^3=\frac{27}{8}=\left(\frac{3}{2}\right)^3$$
$$\therefore a=\frac{3}{2}\ (\because a>0)$$

답 ③

022

$y=3x^2-6x$에서 $y'=6x-6$
곡선 위의 점 $(2,\,0)$에서의 접선의 기울기는
$6\times 2-6=6$
이므로 접선의 방정식은
$y=6(x-2)$ $\quad\therefore y=6x-12$
곡선 $y=3x^2-6x$와 직선 $y=6x-12$의 교점의 x좌표는
$3x^2-6x=6x-12$, $3x^2-12x+12=0$
$3(x-2)^2=0$
$\therefore x=2$
따라서 구하는 넓이는

$$\int_{0}^{2}\{(3x^2-6x)-(6x-12)\}dx=\int_{0}^{2}(3x^2-12x+12)dx$$
$$=\left[x^3-6x^2+12x\right]_{0}^{2}=8$$

답 ④

023

$y=x^3-3x^2+x$에서 $y'=3x^2-6x+1$

곡선 위의 점 $(2, -2)$에서의 접선의 기울기는

$3\times2^2-6\times2+1=1$

이므로 접선의 방정식은

$y-(-2)=x-2$

$\therefore y=x-4$

곡선 $y=x^3-3x^2+x$와 직선 $y=x-4$

의 교점의 x좌표는

$x^3-3x^2+x=x-4$

$x^3-3x^2+4=0$

$(x+1)(x-2)^2=0$

$\therefore x=-1$ 또는 $x=2$

따라서 구하는 넓이는

$$\int_{-1}^{2}\{(x^3-3x^2+x)-(x-4)\}dx$$

$$=\int_{-1}^{2}(x^3-3x^2+4)dx$$

$$=\left[\frac{1}{4}x^4-x^3+4x\right]_{-1}^{2}=\frac{27}{4}$$

답 $\dfrac{27}{4}$

024

$y=x^3+2x^2-x$에서 $y'=3x^2+4x-1$

접점의 좌표를 (t, t^3+2t^2-t)라고 하면 이 점에서의 접선의 기울기는

$3t^2+4t-1$

이므로 접선의 방정식은

$y-(t^3+2t^2-t)=(3t^2+4t-1)(x-t)$

$\therefore y=(3t^2+4t-1)x-2t^3-2t^2$ ········· ㉠

이 직선이 점 $(0, 8)$을 지나므로

$8=-2t^3-2t^2,\ 2t^3+2t^2+8=0$

$2(t+2)(t^2-t+2)=0$

$\therefore t=-2\ (\because t^2-t+2>0)$

따라서 접선의 방정식은 ㉠에서

$y=3x+8$

곡선 $y=x^3+2x^2-x$와 접선

$y=3x+8$의 교점의 x좌표는

$x^3+2x^2-x=3x+8$

$x^3+2x^2-4x-8=0$

$(x-2)(x+2)^2=0$

$\therefore x=-2$ 또는 $x=2$

따라서 구하는 넓이는

$$\int_{-2}^{2}\{(3x+8)-(x^3+2x^2-x)\}dx$$

$$=\int_{-2}^{2}(-x^3-2x^2+4x+8)dx$$

$$=\left[-\frac{1}{4}x^4-\frac{2}{3}x^3+2x^2+8x\right]_{-2}^{2}$$

$$=\frac{64}{3}$$

답 ③

참고

우함수와 기함수의 정적분을 이용할 수도 있다.

$$\int_{-2}^{2}\{(3x+8)-(x^3+2x^2-x)\}dx$$

$$=\int_{-2}^{2}(-2x^2+8)dx$$

$$=2\int_{0}^{2}(-2x^2+8)dx$$

$$=2\left[-\frac{2}{3}x^3+8x\right]_{0}^{2}$$

$$=2\times\frac{32}{3}=\frac{64}{3}$$

025

$y=x^2-6x+8$에서 $y'=2x-6$

곡선 위의 점 $(2, 0)$에서의 접선의 기울기는

$2\times2-6=-2$

이므로 접선의 방정식은

$y=-2(x-2)$

$\therefore y=-2x+4$

곡선 위의 점 $(4, 0)$에서의 접선의 기울기는

$2\times4-6=2$

이므로 접선의 방정식은

$y=2(x-4)$

$\therefore y=2x-8$

두 직선 $y=-2x+4$와 $y=2x-8$의

교점의 x좌표는

$-2x+4=2x-8$

$4x=12\quad\therefore x=3$

따라서 구하는 넓이는

$$\int_{2}^{3}\{(x^2-6x+8)-(-2x+4)\}dx$$

$x=3$에 대하여 대칭이므로 서로 같다. $\longrightarrow$ $+\displaystyle\int_{3}^{4}\{(x^2-6x+8)-(2x-8)\}dx$

$$=2\int_{2}^{3}(x^2-4x+4)dx$$

$$=2\left[\frac{1}{3}x^3-2x^2+4x\right]_{2}^{3}$$

$$=2\times\frac{1}{3}=\frac{2}{3}$$

답 ⑤

026

$y=ax^2+b$가 점 $(1, 3)$을 지나므로

$a+b=3$ ········· ㉠

─────────────── ❶

$y=ax^2+b$에서 $y'=2ax$

곡선 위의 점 $(1, 3)$에서의 접선의 기울기는

$2a\times1=2a$

이므로 접선의 방정식은

$y-3=2a(x-1)$

$\therefore y=2ax-2a+3$ ─────── ❷

이때 곡선과 접선 및 y축으로 둘러싸인 도형의 넓이가 $\dfrac{1}{3}$이므로

$$\int_{0}^{1}\{(ax^2+b)-(2ax-2a+3)\}dx=\frac{1}{3}$$

$$\int_0^1 (ax^2-2ax+2a+b-3)dx=\frac{1}{3}$$

$$\left[\frac{1}{3}ax^3-ax^2+2ax+bx-3x\right]_0^1=\frac{1}{3}$$

$$\frac{1}{3}a-a+2a+b-3=\frac{1}{3}$$

$$\frac{4}{3}a+b=\frac{10}{3}$$

$$\therefore 4a+3b=10 \qquad\qquad\qquad\qquad \cdots\cdots ㉡$$

㉠, ㉡을 연립하여 풀면

$$a=1,\ b=2 \qquad\qquad\qquad\qquad\qquad\qquad ❸$$

> 답 $a=1,\ b=2$

채점 기준	비율
❶ 곡선이 지나는 점의 좌표를 이용하여 a, b에 대한 식을 세울 수 있다.	20%
❷ 접선의 방정식을 세울 수 있다.	30%
❸ a, b의 값을 구할 수 있다.	50%

027

오른쪽 그림에서 색칠한 두 부분의 넓이가 서로 같으므로

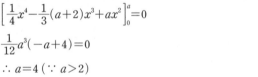

$$\int_0^a x(x-2)(x-a)dx=0$$

$$\int_0^a \{x^3-(a+2)x^2+2ax\}dx=0$$

$$\left[\frac{1}{4}x^4-\frac{1}{3}(a+2)x^3+ax^2\right]_0^a=0$$

$$\frac{1}{12}a^3(-a+4)=0$$

$$\therefore a=4\ (\because a>2)$$

> 답 ④

참고

오른쪽 그림과 같이 곡선 $y=f(x)$와 x축으로 둘러싸인 두 도형의 넓이를 각각 S_1, S_2라고 할 때, $S_1=S_2$이면

$$\int_a^c f(x)dx=0$$

028

색칠한 두 부분의 넓이가 서로 같으므로

$$\int_0^3 \{(-x^2+9)-a\}dx=0$$

$$\int_0^3 (-x^2+9-a)dx=0$$

$$\left[-\frac{1}{3}x^3+9x-ax\right]_0^3=0$$

$$-9+27-3a=0,\ 3a=18$$

$$\therefore a=6$$

> 답 6

참고

오른쪽 그림과 같이 두 곡선 $y=f(x)$와 $y=g(x)$로 둘러싸인 두 도형의 넓이를 각각 S_1, S_2라고 할 때, $S_1=S_2$이면

$$\int_a^c \{f(x)-g(x)\}dx=0$$

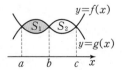

029

색칠한 두 부분의 넓이가 서로 같으므로

$$\int_0^a \{x(a-x)-x^2(a-x)\}dx=0$$

$$\int_0^a \{x^3-(a+1)x^2+ax\}dx=0$$

$$\left[\frac{1}{4}x^4-\frac{1}{3}(a+1)x^3+\frac{1}{2}ax^2\right]_0^a=0$$

$$\frac{1}{4}a^4-\frac{1}{3}(a+1)a^3+\frac{1}{2}a^3=0$$

$$-\frac{1}{12}a^3(a-2)=0$$

$$\therefore a=2\ (\because a>1)$$

> 답 ②

030

두 도형 A, B의 넓이가 서로 같으므로

$$\int_0^a (x^2-x)dx=0$$

$$\left[\frac{1}{3}x^3-\frac{1}{2}x^2\right]_0^a=0$$

$$\frac{1}{3}a^3-\frac{1}{2}a^2=0,\ \frac{1}{3}a^2\left(a-\frac{3}{2}\right)=0$$

$$\therefore a=\frac{3}{2}\ (\because a>1)$$

> 답 $\frac{3}{2}$

031

$$y=x(x-2)+a=x^2-2x+a=(x-1)^2+a-1$$

이므로 이차함수 $y=x(x-2)+a$의 그래프의 축의 방정식은 $x=1$

이때 $S_1+S_3=S_2$이므로

$$S_1=S_3=\frac{1}{2}S_2$$

즉, $\int_0^1 \{x(x-2)+a\}dx=0$이므로

$$\int_0^1 (x^2-2x+a)dx=0$$

$$\left[\frac{1}{3}x^3-x^2+ax\right]_0^1=0$$

$$-\frac{2}{3}+a=0 \qquad \therefore a=\frac{2}{3}$$

> 답 ④

032

$x<0$에서 곡선 $y=x^2$과 직선 $y=k^2$의 교점의 x좌표는

$$x^2=k^2 \qquad \therefore x=-k\ (\because k>0)$$

곡선 $y=x^2$과 직선 $y=k^2$ 및 y축으로 둘러싸인 도형의 넓이는

$$\int_{-k}^0 (k^2-x^2)dx=\left[-\frac{1}{3}x^3+k^2x\right]_{-k}^0$$

$$=-\frac{1}{3}k^3+k^3$$

$$=\frac{2}{3}k^3 \qquad\qquad\qquad \cdots\cdots ㉠$$

$x\geq 0$에서 직선 $y=x$와 직선 $y=k^2$의 교점의 x좌표는

$$x=k^2$$

직선 $y=x$와 직선 $y=k^2$ 및 y축으로 둘러싸인 도형의 넓이는

$$\frac{1}{2}\times k^2\times k^2=\frac{1}{2}k^4 \qquad\qquad \cdots\cdots ㉡$$

$\bigcirc$, $\bigcirc$에서 $\dfrac{2}{3}k^3=\dfrac{1}{2}k^4$이므로 $\dfrac{1}{2}k^3\left(k-\dfrac{4}{3}\right)=0$

$\therefore k=\dfrac{4}{3}\ (\because k>0)$

답 ④

033

곡선 $y=x(6-x)$와 직선 $y=mx$의 교점의 x좌표는

$x(6-x)=mx$

$x^2+(m-6)x=0$

$x(x+m-6)=0$

$\therefore x=0$ 또는 $x=-m+6$

오른쪽 그림에서 색칠한 부분의 넓이는

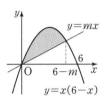

$\displaystyle\int_0^{6-m}\{(-x^2+6x)-mx\}dx$

$\displaystyle=\int_0^{6-m}\{-x^2+(6-m)x\}dx$

$=\left[-\dfrac{1}{3}x^3+\dfrac{1}{2}(6-m)x^2\right]_0^{6-m}$

$=-\dfrac{1}{3}(6-m)^3+\dfrac{1}{2}(6-m)^3$

$=\dfrac{1}{6}(6-m)^3$ ·········· $\bigcirc$

곡선 $y=x(6-x)$와 x축으로 둘러싸인 도형의 넓이는

$\displaystyle\int_0^6 x(6-x)dx=\int_0^6(-x^2+6x)dx$

$\qquad=\left[-\dfrac{1}{3}x^3+3x^2\right]_0^6=36$ ·········· $\bigcirc$

$\bigcirc$, $\bigcirc$에서 $\dfrac{1}{6}(6-m)^3=\dfrac{1}{2}\times36$이므로

$(6-m)^3=108$

답 ③

참고

오른쪽 그림과 같이 곡선 $y=f(x)$와 x축으로 둘러싸인 두 도형의 넓이가 직선 $y=g(x)$에 의하여 이등분되면

$\displaystyle\int_0^a\{f(x)-g(x)\}dx=\dfrac{1}{2}\int_0^b f(x)dx$

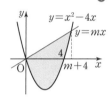

034

곡선 $y=x^2$과 직선 $y=x+2$의 교점의 x좌표는

$x^2=x+2$, $x^2-x-2=0$

$(x+1)(x-2)=0$

$\therefore x=-1$ 또는 $x=2$

오른쪽 그림에서 색칠한 부분의 넓이는

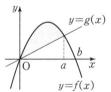

$\displaystyle\int_{-1}^k(x+2-x^2)dx$

$=\left[-\dfrac{1}{3}x^3+\dfrac{1}{2}x^2+2x\right]_{-1}^k$

$=-\dfrac{1}{3}k^3+\dfrac{1}{2}k^2+2k+\dfrac{7}{6}$ ·········· $\bigcirc$

곡선 $y=x^2$과 직선 $y=x+2$로 둘러싸인 도형의 넓이는

$\displaystyle\int_{-1}^2(x+2-x^2)dx=\left[-\dfrac{1}{3}x^3+\dfrac{1}{2}x^2+2x\right]_{-1}^2=\dfrac{9}{2}$ ·········· $\bigcirc$

$\bigcirc$, $\bigcirc$에서

$-\dfrac{1}{3}k^3+\dfrac{1}{2}k^2+2k+\dfrac{7}{6}=\dfrac{1}{2}\times\dfrac{9}{2}$

양변에 -12를 곱하여 식을 정리하면

$4k^3-6k^2-24k+13=0$

$4k^3-2k^2-4k^2-24k+13=0$

$4k^3-2k^2-(4k^2+24k-13)=0$

$2k^2(2k-1)-(2k-1)(2k+13)=0$

$(2k-1)(2k^2-2k-13)=0$

$\therefore k=\dfrac{1}{2}\ (\because 0<k<2)$

답 ②

참고

$2k^2-2k-13=0$에서 $k=\dfrac{1\pm3\sqrt3}{2}$

이때 $\dfrac{1-3\sqrt3}{2}=-2.\times\times\times$, $\dfrac{1+3\sqrt3}{2}=3.\times\times\times$이므로 $0<k<2$를 만족시키지 않는다.

035

곡선 $y=x^2-4x$와 직선 $y=mx$의 교점의 x좌표는

$x^2-4x=mx$

$x^2-(m+4)x=0$

$x(x-m-4)=0$

$\therefore x=0$ 또는 $x=m+4$ ·········· ❶

오른쪽 그림에서 색칠한 부분의 넓이는

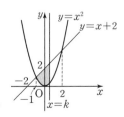

$\displaystyle\int_0^{m+4}\{mx-(x^2-4x)\}dx$

$\displaystyle=\int_0^{m+4}\{-x^2+(m+4)x\}dx$

$=\left[-\dfrac{1}{3}x^3+\dfrac{1}{2}(m+4)x^2\right]_0^{m+4}$

$=-\dfrac{1}{3}(m+4)^3+\dfrac{1}{2}(m+4)^3$

$=\dfrac{1}{6}(m+4)^3$ ·········· $\bigcirc$

·········· ❷

곡선 $y=x^2-4x$와 x축으로 둘러싸인 도형의 넓이는

$\displaystyle\int_0^4\{-(x^2-4x)\}dx=\int_0^4(-x^2+4x)dx$

$\qquad=\left[-\dfrac{1}{3}x^3+2x^2\right]_0^4$

$\qquad=\dfrac{32}{3}$ ·········· $\bigcirc$

$\bigcirc$, $\bigcirc$에서 $\dfrac{1}{2}\times\dfrac{1}{6}(m+4)^3=\dfrac{32}{3}$이므로

$(m+4)^3=128$ ·········· ❸

답 128

채점 기준	비율
❶ 곡선과 직선의 교점의 x좌표를 구할 수 있다.	20%
❷ 곡선과 직선으로 둘러싸인 도형의 넓이를 구할 수 있다.	40%
❸ $(m+4)^3$의 값을 구할 수 있다.	40%

036

두 곡선 $y=a^2x^3$, $y=-\dfrac{1}{a^2}x^3$과 직선 $x=1$로 둘러싸인 도형의 넓이는

$$\int_0^1 \left\{ a^2 x^3 - \left(-\frac{1}{a^2} x^3 \right) \right\} dx = \left(a^2 + \frac{1}{a^2} \right) \int_0^1 x^3 dx$$
$$= \left(a^2 + \frac{1}{a^2} \right) \left[\frac{1}{4} x^4 \right]_0^1$$
$$= \frac{1}{4} \left(a^2 + \frac{1}{a^2} \right)$$

이때 $a^2>0$, $\frac{1}{a^2}>0$이므로 산술평균과 기하평균의 관계에 의하여

$$\frac{1}{4} \left(a^2 + \frac{1}{a^2} \right) \geq \frac{1}{4} \times 2 \sqrt{a^2 \times \frac{1}{a^2}} = \frac{1}{2}$$
$$\left(\text{단, 등호는 } a^2 = \frac{1}{a^2}, \text{ 즉 } a=1 \text{ 또는 } a=-1 \text{일 때 성립한다.} \right)$$

따라서 $a=1$ 또는 $a=-1$일 때 구하는 도형의 넓이의 최솟값은 $\frac{1}{2}$이다.

답 $\frac{1}{2}$

풍쌤 개념 CHECK

산술평균과 기하평균의 관계_高 수학

$a>0$, $b>0$이면

$\frac{a+b}{2} \geq \sqrt{ab}$ (단, 등호는 $a=b$일 때 성립한다.)

037

(1) 곡선 $f(x)=x^2$과 직선 $y=x$의 교점의 x좌표는

$x^2=x$, $x^2-x=0$, $x(x-1)=0$

$\therefore x=0$ 또는 $x=1$

따라서 구하는 도형의 넓이는

$$\int_0^1 \{x-f(x)\}dx = \int_0^1 (x-x^2)dx$$
$$= \left[-\frac{1}{3} x^3 + \frac{1}{2} x^2 \right]_0^1 = \frac{1}{6}$$

(2) 함수 $f(x)$의 역함수가 $g(x)$이므로 두 곡선 $y=f(x)$와 $y=g(x)$는 직선 $y=x$에 대하여 대칭이다. 즉, 두 곡선 $y=f(x)$와 $y=g(x)$로 둘러싸인 도형의 넓이는 곡선 $y=f(x)$와 직선 $y=x$로 둘러싸인 도형의 넓이의 2배이다.

따라서 구하는 넓이는

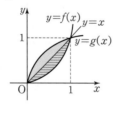

$$\int_0^1 \{g(x)-f(x)\}dx$$
$$= 2\int_0^1 \{x-f(x)\}dx$$
$$= 2 \times \frac{1}{6} = \frac{1}{3}$$

답 (1) $\frac{1}{6}$ (2) $\frac{1}{3}$

038

함수 $f(x)=(x-1)^3+1$의 역함수가 $g(x)$이므로 $y=f(x)$의 그래프와 $y=g(x)$의 그래프는 직선 $y=x$에 대하여 대칭이다.

곡선 $f(x)=(x-1)^3+1$과 직선 $y=x$의 교점의 x좌표는

$(x-1)^3+1=x$, $x^3-3x^2+2x=0$

$x(x-1)(x-2)=0$

$\therefore x=0$ 또는 $x=1$ 또는 $x=2$

이때 두 곡선 $y=f(x)$와 $y=g(x)$로 둘러싸인 도형의 넓이는 곡선

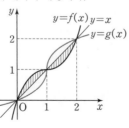

$y=f(x)$와 직선 $y=x$로 둘러싸인 도형의 넓이의 2배이다.

따라서 구하는 도형의 넓이는

$$2\int_0^1 \{f(x)-x\}dx + 2\int_1^2 \{x-f(x)\}dx$$
$$= 2\int_0^1 (x^3-3x^2+2x)dx + 2\int_1^2 (-x^3+3x^2-2x)dx$$
$$= 2 \left[\frac{1}{4} x^4 - x^3 + x^2 \right]_0^1 + 2 \left[-\frac{1}{4} x^4 + x^3 - x^2 \right]_1^2$$
$$= \frac{1}{2} + \frac{1}{2} = 1$$

답 ①

039

함수 $f(x)=3x^2+1$의 역함수가 $g(x)$이므로 $y=f(x)$의 그래프와 $y=g(x)$의 그래프는 직선 $y=x$에 대하여 대칭이다.

즉, 오른쪽 그림에서

$(B$의 넓이$)=(C$의 넓이$)$이므로

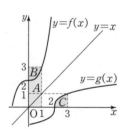

$$\int_1^4 g(x)dx = (C\text{의 넓이}) = (B\text{의 넓이})$$
$$= (A+B\text{의 넓이}) - (A\text{의 넓이})$$
$$= 1 \times 4 - \int_0^1 f(x)dx = 4 - \int_0^1 (3x^2+1)dx$$
$$= 4 - \left[x^3 + x \right]_0^1 = 4 - 2 = 2$$

답 ①

040

함수 $f(x)=x^3+2$의 역함수가 $g(x)$이므로 $y=f(x)$의 그래프와 $y=g(x)$의 그래프는 직선 $y=x$에 대하여 대칭이다.

즉, 오른쪽 그림에서

$(B$의 넓이$)=(C$의 넓이$)$이므로

$$\int_0^1 f(x)dx + \int_2^3 g(x)dx$$
$$= (A\text{의 넓이}) + (C\text{의 넓이})$$
$$= (A\text{의 넓이}) + (B\text{의 넓이})$$
$$= 1 \times 3 = 3$$

답 ③

041

(1) 시각 $t=0$에서의 점 P의 위치가 $x=-3$이므로 시각 $t=2$에서의 점 P의 위치는

$$-3 + \int_0^2 v(t)dt = -3 + \int_0^2 (6-2t)dt$$
$$= -3 + \left[-t^2+6t \right]_0^2 = -3 + 8 = 5$$

(2) $\int_2^4 v(t)dt = \int_2^4 (6-2t)dt = \left[-t^2+6t \right]_2^4 = 8-8 = 0$

(3) $\int_2^4 |v(t)|dt = \int_2^4 |6-2t|dt$
$$= \int_2^3 (6-2t)dt + \int_3^4 (-6+2t)dt$$
$$= \left[-t^2+6t \right]_2^3 + \left[t^2-6t \right]_3^4 = 1+1 = 2$$

답 (1) 5 (2) 0 (3) 2

수직선 위를 움직이는 점 P의 시각 t_0에서의 위치가 x_0이고, 시각 t에서의 속도가 $v(t)$일 때

(1) 시각 t에서의 점 P의 위치 ➡ $x_0 + \int_{t_0}^{t} v(t)dt$

(2) $t=a$에서 $t=b$까지 점 P의 위치의 변화량 ➡ $\int_{a}^{b} v(t)dt$

(3) $t=a$에서 $t=b$까지 점 P가 움직인 거리 ➡ $\int_{a}^{b} |v(t)|dt$

042

(1) 시각 $t=0$에서의 물체의 높이는 $45\,\mathrm{m}$이므로 시각 $t=2$에서의 지면으로부터의 높이는

$$45 + \int_0^2 v(t)dt = 45 + \int_0^2 (40-10t)dt$$
$$= 45 + \left[-5t^2 + 40t \right]_0^2$$
$$= 45 + 60 = 105\,(\mathrm{m})$$

(2) $\int_2^5 |v(t)|dt = \int_2^5 |40-10t|dt$
$$= \int_2^4 (40-10t)dt + \int_4^5 (-40+10t)dt$$
$$= \left[-5t^2 + 40t \right]_2^4 + \left[5t^2 - 40t \right]_4^5$$
$$= 20 + 5 = 25\,(\mathrm{m})$$

(3) 최고 지점에서의 물체의 속도는 $0\,\mathrm{m/s}$이므로
$v(t)=0$에서 $40-10t=0$ ∴ $t=4$
이때의 지면으로부터의 높이는

$$45 + \int_0^4 v(t)dt = 45 + \int_0^4 (40-10t)dt$$
$$= 45 + \left[-5t^2 + 40t \right]_0^4$$
$$= 45 + 80 = 125\,(\mathrm{m})$$

답 (1) 105 m (2) 25 m (3) 125 m

물체가 최고 높이에 도달하면 물체가 운동 방향을 바꾸는 것이므로 이때의 속도는 0이다.

043

자동차가 정지하면 속도가 0이므로
$v(t)=0$에서 $20-4t=0$ ∴ $t=5$
따라서 자동차는 제동을 건 지 5초 후에 정지하므로 정지할 때까지 달린 거리는

$$\int_0^5 v(t)dt = \int_0^5 (20-4t)dt = \left[-2t^2 + 20t \right]_0^5 = 50\,(\mathrm{m})$$

답 ⑤

044

점 P가 움직이는 방향이 바뀔 때의 속도는 0이므로
$v(t)=0$에서 $12-2t=0$ ∴ $t=6$
따라서 좌표가 3인 점에서 출발한 점 P의 $t=6$에서의 위치는

$$3 + \int_0^6 v(t)dt = 3 + \int_0^6 (12-2t)dt = 3 + \left[-t^2 + 12t \right]_0^6$$
$$= 3 + 36 = 39$$

답 ④

045

점 P가 움직이는 방향을 바꿀 때의 속도는 0이므로
$v(t)=0$에서 $3t^2 - 12t = 0$
$3t(t-4) = 0$ ∴ $t=4$ ($\because t>0$)
점 P가 움직이는 방향을 바꾸어 원점으로 돌아올 때의 시각을 $t=a$ ($a>0$)라고 하면 이때의 점 P의 위치는 0이므로

$$\int_0^a v(t)dt = 0 에서 \int_0^a (3t^2 - 12t)dt = 0$$
$$\left[t^3 - 6t^2 \right]_0^a = 0, \ a^3 - 6a^2 = 0$$
$$a^2(a-6) = 0 \quad \therefore a=6 \ (\because a>0)$$

따라서 점 P가 움직이는 방향을 바꾼 후부터 다시 원점으로 돌아오는 데 걸린 시간은
$6-4=2$

답 ②

046

$$\int_0^4 |v(t)|dt = \int_0^4 |-2t+4|dt$$
$$= \int_0^2 (-2t+4)dt + \int_2^4 (2t-4)dt$$
$$= \left[-t^2 + 4t \right]_0^2 + \left[t^2 - 4t \right]_2^4$$
$$= 4 + 4 = 8$$

답 ①

047

점 P가 시각 $t=0$에서 $t=6$까지 움직인 거리는

$$\int_0^6 |v(t)|dt = \int_0^4 (4t-t^2)dt + \int_4^6 (2t-8)dt$$
$$= \left[-\frac{1}{3}t^3 + 2t^2 \right]_0^4 + \left[t^2 - 8t \right]_4^6$$
$$= \frac{32}{3} + 4 = \frac{44}{3}$$

답 ④

048

최고 높이에서의 물체의 속도는 $0\,\mathrm{m/s}$이므로
$v(t)=0$에서 $10-10t=0$ ∴ $t=1$
이때의 지면으로부터의 높이는

$$15 + \int_0^1 v(t)dt = 15 + \int_0^1 (10-10t)dt$$
$$= 15 + \left[-5t^2 + 10t \right]_0^1$$
$$= 15 + 5 = 20\,(\mathrm{m})$$

∴ $p=20$ ············· ❶

물체가 최고 높이에 도달한 후 2초 동안 움직인 거리는

$$\int_1^3 |v(t)|dt = \int_1^3 |-10+10t|dt = \int_1^3 (-10+10t)dt$$
$$= \left[5t^2 - 10t \right]_1^3 = 20\,(\mathrm{m})$$

∴ $q=20$ ············· ❷
∴ $p+q = 20+20 = 40$ ············· ❸

답 40

채점 기준	비율
❶ p의 값을 구할 수 있다.	40%
❷ q의 값을 구할 수 있다.	40%
❸ $p+q$의 값을 구할 수 있다.	20%

참고

시각 t에서의 속도가 $v(t)$이고, $a \le t \le c$일 때 $v(t) \ge 0$, $c \le t \le b$일 때 $v(t) \le 0$인 점 P가 $t=a$에서 $t=b$까지 움직인 거리 (단, $a < c < b$)

$$\Rightarrow \int_a^b |v(t)|dt = \int_a^c v(t)dt + \int_c^b \{-v(t)\}dt$$

049

(1) $\displaystyle\int_0^4 v(t)dt = \frac{1}{2} \times (2+4) \times 2 = 6$

(2) $\displaystyle\int_0^4 |v(t)|dt = \int_0^4 v(t)dt = \frac{1}{2} \times (2+4) \times 2 = 6$

답 (1) 6 (2) 6

050

(1) $\displaystyle\int_0^5 v(t)dt = \int_0^3 v(t)dt + \int_3^5 v(t)dt$

$\qquad = \dfrac{1}{2} \times 3 \times 2 + \dfrac{1}{2} \times (5-3) \times (-2)$

$\qquad = 3 - 2 = 1$

(2) $\displaystyle\int_0^5 |v(t)|dt = \int_0^3 v(t)dt + \int_3^5 \{-v(t)\}dt$

$\qquad = \dfrac{1}{2} \times 3 \times 2 - \left\{ \dfrac{1}{2} \times (5-3) \times (-2) \right\}$

$\qquad = 3 + 2 = 5$

답 (1) 1 (2) 5

051

점 P는 $t=4$일 때 원점으로부터 가장 멀리 떨어져 있으므로 이때의 점 P의 위치는
↳ $t=4$를 기준으로 운동 방향을 바꾼다.

$\displaystyle\int_0^4 v(t)dt = \frac{1}{2} \times 4 \times 6 = 12$

답 ⑤

052

물체가 시각 $t=a$에서 원점을 다시 지난다고 하면

$\displaystyle\int_0^a v(t)dt = 0$이어야 한다.

이때 $\displaystyle\int_0^4 v(t)dt = \int_4^8 v(t)dt$이므로 물체가 다시 원점을 지나는 시각은 $t=8$이다.

답 ⑤

053

점 P가 처음으로 운동 방향을 바꾸는 순간은 $v(t)=0$인 $t=3$일 때이므로 구하는 위치는

$2 + \displaystyle\int_0^3 v(t)dt = 2 + \frac{1}{2} \times 3 \times (-2) = 2 - 3 = -1$

답 ②

01

곡선 $y=-x^2+n^2$과 x축의 교점의 x좌표는

$-x^2+n^2=0$

$-(x+n)(x-n)=0$

$\therefore x=-n$ 또는 $x=n$

따라서 도형의 넓이 $S(n)$은

$S(n) = \displaystyle\int_{-n}^n |-x^2+n^2|dx$

$\qquad = \displaystyle\int_{-n}^n (-x^2+n^2)dx$

$\qquad = 2\displaystyle\int_0^n (-x^2+n^2)dx$

$\qquad = 2\left[-\dfrac{1}{3}x^3 + n^2 x \right]_0^n$

$\qquad = \dfrac{4}{3}n^3$

$\therefore \displaystyle\int_0^{\sqrt 3} S(n)dn = \int_0^{\sqrt 3} \frac{4}{3}n^3 dn$

$\qquad\qquad\qquad = \left[\dfrac{1}{3}n^4 \right]_0^{\sqrt 3} = 3$

답 3

02

$f(x) = \displaystyle\int f'(x)dx = \int (3x^2-3)dx$

$\qquad = x^3 - 3x + C$

함수 $y=f(x)$의 그래프가 점 $(2, 4)$를 지나므로

$f(2)=4$에서

$8 - 6 + C = 4 \qquad \therefore C = 2$

$\therefore f(x) = x^3 - 3x + 2$

함수 $y=f(x)$의 그래프와 x축의 교점의 x좌표는

$x^3 - 3x + 2 = 0$

$(x+2)(x-1)^2 = 0$

$\therefore x = -2$ 또는 $x = 1$

따라서 구하는 넓이는

$\displaystyle\int_{-2}^1 (x^3-3x+2)dx = \left[\frac{1}{4}x^4 - \frac{3}{2}x^2 + 2x \right]_{-2}^1 = \frac{27}{4}$

답 ⑤

03

문제 접근하기

S_1과 S_3을 구한 후 $S_1 + S_2 + S_3 = 1$을 이용하여 S_2의 값을 구한다. 또, S_1, S_2, S_3이 이 순서로 등차수열을 이루는 것을 이용하여 a의 값을 구한다.

$S_1 = \displaystyle\int_0^1 \frac{1}{2}x^2 dx = \left[\frac{1}{6}x^3 \right]_0^1 = \frac{1}{6}$

곡선 $y=ax^2$과 직선 $y=1$의 교점의 x좌표는

$ax^2 = 1$

$\therefore x = \dfrac{1}{\sqrt a} \;\; (\because a > 0, \; x > 0)$

$$\therefore S_3 = 1 \times \frac{1}{\sqrt{a}} - \int_0^{\frac{1}{\sqrt{a}}} ax^2 dx$$

$$= \frac{1}{\sqrt{a}} - \left[\frac{a}{3} x^3 \right]_0^{\frac{1}{\sqrt{a}}}$$

$$= \frac{1}{\sqrt{a}} - \frac{a}{3} \times \frac{1}{a\sqrt{a}}$$

$$= \frac{2}{3\sqrt{a}}$$

이때 $S_1 + S_2 + S_3 = 1$이므로
→ 한 변의 길이가 1인 정사각형의 넓이

$$S_2 = 1 - (S_1 + S_3)$$

$$= 1 - \left(\frac{1}{6} + \frac{2}{3\sqrt{a}} \right)$$

$$= \frac{5}{6} - \frac{2}{3\sqrt{a}}$$

S_1, S_2, S_3이 이 순서로 등차수열을 이루므로

$$2S_2 = S_1 + S_3$$

$$2\left(\frac{5}{6} - \frac{2}{3\sqrt{a}} \right) = \frac{1}{6} + \frac{2}{3\sqrt{a}}$$

$$\frac{2}{\sqrt{a}} = \frac{3}{2}, \ \sqrt{a} = \frac{4}{3}$$

$$\therefore a = \frac{16}{9}$$

답 ①

풍쌤 개념 CHECK ●

등차중항_高 수학I

세 수 a, b, c가 이 순서로 등차수열을 이루면

$$b = \frac{a+c}{2}$$

04

$y = 3x^2 + 1$에서 $y' = 6x$

접점의 좌표를 $(t, 3t^2+1)$이라고 하면 이 점에서의 접선의 기울기는 $6t$이므로 접선의 방정식은

$$y - (3t^2 + 1) = 6t(x - t)$$

$$\therefore y = 6tx - 3t^2 + 1$$

이 접선이 점 $(0, -2)$를 지나므로

$$-2 = -3t^2 + 1$$

$$3t^2 = 3, \ t^2 = 1$$

$$\therefore t = -1 \ 또는 \ t = 1$$

$t = -1$에서의 접선의 방정식은

$$y = -6x - 2$$

$t = 1$에서의 접선의 방정식은

$$y = 6x - 2$$

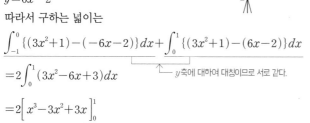

따라서 구하는 넓이는

$$\int_{-1}^0 \{(3x^2+1) - (-6x-2)\} dx + \int_0^1 \{(3x^2+1) - (6x-2)\} dx$$

└ y축에 대하여 대칭이므로 서로 같다.

$$= 2\int_0^1 (3x^2 - 6x + 3) dx$$

$$= 2\left[x^3 - 3x^2 + 3x \right]_0^1$$

$$= 2 \times 1$$

$$= 2$$

답 2

05

이차함수 $y = f(x)$의 그래프와 삼차함수 $y = g(x)$의 그래프가 점 $(1, 0)$에서 접하고, 점 $(3, 0)$에서 만나므로

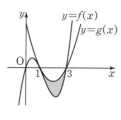

$$g(x) - f(x) = (x-1)^2(x-3)$$

└ $x=1$에서 접한다. └ $x=3$에서 만난다.

$$x^3 - 4x^2 + 3x - f(x)$$

$$= x^3 - 5x^2 + 7x - 3$$

$$\therefore f(x) = x^2 - 4x + 3$$

따라서 구하는 넓이는

$$\int_1^3 \{f(x) - g(x)\} dx = \int_1^3 \{(x^2 - 4x + 3) - (x^3 - 4x^2 + 3x)\} dx$$

$$= \int_1^3 (-x^3 + 5x^2 - 7x + 3) dx$$

$$= \left[-\frac{1}{4}x^4 + \frac{5}{3}x^3 - \frac{7}{2}x^2 + 3x \right]_1^3$$

$$= \frac{4}{3}$$

답 ③

참고

$g(x)$는 최고차항의 계수가 1인 삼차함수이고, $f(x)$는 최고차항의 계수가 1인 이차함수이므로 $g(x) - f(x)$는 최고차항의 계수가 1인 삼차함수이다.

06

곡선 $y = -x^2 + 6x$와 직선 $y = ax$의 교점의 x좌표는

$$-x^2 + 6x = ax$$

$$x^2 + (a-6)x = 0$$

$$x(x + a - 6) = 0$$

$$\therefore x = 0 \ 또는 \ x = -a + 6$$

$$S_1 = \int_0^{-a+6} \{(-x^2 + 6x) - ax\} dx$$

$$= \int_0^{-a+6} \{-x^2 + (-a+6)x\} dx$$

$$= \left[-\frac{1}{3}x^3 + \frac{1}{2}(-a+6)x^2 \right]_0^{-a+6}$$

$$= \frac{1}{6}(-a+6)^3$$

이때 $S_1 = S_2$이므로 $2S_1 = (S_1 + S_2)$

$$S_1 + S_2 = \int_0^6 (-x^2 + 6x) dx$$

$$= \left[-\frac{1}{3}x^3 + 3x^2 \right]_0^6 = 36$$

즉, $2 \times \frac{1}{6}(-a+6)^3 = 36$이므로

$$(-a+6)^3 = 108$$

답 ⑤

07

곡선 $y = f(x)$가 x축과 만나는 점의 x좌표는

$$-x^3 - 3x^2 - 3x + 7 = 0$$

$$-(x-1)(x^2 + 4x + 7) = 0$$

$$\therefore x = 1 \ (\because x^2 + 4x + 7 > 0)$$

따라서 점 $\text{P}(1, 0)$이므로 점 P를 지나고 x축에 수직인 직선은

$$x = 1 \qquad \therefore a = 1$$

이때 $S_1 = S_2$이므로

$$\int_0^1 \{f(x)-b\}dx=0$$

$$\int_0^1 (-x^3-3x^2-3x+7-b)=0$$

$$\left[-\frac{1}{4}x^4-x^3-\frac{3}{2}x^2+7x-bx\right]_0^1=0$$

$$-\frac{1}{4}-1-\frac{3}{2}+7-b=0$$

$$\therefore b=\frac{17}{4}$$

$$\therefore a+4b=1+17=18$$

답 18

08

문제 접근하기

S_1+S_2는 직각삼각형의 넓이를 이용하여 구할 수 있다. 이때 $S_1:S_2=7:5$를 이용하여 S_1을 구한다.

직선 $y=-3x+6$이 x축, y축과 만나는 점의 좌표는 각각

$(2,0)$, $(0,6)$

이므로

$$S_1+S_2=\frac{1}{2}\times 2\times 6=6$$

이때 $S_1:S_2=7:5$이므로

$$S_1=\frac{7}{7+5}\times 6=\frac{7}{2} \qquad \text{⋯⋯⋯ ㉠}$$

오른쪽 그림과 같이 곡선 $y=ax^2$과 직선 $y=-3x+6$이 만나는 교점의 x좌표를 k $(0<k<2)$라고 하면

$$ak^2=-3k+6 \qquad \text{⋯⋯⋯ ㉡}$$

한편, S_1을 정적분을 이용해서 구하면

$$S_1=\int_0^k \{(-3x+6)-ax^2\}dx$$

$$=\int_0^k (-ax^2-3x+6)dx$$

$$=\left[-\frac{1}{3}ax^3-\frac{3}{2}x^2+6x\right]_0^k$$

$$=-\frac{1}{3}ak^3-\frac{3}{2}k^2+6k$$

$$=-\frac{1}{3}k(-3k+6)-\frac{3}{2}k^2+6k \ (\because \text{㉡})$$

$$=-\frac{1}{2}k^2+4k$$

이때 ㉠에 의하여 $-\frac{1}{2}k^2+4k=\frac{7}{2}$이므로

$$k^2-8k+7=0$$

$$(k-1)(k-7)=0$$

$$\therefore k=1 \ (\because 0<k<2)$$

$k=1$을 ㉡에 대입하면

$$a=-3+6=3$$

답 3

09

곡선 $y=a^2x^2$과 직선 $y=1$의 교점의 x좌표는

$$a^2x^2=1, \ x^2=\frac{1}{a^2}$$

$$\therefore x=-\frac{1}{a} \ \text{또는} \ x=\frac{1}{a}$$

곡선 $y=a^2x^2$과 직선 $y=1$로 둘러싸인 도형의 넓이는

$$\int_{-\frac{1}{a}}^{\frac{1}{a}} (1-a^2x^2)dx=2\int_0^{\frac{1}{a}} (1-a^2x^2)dx$$

$$=2\left[-\frac{1}{3}a^2x^3+x\right]_0^{\frac{1}{a}}$$

$$=2\times\frac{2}{3a}$$

$$=\frac{4}{3a} \qquad \text{⋯⋯⋯ ㉠}$$

곡선 $y=x^2$과 직선 $y=1$의 교점의 x좌표는

$$x^2=1 \qquad \therefore x=-1 \ \text{또는} \ x=1$$

곡선 $y=x^2$과 직선 $y=1$로 둘러싸인 도형의 넓이는

$$\int_{-1}^1 (1-x^2)dx=2\int_0^1 (1-x^2)dx$$

$$=2\left[-\frac{1}{3}x^3+x\right]_0^1$$

$$=2\times\frac{2}{3}=\frac{4}{3} \qquad \text{⋯⋯⋯ ㉡}$$

㉠, ㉡에서 $\frac{4}{3a}=\frac{1}{2}\times\frac{4}{3}$이므로

$$a=2$$

답 2

10

두 곡선 $y=-x^4+x$, $y=ax(1-x)$로 둘러싸인 도형의 넓이를 S_1이라고 하면

$$S_1=\int_0^1 \{(-x^4+x)-ax(1-x)\}dx$$

$$=\int_0^1 \{-x^4+ax^2+(1-a)x\}dx$$

$$=\left[-\frac{1}{5}x^5+\frac{a}{3}x^3+\frac{1-a}{2}x^2\right]_0^1$$

$$=\frac{9-5a}{30}$$

두 곡선 $y=-x^4+x$, $y=x^4-x^3$으로 둘러싸인 도형의 넓이를 S_2라고 하면

$$S_2=\int_0^1 \{(-x^4+x)-(x^4-x^3)\}dx$$

$$=\int_0^1 (-2x^4+x^3+x)dx$$

$$=\left[-\frac{2}{5}x^5+\frac{1}{4}x^4+\frac{1}{2}x^2\right]_0^1$$

$$=\frac{7}{20}$$

$S_1=\frac{1}{2}S_2$이므로

$$\frac{9-5a}{30}=\frac{1}{2}\times\frac{7}{20}$$

$$36-20a=21, \ 20a=15$$

$$\therefore a=\frac{3}{4}$$

답 ④

11

곡선 $y=-x^2+2nx$와 직선 $y=nx$의
교점의 x좌표는
$-x^2+2nx=nx$
$x^2-nx=0$
$x(x-n)=0$
$\therefore x=0$ 또는 $x=n$
따라서 오른쪽 그림에서 색칠한 부분
의 넓이 S_n은

$$S_n=\int_0^n\{(-x^2+2nx)-nx\}dx$$

$$=\int_0^n(-x^2+nx)dx$$

$$=\left[-\frac{1}{3}x^3+\frac{1}{2}nx^2\right]_0^n$$

$$=\frac{1}{6}n^3$$

이때 $S_n>36$이므로 $\frac{1}{6}n^3>36$, $n^3>6^3$
$n^3-6^3>0$, $(n-6)(n^2+12n+36)>0$
$\therefore n>6$ ($\because n^2+12n+36\geq0$)
따라서 자연수 n의 최솟값은 7이다.

답 7

12

함수 $f(x)$의 역함수가 $g(x)$이므로 두 곡선 $y=f(x)$와
$y=g(x)$는 직선 $y=x$에 대하여 대칭이다.
함수 $f(x)$의 그래프와 직선 $y=x$의 교점
의 x좌표는 두 곡선 $y=f(x)$, $y=g(x)$
의 교점의 x좌표와 같으므로 1, 5이다.
즉, 함수 $y=f(x)$와 $y=g(x)$의 그래프
로 둘러싸인 도형의 넓이는

$$\int_1^5\{f(x)-g(x)\}dx=2\int_1^5\{f(x)-x\}dx$$

$$=2\left\{\int_1^5 f(x)dx-\int_1^5 x\,dx\right\}$$

$$=30-2\left[\frac{1}{2}x^2\right]_1^5$$

$$=30-24=6$$

답 ④

13

함수 $f(x)=x^3+1$의 역함수가 $g(x)$이
므로 $y=f(x)$의 그래프와 $y=g(x)$의 그
래프는 직선 $y=x$에 대하여 대칭이다.
즉, 오른쪽 그림에서
(B의 넓이)=(C의 넓이)이므로
$$\int_0^2 f(x)dx+\int_1^9 g(x)dx$$
$$=(A의\ 넓이)+(C의\ 넓이)$$
$$=(A의\ 넓이)+(B의\ 넓이)$$
$$=2\times9=18$$

답 18

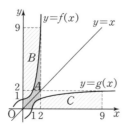

14

함수 $f(x)=ax^2+b$의 역함수가 $g(x)$이므로 $y=f(x)$의 그래프와
$y=g(x)$의 그래프는 직선 $y=x$에 대하여 대칭이다.
두 곡선 $y=f(x)$, $y=g(x)$의 교점의 좌표가 $(1, 1)$, $(2, 2)$이므로
$f(1)=1$에서 $a+b=1$
$f(2)=2$에서 $4a+b=2$
위 두 식을 연립하여 풀면
$a=\frac{1}{3}$, $b=\frac{2}{3}$
$\therefore f(x)=\frac{1}{3}x^2+\frac{2}{3}$
두 부분의 넓이 A, B는 각각 곡선 $y=f(x)$와 직선 $y=x$로 둘러
싸인 부분의 넓이의 2배이므로

$$A-B=2\int_0^1\{f(x)-x\}dx-2\int_1^2\{x-f(x)\}dx$$

$$=2\int_0^1\{f(x)-x\}dx+2\int_1^2\{f(x)-x\}dx$$

$$=2\int_0^2\{f(x)-x\}dx=2\int_0^2\left\{\left(\frac{1}{3}x^2+\frac{2}{3}\right)-x\right\}dx$$

$$=2\left[\frac{1}{9}x^3-\frac{1}{2}x^2+\frac{2}{3}x\right]_0^2$$

$$=2\times\frac{2}{9}=\frac{4}{9}$$

답 ④

15

시각 $t=a$에서 점 P의 위치를 P(a)라고 하면

$$P(a)=\int_0^a(3t^2+6t-6)dt$$

$$=\left[t^3+3t^2-6t\right]_0^a$$

$$=a^3+3a^2-6a$$

시각 $t=a$에서 점 Q의 위치를 Q(a)라고 하면

$$Q(a)=\int_0^a(10t-6)dt$$

$$=\left[5t^2-6t\right]_0^a$$

$$=5a^2-6a$$

두 점 P, Q가 출발 후 $t=a$에서 다시 만나면
P(a)=Q(a)이므로
$a^3+3a^2-6a=5a^2-6a$
$a^3-2a^2=0$, $a^2(a-2)=0$
$\therefore a=2$ ($\because a>0$)

답 ③

16

점 P가 움직이는 방향을 바꾸어 원점으로 돌아오는 시각은 $t=6$이
고, 이때의 점 P의 위치는 0이므로

$$\int_0^6 v(t)dt = 0$$

$$\int_0^3 (-t^2)dt + \int_3^6 \{a(t-3)-9\}dt = 0$$

$$\left[-\frac{1}{3}t^3\right]_0^3 + \left[\frac{1}{2}at^2 - 3at - 9t\right]_3^6 = 0$$

$$-9 + \left(\frac{9}{2}a - 27\right) = 0$$

$$\frac{9}{2}a = 36$$

$$\therefore a = 8$$

답 8

17

ㄱ. 시각 $t=4$의 좌우에서 속도는 모두 양이고, 시각 $t=6$의 좌우에서 처음으로 속도가 양에서 음으로 바뀌므로 점 P가 처음으로 운동 방향이 바뀌는 것은 시각 $t=6$일 때이다. (거짓)

ㄴ. 점 P가 처음 출발할 때의 위치는 원점인 0이고, 시각 $t=6$에서의 점 P의 위치는

$$0 + \int_0^6 v(t)dt = \frac{1}{2} \times (2+6) \times 2 = 8$$

이므로 원점에 있지 않다.

즉, 처음 출발한 위치에 있지 않다. (거짓)

ㄷ. 점 P가 시각 $t=0$에서 시각 $t=9$까지 실제로 움직인 거리는

$$\int_0^9 |v(t)|dt = \int_0^6 v(t)dt + \int_6^9 \{-v(t)\}dt$$
$$= \frac{1}{2} \times (2+6) \times 2 + \frac{1}{2} \times (3+1) \times 2$$
$$= 8 + 4 = 12 \text{ (참)}$$

따라서 옳은 것은 ㄷ이다.

답 ②

18

원점을 출발한 점 P의 시각 $t=6$에서의 위치가 4이므로

$$\int_0^6 v(t)dt = 4$$

$$\int_0^4 v(t)dt + \int_4^6 v(t)dt = 4$$

$$6 + \int_4^6 v(t)dt = 4$$

$$\therefore \int_4^6 v(t)dt = -2$$

따라서 시각 $t=6$에서 시각 $t=8$까지 점 P가 움직인 거리는

$$\int_6^8 |v(t)|dt = \int_4^8 |v(t)|dt - \int_4^6 |v(t)|dt = 6 - 2 = 4$$

답 4

대표 유형 중심의
실력을 높이는 **유형 연습서**

풍산자
라이트유형

풍산자 장학생 선발

지학사

지학사에서는 학생 여러분의 꿈을 응원하기 위해
2007년부터 매년 풍산자 장학생을 선발하고 있습니다.
풍산자로 공부한 학생이라면 누.구.나 도전해 보세요.

**총 장학금
1,200만 원**

선발 대상

풍산자 수학 시리즈로 공부한 전국의 중·고등학생 중 성적 향상 및 우수자

조금만 노력하면 누구나 지원 가능!	수학 성적이 잘 나왔다면?
성적 향상 장학생(10명)	**성적 우수 장학생(10명)**
중학 ┃ 수학 점수가 10점 이상 향상된 학생	**중학** ┃ 수학 점수가 90점 이상인 학생
고등 ┃ 수학 내신 성적이 한 등급 이상 향상된 학생	**고등** ┃ 수학 내신 성적이 2등급 이상인 학생

혜택

장학금 30만원 및 장학 증서
*장학금 및 장학 증서는 각 학교로 전달합니다.

신청자 전원 '**풍산자 시리즈**'
교재 중 1권 제공

모집 일정

매년 2월, 8월(총 2회)
*공식 홈페이지 및 SNS를 통해 소식을 받으실 수 있습니다.

장학 수기)

"풍산자와 기적의 상승곡선 5 ➡ 1등급!" _이○원(해송고)
"수학 A로 가는 모험의 필수 아이템!" _김○은(지도중)
"수학 66점에서 100점으로 향상하다!" _구○경(한영중)

장학 수기
더 보러 가기

풍산자 **서포터즈**

풍산자 시리즈로
공부하고 싶은 학생들 모두 주목!
매년 2월과 8월에
서포터즈를 모집합니다.
리뷰 작성 및 SNS 홍보 활동을 통해
공부 실력 향상은 물론,
문화 상품권과 미션 선물을
받을 수 있어요!

자세한 내용은 풍산자 홈페이지(www.
pungsanja.com)를 통해 확인해 주세요.

풍산자 속 모든 수학 개념,
풍쌤으로 가볍게 공부해봐!

초등학교 3학년 '분수'부터 고등학교 '기하'까지 10년간 배우는 수학의
모든 개념을 하나의 앱으로! 풍산자 기본 개념서 21책 속 831개의
개념 정리를 **풍쌤APP**에서 만나보세요.

학년별 풍쌤 추천 개념부터 친구들에게 인기 있는 개념까지!

☑ **내가 선택한 학년과 교재에 따른 맞춤형 홈 화면**

정확한 공식 이름이 생각나지 않아도 괜찮아!

☑ **주요 키워드만으로도 빠르고 확실한 개념 검색**

자주 헷갈리는 파트, 그때마다 번번이 검색하기 귀찮지?

☑ **나만의 공간, 북마크에 저장**

친구와 톡 중에 개념을 전달하고 싶을때!

☑ **공유하기 버튼 하나로, 세상 쉬운 개념 공유**

개념 이해를 돕기 위한 동영상 탑재

☑ **수학 개념 유튜브 강의 연동**

▶ **지금 다운로드하기**

안드로이드용 QR

아이폰용 QR

지학사